대통령 노무현의 4년

대통령 노무현의 4년

서민과 함께한 이 시대의 바보
대통령 노무현

편집부 엮음

더휴먼

차례

대통령 4년의 기록

2006. 2 ~ 2007. 1

2월

3월

6월

9월

11월

대통령
4년의 기록

2006. 2 ~ 2007. 1

2월

장애인 고용 모범기업 격려 서신

2006년 2월 6일

임직원 여러분, 안녕하십니까, 얼마 전 공기업의 장애인 고용실적을 보고받으면서 귀사를 비롯한 몇몇 민간기업의 모범사례를 듣게 되었습니다.

어려운 여건에서도 더불어 사는 것의 소중함을 일깨워 주고 계신 여러분께 깊은 감사와 치하의 말씀을 드립니다. 아울러 더 많은 기업들이 더 많은 장애인을 고용했으면 하는 마음에서 이 편지를 씁니다.

어떻습니까, 우리 장애인 근로자들. 책임감 있고 성실하지 않습니까, 역량과 자세 여러 면에서 모범이 되는 분들이 참 많습니다. 몸이 좀 불편하다는 것이 결코 채용에 있어서 판단기준이 될 수 없음을 잘 보여주고 있는 것입니다. 다행히 최근 장애인 고용이 꾸준히 늘고 있습니다. 2004년 처음으로 정부부문에서 의무고용비율 2%를 달성했습니다. 장애인 고용의무제 시행 14년 만의 일입니다. 공기업과 민간부문에서도 의무비율을 넘는 기업들이 많아지고 있습니다. 그러나 아직 크게 부족합니다. 무엇보다 고용효과가 큰 민간부문의 역할이 중요합니다. 장애인에게 일할 기회를 제공하는 것이 기업에도 이익이 된다는 것을 보여주는 좋은 모델을 많이 만들어 주시기 바랍니다. 이를 통해 현재 1.3% 수준인 고용비율을 빠른 시일 내에 2% 이상으로 끌어올려야 하겠습니다.

정부도 최선을 다하겠습니다. 장애인을 고용하는 기업에 대해 다양한 지원을 제공하고, 공공기관 평가에서 장애인 고용실적을 더욱 비중 있게 반영해 나갈 것입니다. 장애인이 차별받지 않는 사회가 건강한 사회입니다. 일자리야말로 장애인들에게 가장 큰 희망의 선물입니다. 장애인 고용을 적극적으로 실천해 주신 여러분께 거듭 감사드리며, 올 한 해 여러분의 가정에 좋은 일만 가득하기를 기원합니다.

복 많이 받으십시오.

칼람 인도 대통령을 위한 만찬사

2006년 2월 7일

존경하는 압둘 칼람 대통령 각하, 그리고 내외 귀빈 여러분,

오늘 저녁 인도 국가원수로는 처음 방한하신 대통령 각하를 모시게 되어 매우 기쁩니다. 온 국민과 더불어 각하와 일행 여러분을 환영합니다. 저는 지금도 재작년 인도 방문의 감동이 생생합니다. 인류문명을 이끌어 온 인도가 다시 한번 세계의 중심으로 부상하고 있다는 것을 피부로 느낄 수 있었습니다. 인도가 금세기 중반에는 세계 3대 경제대국이 될 것이라는 예측은 더 이상 새로운 이야기가 아닙니다. 지난달 '다보스 포럼'에서도 참가자들은 인도와 중국이 세계 경제의 판도를 바꾸고 있다고 입을 모았습니다.

인도는 이미 세계 최고 수준의 과학기술과 지식기반사업을 토대로 연간 7%가 넘는 고도성장을 지속하고 있습니다. 국제사회에서도 지도

국가로서의 위상을 한층 높여 가고 있습니다. 각하께서 큰 관심을 갖고 계신 과학기술과 인재 육성, 그리고 소외계층 지원은 이러한 인도 발전의 원동력이 되고 있다고 생각합니다. 1년 전에는 각하의 자서전「불의 날개」가 우리 나라에서 출간되기도 했습니다. '강한 인도, 부국 인도'를 만들어 가고 있는 인도 국민의 저력과 각하의 통찰력에 깊은 존경을 표합니다.

대통령 각하,

저의 인도 방문에 이은 각하의 이번 방한은 양국관계를 더욱 활성화하는 전기가 될 것입니다. 특히 이번에 '포괄적 경제동반자 협정(CEPA)'의 협상 개시를 선언한 것은 그 의미가 매우 큽니다. 최근 빠르게 늘고 있는 양국 간 교역을 오는 2008년까지 100억 달러 규모로 확대하는 데 기여하게 될 것입니다. 또한 오늘 개정된 '과학기술협력협정'도 양국 간 협력을 한층 강화하는 토대가 될 것입니다.

두 나라 간 인적 교류가 지난해 7만 명을 넘어섰습니다. 지금 서울에서 열리고 있는 '인도불교미술전'과 같은 문화 교류와 올해부터 본격 추진될 청소년 교류 사업도 이러한 우호친선 관계를 더욱 증진시키게 될 것입니다. 나아가 우리 두 나라는 EAS(동아시아정상회의), ARF(아세안지역안보포럼), 유엔과 같은 국제무대에서도 더욱 긴밀히 협력해서 명실상부한 동반자 관계로 발전해 갈 것입니다.

내외 귀빈 여러분,

일찍 인도의 시성 타고르는 우리나라를 '동방의 등불'에 비유하며 우리에게 큰 힘을 주었습니다. 이제 인도야말로 세계를 비추는 동방의 등불이 될 것으로 믿습니다.

 대통령 각하의 건강과 인도의 무궁한 발전, 그리고 우리 양국의 영원한 우의를 위한 축배를 들어 주시기 바랍니다.

해인사 비로자나불 복장의식법회
국태민안 발원문

2006년 2월 7일

자비광명으로 중생의 앞길을 밝혀 주시는 비로자나 부처님,

부처님께서는 출가와 고행을 통해 큰 깨달음을 얻으시고, 생명존중과 화합, 상생의 정신을 가르쳐 주셨습니다. 부처님의 가르침은 우리 민족의 유구한 역사 속에서 찬란한 문화를 꽃피워냈고, 나라가 어려울 때마다 국민의 뜻을 하나로 모아 국난을 극복하는 원동력이 되었습니다. 지금 우리는 역사상 국력이 가장 융성한 시대를 맞고 있습니다. 세계 10위의 경제와 모범적인 민주주의를 이룩하고 세계의 평화와 번영에 기여하는 나라로 우뚝 섰습니다. 이 모두가 부처님의 높으신 공덕과 우리 국민의 저력 덕분입니다.

대자대비하신 부처님,

이제 개혁과 통합을 통해 묵은 과제를 극복하고 우리 후손들에게

부끄럽지 않은 자랑스런 선진한국을 만들어 나가고자 합니다. 원칙과 상식이 통하고 특권과 차별이 발붙이지 못하는 투명하고 공정한 사회를 만들어 가겠습니다. 대결과 배제가 아니라 공존하고 협력하는 문화, 독선이 아니라 상대를 존중하고 다른 주장과도 합의를 이뤄내는 관용의 문화가 정착되기를 발원합니다. 과학기술 혁신과 인재 양성, 시장 개혁을 통해 경제가 지속적으로 성장하고, 특히 서민과 중산층의 생활이 한층 더 나아지게 되기를 바랍니다.

중앙과 지방, 도시와 농촌, 노와 사, 대기업과 중소기업이 함께 발전하도록 하겠습니다. 상생과 연대, 양보와 타협의 실천으로 더불어 잘사는 나라가 되기를 발원합니다.

남북이 서로 협력하는 가운데 평화와 공동번영의 길로 나아가야 합니다. 우리를 지킬 만한 넉넉한 힘을 가지고 우리의 운명을 스스로 개척하면서 세계 속에 당당한 대한민국을 만들겠습니다.

부처님의 광명으로 우리의 앞길을 밝혀 주옵소서!

나무비로자나불, 나무석가모니불, 나무시아본사 석가모니불.

대한민국 혁신포럼 2006 축사

2006년 2월 15일

존경하는 강신호 회장님, 신상님 사장님을 비롯한 다섯 분의 공동 위원장님, 그리고 내외 귀빈 여러분,

대한민국 혁신포럼을 진심으로 축하드립니다. 경제계, 과학기술계, 문화계, 시민단체, 그리고 공공부문의 혁신 리더들이 모두 한자리에 모인 것은 매우 뜻깊은 일이 아닐 수 없습니다. 이번 포럼이 혁신에 대한 국민적 공감대를 확신시키고, 대한민국을 한 단계 업그레이드하는 소중한 계기가 될 것으로 믿습니다.

내외 귀빈 여러분,

세상이 변화하고 있습니다. 변화하지 않으면 앞서갈 수 없습니다. 변화하지 않으면 살아남기도 어려울 만큼 변화의 속도가 빨라지고 있습니다.

전략은 혁신입니다. 핵심적인 동력도 바로 혁신입니다. 정치, 경제, 사회, 문화 모든 영역에서 기업, 정부, 정당, 사회조직 모두가 혁신해야 합니다. 개인도 혁신해야 합니다. 조직이든 개인이든 혁신하지 않으면 낙오합니다. 혼자 낙오하는 것이 아니라 국가와 사회의 짐이 되어 우리 모두를 낙오하게 만들 것입니다. 생각을 바꾸어야 합니다. 낡은 생각을 버려야 합니다. 깊이 생각하여 크게, 그리고 멀리 내다보고 책임 있게 행동해야 합니다. 변화의 흐름을 앞서서 파악하고, 원인과 의미를 알아내고, 대안을 찾아내고, 그리고 실천해야 합니다.

혁신의 중심에는 학습이 있습니다. 혁신에 성공한 조직에는 언제나 왕성한 학습이 있습니다. 세계 일류로 인정받는 우리 기업이나 관세청, 특허청과 같은 공공 부문의 모범사례를 보면 혁신하는 습관이 조직문화로 정착되어 있습니다.

학습은 함께하는 것입니다. 학습을 통해 서로 배우고 성공의 결과를 나누어 자기면서 경쟁하고 성장하는 것입니다. 그렇게 하기 위해 여러분은 이 자리에 함께 모인 것입니다. 경쟁을 통해 성장하고 협력을 통해 더 큰 경쟁에서 성공할 수 있는 역량을 기르는 것입니다.

중요한 것은 리더의 역할입니다. 지도자의 강한 의지와 전략적 관리역량 없이 혁신에 성공하는 조직은 없습니다. 그런 점에서 이 자리에 계신 여러분에게 거는 기대가 큽니다. 혁신에 대한 열정과 노력으로 여러분이 속한 조직은 물론, 대한민국의 새로운 변화를 만드는 데 큰 역할을 해 주실 것을 당부드립니다.

내외 귀빈 여러분,

정부도 혁신을 최우선 국가전략으로 추진하고 있습니다. 저와 국무위원들이 강한 의지를 가지고 혁신에 나서고 있습니다. 공무원들도 혁신의 대상이 아니라 주체로서 적극적으로 동참하고 있습니다. 최근 정부기관 평가를 보면 혁신 노력이 조직문화로 확산되고 있는 부처가 전체의 81%에 이르고 있습니다.

또한 참여정부의 혁신은 로드맵에 따라 지속적이고 일관성 있게 추진되고 있습니다. 혁신의 범위도 보고서 쓰는 방법에서부터 각종 시스템 구축까지 그야말로 미치지 않는 분야가 없습니다. 겉만 대충 손질하는 것이 아니라 문제의 뿌리를 찾고 대안을 모색하고 있습니다. '지속적이고 광범위하며 근본적인 혁신.' 이것이 바로 참여정부의 혁신입니다. 지난 3년간 적지 않은 변화가 이루어지고 있습니다. 정책의 수요와 환경을 보다 깊이 분석해서 정책의 품질을 높이고 예산을 절약하고 효율성을 높이는 노력을 꾸준히 해 나가고 있습니다.

이를 위해 품질관리, 성과관리, 톱다운 예산편성 등 많은 시스템을 새롭게 만들고, 결과를 평가해서 이를 조직과 개인의 상벌과 인사로 연계하는 평가체계도 구축하고 있습니다. 공무원 인사에 고위공무원단과 같은 경쟁제도를 도입하고 통계, 기록관리를 비롯한 기본적인 행정 인프라도 선진국 수준으로 갖추어 가고 있습니다. 행정 시스템을 근본적으로 혁신하고 있습니다. 전자정부 수준은 UN 평가에서 2년 연속 세계 5위에 올랐습니다. 특히 조달,통관,홈택스 시스템은 많은 나라들의 주목을 받고 있습니다. 청와대도 일하는 방법을 꾸준히 혁신하고 있습니다. 그 결과 조직 전체의 효율이 향상되고 있습니다. 우선 대통령인 제 자신의 시간관리에 여유가 생기고 그에 따라 멀리 내다보며 중요한 일을 보다 깊이 생각하고 공부할 수 있게 되었습니다. 시간의 가치를 높이고 있는 것입니다.

지난해부터는 혁신의 분위기를 지자체와 공공부문 전체로 확산시키고 있습니다. 이런 일선 조직의 혁신이 가시화되면 달라진 행정 서비스의 질을 국민 여러분이 직접 느낄 수 있을 것입니다. 정부혁신의 목표 수준은 민간에서 정부의 혁신을 배우러 올 정도로, 그리고 선진국에서도 벤치마킹하는 수준이 되도록 하는 것입니다. 그렇게 될 수 있도록 열심히 하겠습니다.

내외 귀빈 여러분,

혁신에 있어서 저와 여러분은 동반자입니다. 같은 길을 함께 가는 친구만큼 큰 힘이 되는 것은 없습니다. 서로 격려하며 힘차게 달려나가면 우리 모두 성공의 보람을 얻게 될 것입니다. 함께 힘을 모아 '세계 10위권의 선진혁신국가'를 만들어 나갑시다. 경제와 민주주의에서의 기적을 혁신의 기적으로 이어갑시다. 이번 포럼의 큰 성공과 여러분 모두의 건승을 기원합니다.

감사합니다.

열린우리당 전국대의원대회 축하 메시지

2006년 2월 18일

당원 동지 여러분, 안녕하십니까,

열린우리당 전국대의원대회를 진심으로 축하드립니다. 여러분 모두 수고하셨습니다. 정말 잘하고 계십니다. 후보들은 공정한 토론을 통해 뜨겁게 경쟁했습니다. 대의원 여러분은 자발적인 선거관리와 열띤 참여로 당의 결속력을 높여 주셨습니다. 민주정당의 훌륭한 전통을 만들어 가고 있는 여러분께 치하와 격려의 박수를 보냅니다.

열린우리당이 어떤 정당입니까, 민주주의를 위해 헌신해 온 사람들이 모인 정당입니다. 개혁과 국민통합을 위해 자기희생을 결단한 사람들이 만든 정당입니다. 중산층과 서민을 위해 탄생한 정당입니다. 여러분은 그 창당정신을 충실히 실천해 왔습니다. 당장 손해를 보더라도 멀리 내다보면서 원칙을 지켜 가고 있습니다. 당사가 압수수색을 당하는, 전에 없던 일까지도 감내하면서 모범을 보이기 위해 노력하고 있습니다.

우리 사회의 투명성과 합리성이 몰라보게 높아졌습니다. 유착과 특권, 뒷거래가 사라지고 있습니다. 권력기관도 이제 국민을 위한 기관으로 돌아왔습니다. 경제도 한층 체질이 강화되고 있습니다. 이 모두가 우리 국민의 노력과 여러분의 헌신 덕분입니다. 이제 책임 있게 생각하고 책임 있게 행동하는 성숙한 사회로 나아가야 합니다. 오늘을 계기로 우리는 또 한번 변화해야 합니다. 아직도 낡은 생각이 남아 있다면 과감히 버립시다. 서로를 존중하면서 대화와 타협의 문화를 만들어 나가야 합니다. 개인이나 정파보다는 당을, 당보다는 국민을 먼저 생각해야 합니다.

다시 한번 다짐합시다. 전국을 대표하는 통합정당, 미래를 준비하는 정책정당, 정정당당하게 승부하는 열린우리당이 됩시다. 책임 있는 정당, 성숙한 정치의 새 지평을 열어 갑시다.

전국대의원대회를 거듭 축하드리며, 여러분 모두의 건승을 기원합니다.

취임 3주년을 맞아 국민 여러분께 드리는 편지

2006년 2월 26일

국민 여러분, 안녕하십니까,

청와대에서도 성큼성큼 다가오는 봄기운이 느껴지고 있습니다. 국민 여러분께서도 모두 봄기운이 느껴지시지요. 시간이 되면 어김없이 바뀌고 찾아오는 계절이지만 올해는 특별하고 남다른 감회에 젖습니다 제가 국정을 맡아 온 지도 이제 3년이 되었습니다. 지난 3년의 크고 작은 일들이 빛바랜 흑백영화처럼 지나갑니다. 벌써 3년이 되었나 하는 분들도 계실테지만, 아직도 2년이나 남았나 하는 분들이 더 계시지 않을까 혼자 생각해 봅니다.

지난 3년 저로서는 나름대로 분명한 국정원칙을 가지고 최선을 다했다고 생각하지만, 대다수 국민들이 저와 참여정부에 불만과 반대를 많이 가지고 있다는 것도 잘 알고 있습니다. 매달 저에게는 여론조사비서관이 국민 여론조사 결과를 보고합니다. 저와 정부에 대한 지지도와 함께 국민의 바람과 불만의 소리가 여과 없이 기록돼 있습니다. 집권 초부터 국민들의 가장 큰 바람은 경제 문제였고, 불만은 대통령이 민생문제로 고통받는 서민의 심정을 제대로 헤아리지 못한다는 것이었습니다.

저 역시 고통스러운 일이었습니다. '백성들이 배부르고 등 따뜻하게 하는 것'이 정치의 첫 번째 과제라는 사실은 저도 잘 알고 있는 일입니다. 많은 분들로부터 '경제만 풀리면 대통령 지지도는 걱정할 것 없고 성공한 대통령이 될 것이니 경제에 전념하라.'는 조언을 듣기도 했습니다. 불황을 타개할 긴급처방을 하라는 충고들이었습니다. 언론이나 정치권 역시 경제위기, 파탄지경인 민생을 극복하기 위해 근본대책을 세우라고 다그쳤습니다.

저 역시 심각한 불황국면을 지켜보면서 속이 탔습니다. 청와대 정책참모들과 경제장관들에게 '어려울 때일수록 원칙을 지킵시다. 경제는 경제논리로 풀어야 합니다. 여론이 경제를 살리지는 않습니다. 중장기적인 체질 강화가 필요합니다. 단방약보다는 보약을 쓸 때입니다.'라고 누누이 강조했지만, 불안한 마음을 지울 수는 없었습니다.

되돌아보면 2003년은 IMF(국제통화기금) 위기 직전과 같은 경제의 불안과 불확실성이 뒤엉킨 한 해였습니다. 이미 2002년 후반기부터 증폭된 북핵 위기가 최고조에 달하면서 우리의 해외조달 자금의 가산금리가 197bp까지 치솟았습니다. 사실상 우리 금융기관들의 해외차입이 중단 직전까지 몰렸습니다. 여기에 SK글로벌 사건이 터졌고, 90조 원에 달하는 카드채 위기까지 잠복돼 있었습니다. 가계대출과 신용카드 연체에 따른 신용대란으로 신용불량자가 어떤 달에는 20~30만 명씩 늘어나고 있었습니다. 뿐만 아니라 2001년부터 여관, 모텔, 사우나, 주택자금으로 대거 몰렸던 은행대출이 경기침체와 함께 만기일이 한꺼번에 다가오면서 또 다른 금융위기를 예고하고 있었습니다.

하지만 내놓고 말을 할 수 없는 노릇이었습니다. 위기의 진상을 말하는 순간 우리 경제는 다시 1997년 상황을 뛰어넘는 엄청난 국면에 휩쓸릴 수밖에 없었습니다. 설상가상으로 대선자금 수사까지 겹쳐 감내하기 힘든 정치적 고통이 계속 되었습니다. 날마다 참모들과 경제위기 타개 방안을 논의하면서도 너무나 무거운 짐에 가위눌린 것 같은 심정이었습니다. 때로는 제 운명에 절망한 적도 있었습니다. 2004년 탄핵 때는 차라리 제 정치적 운명이 거두어지기를 바랐던 것이 솔직한 심경이었습니다.

지금 생각해 보면 한 고비 한 고비 어떻게 극복했는지 꿈만 같기도 합니다. 국민 여러분께서 함께 노력하고 도와주신 덕에 북핵위기, 카드채 문제도 하나하나 해소되었고, 이제는 국제사회의 '코리안 리스크'도 사라지고, 신용불량자도 거의 정상수준으로 회복되었습니다. 금융기관의 목을 조르던 가계대출 문제도 정상화 되었습니다. 소비를 짓누르던 가계 부채가 해소되고 모든 경제위기의 시발점인 금융 시스템의 안정이 이루어진 셈입니다. 결국 국민 여러분의 힘이었습니다. 언제나 그랬듯이 국민 여러분이 다시 나라를 일으켜 세우신 것입니다. 북핵위기와 경제위기 국면을 타개했다는 자신감과 우리 경제의 안정적 전망이 서기 시작한 2005년 초부터 저는 새로운 모색에 들어갔습니다. '동반성장'과 '선진한국'이라는 두 가지 명제였습니다.

북핵위기와 경제위기, 그리고 정치적 위기라는 세 가지 위기 국면을 넘겨놓고 보니 우리 사회에 내재된 본질적 문제들이 눈에 들어왔습니다. 2005년 첫 수석,보좌관 회의를 주재하면서 바로 '동반성장'과 '선진한국'으로 가기 위한 전략을 만들 것을 참모들에게 주문했습니다. 그리고 참모들로부터 올라온 갖가지 보고서를 살펴보았습니다.

수출산업과 내수산업, 첨단 대기업과 전통 중소기업, 수도권과 지방, 대기업 노동자와 중소기업 노동자, 정규직과 비정규직, 전문 고소득 자영업과 영세 자영업 등 경제적 측면에서의 양극화뿐만 아니라 이러한 경제적 양극화가 교육기회의 양극화, 사회재생력의 양극화, 문화적 양극화로 이어지는 심각한 악순환 구조를 드러내고 있었습니다.

분명한 것은 이 양극화 현상을 해소하지 않고는 지속적인 성장을 이루기도 어렵고, 국민소득 3만 달러 시대가 되어도 국민 전체의 삶의 질은 결코 행복해질 수 없다는 것입니다. 대다수 국민들에게 국민소득 3만 달러가 딴 나라 이야기가 된다면 그것은 소외와 갈등, 절망을 불러올 뿐입니다. 대한민국이라는 통합의 공동체마저 위협받을 수 있다는 것입니다. 경제, 사회적 양극화 현상은 1990년대 들어 세계화, 개방화, 정보화 추세 속에서 정도의 차이는 있지만 선진국들의 일반적 현상인 것은 사실입니다. 최근 일본에서도 양극화가 심각하다는 여론이 70%를 넘고 있다는 언론보도를 보았습니다. 미국은 지난해 대형 허리케인 '카트리나'가 휩쓸고 간 뒤 미국 사회에 숨어 있던 양극화 현상이 들어나면서 큰 파문을 던졌습니다. 지난해 말 프랑스 사회를 불안케 했던 소요사태도 인종적 갈등과 양극화 현상이 함께 표출된 결과였습니다. 그러나 이들 선진국들은 경제, 사회적 대비와 축적이 수십 년 전부터 이뤄져 왔기 때문에 국가적 위기요인으로는 인식되지 않고 있습니다. 수십 년간 다져온 복지체계와 사회안전망 등 국가와 시장의 공조 시스템이 갖추어져 있기 때문입니다.

우리는 다릅니다. 우리 사회의 양극화 현상의 원인(遠因)은 1970~1980년대의 불균형 압축성장 전략에 있지만, 이토록 심각해진 결정적 계기는 1997년 IMF 위기였고, 그 후유증의 결과입니다. 양극화 현상을 보여주는 모든 통계와 지표가 이를 증명합니다. 벌써 잊혀져 가고 있지만 IMF 금융위기는 경제적으로 6·25 이래 가장 비극적인 사건이었습니다. 수십 개 대기업과 금융기관, 수많은 중소기업이 졸지에 부도와 파산에 몰렸습니다. 수많은 근로자들이 직장을 잃고 거리로 쏟아져 나왔습니다. 나라의 금고에는 달랑 수십억 달러밖에 남지 않아 당장 식량과 석유 수입이 끊길 판이었고, 금리와 환율은 천정부지로 치솟았습니다.

젖먹이 우유를 구하지 못해 구멍가게에서 분유 몇 통을 훔쳤던 어느 가장의 사연에 온 국민이 눈물을 흘렸던 것이 바로 8년 전 일입니다. 그렇게 직장에서 거리로 쫓겨난 수많은 사람들은 결국 생계를 위해 음식점과 구멍가게 같은 영세 자영업과 택시기사, 비정규직과 일용직 등으로 몰렸습니다.

반면에 구조조정과 공적자금을 통해 IMF 위기를 견뎌낸 기업과 금융기관 등은 엄청난 경쟁력을 갖게 되었습니다. 또한 기존의 자산가들과 신금융기법, 정보화 마인드로 무장한 벤처기업인들은 위기를 기회로 활용하여 신자산가층을 형성할 수 있었습니다. 그리고 이들이 IMF 위기 극복의 주역이 되었고, 지금도 우리 경제의 효자 노릇을 하고 있습니다.

IMF위기는 대다수 서민층에게는 초과공급 속에서 더욱 치열한 생존경쟁을 맞게 했고, 반면에 중산층 이상 계층에게는 새로운 경쟁력을 가져다 준 기회가 되었습니다. 이렇게 양극화는 확대되어 가고 있는 것입니다. 이 같은 양극화 구조 속에서 우리에게 다가오는 또 하나의 위기요인은 급속한 저출산, 고령화 추세입니다. 특히 고령화 추세는 심각한 양상입니다. 서구 선진국이나 일본에서 50~100여년 걸려 나타난 고령화(65세 이상 인구분포가 7%에서 14%로 확대) 기간이 우리는 단 18년 만에 다가오게 되어 있습니다. 양극화 문제의 구조화와 함께 다가오는 급속한 고령화 추세는 정말 심각한 문제가 아닐 수 없습니다. 연금, 의료보험, 간병제도, 노인요양시설 등 어느 것 하나 제대로 갖춰지지 못한 상태에서 일어나고 있는 급속한 고령화는 사회적 위기요소가 아닐 수 없습니다.

이 문제는 미래의 문제이면서 오늘의 문제입니다. 바로 지금 40~50대가 10~20년 후면 당면할 현상이기 때문입니다. 이 문제는 또한 양극화와 함께 우리 경제의 지속적 성장을 가로막는 가장 큰 걸림돌이 될 것입니다. 신빈곤층으로 전락한 서민계층이 양극화 해소 과정을 통해 안정된 생존 활로를 찾아야면 수출로 버텨가는 경제가 내수에서도 균형을 이룰 수 있습니다. 서민경제는 내수경제이기 때문입니다.

마찬가지로 고령화 시대라는 미래의 삶에 대한 전망이 불투명하면, 한참 일하고 구매력이 풍부한 40~50대로부터 미래에 대한 불안으로 소비가 흔들릴 수밖에 없습니다. 미래에 대한 최소한의 안정이 담보되지 못한다면 경제가 아무리 대외경쟁력을 갖추어도 내수의 불황은 장기화 될 가능성이 큽니다.

일본이 지난 10여 년간 장기불황을 겪은 데는 여러 요인이 있지만 국가경쟁력이나 기업경쟁력이 떨어지고 수출이 안돼서가 아닙니다. 정부까지 소비를 부추겼지만 일본인들은 저축만 했습니다. 개인의 미래가 불안하면 국민경제는 정상적으로 지속될 수 없습니다.

이런저런 고민과 모색 속에서 2005년 초반을 보냈습니다. 아직 경기호전의 징표가 분명치 않고, 대다수 서민들이 여전히 민생의 어려움에 처한 현실에서 이런 저의 고민을 말하기는 참으로 어려운 일이었습니다. 다가오는 4·30 보궐선거는 더욱 저를 움츠리게 만들었습니다. 보궐선거 결과로 다시 여소야대가 되었습니다. 이 중차대한 문제를 풀어가기가 더욱 어렵게 된 것입니다. 그렇다고 이 문제를 덮어둘 수도 없는 노릇이었습니다.

현실의 하루하루를 관리하는 것도 중요하고 미래의 비전도 중요하지만, 이미 눈앞에 드러나고 조만간 다가올 미래의 위기를 못 본 체하거나 미룰 수는 없었습니다. 궁리 끝에 찾아낸 것이 '대연정'이었습니다. 여야를 떠나 정치인이라면 이같은 국가적 고민과 과제를 회피할 어떤 정파도 있을 수 없다고 믿었습니다. 여야가 함께 풀어야 하는 시대적 공통과제라고 생각했습니다.

대연정은 노선과 정책이 다른 제1당과 2당이 합당을 하지 않으면서도 정책적 공조를 할 수 있는 방식으로, 유럽의 여러 선진국들이 채택하여 성공을 거둔 방식입니다. 사실 열린우리당과 한나라당의 경우 지지기반과 성립과정에 따른 정치적 노선이 다른 것은 사실이지만, 정책의 실현을 위해서는 서로 타협할 수 있는 여지도 많이 있다고 보았습니다. 대연정은 정당 간에 크게 주고받는 정치협상입니다. 빅딜입니다. 저는 양극화 문제와 저출산,고령화 사회 대비라는 정책과제를 함께 풀기 위해 국무총리와 국방,외교,통일 분야를 제외한 내각을 한나라당에 넘겨주겠다고 마음먹었습니다. 대신 우리 정치의 오랜 고질인 지역구도를 해소할 선거구 개편을 받아낼 수 있다면 나라의 미래를 위하여 좋은 일이 될 것이라고 생각했습니다.

대통령의 결심이라고 해서 혼자 할 수는 없었습니다. 열린우리당 지도부에 제 생각을 털어놓았습니다. 사전에 시간을 가지고 준비를 갖추어 국민과 열린우리당을 설득해 보자는 방향으로 의견을 모았습니다. 그러나 아직 준비가 채 되기 전에 대연정 구상이 언론에 터졌습니다. 그 결말이 어떻게 되었는지는 다시 설명드릴 필요가 없을 것입니다. 그 일로 저는 많은 상처를 입었고, 국민들에게도 많은 심려를 끼쳐 드렸습니다. 다시금 말씀드리지만, 대연정 제안은 의욕이 앞선 채 치밀한 준비가 부족했던 제 자신의 실책이었습니다. 지혜가 부족했던 제 자신을 책망할 수밖에 없었습니다. 다만 한 가지 아쉬운 것은 지금도 한나라당이 왜 대연정을 거부한 것이 그 이유를 이해할 수가 없다는 점입니다.

2005년이 지나고 2006년 새해가 밝았습니다. 이제 남은 2년, 국정을 어떻게 운영할까를 놓고 다시 참모들과 토론했습니다. 참모들 중에는 새로운 의제를 내놓는 것보다 지금까지 벌여 온 과제와 성과들을 마무리하는 것이 좋겠다는 의견도 적지 않았습니다.

참여정부를 괴롭혔던 내수 불황도 풀리는 조짐들이 지난해 하반기부터 확연히 나타나고 있고, 올해는 그 추세가 본격화될 것이라는 전망을 들었습니다. 지난해 4/4분기 5.2%를 보인 GDP 성장률이 올 1/4분기에는 그 이상을 보일 것으로 예상되고, 소비자 기대지수나 기업경기실사지수(BSI) 등 모든 경기 지표가 수개월째 상승 추세를 보이고 있다는 것입니다. 부동산 문제 역시 8·31대책의 후속관리만 집중하면 큰 문제는 없을 것이라는 분석이었습니다.

그동안 원칙을 지켜 온 경제정책의 효과가 금년부터 본격적으로 나타날 것이라는 낙관적 전망이었습니다. 또 내년부터 행복도시와 전국 10개 혁신도시, 5~6개 기업도시에 대한 본격적인 건설에 들어가면 내수경기의 과열 가능성도 없지 않기 대문에 오히려 중장기적 경기관리의 대비가 필요하다는 의견도 있었습니다.

올해부터는 대통령 지지도를 안정적으로 관리해야 한다는 의견도 있었고, 한편으로는 지방선거가 다가오는데 정치적 논쟁을 유발할 새로운 과제는 피해야 한다는 계산도 있었습니다. 그러나 우리는 문제를 회피하지 않기로 결정했습니다. 양극화 문제를 사회적 의제로 제기하기로 결정했습니다. 더 이상 미룰 수 없는 일이라고 판단했습니다.

정부의 결단만으로 이루어지는 일이 아니라는 점은 저도 잘 알고 있습니다. 우리 사회가 함께 결단을 내려야 할 일입니다. 심각한 양극화와 급속한 저출산, 고령화 사회라는 두 개의 시한폭탄을 제거하자는 데 여야도, 보수나 진보도 따로 있을 수 없다고 봅니다. 물론 원인과 해법에 생각이 다를 수는 있습니다. 그러나 해결하지 않으면 대한민국이 진정한 희망의 미래로 나아갈 수 없다는 것은 분명합니다.

어떤 일이 있어도 미루거나 외면해서는 안됩니다. 적어도 이 문제만은 정부와 여야, 학계, 언론, 시민사회 등 모두가 가슴을 터놓고 이야기해야 합니다. 토론과 논쟁은 치열할수록 해법은 분명하게 잡힐 수 있습니다. 정확한 실태와 사실에 근거한 논거로 책임 있게 공론을 만들어야 합니다.

정부가 할 일은 먼저 하겠습니다. 정부조직의 효율성을 다시 점검하겠습니다. 조직과 예산구조를 다시 점검하여 복지와 미래 대비 부문 등 더 써야 할 부문과 절약할 부문을 가려서 효율성을 최대로 높여 나갈 것입니다. 특히 국민들이 낭비예산이라고 지적하는 사항은 면밀히 검토해서 반드시 시정토록 하겠습니다. 실제 참여정부는 지난해부터 톱다운 방식의 예산제도를 도입해 역대 어느 정부보다 세출 구조조정을 강력히 시행해 왔습니다. 아울러 숨겨져 있거나 아직 발견되지 않은 세원 발굴에 강력히 나서겠습니다. 근로자들과 서민들이 억울하지 않도록 공평과세에 최선을 다하겠습니다.

우리 경제규모나 국민수준, 날로 높아지는 국민들의 복지 수요, 그리고 심각한 양극화 문제와 저출산,고령화 사회에 대비하려면 보다 많은 재정이 필요할 것입니다. 그뿐이 아니라 정치권과 언론, 그리고 시민사회는 일이 터질 때마다 끊임없이 정부의 대책과 역할을 요구합니다. 치안 서비스, 국방, 식품안전, 보건,위생, 교육, SOC(사회간접자본시설) 역시 국가적 역할이 더욱 강화되고 완전해야 될 분야입니다. 이 또한 국가 재정지출을 요구하는 일들입니다. 우리 언론과 국민여론은 재정을 절약하고 감면을 축소하고 숨겨진 세원을 발굴하면, 세금이나 보험료를 더 내거나 빚을 내지 않아도 문제해결이 가능한 것으로 이해하고 있는 것 같습니다.

저도 당장 돈을 더 내거나 빚을 내자고 하지는 않겠습니다. 그러나 지금부터 계산은 해 보자고 말씀드리고 싶습니다. 우리 국민들은 국가로부터 어느 정도의 서비스를 받기 원하는지, 앞으로 국민들에게 필요한 서비스를 제공하기 위해서는 얼마 만한 재정이 필요한 것인지, 재정 절약이나 세원 발굴로 얼마 만한 재정이 충당될 수 있을 것인지, 모자라면 얼마나 모자라며 이를 어떻게 충당할 것인지를 계산해 보자는 것입니다.

그리고 지금 우리가 내고 있는 세금은 누가 얼마나 내고 누가 얼마나 혜택을 받고 있는 것인지, 앞으로 세금을 더 내야 한다면 누가 얼마나 더 내고 누가 얼마나 혜택을 보게 될 것인지를 계산해 보자는 것입니다. 그리고 세금을 내는 사람이 누리는 국가적 서비스는 어떤 것인지도 생각해 보아야 합니다.

이런 과정을 생략하고 바로 '세금을 올리자는 것이냐, 근로자가 봉이냐,' 하는 방향으로 논쟁을 몰아가면 우리는 해결책을 찾기는커녕 문제에 접근하기도 어려울 것입니다. 이제 우리 모두의 결단이 필요합니다. 세금을 더 내는 결단을 하자는 것이 아니라 문제를 회피하지 말고 문제의 본질에 책임 있게 다가서는 결단을 하자는 것입니다. 우리의 미래를 위하여 그렇게 하자는 것입니다.

남은 2년, 열심히 하겠습니다. 결코 국민 여러분의 신뢰를 저버리지 않겠습니다. 성공한 대통령보다 원칙과 용기를 가지고 열심히 일한 대통령으로서 최선을 다하겠습니다.

감사합니다.

제44기 학군사관후보생(ROTC) 임관식 치사

2006년 2월 28일

친애하는 신임 장교 여러분, 학부모님과 내외 귀빈 여러분,

학군장교 여러분의 임관을 진심으로 축하합니다.

여러분의 당당하고 패기 넘치는 모습을 보니 참으로 든든하고 자랑스럽습니다. 조국을 위해 헌신할 것을 다짐한 여러분의 충정에 아낌없는 격려를 보냅니다. 여러분을 훌륭하게 키워 주신 부모님과 김갑현 장군을 비롯한 교관과 훈육관, 그리고 대학 총장님 여러분에게 깊은 감사의 말씀을 드립니다.

국민 여러분,

동북아에는 세계에서 가장 강력한 국가들이 위치하고 있습니다. 우리는 한,미간 동맹관계를 바탕으로 이들 나라들과 긴밀한 우호협력을 통해 이 지역의 평화와 공동번영을 추구하고 있습니다. 그러나 지난날의

역사를 돌이켜 보면, 우리가 스스로를 지킬 힘이 없을 때 우리의 의지와는 관계없이 한반도의 평화는 깨어졌고 나라와 국민은 외세에 짓밟혔습니다. 평화를 지키는 최후의 보루는 국방력입니다. 우리의 안보환경은 여전히 유동적이고, 동북아에는 아직 확고한 평화의 틀이 마련되어 있지 않습니다. 경계의 끈을 놓아서는 안됩니다.

그동안 우리 국민들의 피땀 어린 노력으로 우리는 세계 10위권의 경제력을 가진 나라가 되었습니다. 이제 국가 위상에 걸맞은 국방력을 갖추어야 합니다. 한반도와 동북아의 평화구조를 만들기 위해 적극적인 노력을 기울이는 동시에, 스스로 평화를 지킬 수 있는 국방력을 갖출 때까지 필요한 투자를 계속해 나가야 하겠습니다.

학군장교 여러분,

참여정부는 그동안 자주국방을 실현하기 위해 착실히 준비해 왔습니다. 국방비를 매년 9% 안팎으로 늘려 왔고, 방위사업청을 출범시켜 국방획득제도를 근본적으로 개선해 가고 있습니다. 무엇보다 2020년까지 완수할 국방개혁의 청사진을 만들었습니다. 국방개혁은 국민적 합의를 모아 추진해 가야 할 국가적 과업입니다. 어느 정권만의 성과물일 수도 없고, 정략적으로 판단할 일도 아닙니다. 우리 군을 세계 어느 군대와 비교해도 전혀 손색이 없는 선진 정예강군으로 만들자는 것입니다. 이번 개혁안은 십수 년 동안 미루어 왔던 과제입니다. 더 이상 미룰 수 없는 일입니다. 또한 우리 군이 자발적으로 만든 것입니다. 군이 스스로 계획을 세우고 능동적으로 참여하고 있다는 데 큰 의미가 있습니다. 국가와 국민이 적극적으로 뒷받침해야 합니다. 특히 이번 개혁이 흔들림없이 추진되기 위해서는 법적 기반이 마련돼야 합니다. '국방개혁기본법'이 조속하게 제정될 수 있도록 국회의 협조를 부탁드립니다. 우리 군은 앞으로 병력 위주의 양적 구조에서 정보화, 과학화를 통한 질적 구조로 전환될 것입니다. 병영문화 개선과 장병 처우 개선을 통해 부모님들이 더욱 안심하고 자식들을 군에 보낼 수 있도록 할 것입니다. 나는 우리 군이 국방운영을 혁신해서 국민에게 큰 신뢰를 받는 '국민의 군대'로 더욱 발전해 줄 것을 당부합니다.

신임장교 여러분,

여러분의 선배들은 위국헌신의 노력으로 우리의 평화를 지켜 왔습니다. 이 자랑스러운 토대 위에서, 이제 여러분이 국방개혁의 새로운 역사를 만들어 가야 합니다. 문무를 겸비한 학군장교로서 대한민국 국군 발전에 크게 기여해 줄 것으로 믿습니다.

여러분의 건승과 무운을 기원합니다.

감사합니다.

3월

제87주년 3·1절 기념사

2006년 3월 1일

존경하는 국민 여러분, 독립유공자와 내외 귀빈 여러분,

여든일곱 번째 3·1절을 매우 뜻깊게 맞이합니다. 기미년 오늘, 우리의 아버지, 어머니, 할머니, 할아버지들은 나라를 되찾기 위해 맨주먹으로 일어섰습니다. 자주독립과 민족자존이란 대의 앞에 목숨을 걸고 총칼에 맞섰습니다. 삼천리 방방곡곡을 뒤흔든 대한독립 만세소리는 어떠한 압제에도 굴하지 않는 우리의 독립의지를 세계만방에 떨쳤으며, 억압받던 민족혼을 다시 일깨웠습니다. 독립을 갈구하는 세계 약소민족들에게 희망의 등불을 밝혔습니다. 이러한 3·1운동의 위대한 정신은 상해 임시정부 수립으로 이어졌고, 나라 안팎의 독립투쟁을 더욱 뜨겁게 달구었습니다. 그리고 마침내 우리는 나라를 되찾았습니다. 조국 광복을 위해 헌신하신 애국선열들께 머리 숙여 경의를 표하며, 유가족과 독립유공

자 여러분께 깊은 존경과 감사의 말씀을 드립니다.

국민 여러분,

작년 3·1절에 저는 "한·일 두 나라가 진실과 성의로서 과거사의 앙금을 걷어내고 진정한 화해와 협력의 길로 나가자"고 강조했습니다. 잘못된 역사 인식과 감정을 정리하지 않고서는, 한·일 관계는 물론 동북아시아의 미래를 기약할 수 없기 때문입니다.

그러나 지난 1년 동안 신사참배와 역사교과서 왜곡, 그리고 독도 문제까지 크게 달라진 것이 없습니다. 지도층의 신사참배는 계속되고 있고, 침략전쟁으로 독도를 강점한 날을 기념까지 하고 있습니다. 사정이 이러한, 우리 국민들 입장에서는 아직도 일본이 침략과 지배의 역사를 정당화하고, 또다시 패권의 길로 나아갈지 모른다는 의구심을 갖는 것은 당연한 일일 것입니다.

신사참배는 전쟁반대의 결의를 다지기 위한 것이고, 개인의 문제로서 다른 나라가 간섭할 문제는 아니라고 말하고 있습니다. 그러나 국가적 지도자가 하는 말과 행동의 의미는 당사자 스스로의 해명이 아니라 그 행위가 갖는 객관적 성격에 의해 평가되는 것입니다. 국가 지도자의 행위는 인류 보편의 양심과 역사의 경험에 비추어 과연 합당한 일인지를 기준으로 평가받을 수밖에 없습니다. 일본은 이미 사과했습니다. 우리는 거듭 사과를 요구하지는 않습니다. 사과에 합당한 실천을 요구하는 것입니다. 사과를 뒤집는 행동을 반대하는 것입니다.

'주변국이 갖고 있는 의혹은 근거가 없다.'고 말만 할 것이 아니라 의심을 살 우려가 있는 행동을 자제하는 것이 옳습니다. 이미 독일과 같이 세계 여러 나라가 실천하고 있는 선례가 그 기준이 될 수 있을 것입니다. 일본이 '보통국가', 나아가서는 '세계의 지도적인 국가'가 되려고 한다면 법을 바꾸고 군비를 강화할 것이 아니라, 먼저 인류의 양심과 도리에 맞게 행동함으로써 국제사회의 신뢰를 확보하는 것이 올바른 일일 것입니다. 저는 대다수 일본 국민들의 뜻도 이와 다르지 않다고 생각합니다. 우리는 일본국민의 양식과 역사의 대의를 믿고 끈기 있게 설득하고 또 요구해 나갈 것입니다.

국민 여러분,

우리의 역사 문제도 정리하고 가야 합니다. 용서와 화해의 전제로서 진실을 밝히고, 과거사에서 비롯된 분열을 해소하고, 신뢰와 통합의 새로운 사회를 만들어 가기 위해 우리는 지금 과거사 정리를 하고 있습니다. 그런데 이들 과거사는 그 자체가 바로 역사입니다. 과거사 정리 과정을 보면 우리의 역사에는 아직도 밝혀지지 않았거나 잘못 기록된 역사가 상당히 있다는 짐작을 할 수 있습니다.

이웃나라에 대하여 잘못 쓰인 역사를 바로잡자고 당당하게 말하기 위해서는 우리 역사도 잘못 쓰인 곳이 있으면 바로잡고, 묻혀 있는 것이 있으면 발굴해야 할 것입니다. 지금 진행 중인 과거사 정리 과정은 이러한 역사적 관점에서 이해되어야 하고, 또 이러한 관점을 고려하여 진행되어야 할 것입니다.

국민 여러분,

3·1운동 당시 온 겨레가 함께 외쳤던 그날의 함성과 그날 하나가 되었던 우리 민족의 혼을 기억합시다. 그렇게 하나된 힘으로 선진한국의

꿈을 반드시 이뤄냅시다. 우리 후손들이 사랑할 만한 영광스런 대한민국의 역사를 만들어 갑시다.

감사합니다.

경남신문 창간 60주년 축하 메시지

2006년 3월 1일

경남신문 창간 예순 돌을 진심으로 축하합니다. 임직원과 독자 여러분께 따뜻한 인사를 전합니다. 경남신문은 알찬 정보와 공정한 보도, 대안 있는 비평을 통해 지역사회 발전에 크게 기여해 왔습니다. 독자위원회 구성과 다양한 문화행사는 지역주민과 함께하는 지방언론의 모범을 보여 주고 있습니다.

지금 남해안 시대가 열리고 있습니다. 자연과 문화, 첨단산업이 잘 어우러진 남해안 벨트는 새로운 번영의 축으로 거듭날 것입니다. 그 중심에 바로 경남이 있습니다. 항공우주와 첨단 기계 산업이 빠르게 성장하고 있고, 항만, 물류, 관광, 레저와 같은 고부가가치 서비스 산업도 획기적인 발전의 전기를 마련해 가고 있습니다. 높은 혁신의지와 우수한 인적 자원은 이 지역의 성공 가능성을 더욱 높여 주고 있습니다. 경남신문이 이러한 밝은 미래를 앞당기는 데 더 큰 역할을 해 주실 것으로 기대합니다. 정부도 경남의 발전을 힘껏 돕겠습니다.

창간 60주년을 축하드리며, 경남신문의 무궁한 발전을 기원합니다.

제62기 육군사관학교 졸업 및 임관식 치사

2006년 3월 3일

친애하는 육군사관학교 졸업생 여러분, 학부모님과 내외 귀빈 여러분,

오늘 영광된 대한민국 육군 장교로서 첫발을 내딛는 여러분의 졸업과 임관을 진심으로 축하합니다. 씩씩하고 당당한 여러분의 모습이 참으로 믿음직합니다. 정말 마음 든든합니다. 여러분은 우리 대한민국의 미래입니다. 우리 국민의 희망이요, 자랑입니다.그동안 어렵고 힘든 교육과정을 훌륭하게 감당해낸 여러분의 노고에 뜨거운 치하와 격려를 보냅니다. 이처럼 늠름한 청년장교들을 길러낸 김선홍 장군과 교수진, 훈육관, 그리고 귀한 자녀를 나라에 맡겨 주신 부모님들께 진심으로 감사드립니다.

국군장병 여러분,

참여정부는 그동안 '자주국방과 균형외교, 남북 신뢰 구축'이라는 일관된 원칙을 가지고 통일, 외교, 안보 정책을 추진해 왔습니다. 북핵위기에서 비롯된 안보불안은 안정적으로 관리되고 있습니다. 한,미 간의 해묵은 현안들도 대부분 해결되었습니다. 자주적 방위역량을 강화하기 위한 국방개혁도 힘찬 시동을 걸었습니다.

올해에는 6자회담 재개와 9·19공동성명의 이행에 최선을 다해서 북핵문제 해결의 확실한 전기를 만들고자 합니다. 나아가 이러한 토대 위에서 한반도 평화체제 구축을 위한 관련국들과의 논의도 본격화해 나갈 것입니다. 남북관계에 있어서도 군사당국자 회담을 정례화해서 군사 분야의 신뢰를 한층 강화하고, 개성공단 건설과 에너지, 물류, 통신망과 같은 경제협력 인프라 확충을 통해 남북경제공동체의 기반을 착실히 닦아 나갈 것입니다. 그러나 이러한 정책은 무엇보다도 튼튼한 국방력이 뒷받침되어야 성공할 수 있습니다. 자주도 평화도 힘이 있어야 지킬 수 있습니다. 그동안 우리가 당당하고 균형 있는 외교를 할 수 있었던 것도, 자신 있게 남북관계를 진전시킬 수 있었던 것도 모두가 충성스럽고 역량이 우수한 우리 국군이 안보를 든든하게 지켜 주었기 때문입니다. 그런 점에서 국방개혁은 반드시 성공시켜야 합니다. 국민의 성원 속에서 군이 자발적으로 추진하고 있는 이번 개혁이 완수되면, 우리 군은 어떤 상황에서도 한반도의 평화를 지켜내는 세계 최고 수준의 정예강군으로 발돋움하게 될 것입니다.

국군장병 여러분,

지금 한·미 동맹은 매우 견고하며, 앞으로 더욱 건강하게 발전할 것입니다. 과거 십수 년 동안 미뤄 왔던 용산기지 이전 협상이 마무리되었습니다. 주한미군의 재배치와 감축 문제도 원만하게 합의되어 추진되고 있습니다. 전략적 유연성 문제는 세계적인 안보환경과 동북아 안보환경을 적절히 고려하여 미국의 입장을 반영하면서도 대한민국 국민의 주권적인 결정권이 훼손되는 일이 없도록 합의를 이뤄냈습니다. 올해 안에 한·미 간의 협의를 통해 전시 작전통제권 환수 계획에 합의하고, 이를 차근차근 이행해 나가면 미국과 더욱 성숙한 형태의 포괄적인 안보협력이 가능해질 것입니다. 앞으로도 정부는 한·미동맹을 미래 안보환경에 부합되도록 발전시키고, 이를 바탕으로 역내 다자안보협력도 추진해 나갈 것입니다.

신임장교 여러분,

나는 여러분을 믿습니다. 여러분의 창의적이고 혁신적인 역량이 우리 군을 크게 발전시킬 것으로 확신합니다. 정부도 군의 사기 진작과 복지 개선에 필요한 지원과 배려를 아끼지 않겠습니다. 나라를 위해서 헌신하는 여러분이 최상의 명예와 자부심을 가질 수 있도록 최선을 다할 것입니다. 여러분의 무운과 건승을 기원합니다.

감사합니다.

한·이집트 경제인 오찬간담회 연설

2006년 3월 8일

존경하는 알리 가말 엘 나제르 기업인협회 회장, 세리프 엘 가발리 한·이집트 경협 위원장, 강신호 전경련 회장과 조건호 한·이집트 경협 위원장,

그리고 양국의 경제계 지도자 여러분,

대단히 반갑습니다. 대한민국 대통령으로는 최초로 이집트를 방문한 것을 기쁘게 생각합니다. 저는 이집트의 아주 오래된 역사와 빛나는 문화에 대해서 존경심을 가지고 있습니다. 이집트는 우리 한국에게 있어서 매우 중요한 국가입니다. 중동과 아프리카의 중심적인 국가로서 국제관계를 주도해 오고 있는 국가이고, 또 무바라크 대통령께서는 중동의 평화를 중재하고 세계 평화를 이끌어 가고 있는 중요한 분이기 때문입니다.

이집트는 1990년대 들어서서 시장경제를 활성화하고 있고, 활발한 개혁을 통해 안정된 토대 위에서 착실한 경제성장을 이루고 있습니다. 또한 주변 여러 국가들과 경제적인 협력관계를 맺으면서 아프리카와 중동지역의 경제 중심으로 부상하고 있기 때문에 경제적으로도 우리 한국에게 매우 중요한 국가입니다. 특히 최근에 이집트가 중동과 아프리카의 IT 허브가 되고자 정보통신 산업에 집중적인 노력을 기울이고 있기 때문에 IT 산업에 있어서 한발 앞서가고 있는 우리 한국으로서는 이집트를 대단히 중요한 협력의 파트너로 생각하고 있습니다.

어제 저는 무바라크 대통령과 양국 간 교역, 투자 확대를 비롯해 IT, 플랜트 건설, 방위산업 등 여러 분야에서의 협력 가능성에 대해 긴밀히 대화를 나누었습니다. 그 자리에서 저와 무바라크 대통령은 이미 발표한 것과 같이 양국 간에 있어서 협력의 여지가 매우 크다는 점을 다시 한번 확인하고, 특히 최근에 와서 과거와는 여건이 많이 달라지고 있다는 사실에 대해서 인식을 같이 했습니다. 오늘 오전에 여러분이 이 자리에서 함께 나누었던 대화와 아주 흡사한 내용으로 대화를 나누었습니다.

1999년도에 무바라크 대통령께서 한국을 방문하셨고, 그 계기로 우리 기업이 이집트에 상당히 많은 투자를 했던 것으로 알고 있습니다. 그런데 그때 있었던 한국의 투자가 그 이후 계속되지 못하였고 최근에 와서 투자가 매우 저조한 수준에 있다는 것이 저로서는 도저히 이해가 가지 않습니다. 경제를 개혁하고 또 투자를 유치하지 위해서 많은 제도를 바꾸고 있기 때문에 여러 나라에서 많은 투자가 지금 들어오고 있고 해마다 투자가 증가되고 있는데 '왜 한국의 이집트에 대한 투자는 늘어나지 않는가,'라는 것이 저의 큰 의문이었습니다. 지금도 이 문제에 대해서 확신한 대답을 가지고 있는 것은 아닙니다.

그러나 잠정적으로 내린 결론은 양국의 거리가 너무 멀었고 교류와 정보가 부족했던 것이 그 이유가 아닌가 하고 생각합니다. 한국 기업들이 지금 활발하게 해외투자를 하고 있기 때문에 정보부족이 그 이유의 하나라고 한다면 이번 저의 방문을 계기로, 또 여러분을 만난 오늘 이 자리를 계기로 해서 양국 간의 교역과 투자에 있어서의 새로운 기회가 열릴 것이라고 생각합니다. 그래서 저는 오늘 이 자리가 그저 의례적으로 한 번 있는 그런 자리가 아니라 정말 양국관계를 새롭게 발전시켜 나가는 매우 중요하고 특별한 계기라고 생각합니다.

금년 10월경에 한국은 이집트에 구매사절단을 파견할 계획을 가지고 있습니다. 그러나 구매사절단보다 더 중요한 것은 지금 이 자리에 계신 여러분이라고 생각합니다. 구매도 중요하지만 투자에 대해서 보다 더 많은 자신감을 가지게 되고 그것이 더 많은 투자의 계기가 된다고 하면 교역은 자연히 따라오는 것이기 때문에 저는 투자 부문이 더 중요하다고 생각합니다.

오늘 오전 여러분은 경제협력위원회를 정례적으로 개최하고 국제행사에 대해 공동 참여를 확대하면서 양국 경제협력의 증진 필요성을 적극적으로 홍보해 나간다는 합의를 한 것으로 보고받았습니다. 앞으로 공동성명에서 합의한 것처럼 보다 더 활발하게, 좀더 자주 여러분이 만나는 것이 중요하다고 생각합니다. 이집트 정부와 이집트 경제계에 대해서 제가 부탁드리고 싶은 것이 하나 있다면, 우리 한국 기업이 이곳에 와서 성공사례를 많이 만들 수 있도록 도와주십사 하는 것입니다. 기업을 하시는 분들은 많은 정보를 수집하고 또 분석하고 하는 것으로 알고 있습니다. 다만 그중에서도 가장 중요한 정보는 자기가 잘 아는 기업인이 어디에서 성공을 했다는 그 모범사례, 즉 이미 성공한 사람이 그곳에 가면 성공할 수 있다고 얘기하는 그 정보를 가장 신뢰한다는 것입니다. 재작년에 인도를 다녀왔는데 우리 한국의 기업이 인도에 투자를 해서 성공을 했다는 얘기가 하나의 모델로서 한국에 방송이 되기도 하고 전달된 일이 있습니다. 그와 같은 계기가 생기고 나면 우리 한국 기업의 인도 진출이 아주 빠른 속도로 늘어납니다.

여러 선진국들이 이집트에 투자를 많이 하고 있는 것으로 알고 있습니다. 그러나 저는 한국 투자가가 이집트에 투자를 한다면 이집트에게 그 누구보다도 큰 도움이 된다고, 아주 좋은 파트너가 될 것이라고 믿고 있습니다. 우리 기업들은 아주 짧은 시간에 농경사회에서 기업을 일으켜 산업사회를 거쳐 정보화 사회로 전환해 온 경험을, 말하자면 최근의 성공 경험을 가지고 있는 그런 기업들이기 때문에 발전과정에 있는 이집트의 사회 환경에 잘 적응할 수 있을 것이라고 생각합니다. 더욱이 우리 한국은 오래 전부터 시장이 주도하는 경제를 가지고 있었던 것이 아니라 얼마 전까지 정부가 주도하는 경제, 금융을 정부가 주도하는 경제 체제였습니다. 이 같은 경험들을 거치면서 이제 거의 완전한 시장경제체제로 들어왔기 때문에 한국 기업들이 가지고 있는 경험은 이집트에게도 상당히 유용할 것이라고 생각합니다. 아주 불행하게도 우리가 지난번 겪었던 외환위기 때문에 세계 몇 군데에서 우리 기업이 진출했다가 실패한 경험을 가지고 있습니다. 하지만 그와 같은 특수한 경우가 아닌 일반적인 상황에서는, 우리 한국 기업들은 진출한 곳에서 대부분 다 성공해서 그 지역사회, 지역경제에 단단하게 뿌리를 내리고 있습니다.

우리 한국의 기업과 기업인들은 빠른 변화 과정을 겪어 왔기 때문에 아직도 성취에 대한 의욕이 강렬한 사람들입니다. 경제와 기업에 있어 가장 중요한 것은 바로 기업가 정신이라고 생각합니다. 한국의 기업인들은 그 누구보다도 훨씬 더 도전적이고 포기하지 않는 기업가 정신을 가지고 있다고 생각합니다. 한국 정부는 우리 기업이 이집트에 진출하려고 할 때 장애가 되는 것은 모두 해결해 주려고 생각하고 있습니다. 교역과 투자에 있어서, 이집트 쪽에서 생기는 어려운 문제가 있을 경우에도 한국 정부는 그 같은 장애사유를 적극적으로 해결할 생각입니다.

저의 이번 방문이 한국과 이집트 사이의 정치적 관계뿐만 아니라 경제적 장래에 있어서도 큰 발전을 이루는 중요한 전기가 되길 바라며, 특히 여러분과의 오늘 만남이 한국과 이집트 경제사에 기록될 역사적인 계기가 되길 바랍니다. 여러분이 그 가능성에 대한 믿음을 가지고 지금부터 열심히 노력해 가면 그같은 역사가 만들어질 것이라고 생각합니다. 의심을 가진 사람에게 성공을 기대할 수는 없습니다. 확신을 가지고 함께 나갑시다 우리도 적극적으로 협력하겠습니다.

감사합니다.

오바산조 나이지리아 대통령 주최
국빈만찬 답사

2006년 3월 9일

존경하는 올루세군 오바산조 대통령 각하, 그리고 내외 귀빈 여러분, 나와 우리 일행을 따뜻하게 맞아 주셔서 감사합니다. 대한민국 대통령으로는 24년 만에 나이지리아를 방문하게 된 것을 매우 기쁘게 생각합니다. 오늘 이곳에 도착했습니다만, 민주주의와 시장경제를 성공시키고 있는 나이지리아 지도자들의 열정에 깊은 인상을 받았습니다. 아프리카 지도국가로서의 긍지와 자신감도 느낄 수 있었습니다.

각하께서는 부패 청산과 규제 철폐, 민영화 등 과감한 개혁정책으로 나이지리아의 발전을 이끌고 계십니다. 지역과 종족, 종교를 아우르는 국민화합정책도 국민들로부터 많은 지지를 받고 있습니다. 얼마 전까지는 아프리카연합 의장으로 큰 활약을 보여 주셨습니다. 아프리카 경제통합과 지역분쟁 해결에 앞장서면서 나이지리아의 위상을 한층 높여 가고 계십니다. 각하의 지도력과 국민의 역량으로 나이지리아가 큰 발전을 계속해 나갈 것으로 확신합니다.

대통령 각하,

오늘 각하와의 정상회담은 매우 유익했습니다. 우리 두 나라가 더 없이 좋은 동반자라는 사실을 다시 한번 확인할 수 있었습니다. 특히 에너지,자원 분야의 협력은 한국과 나이지리아 모두에게 큰 도움이 될 것입니다. 이번에 체결한 '에너지,자원협력 약정'과 '해상광구 생산물 분배계약'은 이 분야의 실질협력을 상징하는 든든한 토대가 될 것입니다. 플랜트나 인프라 건설 분야에서의 협력 가능성도 매우 큽니다. 이미 많은 우리 기업들이 발전소,파이프라인,항만 건설에 활발하게 참여하면서 협력의 시너지를 높여 가고 있습니다. 앞으로 두 나라의 협력이 경제뿐만 아니라 문화, 관광, 스포츠 분야 등으로 더욱 확산되기를 바라며, 각하의 더 큰 관심을 부탁드립니다.

대통령 각하,

나이지리아 속담에 "진정한 친구는 두 손으로 꼭 잡으라."는 말이 있다고 들었습니다. 이번에 발표하게 될 '아프리카 개발을 위한 한국 이니셔티브'가 아프리카 발전에 보탬이 되고, 나이지리아와의 우호협력을 강화하는 데 기여하게 되기를 바랍니다.

내외 귀빈 여러분,

각하의 건강과 나이지리아의 번영, 그리고 양국 국민의 영원한 우정을 위해 건배를 제의합니다.

감사합니다.

한·나이지리아 경제인 오찬간담회 연설

2006년 3월 10일

존경하는 무스타파 벨로 투자진흥청 사무총장, 손경식 대한상의 회장과 박세흠 한·나이지리아 경협 위원장,

그리고 양국의 경제인 여러분, 안녕하십니까, 뜻깊은 자리에 초청해 주셔서 감사합니다. 여러분과 함께 양국간 경제협력 방안에 관해 의견을 나누게 된 것을 기쁘게 생각합니다. 만남과 대화는 아주 소중한 것입니다. 대화를 나누다 보면 서로에게 이익이 되는 부분을 찾을 수 있고, 이해가 깊어져 신뢰가 쌓이면 협력은 저절로 되기 때문입니다.

그런 점에서 오늘 여러분은 만남 자체만으로 이미 큰 성과를 거두었다고 생각합니다. 그런데 만나는 데 그치지 않고 대한상공회의소와 나이지리아 투자진흥청 간에 업무협력약정도 체결했습니다. 앞으로 자주 만날 수 있는 근거까지 마련해 놓은 것입니다. 뿐만 아니라 올 하반기에

는 나이지리아 제품의 수입 확대를 위해 한국의 구매사절단이 이곳에 올 계획입니다. 이 같은 일을 계기로 나이지리아 상품이 우리 시장에 더 많이 선보이고, 두 나라의 우정이 한층 더 깊어지기를 바랍니다.

경제인 여러분,

어제 오바산조 대통령과의 회담에서도 주된 관심사는 역시 경제협력이었습니다. 결론부터 말씀드리면 양국 간에 상호 협력할 분야가 많고 좋은 결과도 기대된다는 것입니다. 세부적인 협력방안에 대해서도 관계 장관과 기관들 사이에 깊이 있는 대화가 이루어졌습니다.

먼저, 우리 산업자원부와 나이지리아 외교부 간에 맺은 에너지, 자원협력 약정은 나이지리아의 자원과 한국의 자본,기술을 유기적으로 결합할 수 있는 좋은 계기가 될 것입니다. 우리 두 나라 모두에게 큰 이익을 가져다줄 것이라고 믿습니다.

유전 공동개발에 있어서도 큰 진전이 있었습니다. 지난해 나이지리아 심해광구 두 곳을 공동개발하기로 한 데 이어, 이번에 해상광구 생산물 분배계약을 맺게 된 것은 그 의미가 매우 큽니다. 자원의 대부분을 수입에 의존하는 우리 입장에서는 물론이고, 나이지리아도 개발광구에 대한 참여국을 다원화하는 성과를 거두었다고 생각합니다. 이 밖에 교통협력 양해각서와 IT협력 양해각서 등도 양국관계를 한 단계 더 끌어올리는 디딤돌이 될 것입니다.

경제인 여러분,

사실 저의 방문 이전부터 우리 기업인들은 나이지리아 경제의 높은 잠재력에 대해 잘 알고 있었던 것 같습니다. 남아프리카와 북아프리카를 연결하는 지정학적 위치와 1억 4천만의 인구, 아프리카 1위의 산유국인 나이지리아의 밝은 미래를 주목하고 이미 20여 개 기업이 이곳에서 구슬땀을 흘리고 있습니다. 양국 간 교역도 꾸준히 늘어나고 있습니다. 특히 2004년에는 유가 상승에 힘입어 74%나 증가했습니다. 교역의 확대는 교류의 활성화로 이어지고, 이를 통해 양국이 함께 발전할 수 있는 계기가 될 수 있다는 점에서 긍정적인 일이 아닐 수 없습니다. 그러나 양국의 협력은 그 가능성에 비해서는 아직 낮은 수준이라고 할 수 있습니다. 앞으로 양적으로 더 늘어나고 질적으로도 다양해져야 한다고 생각합니다.

관건은 양국이 가지고 있는 장점과 자산을 어떻게 잘 결합해서 공동의 이익을 만들어 가느냐 하는 것입니다. 그런 점에서 지난 1월, 우리 기업이 '바란, 우비에 석유,가스 집적설비' 건설공사에 참여하게 된 것은 좋은 사례가 될 수 있을 것입니다.

중동지역에서 이룬 성과가 증명하듯이 한국 기업은 플랜트 건설에 있어 가장 신속하고 저렴하게 해낼 수 있는 기술과 역량을 갖추고 있습니다. 앞으로 석유화학 플랜트와 철도, LNG 항만 건설 등 나이지리아 필요로 하는 인프라 확충에 우리 기업들이 더 많이 참여할 수 있게 되기를 기대합니다.

내외 귀빈 여러분,

한국은 전쟁의 폐허를 딛고 일어서 세계 11위의 경제규모를 가진 나라로 성장했습니다. 여기에는 우리 국민의 피땀 어린 노력이 있었습니다만 국제사회의 지원도 큰 몫을 했다고 생각합니다. 이제 한국은 그동안 쌓아 온 경험을 공유함으로써 개발도상국들의 경제, 사회 발전에 기여하고, 공동번영을 위한 국제사회의 노력에 적극 동참해 나갈 것입니다.

어제 정상회담에서 말씀드린 '아프리카 개발을 위한 한국 이니셔티브'도 그 일환으로서 아프리카 국가들에 대한 한국의 종합적인 지원과 협력계획을 담은 청사진이라고 할 수 있습니다. 2008년까지 아프리카에 대한 ODA(정부개발원조)를 세 배로 확대하는 것을 비롯해 의료,보건 지원, 인적자원 개발, IT 기술 공유, 한,아프리카 간 통상과 투자 증진 등 다양한 분야에서 우리의 경제규모와 능력에 걸맞는 책임과 역할을 다해 나가고자 합니다. 이러한 이니셔티브의 이해과정에서 아프리카의 핵심 국가인 나이지리아와의 협력관계도 한층 심화될 수 있기를 희망합니다. 끝으로 한 말씀만 보태겠습니다.

지금 이 자리에 오신 우리 기업인들은 한국 경제를 대표하는 분들이기도 하지만, 무엇보다도 도전의식이 충만한 분들입니다. 많은 난관을 이겨내고 불과 20~30년 만에 기적 같은 성공을 이루어낸 경험이 있고, 또 그것은 나이지리아가 가고자 하는 길과도 유사한 것입니다. 함께 손을 잡으면 반드시 성공할 수 있다고 자신 있게 말씀드릴 수 있습니다. 저와 한국 정부도 열심히 뒷받침하겠습니다. 여러분의 건승과 양국 경제의 큰 발전을 기원하겠습니다.

감사합니다.

부테플리카 알제리 대통령 주최 국빈오찬 답사

2006년 3월 12일

존경하는 압델아지즈 부테플리카 알제리 대통령 각하, 그리고 내외 귀빈 여러분,

나와 우리 일행을 따뜻하게 맞아주신 각하와 알제리 국민 여러분께 감사드립니다. 대한민국 국가원수로는 처음 알제리를 방문하게 된 것을 매우 기쁘게 생각합니다. 어제 이곳에 도착했지만 전통과 현대, 자연과 문화가 잘 어우러진 아름다운 나라임을 알 수 있었습니다. 무엇보다 친절한 알제리 국민들이 인상적이었습니다.

각하와 저는 오늘까지 세 번의 정상회담을 가졌습니다. 지리적으로 멀리 떨어져 있는 우리 두 나라가 그만큼 가까운 친구가 된 것입니다. 정상회담을 할 때마다 저는 각하의 신념과 열정에 큰 감명을 받았습니다. 각하께서는 국민의 압도적인 지지 속에 '부강한 알제리'를 건설해 가고

계십니다. 외환보유액이 사상 최고치를 기록하고 있고, 7% 안팎의 높은 성장을 지속하고 있습니다. 무엇보다 각하의 국민화합 정책은 세계의 찬사를 받고 있습니다. 용서와 포용이야말로 화합을 위한 가장 강력한 수단임을 거듭 확인시켜 주었습니다. 각하의 지도력에 경의를 표하며, 알제리가 마그레비의 중심국가로서 더 큰 발전을 이뤄 갈 것으로 믿습니다.

내외 귀빈 여러분,

우리 두 나라는 1990년 수교 이후 빠른 속도로 우호협력을 확대해 왔습니다. 특히 각하의 2003년 방한은 양국 관계 발전에 큰 전기가 되었습니다. 알제리는 아프리카 국가 중에서 우리나라가 가장 많은 투자를 하고 있는 나라입니다. 석유자원의 개발과 공동비축 같은 에너지 분야 협력이 활발하게 이뤄지고 있고, 한국산 자동차, 가전제품, 휴대전화도 알제리에서 큰 인기를 얻고 있다고 들었습니다.

그러나 앞으로의 협력 가능성은 훨씬 더 큽니다. 양국이 가진 자원과 기술, 자본을 잘 결합해 나간다면 서로에게 더 큰 만족을 주는 다양한 사업들을 만들어 갈 수 있을 것입니다. 그런 점에서 오늘 양국관계를 '전략적 동반자 관계'로 격상키로 한 것은 그 의미가 매우 크다고 생각합니다. 이번에 체결된 에너지,자원 협력약정 등은 실질협력을 증진하는 좋은 기반이 될 것입니다. 각하께서 역점적으로 추진하고 계신 인프라 건설 프로젝트와 전자정부 구축사업에서도 성공적인 협력모델을 만들 수 있을 것입니다. 비슷한 역사적 경험을 가진 우리 두 나라는 서로 마음이 잘 통하는 친구입니다. 특히 평화에 대한 신념은 각별합니다. 각하께서는 북핵문제의 평화적 해결을 비롯해 우리의 대외정책을 한결같이 지지해 주셨습니다. 앞으로도 양국이 좋은 협력 파트너로서 서로의 번영은 물론 세계 평화를 위해서도 함께 힘을 모아 나가기를 바랍니다. 다시 한 번 따뜻한 환대에 감사드리며, 각하의 건강과 알제리의 무궁한 발전, 그리고 우리 두 나라의 영원한 우정을 기원합니다.

감사합니다.

한·알제리 비즈니스 포럼 연설

2006년 3월 12일

여러분, 안녕하십니까, 자리를 함께하게 되어서 매우 기쁩니다.

좋은 자리를 마련해 주신 무하메드 샤미 상공회의소장과 무하메드 시아드 경제협력위원장, 그리고 강신호 회장과 이태용 경제협력위원장을 비롯한 양국 경제인 여러분께 감사드립니다. 특히 이 자리에 함께 해 주신 아흐메드 우야히야 총리께 감사의 말씀을 드립니다. 한국 기업이 관심을 가지고 있는 문제에 대해서 분명하고 친절한 설명, 잘 들었습니다.

대한민국 대통령으로는 처음 알제리를 방문했습니다. 그러나 시내를 달리는 한국산 자동차를 보면서, 그리고 휴대전화와 전자제품들을 보면서 알제리는 이미 가까운 친구가 되어 있음을 확인할 수 있었습니다. 우리 제품이 많은 사랑을 받고 있는 데 대해 알제리 국민 여러분께 고맙다는 인사를 전하고 싶습니다. 아울러 지속적으로 높은 성장을 하고 있는 알제리 경제에 대해서도 축하 말씀을 드립니다. '경제개발 5개년 계획'과 대외개방, 그리고 개혁정책을 성공적으로 추진하고 있는 알제리가 더 강하고 효율적인 경제로 거듭날 것이라고 믿습니다.

양국 경제인 여러분,

오늘 저는 부테플리카 대통령과 정상회담을 갖고 양국관계를 '전략적 동반자 관계'로 발전시켜 나가기로 합의했습니다. 그리고 이를 실현하기 위해 자원, 에너지, 플랜트, IT 등 다양한 분야에서 실질협력을 가오하해 나가기로 했습니다.

우선, 양국의 지정학적 위치와 지역 내에서의 높은 위상은 두 나라가 협력을 확대해야 하는 충분한 이유가 될 수 있을 것입니다. 알제리가 유럽과 아프리카의 관문인 것처럼 한국도 거대한 아시아 시장의 진출거점으로서 큰 잠재력을 가지고 있습니다. 비행기로 4시간 이내에 갈 수 있는 인구 100만명 이상 대도시가 마흔네 개나 됩니다. 마그레브 지역의 중심국가인 알제리와 한국이 협력을 강화해 나간다면 서로에게 새로운 시장 개척의 기회를 제공해 줄 수 있을 것입니다. 알제리 정부가 의욕적으로 추진하고 있는 '인프라 건설 프로젝트'에도 더 많은 한국 기업들이 참여해서 상호이익을 높여 갈 수 있기를 기대합니다.

우리 기업은 중동지역을 비롯한 세계 건설현장에서 많은 경험을 축적해 왔습니다. 고속도로와 항만, 댐, 주택 건설 등에서 공사를 훌륭하게 수행할 수 있는 노하우와 기술을 갖고 있습니다. 또 이러한 기술과 경험을 알제리와 공유할 준비도 되어 있습니다. 우리 기업은 틀림없이 여러분의 든든한 파트너가 될 것입니다.

부테플리카 대통령께서 각별한 관심을 갖고 계신 '시디 압델라 과학신도시' 건설에도 한국의 '대덕밸리' 사례가 참고가 될 수 있다고 봅니다. 두 나라 과학기술인과 경제인들이 긴밀히 협력해 나간다면, 시디 압델라는 대학과 연구단지, 그리고 사이버파크가 어우러진 첨단기술형 복합 클러스터로 크게 발전할 수 있을 것입니다.

에너지 분야도 협력의 잠재력이 가장 큰 분야 중의 하나입니다. 지난해 시작한 국영 석유회사 간 공동비축 사업이나 우리 기업들이 참여한 '이사우에네 석유개발 광구' 개발사업이 그 좋은 예가 될 것입니다.

이번 방문기간 중에는 에너지, 자원 협력약정을 비롯해서 석유비축 확대와 가스 분야 협력, 그리고 태양광 발전 협력에 관한 양해각서도 체결되었습니다. 이를 토대로 석유, 가스, 전력, 신재생 에너지 분야에서 포괄적이고 호혜적인 협력이 한층 더 강화되기를 희망합니다. 아울러 한국의 IT 발전 경험과 기술이 알제리의 초고속 통신망과 전자정부 구축사업 등에 적극 활용될 수 있기를 바랍니다.

경제인 여러분,

이 모든 일을 이루기 위해서는 정부 간 협력도 필요하지만 더 중요한 것은 바로 여기 계신 여러분의 긴밀한 협력입니다. 여러분이야말로 양국 간 협력을 가장 효과적이고 실질적으로 증진시킬 주역이기 때문입니다. 오늘처럼 대화하는 자리를 자주 만드시기 바랍니다. 곧장 성과가 있으면 더 좋겠지만, 그렇지 않더라도 대화 자체에 의미가 있습니다. 진실로 대하고 열린 마음으로 대화하면 좋은 기회가 생기고 반드시 성공할 것입니다. 여러분이 교역이나 투자를 확대하는 데 걸림돌이 되는 것은 정부가 책임지고 개선해 나가도록 하겠습니다.

다시 한번 자리를 마련해 주신 여러분께 감사드리며, 여러분의 사업이 더욱 번창하기를 기원합니다.

감사합니다.

알제대학교 명예박사학위 수여식 연설

2006년 3월 12일

존경하는 따히르 하자르 총장님, 라쉬드 하라우비아 장관님, 그리고 교수와 학생 여러분,

대단히 감사합니다. 알제 대학의 명예박사학위를 큰 영광으로 생각합니다. 아울러 알제리 지성인 여러분을 만나게 되어 매우 기쁩니다. 훌륭한 역사와 전통을 지닌 알제 대학은 수많은 인재를 배출한 지성의 요람입니다. 알제 대학 여러분의 열정과 실천이 국가의 독립과 평화를 이루고, 나날이 발전하고 있는 오늘의 알제리를 있게 했다고 생각합니다. 아울러 지금 여러분이 품고 있는 꿈과 비전이 알제리의 밝은 미래를 열어 갈 것이라고 믿습니다.

저는 누구보다 교육의 힘을 믿습니다. 한국이 40여 년 만에 세계 11위의 경제로 도약한 원동력이 무엇인지 물으면, 저는 항상 '우리 국민

의 역량과 높은 교육열'이라고 대답합니다. 교육에 대한 열의가 높고, 인재가 많은 나라는 반드시 성공하게 되어 있습니다. 바로 알제리가 그렇습니다. 더욱이 알제리는 지정학적 여건도 좋고 자원도 풍부합니다. 마그레브의 중심국가로서 더 큰 발전을 이뤄 갈 것입니다. 그리고 여러분은 이러한 성공의 길에 주역이 될 것입니다.

내외 귀빈 여러분,

저는 여러분이 주신 학위를 알제리가 우리 국민에게 보내는 우정의 메시지로 받아들입니다. 양국 우호협력이 더욱 확대되기를 바라는 알제리 국민의 마음이 담겨 있다고 생각합니다.

양국은 수교한 지 16년밖에 되지 않았지만 이미 오래된 친구처럼 활발한 교류를 하고 있습니다. 알제 대학에도 한국어 교육과정이 개설되었다고 들었습니다. 앞으로 경제,문화 등 다양한 분야에서 더 많은 교류, 협력사업이 펼쳐질 것입니다. 한국은 여러분과의 우정이 풍성한 결실을 맺을 수 있도록 최대한 성의를 다해 나갈 것입니다. 학위 수여에 담긴 또 하나의 메시지는 한국이 국제사회에서 더 큰 역할을 해 달라는 뜻이 아닌가 생각합니다. 지구촌의 평화와 공동번영은 어떠한 위협에도 불구하고 반드시 이뤄 가야 할 소중한 가치입니다. 이를 위해 한국은 국제사회에서의 위상과 역량에 걸맞은 소임을 다해 나가고자 합니다.

사흘 전 발표한 '아프리카 개발을 위한 한국 이니셔티브'도 이러한 노력의 하나입니다. 한국은 경제개발 경험과 기술을 세계와 함께 나누는 데 결코 인색하지 않을 것입니다. 아울러 화해와 협력의 국제질서를 만드는 데 알제리 국민 여러분과 함께 힘을 모아 나가고자 합니다. 저는 한국이 손님에게 가장 친절한 나라라고 자랑스럽게 생각하고 있었습니다. 하지만 이번 알제리 방문으로 손님에게 가장 친절한 나라는 한국이 아니라 알제리라는 사실을 발견했습니다. 그것은 저와 우리들에게 큰 감동이었습니다.

저는 오늘 오전에 또 한번 감동했습니다. 오늘 아침, 알제리 충혼탑과 독립기념관을 방문했습니다. 고통스러웠던 역사였고 한편으로 매우 자랑스러운 역사의 기록을 보면서 강한 감동을 받았습니다. 그리고 한국 역사와 비슷한 데 대해 많은 공감대를 느낄 수 있었습니다. 저와 부테플리카 대통령은 세 번째 만났는데 만날 때마다 어떻게 그렇게 생각하는 바가 비슷하고 지향하는 가치가 비슷한가 하고 놀라웠습니다. 오늘 독립기념관을 보면서 그 이유를 발견할 수 있었습니다.

저는 앞으로 알제리와 한국이 경제적 이익을 함께 나누는 친구임과 동시에 국제사회에서 가치를 함께하는 정치적 동반자의 길을 갈 것이라 생각합니다. 그것이 진정한 전략적 동반자의 관계라고 생각합니다.

이제 세 번째 감동을 말씀드릴 차례입니다. 바로 이 자리입니다. 여러분의 저의 학위수여식에 이렇게 많이 온 데 감사하는 마음으로 또 한번 감동을 받았습니다. 여러분의 우정과 호의에 거듭 감사드리며, 알제리와 알제 대학의 무궁한 발전을 기원합니다.

감사합니다.

3·15 의거 제46주년 기념 메시지

2006년 3월 15일

3·15의거 마흔여섯 돌을 매우 뜻깊게 생각하며 민주영령들의 명복을 빕니다. 민주주의를 위해 헌신해 오신 마산시민과 경남도민 여러분께 깊은 경의를 표합니다. 3·15의거는 우리 민주화운동의 자랑스런 역사입니다. 독재와 불의에 맞서 일어선 여러분의 용기는 4·19혁명의 기폭제가 되었고, 부마항쟁과 광주민주화운동, 그리고 6월항쟁으로 이어지는 민주주의 발전의 토대가 되었습니다.

1980년대까지는 독재에 맞서 민주주의를 쟁취하는 것이 과제였고, 그 뒤에는 권력의 투명성과 합리화 문제가 제기됐습니다. 그러나 이런 문제들은 정리가 됐습니다. 대통령인 저부터 초과권력을 깎아냈습니다. 정경유착의 고리가 확실히 끊어지고, 권력기관들도 본연의 임무에 충실하고 있습니다. 이제 한걸음 더 나아가 책임 있게 생각하고 책임 있게 행동하는 성숙한 민주사회를 만들어 가야 합니다. 멀리 보면서 열린 마음으로 대화하고, 합의를 존중하는 문화를 뿌리내려 가야 하겠습니다. 그래야 양극화를 비롯한 여러 국가적 과제들을 해결하고 더 밝은 미래로 나아갈 수 있습니다. 시대적 소명을 실천해 온 마산시민과 경남도민 여러분이 이 일에 앞장서 주실 것으로 믿습니다.

여러분의 행복을 기원합니다.

한국적십자운동 100년 발간 축하 메시지

2006년 3월 16일

「한국적십자운동 100년」발간을 진심으로 축하합니다. 숭고한 인류애를 실천해온 대한적십자사와 적십자 봉사원, 그리고 청소년적십자단원 여러분께 깊은 감사의 말씀을 드립니다. 대한적십자사의 지난 한 세기는 우리 민족과 고락을 함께한 사랑과 봉사의 역사입니다. 전쟁과 가난으로 고통받던 시절, 소외된 이웃들을 따뜻하게 감싸주었고, 보건, 의료 사업에서 재난 복구에 이르기까지 어려운 사람들의 든든한 친구가 되어 주었습니다.

특히 대한적십자사는 분단의 상처를 치유하고 냉전의 빙벽을 녹이는 소중한 역할을 해 왔습니다. 이산가족 상봉, 식량,비료 지원과 같은 인도주의 활동을 통해 남북 간의 화해와 교류의 물꼬를 트는 일에 앞장서 왔습니다. 국제적으로도 지구촌 곳곳에 의료진을 파견하고 재해지역에서 구호활동을 펼치는 등 큰 활약을 보여주고 있습니다. 저는 대한적십자사가 지난 100여년의 역사만큼이나 자랑스런 역사를 앞으로도 계속해 갈 것으로 믿습니다.

대한민국은 경쟁에 관한 한 세계 최고의 역량을 보여 주었습니다. 이제 연대와 협력에 있어서도 성공 신화를 만들어 나가야 하겠습니다. 적십자운동이 더불어 사는 사회, 희망 있는 세상을 만드는 밑거름이 될 것입니다. 다시 한번 「한국적십자운동 100년」 발간을 축하드리며, 대한적십자사의 무궁한 발전을 기원합니다.

제42차 한일·일한 협력위원회
합동 총회 축하 메시지

2006년 3월 17일

존경하는 나카소네 야스히로 일·한 협력위원회 회장, 남덕우 한·일 협력위원회 회장, 그리고 양국 위원 여러분,

제42차 양국 협력위원회 합동총회를 축하하며, 일본 대표단 여러분을 진심으로 환영합니다. 아울러 그동안 우리 두 나라의 이해증진과 우호협력을 위해 기울여 온 여러분의 노고에 감사드립니다. 한·일 양국 간의 긴밀한 협력은 동북아 지역에 평화와 번영의 새로운 질서를 만들어 가는 핵심적인 요소입니다.

우리 두 나라가 선린 우호관계를 더욱 발전시켜 가기 위해서는 과거를 직시하는 용기가 필요합니다. 이러한 기초 위에서 역사에 대한 인식을 바르게 정립하고, 이를 행동으로 실천하는 것이 무엇보다 중요합니다.

'동아시아 공동체를 향한 한·일 협력'을 주제로 하는 이번 회의가

서로간의 이해를 넓히고, 이웃국가들에 대해 취해야 하는 태도는 무어인지 진지하게 성찰하고 고민하는 계기가 되기를 바랍니다. 다시 한번 합동총회의 개최를 축하드리며, 양국 협력위원회의 무궁한 발전을 기원합니다.

훈센 캄보디아 총리 내외를 위한 만찬사

2006년 3월 21일

존경하는 훈센 총리 각하 내외분, 그리고 귀빈 여러분,

오늘 저녁, 5년 만에 다시 방한하신 각하 내외분을 모시게 되어 매우 기쁩니다. 각하의 이번 방문이 우리 두 나라를 더욱 가깝게 만드는 좋은 계기가 되었다고 생각합니다. 우리 국민들 사이에 캄보디아에 대한 관심이 크게 높아지고 있습니다. 지난해 캄보디아를 방문한 우리 국민이 20만 명에 이릅니다. 2002년 2만 명에 비해 열 배나 늘어난 것입니다. 특히 우리 국민은 12세기 크메르인들이 건설한 '앙코르 와트'를 보면서 캄보디아의 위대한 역사와 문화에 경탄합니다.

우리는 또한 각하께서 일으켜 세운 오늘의 캄보디아를 주목합니다. 각하께서는 청년시절부터 목숨을 건 애국투쟁으로 조국이 위기에 처할 때마다 이를 극복해냈습니다. 최근 들어서는 정치적 안정을 바탕으로 매

년 7% 안팎의 고도성장을 지속하고 있습니다. 저는 캄보디아가 머지않아 제2의 앙코르 시대를 열어가게 될 것으로 확신하며, 각하의 탁월한 지도력과 국민의 저력에 깊은 경의를 표합니다.

총리 각하,

우리 두 나라가 지금과 같은 친구가 될 수 있었던 데에는 각하의 노력이 매우 컸습니다. 1997년 많은 어려움 속에서도 수교의 결단을 내렸고, 이번까지 세 차례나 한국을 방문해 주셨습니다. 오늘 정상회담에서도 한국에 대한 각하의 깊은 이해와 관심을 피부로 느낄 수 있었습니다.

우리 두 나라의 교역규모는 수교 당시에 비하면 세 배나 늘어났습니다. 앞으로 협력할 분야는 더욱 많습니다. 이번에 합의한 '크랑폰리강 수자원 개발사업'과 '앙코르 - 경주 문화엑스포' 등도 양국 협력의 좋은 사례가 될 것입니다. 남북한 모두와 긴밀한 관계를 유지해온 캄보디아는 남북 화해협력을 위한 우리의 노력을 적극 지지해 주셨습니다. 앞으로도 우리 두 나라가 동아시아의 평화와 번영을 이루어가는 데 든든한 동반자가 될 것으로 믿습니다.

귀빈 여러분,

각하 내외분의 건강과 '깜뿌찌어'의 무궁한 발전, 그리고 우리 두 나라의 우정을 위해 축배를 제의합니다.

감사합니다.

국민과의 인터넷 대화 말씀

2006년 3월 23일

사회자 : 여러분 안녕하십니까, 인터넷 이용률 72.8%, 정말 우리나라 인구의 대부분이 인터넷을 사용한다고 해도 과언이 아닙니다. 연예인들은 댓글에 울고 웃고, 또 기업들은 댓글 마케팅을 하고, 정치인들은 댓글 정치를 하는 시대에 우리가 살고 있습니다. 이 시대 강력한 콘텐츠 생산자로 부상하고 있는 네티즌들이 급기야 대통령과의 면담을 신청하기에 이르렀습니다. 여러분, 박수로 맞아 주십시오. 대한민국 대통령이십니다.

"세계 최초의 인터넷 대통령 로그온하다." 이것은 노무현 정부가 출범할 때 영국의 가디언 지가 전 세계에 알린 내용입니다. 정말 인터넷 대통령 답게 여러 네티즌들과 대화를 많이 하셨을 겁니다. 그래서 여러분도 오늘 이렇게 가까이서 뵙게 되니까 반가우시죠, 무엇보다도 취임 3주년을 진심으로 축하드립니다. 벌써 3년이나 지났습니다.

대통령 : 예, 아직까지 2년이 남았죠. 지루한 것 같기도 하고 또 매우 아쉽게 느껴지기도 합니다.

사회자 : 앞으로 남은 2년이 우리 모두의 2년이기 때문에 힘을 모으자는 뜻에서 오늘 우리 네티즌들이 대통령님을 초대해서 이런 자리를 마련했다고 생각되는데 대통령님께서도 네티즌이시죠.

대통령 : 예, 컴퓨터 앞에 앉아 있는 시간이 좀 되는 편입니다.

사회자 : 댓글도 많이 다시는 것으로 알고 있는데요.

대통령 : 일반적으로 하는 것은 아니고 국정브리핑이라는 정부정책 사이트가 있습니다. 격려 차원에서 거기에 한 번씩 댓글을 달아 봤는데 시비가 되기도 하고 해서 지금은 댓글을 달지 않습니다.

사회자 : 역사의 한 페이지를 장식할 오늘 만남에서 다룰 주제는 바로 양극화입니다. 대통령께서 올해 화두로 양극화를 제시하셨고, 국민들도 그 문제의 심각성에 대해서는 공감하실 것입니다. 또한 신년연설에서 토론과 논쟁이 치열할수록 해법은 분명하게 잡힐 수 있다고도 말씀하셨습니다. 아마 오늘 토론이 양극화 문제의 해법을 이끌어내는 자리가 되

기를 기대해 봅니다. 먼저 대통령께서 생각하시는 우리나라의 양극화 현실에 대해서 저희가 듣고 싶습니다. 말씀해 주십시오.

대통령 : 우리가 양극화를 얘기하면 모두 자기가 서 있는 자리에서 양극화를 이해합니다. 중소기업하는 분들은 대기업에 비교해서 이것은 너무 심하다 그렇게 느끼고 지방에 사는 사람들은 또 수도권과 비교해서 이것은 또 너무 심하다고 합니다. 서비스업하는 사람들은 제조업과 비교해서, 제조업하는 사람들 중에서는 IT 분야와 그렇지 않은 분야를 비교해서 또는 수출과 내수를 비교해서 심하다고 합니다. 그중에서도 양극화가 제일 심하고 본질적인 것은 계층 간 소득의 양극화, 재산의 양극화입니다. 왜냐하면 모든 양극화가 궁극적으로 깔때기처럼 딱 몰리기 때문에 마지막에는 소득의 양극화, 그리고 그 결과로서 재산의 양극화, 그리고 점차 사회적 기회의 양극화로 진행되지 않습니까, 저는 매우 심각한 문제로 봅니다.

제가 양극화 얘기를 하면 '당신이 그렇게 만들어 놨지 않느냐,'고 말씀하시는 분들도 있고 또 어떤 분들은 양극화 얘기 자꾸 하는 것은 '성장 쪽에 치중하지 않고 분배정책으로 가겠다는 것이냐.'는 질문도 합니다. 그렇지만 저는 상당히 중립적인 관점에서 양극화 문제를 심각하게 다루는 것이 옳다고 생각합니다. 세계화 시대의 일반적 현상이기도 하고, 지식정보화 사회로 변하면서 이러한 경향이 생기는 것은 맞습니다. 우리나라는 그동안 외환위기와 지난번 가계부채 사태라든지 하는 경제위기를 두 번 거치면서 양극화 속도가 매우 빠르고 심각해져 있기 때문에 제가 양극화 얘기를 많이 하고 있습니다.

사회자 : 오늘 인터넷 대화를 저희가 편의상 5개 주제로 나눠 봤습니다. 일자리, 부동산과 교육, 재정, 복지, FTA 이렇게 5개 주제를 패널들께 드렸습니다. 대통령께서 어느 글자를 선택하느냐에 따라서 그 분야에 관한 질문을 드리는 것으로 진행하겠습니다. 제가 먼저 조금 쉬운 질문을 드릴까 합니다. 대통령께서는 양극화의 원인으로 과거 불균형 성장과 IMF 후유증을 지적하셨습니다. 그러나 일부에서는 양극화가 심화된 것이 참여정부 들어서이다, 그리고 참여정부의 정책 실패로 양극화가 더 심화된 것이기 때문에 참여정부의 책임이 크다는 주장이 있는 것도 사실입니다. 양극화의 원인에 대해서 어떻게 생각하시는지요.

대통령 : 양극화 문제에 대해서 참여정부는 큰 책임이 없다 이렇게 말하기보다는 어떻든 참여정부가 이 문제를 해결해야 되는데 아직 해결도 못했고, 또 해결의 가닥도 제대로 잡지 못하고 있다는 점에 대해서 책임을 깊이 느끼고 있습니다. 그러나 원인에 대한 진단이 바로 돼야 대책도 바로 나올 수 있기 때문에 원인 진단을 한번 해 보면 좋겠는데요.

우리가 보통 지니계수나 소득분배율 등을 가지고 양극화 정도를 측정하고 있습니다. 지금 여기 양극화 추세 표가 나오는데요. 1991년부터 1993년 사이의 선을 보시면 1993년이 제일 낮습니다. 낮은 것일수록 양극화가 심하지 않다는 것입니다. 그런데 1993년부터 1995년가지 조금씩 올라가고 있고, 1996년에 가서 아주 많이 나빠집니다. 1997년 오면서 조금 좋아지다가 1997년 말에 우리가 외환위기를 맞고 대량 실직사태가 발생하면서 아주 가파르게 지니계수가 올라갑니다. 양극화 문제가 아주 심해졌다는 것이죠.

이렇게 1999년까지 진행되다가 200년부터 조금씩 개선되기 시작합니다. 2002년까지 개선되다가 2003년부터 다시 나빠지기 시작합니다. 가장 나빠진 지점을 보시면 1997년부터 1998년 사이에 외환위기가 있었습니다. 2003년부터 2004년 사이에는 소위 가계부채, 카드사태라고 하는 상황이 있었습니다. 경제위기라는 것이 아주 심각하게 양극화를 심화시킨다는 것을 알 수 있습니다. 그 이전 1993년과 1994년 사이에 개방이 있었습니다. WTO 가입도 있고 OECD 가입도 있고 국내적으로 금융제도를 대폭적으로 개방하는 변화 과정이 있었습니다. 그런 것과 다른 요인도 있었겠지만 1993년에서 1996년까지 올라가다가 1997년에 개선되는데 이때는 왜 개선되느냐 하면, 아래쪽이 나빠져도 올라가지만 위쪽이 나빠져도 개선되는 것처럼 나타나게 돼 있습니다. 그러니까 상위 소득자가 오히려 나빠지니까 1997년에 좀 개선된 것처럼 나타난 것입니다. 그 당시 부도가 많이 났으니까요. 그것은 착시현상이라는 것이죠. 전체적으로 하위소득자들의 형편이 풀리지 않았지만 도표상으로는 좋게 나왔습니다. 1998년은 정말 나빠졌습니다. 그 당시 한쪽에는 '이대로'라고 하는 사람들도 있었고, 몰리는 사람은 그냥 몰렸습니다. 위기가 극복되면서 좀 좋아지고 전체적으로는 이렇게 가고 있습니다. 이런 것을 놓고 보면서 양극화 원인을 여러 가지로 분석을 해보고 대책을 세우는 것이 맞다고 생각합니다.

사회자 : 대통령께서 '양,극,화,해,소' 중에서 하나 골라 주시면 그 분야 질문을 드리도록 하겠습니다.

대통령 : 제가 해결을 해야 되니까 해결사로서 '해' 자를 한번 뽑아 보겠습니다.

사회자 : '해'자는 부동산과 교육에 관한 문제군요. 질문해 주십시오.

질문 : 참여정부의 부동산정책 해결 의지에 대해서는 대부분이 A+ 이상을 주는 것 같습니다. 그런데 실제 효과 면에서는 의구심을 갖는 국민들이 많은 게 현실입니다. 몇 가지 대책들이 나왔고 부동산종합대책이라는 '8·31대책'이 6개월 정도 지났는데, 언론을 보면 일부 지역이겠지만 또다시 원상회복이니 해서 국민들이 굉장히 불안해하는 모습입니다. 국민들에게는 자기 집 마련이 굉장히 큰 문제이고, 대통령님께서 말씀하실 때마다 '집값은 잡겠다.'고 하셨는데 실제 가시적인 성과를 언제쯤 볼 수 있는지, 원인과 대책에 대해서 말씀해 주십시오.

대통령 : 부동산 문제는 어쩌면 가장 핵심적인 문제라고 말할 수 있겠습니다. 서민생활이 어렵다고 하는데 국민의 생활을 가장 어렵게 하는 것이 바로 부동산 문제입니다. 양극화의 심각한 원인이기도 하고, 또 양극화의 핵심적인 결과가 부동산 격차로 나타나는 것이거든요. 자산 양극화의 핵심 원인이자 결과입니다. 이 문제가 해결되지 않으면 양극화 문

제에 대해 다른 측면에서 아무리 노력해도 무력화되는 것이거든요. 그래서 아주 중요합니다. 부동산 가격이 높아서는 우리 대외경쟁력도 유지할 수가 없습니다. 부동산 가격이 높으면 생산원가가 높아지고, 또 서비스 부문까지 비용이 높아지기 때문입니다. 세계 각국에서 부동산에 거품이 들어갔다 빠질 때는 다 경제위기를 맞이합니다. 위기를 맞이하면 조금 전에 여러분께서 표에서 보신 대로, 양극화가 또다시 증폭되면서 그 부담을 힘없는 사람들이 다 짊어지게 되어 있습니다. 부동산은 만병의 근원이고, 여러 가지 나쁜 일의 주범입니다. 이렇게 볼 수 있다는 것을 말씀드립니다.

그리고 의지에 대해서 평가해 주셔서 감사합니다. 그러면 정책의 결과에 대해서 자신하느냐, 예, 자신합니다. 임기가 아직 2년 남아 있습니다. 지금 8·31 대책을 좀 우습게 보는 경향이 있는데 딱 짧게 표어로 말씀드리면 '8·31대책 우습게 보지 마라.' 이렇게 말씀드리고 싶습니다. 단기적으로는 정책의 내용도 중요하지만 정책에 대한 신뢰도 중요합니다. 정책이 효과가 날 것이라는 신뢰를 가지고 있으면 정책이 순조롭게 가는데, 그 정책을 싫어하는 사람들은 가다가 말겠지 하는 심정으로 저항하기 때문에 정책효과가 잘 나타나지 않는 경우가 있습니다. 그리고 정책내용이 부실해도 효과가 나지 않습니다. 내용이 완벽하게 되어 있고 시간이 흐르면 결국 저항이 꺾이게 돼 있습니다.

공시지가는 1년에 한 번씩 올리지만 부동산 가진 분들이 느끼기에는 아마 날마다 올라간다고 느낄 것입니다. 그리고 금년 6월부터는 모든 부동산 실거래 금액이 등기부에 등재됩니다. 그러면 거래를 하지 않은 부동산도 주변에 거래가 있기 때문에 나란히 가치평가가 되면 공시지가가 전부 실거래가액과 같이 가게 되어 있습니다. 그것을 기준으로 해서 0.7% 내지 2%의 보유세가 해마다 나옵니다. 적지 않은 부담입니다. 그래서 부담이 되니까 부동산 팔아야 되는데 빨리 팔지 않고 끌고 있다가 뒷날 팔면 대체로 70% 정도의 양도소득세가 나옵니다. 그래서 매년 부동산이 12% 이상 올라가지 않으면 부동산에서는 소득이 하나도 발생할 수가 없습니다. 그렇기 때문에 장기적으로는 부동산 가지고 투기소득을 바라는 사람들은 반드시 실패할 것입니다.

그런데 왜 이런 현상이 나타나는가, 똑같은 정책을 보고도 해석을 다르게 하기 때문입니다. 어떤 사람은 희망사항대로 해석하고, 또 어떤 사람들은 안 팔고 가지고 있어도 되겠지 하고 생각합니다. 제가 제일 우려하는 것은 정책 별것 아니라고 부추기는 사람들이 있다는 것입니다. 심지어 일부 언론까지 8·31대책의 위력을 제대로 국민에게 전달해 주지 않는 것 아닌가, 어떻게든 좀 무력화되기를 바라고 있는 것 아닌가, 이런 느낌이 들 정도입니다. 그렇지만 정부는 한발 더 나아가서 이제 재건축에서 발생하는 초과이익은 다 환수하는 방향으로 제3단계 부동산 대책을 준비하고 있고요, 그 다음 4단계도 없으리라는 법 없습니까, 2년 동안 4단계, 5단계까지 갈 수 있습니다. 저는 경제의 지속적이고 안정적인 성장을 위해서, 경제위기 같은 것을 다시는 맞는 일이 없도록 하기 위해서 책임지고 반드시 풀어나갈 것입니다. 대통령이 다 하는 게 아니고 국회도 해야 하는데요, 국민 여러분이 뒤를 받치면 국회는 국민여론을 존중하게 되어 있습니다. 그런 의미에서 믿음을 가지고 갔으면 좋겠습니다.

지금 일시적으로 강남은 약 2%, 전국은 0.6%, 서울은 그 중간 정도 이렇게 일시적으로 이상징후가 나타나고 있는데 두 가지 해석이 있습니다. 투기위험이 있는 것으로 보는 해석이 있고, 실수요자들이 몰리고 있어서 그렇다는 해석이 있는데, 어느 쪽인지 조금 더 기다려 보면서 완벽한 대비를 하도록 하겠습니다.

질문 : 교육에 관해서 질문드리겠습니다. 한편에서는 특목고나 자립형 사립고 같은 학교를 확대하는 것은 소수에게만 혜택을 주고 양극화를 심화시킨다고 하고, 다른 한편에서는 현행 평준화정책은 잘하는 학생을 끌어내리는 하향평준화 정책이라고 하는데, 이 문제에 대해서 어떻게 대응하실지 말씀 부탁드립니다.

대통령 : 특목고나 자립형 사립고라는 것이 평준화에 배치되는 정책입니다. 그러나 교육이라는 것이 수월성이라든지 특수한 방향의 교육을 필요로 하는 것 또한 사실이거든요. 도 평준화를 지키자면 우수한 교육을 봉쇄해야 되는 이런 모순에 걸려서 고민하는데, 저는 이 두 개가 조화롭게 갈 수 있다고 생각합니다.

서열화하는 것과 특수화하는 것은 조금 다릅니다. 예외 없는 원칙이 없습니다. 모든 국민들이 보편적으로 기회를 함께 가지고 보편적 수준으로 올라가는 것이 일차적으로 중요한 일입니다. 그러나 세계적 경쟁에서 우수한 인재들을 키워내야 합니다. 이것은 보편성과 특수성을 가지고 가면서 특수성이 보편화되지 않도록 하면 되는 것입니다. 우리가 자칫 잘못하면 특수성의 필요를 얘기하면서 그것을 보편화해 버리자, 이렇게 되는 것이거든요. 그것은 안됩니다. 보편성은 보편성대로 유지하고 특수성은 예외적으로 유지해야 합니다. 특출한 한 사람이 1만 명을 먹여 살린다고 말하는 사람들이 있는데, 그 인재는 인재대로 특수한 소수의 비율로서 해 나가면 된다는 것이지요. 반면에 특수성을 내세워서 전 국민 서열화를 주장하는 사람들이 있습니다. 지금 일부 대학교에서 본고사를 부활시키고 싶어 하는데 이것은 전 국민을 서열화하자는 것입니다. 그럴 필요는 없습니다. 보편적인 수준, 그리고 특수한 필요를 충족시키는 그런 방식으로 가야 합니다.

특수성을 위해서 필요한 경쟁의 원리를 보편화해 버리면 전 국민 서열화로 가버리는데 이것은 우리 교육을 망칩니다. 지금 우리 교육이 가장 강조하는 것이 창조성과 사회성 아닙니까, 인성이라고 하는 것이 사회성을 말하는 것이라고 생각합니다. 우리 사회 전체로 봐서는 창조성과 인성교육을 통해서 다양성이 확보돼야 합니다. 그러면서 모든 사람에게 기회를 균등하게 줘야 한다는 것입니다. 가정환경이나 출신이 어떻든 간에 교육의 기회는 다 줘야 한다는 것이 우리가 충족시켜야 되는 요구이고, 또 사회성 교육이나 창조성 교육을 하자면 공교육이 살아나야 합니다. 학원에서 창조성과 사회성 교육은 되지 않거든요.

다양성 교육도 마찬가지입니다. 한 학생이 다양한 교육을 접할 수 있어야 되고, 또 학생마다 다른 코스가 주어져야 된다는 점에서 교육의 다양성 아니겠습니까, 이 또한 공교육 영역에 있는 것이지 학원에서 될 일은 아닙니다. 제대로 된 교육을 하자면 공교육을 살려야 되는데 공교육을 살리는 방법은 결국 내신평가에 의한 입시제도로 가지 않을 수 없습니다. 획일적 평가방식으로는 창의성이나 다양성을 살리기가 참 어렵습니다. 만약 그 방식에 의해서 자기의 평생이 결정된다고 하면 대학입시가 평생을 결정하는 것 아닙니까, 물론 이것도 고쳐져야 합니다만, 대학입시에서 획일적 평가방법을 요구하는 한 이 문제는 해결이 안되는 것입니다.

그래서 공교육을 살리기 위해서는 내신의 합리성과 신뢰도를 최대한 높여서 공교육을 살리고, 대학교는 대개 그런 과정에서 상위 1%, 상위 5% 안에서 세계 최고의 인재를 만들어 내는 것이지요. 변별력이 그 정도면 되는데 지금 이미 수능 9등급에 상위 5% 정도는 충분히 판별할 수 있게 되어 있고, 내신에서도 학교 간 편차가 있지만 나름대로 그 집단에서의 우수한 사람을 찾을 수 있습니다. 또 과목별로 다르게 볼 수도 있고, 그래서 교차시키면 1% 이내의 인재를 충분히 고를 수 있도록 현재도 되어 있습니다. 그런데 0.1%를 찾겠다는 것이거든요. 그렇게 뽑는 경쟁이 아니라 키우기 경쟁을 해야 된다는 것입니다. 제가 길게 설명드렸습니다만 우리가 부닥쳐 있는 교육 문제 이 설명 안에 대개 다 들어있습니다. 그래서 저는 지금 핵심이 대학입시제도이고 나머지 문제는 그 다음에 따라가는 부차적 문제들이라고 생각합니다.

사회자 : 다음 질문은 복지 분야네요. 만만치 않으실 것 같아요. 인터넷에 자유롭게 질문 올리는 중에 복지 분야 질문이 참 많았습니다. 그래서 이 분야를 따로 하나 정했습니다.

질문 : 한 네티즌이 올린 글에 이런 내용이 있습니다. 국가시책으로 영세민에게 전세금을 싼 이자로 대출해 준다고 하기에 너무 반가워서 은행문을 두드려봤더니 절차도 너무 복잡하고 조건도 까다로워서 이것이 진정 영세민을 위한 정책인가 하는 의구심이 들었다고 합니다. 국민들 중에는 경제가 좋아지면 양극화는 자연스럽게 해결되는 것이므로 경제성장을 위해 역량을 집중해야 한다는 의견과 양극화 해소를 위해서는 복지를 강화해야 한다는 의견이 있습니다. 대통령께서는 어떻게 양극화를 해소할 수 있다고 생각하십니까,

대통령 : 우선 절차가 까다로운 것은 혈세라고 말할 만큼 세금에 대해 국민들의 관심이 높기 때문입니다. 그 세금으로 전세자금 같은 것을 지원하는 것이기 때문에 정말 효과 있게 부작용 없이 알뜰하게 써야 합니다. 거저 주면 도덕적 해이가 생깁니다. 그렇기 때문에 거저 못주고 빌려주는 것이지요. 빌려주니까 반드시 돌려받아야 될 것 아니겠습니까, 돌려받으려고 하니까 일반 은행에다 갚을 수 있는 사람인지 없는 사람인지 잘 판단해서 관리하라고 할 수밖에 없고, 그러다 보면 돌려받을 수 있느냐 없느냐를 까다롭게 안볼 수가 없는 애로들이 아마 실무하는 분들에게는 다 있을 것입니다. 대통령은 그냥 '그것 좀 빌려주시오.' 이렇게 말하지만 일선에서 실무하는 사람들은 그렇게 하기 어려운 것이죠. 그래서 절차가 까다로운 것은 좀 감수를 해 주시고, 도저히 거기에 해당이 안되는 분들은 다른 어떤 구제대책들을 마련해 놓고 있으니까 좀 힘드시겠지만 잘 선택해서 써 주셔야 겠습니다.

그 다음에 우리 사회에서 복지는 투자입니다. 기업하기 좋은 나라, 이것이 참 중요합니다. 경제가 돼야 양극화 해소가 되니까요. 기업하기 좋은 나라를 위해서는 규제가 적고 세금이 적은 것도 중요하지만, 더 중요한 것은 국민들이 시장에서 활발하게 소비하는 것입니다. 그런데 양극화가 심해지면 돈 많은 사람들은 해외에 나가서 돈 쓰고 저축하고 다른 나라에 투자하고, 돈 없는 사람은 소득이 없으니까 시장이 메말라 가게 됩니다. 시장이 위축되면 기업이 투자를 할 이유가 없죠. 시장이 활발하면 규제가 있어도 투자를 하지만, 시장이 죽어버리면 규제가 한 개도 없어도 아무도 투자하지 않습니다. 그런데 중소기업의 시장은 국내이고 대기업의 시장은 세계입니다. 그래서 양극화를 해소해 주면 우리 중소기업들의 시장이 활성화돼서 우리 경제가 좀 살아나고, 그것이 또 양극화를 해소하게 되고 일자리가 생기고 그러면 양극화가 해소되고 기업도 잘되고 이렇게 가야 경제 되는 것 아니겠습니까, 지속가능한 성장이 바로 이것이라고 생각합니다.

질문 : 복지와 관련해서 가장 중요한 재원 확보 문제에 대해서 1월에 말씀하셨습니다만, 국민적 합의라고 했을 때 세금 올리는 것은 문제가 없을 것이라고 생각하지만, 저 같은 샐러리맨 입장에서 보면 문제는 빠지는 사람들이 있다는 것이죠. 미국에는 죽음과 세금은 피할 수 없다는 얘기가 있다고 하는데, 고소득 자영업자 같은 사람들에게 그렇게 할 수 있는 신뢰 있는 정책을 준비하고 있는지 궁금합니다. 그렇다면 나머지 샐러리맨들도 같이 동참할 수 있는 기회가 열리게 될 것이라고 생각

합니다.

　　대통령 : 제가 작년에는 양극화라는 말을 꺼내지 않고 대신 선진한
국과 동반성장까지만 얘기했습니다. 양극화가 심하지 않아서 말 안한 것
이 아닙니다. 양극화 얘기를 꺼내면 '세금 올리자는 말이지.' 이렇게 되
면 바로 정치적으로 반대 입장에 있는 사람들이 세금 얘기를 하게 돼 있
고, 여러분이 아시듯이 언론환경이 제게 그렇게 좋지도 않지 않습니까,
세금 얘기 나오면 국민 지지는 하루아침에 어려워지는 것 아니겠습니까,
되지 않을 일을 가지고 시끄럽게만 할 수도 없고….

　　그런데 올해에는 정말 더 미룰 수가 없었습니다. 경제가 돌아가는
추세를 보니까 올해는 허리가 쭉 펴질지는 모르겠습니다만, 숨쉬기 좋은
정도가 될 것 같으니까 이제는 본격적으로 양극화 얘기를 좀 하려고 했
는데 '세금 올리자는 말이냐,' 그랬거든요. 그런데 '세금 내라는 말이냐,'
는 말에 대해서는 아직 저도 확실하게 답을 할 수가 없습니다. 이 얘기는
우리가 함께 생각해 보고 방법에 대해 한번 논의해 봅시다.

　　그런데 세금 얘기가 나오니까 바로 '월급쟁이가 봉이냐.' 이렇게 나
왔는데요. 물론 자영업자와의 사이에서 형평 문제를 제기하는 것이라
는 점은 알겠습니다만, 그럼에도 불구하고 아직까지 잘못 이해하고 있
는 부분이 있는 것 같습니다. 우선 우리가 소득세를 보면 근로소득세의
90%를 상위 20%가 내고 있습니다. 소득계층의 절반 정도는 소득세를
전혀 내지 않습니다. 그러니까 지금 세금구조라면 혹시 세금을 올리더라
도 상위 20%외의 사람들은 별로 손해 볼 것이 없다는 정도로 이해해 주

십시오. TV나 신문을 보면 마치 전 봉급자들이 궐기할 것만 같은 생각이 들고 어디 갔다가 돌 맞는 것 아닌가 싶어 겁이 나는데, 내 소득이 상위 20%가 아니라고 한다면 조금 한숨 돌리고 좀 봐주시고요. 그 다음에 종합소득세 쪽으로 가면 전체 소득의 96.7%를 상위 20%가 내고 있습니다. 그런데 상위 20%에 있는 분들에 대해 설문조사를 해 보면 '필요하면 낼 것은 내야지.' 이렇게 말씀들을 하십니다.

어떻든 탈세하는 사람이 있으니까 문제 아니냐는 것이죠. 그런데 지하경제를 아주 부풀려서 계산하는 분도 있고 해서 국세청 계산과는 많이 차이가 납니다만, 이제 탈세 같은 것은 용납하지 않겠습니다. 일단 참여정부 국세청은 좀 다른 것 같지 않습니까, 참여정부 출발할 때 경제 어렵다 해도 접대비 50만원 철했습니다. 그동안 불로소득, 탈세 등에 대한 세무조사 확실하게 했고, 현금영수증제도와 같이 상당한 저항을 무릅쓰고 세원을 투명하게 해 나가는 과정에 대해서 최대한 노력하고 있습니다. 지금 세무조사 들어가는 분들이 사회 여론에 영향이 미치는 분들이거든요. 그런데 우리 국세청이 제가 하라고 시키지도 않았는데 하는가 봐요. 국세청이 달라졌습니다. 조세형평에 대해서는 앞으로 좀 기대해 보자고 말씀드립니다.

질문 : 양극화 해소를 위해서도 무엇보다 경제 회복이 중요하다고 생각합니다. 대통령님께서도 올해 경제 회복 추세가 본격화될 것이라고 전망하셨는데, 올해 경제는 언제쯤 어느 정도 풀릴지, 이번에 풀리면 서민들이 체감할 수 있는 수준이 될지 전망을 부탁드립니다.

대통령 : 회복됩니다. 저는 확신을 가지고 있습니다. 그러나 언제 얼, 될지는 참 표현하기 어려운데, 언제 얼마이든 간에 앞으로 경제는 상당기간 계속 잘 갈 겁니다. 한국은행, 재정경제부, 그리고 여러 연구소 보고를 계속 받는데 전체적으로 길게 보면 맞고, 단기적으로 하나하나 미세하게 지엽적으로 보면 항상 틀립니다. 언제 얼마인가는 제가 답변드리지 않겠습니다. 그러나 큰 흐름으로 보아서 잘 가고 있습니다.

지금 우리 경제를 어렵게 했던 요인 중에 신용불량자가 있는 않습니까, 제가 대통령 취임할 때 292만 명의 신용불량자가 있었는데 이것은 평소보다 한 30~40만 명 많은 것이었습니다. 그때부터 바로 줄일 수 있을 것이라고 생각했는데 계속 늘어나고, 가계부도도 계속 나고 있었던 거죠. 회복하는 사람도 있지만 더 많은 사람이 부도를 내고 그래서 2004년 4월에는 383만 명으로 최고조에 달했습니다. 2005년 말에 다시 294만 명으로 돌아왔습니다. 지금은 292만 명 아래로 내려왔을 거라고 믿고 있습니다. 가족 중에 이런 사람들이 한 사람이라도 있으면 그 가족의 소비가 제대로 되겠습니까, 위축돼 가지고 사회활동 제대로 했겠습니까, 이 문제가 우선 풀렸으니까 시장에서 소비는 좀 살아날 것이라고 믿습니다.

그 다음에 금융시스템의 위기요인이 없습니다. 2003년에 4천~5천원 선에 있던 하이닉스 주식이 지금 15,000원하는 바람에 외환은행이 벌떡 일어나서 지금 엄청 값이 비싼데도 서로 사겠다고 경쟁합니다. 이만큼 우리 경제가 체질이 강화되었습니다. 전체 경제가 꼭 이렇게 좋은 것은 아니지만 전망 아닙니까, 그 외에 우리 금융의 부실요인이라든지 위기요인이 없습니다. 경제에 위기가 있으면 경보가 울리도록 시스템을 만들어 놓고 그 시스템을 보완해 나가고 있습니다. 유가와 환율 때문에 걱정입니다. 그러나 당장 위기요인은 아닙니다. 그래서 저는 이제 한숨 좀 돌리고 다시 몇 년 동안에는 이런 위기가 안 오기 때문에 거기에 대해서는 걱정 마시고 쓰시라고 합니다. 미래를 위해서 저축하는 분들도 우선 좀 쓰고 보십시오.

지금 국민연금이 제일 어려운 건데, 국민연금제도를 아직 해결하지 못했습니다만 어떻든 미래에 대해서 어느 정도 국가적인 보장제도를 만들어 나가도록 할 것입니다. 제가 공약하지 않더라도 우리 사회가 더 이상 연금제도를 해결하지 않고 버티고 갈 수 없습니다. 결국 우리 사회가 노후를 연금으로 상당한 보장을 해 주고, 또 그것도 안되면 이중 삼중의 다층적인 노후보장제도를 만들게 되어 있으니까 국민들이 요구하고 있고 그렇게 가게 되어 있습니다. 제가 대통령이 아니라도 가게 되어 있습니다. 그러니까 미래는 우리 사회의 건전한 상식에 맡기기로 하고 우선 인간다운 생활을 위해서 쓸 수 있는 데까지는 좀 쓰시고, 또 세금도 많이 내시고 해서 한번 자신 있게 가 봅시다. 걱정 없다고 생각합니다.

질문 : 개방과 경쟁이 중심이 되는 FTA와 복지가 강조되는 양극화 해소는 양립할 수 없다는 시각이 있는데, 이 두 가지 모두 함께 풀어야 될 숙제라면 어떤 방법으로 두 마리 토끼를 다 잡으실 것인지 대통령님의 생각을 듣고 싶습니다.

대통령 : FTA라는 것은 개방의 상징적인 것입니다. 가장 전형적인 개방이지요. 개방은 세계 시장을 향해서 뻗어나가는 것입니다. 세계 시장으로 나가기 위해서 우리도 문을 활짝 연다 이런 뜻이지요. 또한 그럴수록 양극화가 심해지니까 이걸 그냥 두면 비인도적이고 비민주적이지요.

민주주의라는 것은 사회공동체의 성과를 합리적으로 분배하고 더불어 가는 것 아니겠습니까, 구성원 모두가 그저 투표만 한다고 민주주의 되는 것이 아니고 인간다운 삶을 함께 누려야 하기 때문에, 또 더불어 가야만 우리가 지속적으로 성공할 수 있기 때문에 저는 개방과 세계화, 양극화 해소와 동반성장을 우리 사회가 선진민주주의 사회, 선진경제로 가는 양 날개라고 생각합니다. 성장을 위해서 적극적으로 개방하지 않을 수 없는 것이 우리 경제의 체질이고, 또 국민이 함께 가는 것은 우리의 교유한 목표이기 때문에 국민 복지를 위해서 함께 가자고 말씀드리고 싶습니다.

제가 좀 황당하다고 느끼는 게 있는데요, 한쪽에서는 참여정부를 '신자유주의 정부'라고 하고, 또 다른 한쪽에서는 '좌파정부' 아니냐고 자꾸 물어봅니다. 그래서 하도 답답해서 좌파정책 할 것 하고 우파정책 할 것 하는 '좌파 신자유주의 정부'라고 합니다. 이론적 틀 안에 자꾸 현실을 집어넣으려고 하지 말고 좌파이론이든 우파이론이든 현실의 문제를 해결하는 데 열쇠로써 써먹을 수 있는 대로 써먹자는 것이지요. 전 그게 가능하다고 봅니다. 실제 역사도 가만 들여다보면, 하나의 이론적 틀 속에서 역사가 발전해 온 것은 없고 다양하고 복합적인 발전 요소들이 함께 공존하는 가운데 역사라는 것이 이루어져 온 것이기 대문에 순수 이론적인 이념적 틀 속에 국가가 들어가지 않습니다. 국가 안에 여러 가지 이념이 들어오는 것이지요. 조화가 될수록 좋은 것입니다. 저는 조화해서 가는 것이 바로 양 날개를 함께 가져가는 것이라고 생각합니다.

일단 이것을 전제로 해 두고 FTA에 대해서 말씀드리겠습니다. 단기적인 이해관계를 가지고 보면 미국 시장에서 일본이나 중국보다 단 1%라도 유리한 위치를 갖는 것은 중요합니다. 미국 시장은 원래 중요한 시장이고, 상징성이 큰 시장이기 때문에 우리 수출품이 미국 시장에서 1%라도 유리한 위치를 차지하도록 하자는 것이 하나의 목적입니다.

두 번째로는 우리 제조업은 거의 세계 일류 수준이 되었습니다. 그러나 금융, 법률, 세무, 컨설팅, 디자인 등 기업을 지원하는 각종 서비스나 교육, 의료 이런 부분은 아직 세계 일류가 아닙니다. 어떻게 아느냐 하면 우리 기업들이 외국에서 서비스로서 쓰는 것이 그 분야거든요. 그 다음에 우리 금융이관이 아직까지 세계일류로 인정받지 못하고 있습니다. 또 고급 환자들이 많이 나가고 유학도 많이 나간단 말이지요. 경쟁력을 가지고 나가는 사람은 나가고 들어오는 사람은 들어와야 될 것 아닙니까. 공부하러 나가는 사람 나가고 들어오는 사람 들어오고, 치료받으러 나가는 사람 나가고 치료받으러 들어오는 사람 들어오고, 미국 변호사와 한국 변호사가 대등하게 경쟁할 수 있는 데까지 가야지요. 은행도 가야 됩니다. 각종 개발투자는 전 세계를 무대로 하지 않으면 안되는데, 우리는 개발투자 부분에 있어서 싱가포르한테도 못따라가고 있지 않습니까,

FTA 한다고 당장 좋아지는 것은 아니지만, 개방해서 경쟁시키지 않으면, 그리고 노력하지 않으면 성장하지 못합니다. 어린아이를 계속 따라다니면서 보호하면 독립하지 못합니다. 어른이 되면 집에서 내보내야 됩니다. 나가서 경쟁해서 죽든지 살든지 성장해 봐라, 그래서 서비스 경쟁력을 향상시키기 위한 일종의 충격요법이라고 봐야 됩니다. 그런데 죽어버리면 어떻게 하느냐, 자신감 가지고 가면 됩니다. 열심히 하면 됩니다. 지금까지 우리 한국이 도전해서 성공 못한 것이 뭐가 있습니까, 조선, 반도체, 전자제품, IT 또 뭐가 있습니까, 자동차도 얼추 다 가고 있고, 지금 항공우주산업주식회사도 슬슬 살아가지고 한번 해 보겠다고 뛰니까 일할 수 있게 한번 밀어주자고 하고 있거든요.

우리 국민들이 탁월한 역량을 가지고 있습니다. 그러니까 저는 딱 믿고 자신감 가지고 이 결정을 내렸습니다. 미국 시장은 중요합니다. 개방에 노출시켜서 서비스의 경쟁력을 키우자는 것입니다. 될 것인가, 자신감 갖고 가는 겁니다. 미국의 압력 때문이 아닙니다. 저 압력 안 받았습니다. 압력이라면 제가 버티지요. 왜냐하면 이것 안 열어 준다고 당장 우리 경제 맥을 누를 만한 그런 요소가 없습니다. 예를 들면 미국하고의 관계가 심각하게 나빠졌을 때 자칫 경제에 영향이 있을 수 있지 않느냐는 생각을 할 수도 있는데, 저는 우리 경제가 이미 그 단계는 넘어갔다고 봅니다. 또 설사 어떤 맥이 있다 할지라도 FTA는 전혀 그런 조건이 아닙니다. 지금 FTA 협상하다가 서로 조건이 안 맞아서 중단된다고 해서 어떤 보복조치를 당하거나 이런 것은 전혀 없습니다. 따라서 압력론도 아니고, 우리고 미국을 끌어들이기 위해서 나름대로 머리를 썼습니다.

두 가지를 약속하겠습니다. 손해 보는 장사는 안하겠습니다. 하다가도 손해가 될 듯 싶으면 합의 안하겠습니다. 감당할 수 있는 수준으로 하겠습니다. 그 다음에 취약 분야는 반드시 대책을 세워서 살려 나가겠습니다. 농업 분야 아니겠습니까, 우리 국민들이 함께 합심해서 농업 분야 살려 나갑시다. 정부도 앞장서서 최선을 다하겠습니다. 반드시 살려 나가겠습니다.

사회자 : FTA 말하면서 빼놓을 수 없는 것이 스크린쿼터 얘기 같습니다. 이에 관한 질문을 실질적으로 이 문제를 피부로 느끼고 있는 분이 질문드리겠습니다.

질문 : 대통령께서도 방송이나 매체를 통해서 영화계 쪽의 이야기를 많이 들으셨으리라고 생각합니다. 영화계에서는 미국에 대한 굴복 아니냐, 압력이 아니냐 해서 많은 불만을 얘기하고 있습니다. 대통령께서는 어떻게 생각하고 계시는지 말씀해 주십시오.

대통령 : 영화에서만 매력적인 줄 알았더니 실물 봐도 아주 잘생겼네요. 우리 한국 영화가 참 많이 발전했습니다. 제가 딱 하나 물어보고 싶은데 정말 자신 없습니까, 한국 영화, 우리 시장에서 아주 나쁘게 봐도 40~50% 이상의 점유율을 지켜낼 자신이 없습니까,

질문 : 자신 있습니다. 한국 영화는 충분히 세계적으로 경쟁력이 있

습니다. 그렇지만 스크린쿼터 축소에 대해서는 좀 걱정이 됩니다. 왜냐하면 아직 경쟁력이라고 해 봐야 미국 영화시장에 비해서 너무 작고, 우리가 열정을 가지고 노력해서 만든 영화들이 물량공세나 스크린쿼터 축소에 따른 압력에 의해서 보여드릴 기회조차 없어진다면 관객의 선택을 받기도 어려울 것이고, 더 좋은 영화를 만들어 드릴 수 있을지도 걱정이 됩니다.

　　대통령 : 저도 이해합니다. 실제로 자신이 없어서 그러는 것보다는 미국의 압력을 받아서 굴복하는 것 아니냐는 자존심이나 불쾌감이 실제로 반대운동보다 더 많이 개입되어 있는 것 같습니다. 자신이 없으면 정말 보호를 해야 되겠지만 자신이 있으면 열고 당당하게 나가야지요. 멕시코 가도 우리 드라마 하고 있고, 이집트 가도 우리 드라마 하고 있어요. 우리 드라마, 세계로 다 내보내지 않습니까,

　　문화적 다양성이나 문화의 정통성은 모두 문화가 서로 교류하는 가운데서 지켜지는 것입니다. 교류하지 않은 문화는 전부 다 망해버렸습니다. 교류 열어 놓고 능동적으로 나갑시다. 미국한테 이 문제 말고도 앞으로 꿀리지 않는 대한민국 될 수 있습니다. 안보나 외교 분야 에 있어서 하나하나 달라져 가고 있습니다. 참여정부 들어와서 많이 달라졌고, 계획도 잡혀 있습니다. 우리가 자주국가로서 부끄럽지 않게 갈 수 있는 준비를 하나하나 하고 있고, 우리 국민의 역량이 그만큼 성장해 가고 있습니다. 열등감이나 선입견 가지고 우리가 미국에게 굴복하는 것 아니냐, 압력 아니냐, 이런 데 초점을 맞추지 않았으면 좋겠습니다.

스크린쿼터 운동하시는 분 저도 잘 아는데, 우리 영화인들이 독립 예술영화 분야가 취약하니까 국가에서 보호해 달라든지, 재정 지원을 해 달라든지, 상영관을 확보해 달라든지 해서 정부가 이런 쪽으로 협상을 해 나가면 여러분의 경쟁력을 좀 더 키울 수 있는 토대가 마련되지 않겠습니까, 그런데 당신들하고 말도 안한다 이러니까 정부도 지원을 하긴 해야겠는데 대화가 안되니까 정부 지원책 따로 굴러가고, 수요자가 없으니까 영화계는 영화계대로 반대만 하고⋯. 경쟁력을 키우기 위해 할 일이 있습니다. 이대로 좋은 것이 아니고 문을 열면 체력을 강화시켜야 될 것 아닙니까, 월드컵 나가려면 연습해야지요. 그런 방향으로 좀 갑시다. 내부적으로 경쟁력 키워서 밀고 나갑시다. 좀 자신 있게 갑시다.

질문 : 대통령님의 인터넷 이용에 대해서 질문드리겠습니다. 댓글 정치가 화제를 낳으면서 대통령님의 인터넷 이용에 대한 관심이 높은 데요. 주로 어느 사이트에서 어떤 정보를 얻어 가시는지요. 국정브리핑에 댓글을 다셨는데, 일반 국민들이 쓴 글에도 댓글을 다신 적이 있으신지요.

대통령 : 일반 사이트 자유게시판 같은 데는 못갑니다. 저는 아침에 30분, 저녁에 30분 이렇게 한 시간 내지 한 시간 반 정도 인터넷에 접속하는 수준입니다. 컴퓨터 앞에서는 훨씬 더 많은 시간을 보냅니다. 'e - 지원'이라는 청와대 업무관리시스템을 가지고 일하고 있으니까요. 인터넷에 접속해서는 대부분을 국정브리핑 사이트에서 보냅니다. 연합뉴스

에서 제공하는 맞춤 화면이 있고요. 그 다음에는 몇 개 큰 포털사이트에 우리 청와대 블로그가 나와 있거든요. 거기에 뭐 나갔는지 둘러보는 것입니다.

그러면 전체 사회 흐름은 모르지 않느냐고 할 수 있는데, 대통령이 되면 전체 흐름을 다 분석하고 취합해서 보고받기 때문에 직접 서핑하고 다닐 필요가 없습니다. 시간이 허락하지 않고, 제가 댓글을 단 것도 전부 국정브리핑에서 우리 공무원들을 격려하는 차원에서입니다.

말하자면 제가 인터넷에서 대세를 잡아서 그것을 선거에서 대세로 몰아간 아주 희귀한 대통령은 맞습니다. 그래서 여전히 인터넷에 대해서는 관심을 많이 갖고 유용성도 인정합니다. 그러나 이제는 인터넷의 저의 마당이다, 이렇게 생각하지 않습니다. 옛날에는 압도적으로 지원하는 글이 많았는데, 요새 보니까 저도 인터넷에서 박살나고 있더군요. 그러나 아직도 이 분야에 대한 이해를 많이 가지고 있다고 자부합니다. 혹시 '네티즌당'을 만들면 저도 당원으로 키워 주십시오.

질문 : 손녀와 함께 있는 시간이 가장 행복하다는 내용의 기사를 본 적이 있습니다. 손녀에게 물려주고 싶은 나라는 어떤 나라인지, 만약에 손녀가 정치를 하겠다고 하면 어떤 일을 하겠다고 하면 어떻게 하실 것인지, 말리지 않으신다면 전수해 줄 수 있는 가장 중요한 노하우 하나만 말씀해 주십시오.

대통령 : 선거 때도, 대통령이 되고 나서도, 이런 나라 얘기 참 많이

했는데요. 너무 많지요. 그나저나 제가 대통령 되고 난 뒤에 정부나 권력에 대한 우리 국민들의 지위가 많이 향상된 것은 사실 아닙니까, 전체적으로 정부가 투명해진 것도 사실이라고 생각합니다.

국정원, 이제 겁 안 나지요, 개혁할 과제가 얼마나 있는지 모르지만 지금처럼 가면 제도적으로 크게 개혁하지 않아도 될 것 같습니다. 요즘 보도에서 일부 나오듯이 2003년부터 소위 산업 스파이를 잡고 있고, 사이버 보안 분야에 대해서도 중요한 역할을 제가 시켜 놓고 있습니다. 대통령이 민주적이면 국정원도 민주적인 기관이 됩니다. 그전까지는 못 그랬습니다만, 지금은 대통령이 나쁜 일 시키지 않으면 혼자서 나쁜 일 하지 않을 수준까지 와 있는 것 같습니다. 국세청도 요새 일반 서민들 편에 서 있는 것 같지 않습니까, 옛날에는 힘센 사람들과 가까운 것 같았지만 요새는 힘센 사람들 조사도 많이 하고 있는 것 같지 않습니까,

전체적으로 저는 국민의 지위가 좀 향상되고 사회가 투명해지는 방향으로 가고 있다고 생각합니다. 정치도 소위 힘센 사람들끼리 유착했던 구조는 다 갈라져 버렸어요. 정치권과 재계, 그리고 정당 안에서도 대통령과 당이 분리되고 권력기관도 그렇지요, 옛날에는 언론하고 뭔가 쑥덕쑥덕하는 것 같았는데 그런 것은 없고 서로 적절하게 견제하는 관계로 가는 것 같지 않습니까,

특별히 어떤 나라를 바란다는 것은 없고, 그냥 민주주의가 조금씩 발전해 가는 나라, 경제에 대해서 전망이 서는 나라, 지금 당장 그렇게 고통스럽지 않고 몸 아플 때 치료비 걱정 너무 심하게 하지 않고, 아이 낳으면 보육 걱정, 교육 걱정, 취직 걱정, 노후 걱정인데 이런 데 대해 어

느 정도 안정적인 것이 되어 있고, 멀리 내다봤을 대 희망이 있고 불안이 덜한 나라, 이런 나라면 좋겠습니다. 그런 점에 있어서 진일보했다 자평도 하고 싶습니다. 경제에 있어서도 눈부신 진보는 없지만 훨씬 안정되고 제도화된 것 아니냐, 이렇게 말씀드릴 수 있을 것 같습니다.

제가 과거에 데모하고 할 때, 내 아이가 어떻게 하면 대학교에 가서 데모 때문에 고민하지 않을 수 있을까를 생각했습니다. 그때는 데모하면 평생 취직길이 막혔습니다. 당시 내가 변론을 해 줬던 학생들은 평생이 막혀버린 사람들이었습니다. 대학교에서 데모하다가 걸려서 평생 앞길이 막혀버린 사람들, 내 아이가 거기에 섰다고 생각하면 데모하라고 할수가 없습니다. 말리지 않을 수 없거든요. 그렇다고 불의를 보고서도 불의라고 말 못하는 자식 키우면 뭣 하겠냐는 이런 고민이 있었습니다. 그때가 우리 아이 5학년 때쯤이었는데. 대학교 가서도 걱정 안하고 잘 지내고, 요새도 잘 지냅니다.

이제 손녀를 위해 우선 개인적으로 농촌의 자연을 복원하고, 농촌의 공동체를 복원하고, 아름다운 농촌, 가급적이면 고향에 가서 아름다운 고향을 다시 한번 만들어보고 싶습니다. 왜냐하면 나이가 많으면 이제 아무도 찾아오지 않습니다. 사랑스런 손녀를 다시 불러들이는 방법이 뭘까 생각했는데, 고향을 아름답게 꾸며 놓고 올챙이도 있고 개구리도 있고 메뚜기도 있는 마을을 꾸며 놓으면 오지 않겠습니까, 이것이 우리가 준비해 줘야 하는 국토공간에 대한 제 이상입니다. 아름답고 생명이 살아 있는 농촌을 복원시켜서 우리 아이들이 언제든지 이용할 수 있게 하는 것입니다. 전국을 그렇게 하면 좋겠지만 그게 제 마음대로 되는 일이 아니니까 정책은 그 방향으로 권고하고 있습니다만, 제 스스로 우선 그걸 한 번 해 보고 싶습니다.

질문 : 비정규직 문제에 대해서 질문드리겠습니다. 한국의 비정규직 노동자 수가 850만 명이라고 합니다. 이 숫자는 노동인구 10명 중에서 6명 정도가 비정규직이라는 이야기인데요, 기업 입장에서 보면 고용의 유용성을 생각해서 비정규직을 선호하지만 비정규직 입장에서 보면 고용불안으로 연결되기 때문에 굉장히 민감한 문제입니다. 비정규직 보호를 위한 정부 법안도 허점이 많다고 하는데, 어떻게 생각하고 계신지 묻고 싶습니다.

또 일부 언론은 정부가 효율성을 강조하면서도 정작 공무원 수는 대폭 늘리고 있다고 비판하고 있습니다. 공무원도 일반 기업처럼 경쟁을 통해서 구조조정을 하고 생산성 높은 작은 정부를 만든 다음에 거기에서 남는 재원을 양극화 해소에 쓰는 것은 어떻습니까,

대통령 : 양극화 해소의 첫 번째 방법이 일자리입니다. 일자리가 핵심입니다. 그런데 일자리는 역시 경제가 활발하면 좋습니다. 경기가 활력 있게 유지되도록 하고 장기적으로 성장을 계속할 수 있도록 해 주어야 되는 것이죠. 여기에 대해서는 정부가 역량을 집중하고 있습니다. 경제활성화 또는 장기적인 성장잠재력 확충은 국민들도 이의가 없고요. 그 다음에 고용 없는 성장, 이런 현상 때문에 중소기업, 서비스업 쪽을 활성화하려고 하고 있고, 오늘 아침에도 덴마크 사례에 대한 언론의 소개도

있었습니다만, 고용지원정책, 직업능력 향상 프로그램 등은 확실하게 하려고 대책을 추진하고 있습니다.

일자리 중에서도 양적으로나 질적으로 가장 심각한 것이 비정규직 문제입니다. 대통령으로서 참 답답하기 짝이 없는 것인데 솔직히 말씀드리겠습니다. 여러 가지 노력을 하고 있습니다만, 단기간에 숫자가 갑자기 줄지는 않을 것입니다. 이건 우리가 알고 가야 합니다. 그 다음에 정규직 중에서 자발적으로 비정규직을, 비정규직 중에서 자발적으로 비정규직을 선택한 사람들도 많이 있는데, 정부 자료를 찾아봐도 없고 해서 이 부분에 대해서는 분명치 않습니다. 이런 점은 우리 정부가 아직 일을 부실하게 하고 있는 부분입니다.

비정규직을 갑자기 줄이기는 참 어렵습니다. 대신 비정규직과 정규직의 차별을 최대한 줄이도록 강제할 수 있는 수단은 다 한번 넣어 보자는 것이죠. 기업이 견딜 수 있는 만큼 강제하자 하는 것이죠. 비정규직에 대해서도 건강보험을 반드시 들게 하고 특수한 저임금이 아닌 한 연금이라든지 그 밖에 고용보험에도 가입하게 하고, 마지막에 차이를 줄이는 것은 임금의 차이 아니겠습니까, 임금의 차이가 참 시끄러울 것 같습니다. 동일 노동, 동일 임금이라는 것인데 이것을 실제로 정하려다 보면 엄청난 시비가 있을 수 있는 것이지만, 판례를 축적시켜 나가면 되는 것이니까 그렇게라도 줄여 보자고 해서 줄이는 쪽으로, 비정규직 위주로 맞추어져 있습니다.

비정규직에 관한 입법이 큰 성과를 낼 수 있을지에 관해서는 기업의 문화와 경영전략이 크게 작용할 것입니다. 2년이 되기 전에 해고해 버리면 얼마든지 탈법할 수 있습니다. 그러나 그것을 회피하는 데 따르는 기업의 부담도 있습니다. 정규직을 매일 그렇게 회피하는 부담도 있는데, 기업이 장기적인 경쟁력 전략을 가지고 가느냐, 단기적인 이익을 보느냐에 따라 다릅니다. 기업에 여유가 생기면 장기 전략을 가지고 정규직을 많이 늘려 가게 되어 있습니다. 또 정규직을 해고하기가 어려우면 어려운 만큼 비정규직은 늘어날 수밖에 없고, 해고가 어느 정도 자유로운 기업은 정규직을 쉽게 채용합니다.

이런 여러 가지가 복합적으로 얽혀 있기 때문에 제도로서 이것을 강제한다는 것은 그렇게 쉽지가 않습니다. 그래서 양쪽의 차이를 많이 줄이려고 하고 있고, 파견근로를 일부 합법 부문으로 확대하려고 하고 있습니다. 뻔하게 불법이 일어나고 있는데, 그 부문이 합법 분야가 아니면 보호도 할 수 없는 경우가 생기거든요. 그러니까 합법 부문에 넣어 주어야 보호제도를 강제할 수 있는 그런 것이 있습니다.

우리가 성 산업 부문을 불법화해 놓고 있지만 불법이라도 보호제도는 넣을 수 있습니다. 그런데 법의 외곽지대라고 해서 전혀 보호하지 않았던 때가 있습니다. 논리의 모순이 문제가 아니고 그건 현실이니까, 불법은 불법이고 보호는 보호라는 생각으로 이제 바꾸어 가고 있습니다. 비정규직 부문이 불법인 경우에 보호를 강제하지도 못하는 그런 문제가 있고 그 다음에 비정규직 쓰고 있는데 처벌 규정이 없었습니다. 이번 비정규직 법안의 가장 큰 핵심은 위법한 비정규직에 대해서 처벌조항을 넣은 것입니다. 그래서 단계적으로 우선 지나친 차별을 최소한으로 줄이고 비정규직 수를 줄이는 것은 법으로 강제하는 것이 아니라 고용의 유연성과 안전성을 동시 확보해 나가는 또 다른 정책에 의해서 우리가 받쳐 나가야 된다는 것입니다. 그래서 고용지원제도, 직업훈련제도 부문은 올해 획기적으로 예산을 투입해서 적어도 전문가가 늘어나고 감당할 수 있는 수준까지 확대해서 결국 전체의 국가제도 속에서 우리 사회의 직업안전성이 높아지도록 그렇게 한번 해 보겠습니다.

재정 부문에 관해서는 큰 정부, 작은 정부 시비가 있는데요. 정부가 크냐 작으냐 하는 것은 두 가지 입니다. 전체 경제 중에서 정부 재정이 차지하고 있는 비중이 크면 클수록 큰 정부죠. 전체 직장인 중에서 공무원이 차지하는 비중이 얼마냐 그것에 따라 큰 정부, 작은 정부로 구별합니다.

우리나라의 보건, 간호사 한 사람당 담당 국민 수가 499명입니다. 일본은 136명입니다. 고용 서비스로 보면 한국은 고용안전 상담사 한 사람이 7,800명을 담당하고 있는데, 독일은 420명에 한 사람이 서비스해 줍니다. 소방관, 이건 국민 안전에 관한 것 아닙니까, 우리는 소방공무원 한 사람이 1,667명을 담당하고 있습니다. 경찰관 한 사람당 한국은 509명인데 미국, 일본, 프랑스와는 큰 차이가 납니다.

초등학교 교사 한 사람당 학생 수도 한 번 보십시오. 국민들이 가장 절실하게 요구하는 서비스가 안전 서비스입니다. 식품안전도 포함해서요. 식품안전에 종사하는 공무원 숫자를 보면 우리나라의 식품안전 수준을 알 수 있습니다. 저는 이 정도 숫자 가지고 이 정도의 국가 서비스를 해내는 것을 보면 우리 공무원들이 열심히 하는 성실한 사람들이란 생각을 가지고 있습니다. 우리가 필요한 사회복지 서비스 쪽이 아주 빈약

합니다. 이걸 지금 채워나가야 되는 것이죠.

큰 정부라고 말하면 안됩니다. 지금 우리가 기획할 일이 얼마나 많습니까, 개발하고 발전시켜 나가야 되는 일이 많은 만큼 기획하는 정부 공무원들도 많이 있어야 합니다. 그런데 GNP 대비 재정규모를 보면 한국 27.3%, 미국 36%, 일본 37%, 영국 43%, 독일 47%, 프랑스 52%, 스웨덴 58%입니다. 이것이 결국 민간경제에서 정부로 들어왔다가 다시 민간으로 돌아가는 돈이라고 봐야 합니다. 그러니 규모에 있어서 큰 정부는 무슨 큰 정부입니까, 절반도 안되는 정부를 가지고 큰 정부 타령하고 있습니다. 정치하는 사람이든 교육하는 사람이든 연구하는 사람이든 문제의 본질을 제대로 봐야 한다는 것이죠. 왜 남의 나라 책 자꾸 베껴와서 큰 정부 대문에 경제가 잘 안되는 나라 얘기를 하고 있습니까, 작아도 너무 작은 정부에서 우리도 작은 정부 하자고 얘기합니다. 그렇게 하면 안된다는 것입니다.

두 번째로 이렇게 돈이 돌아 나가는 동안에 우리는 양극화 지니계수를 6.6% 교정합니다. 국민의 정부가 4.2% 교정 효과가 있었는데, 지금 참여정부는 재정을 통해서 6.6%까지 교정하고 있습니다. 유럽 국가에서는 지니계수를 평균 60% 정도 깎는다고 할 만큼 국가재정을 거치고 나면 지니계수가 훨씬 낮아져 버립니다. 그러니까 국가재정에 대한 재분배 효과가 한국은 거의 없다시피한 나라입니다. 이런 나라를 두고 자꾸 큰 정부라고 해서는 안됩니다.

사회자 : 지금 많은 네티즌들이 댓글로 질문을 올리고 있습니다. 그

중에서 한 두 가지만 짧게 질문 드리겠습니다. 대통령께서는 모든 권력을 스스로 버리셨습니다. 지금에 와서 후회는 안하십니까,

대통령 : 그거 하려고 대통령 했으니까요.

사회자 : 사회적 문제가 되고 있는 성폭력 문제에 대해서 생각하고 계신 처벌방안이 있으신지요,

대통령 : 우리 사회 윤리에 관한 문제는 지금까지 경험을 봐서, 대통령이 엄단하려고 법만 들고 앞장서서 나가서는 성공한 일이 별로 없는 것 같습니다. 그 사회의 윤리의식이라고 할까, 시민적 자율의 영역이 넓어지면 시민들의 목소리가 커지면서 그 부분에 대한 수준을 적절하게 조율해 나가는 것이 민주주의 사회의 일반적인 방식인 것 같습니다. 대통령도 개인적으로 소신이나 의견을 가지고 있습니다. 예를 들면 군복무 대체제도라든지 사형제도라든지 또는 동성애라든지, 이런 인권과 관련될 만한 문제들은 대통령이 스스로 하려고 하는 것보다는 사회에서 활발하게 논의되고 그것이 사회적 공론으로 형성되어 나가는 사회적 여건, 소위 자율과 자유의 분위기 속에서 문제가 해결되어야 한다고 생각합니다.
그럼에도 불구하고 대통령 개인의 의견을 묻는 것으로 보고 답변드린다면, 저는 인권침해 얘기를 많이 하는데, 권력 유지라든지 무슨 특별한 이익을 위해서 하는 것이라면 용납할 수 없겠지만, 그야말로 공동체의 안전을 위해서는 특히 약자의 안전을 위해서는 사생활 침해와 같은

개인의 인권을 희생시키더라도 안전을 지켜 줘야 된다는 생각을 가지고 있습니다. 모든 점에 있어서 대단히 자유주의적이지만 그 점에 관한 한 대단히 보수적인 견해를 가지고 있습니다.

사회자 : 오늘 주제와는 좀 다르지만 요즈음 가장 관심을 갖고 있는 부분이 국무총리 임명과 관련된 것인 것 같습니다. 최근 언론에 한명숙 의원과 김병준 정책실장이 후보로 많이 올라오고 있는데요, 국무총리를 임명하는 데 있어서 가장 중요한 기준과 그 기준으로 봤을 때 어떤 분을 선택하실지 답변해 주시면 감사하겠습니다.

대통령 : 죄송합니다. 이 문제는 아직도 마음을 못 정했습니다. 정치라는 것이 개인의 소신만으로 하는 것은 아닌 것 같습니다. 오늘 국무위원 청문회하는 데 보니까 소신 얘기가 많이 나오는데, 본질적인 소신도 있지만 상황에 따라서 변화시켜 가야 하고 개인의 소신이 장관의 정책이 될 수는 없는 것이죠. 장관의 정책은 나라의 정책으로 바뀔 수 있는 것이고, 그동안 여러 가지 상황들을 가지고 타협과 조정이 끊임 없이 이루어져서 균형을 만들어 가는 것인데, 총리 문제도 제 소신만 가지고 할 수는 없는 일이죠. 여러 가지 일을 종합해야 되고 기준도 여러 가지가 있거든요. 아직 방향마저도 결정을 하지 않고 있고, 이렇게 이해해 주시면 고맙겠습니다.

사회자 : 오늘 성실하게 답변해주신 대통령님께 뜨거운 박수를 보내

주시면 좋겠습니다. 수고 많으셨습니다. 두서없이 질문이 많았습니다만 못하신 말씀도 있을 것 같습니다. 마지막으로 국민들에게 한 말씀 해주시는 것으로 마치도록 하겠습니다.

대통령 : 여러분, 지켜봐 주셔서 감사합니다. 알뜰하게 질문 준비하시고, 또 나와서 수고해 주신 분들께도 감사드립니다. 항상 느끼는 것인 세상이 참 빠르게 변화하고 있습니다. 제가 15년 전에 이것이 답이다 했던 것이 지금 맞지 않게 된 것이 너무 많이 있습니다. 몇 가지는 여전히 답이라는 생각을 유지해 가고 있습니다. 몇 가지는 답이 안된다는 것이죠. 세상이 변하기 때문에 우리 생각도 계속 바뀌어야 합니다. 변화해 가야 하는 것이죠. 그래서 생각을 바꾸자, 물론 사람의 기본적인 도리에 속하는 기본은 바꾸지 않되 방법에 관한 생각은 바꾸자, 가치에 대한 인식은 그냥 가져가되 방법에 관한 생각은 빨리 바꿀수록 좋다는 말씀을 드립니다.

그럼 이 시기에 무슨 생각을 하면 좋겠느냐고 하면 두 가지로 말씀드리고 싶습니다. 자신감을 가집시다. 대한민국 국민으로서 자신감을 가지고 한번 해 보자, 이렇게 말씀드리고 싶습니다. 두 번째로는 앞으로 책임 있게 생각하고 말하고 행동하자고 말씀드리고 싶습니다. 자신감과 책임, 이 두 가지 단어를 말씀드리고 싶습니다.

책임이라는 것은 문제의 본질을 깊이 있게 구조적으로 분석하고, 또 사물을 둘러싼 주변 다른 사물들과의 관계를 구조적으로 분석해서 해답을 내고, 내가 오늘 했던 얘기가 어제 했던 얘기와 바뀌었으면 왜 바

꿰었는지를 분명하게 알려 주어야 합니다. 이유도 없이 바뀌어 버리고, 그렇게 해서 자기도 혼란스럽고 남도 혼란스럽게 할 것이 아니라, 본질을 분석하고 전략적으로 사고해야 하는 것이죠. 해답을 낼 때에는 전략적으로 사고하는, 그래서 내가 한 대답에 대해서 만이라도 책임을 질 수 있어야 되는 것입니다.

이것이 옛날에는 대통령에게만 필요했습니다. 대통령이 모든 것을 다 결정했기 때문입니다. 이제는 대통령에게도 필요하고 정치인에게도 필요하고 언론에게도 필요합니다. 사회 지식인에게도 필요하고 나아가서는 일반 시민에게도 필요합니다. 왜냐하면 시민의 여론이 사회의 흐름을, 사회의 방향을 바꾸어 버리니까요. 네티즌들이 사회의 방향을 바꾸어 나가고 있기 때문에 네티즌들도 문제의 본질에 접근하고 자기 스스로 전략적으로 이해하려고 노력해야 하고 거기에 대한 자기의 말에 책임을 져야 됩니다. 그래서 앞으로는 언론의 수준이 높아지는 것도 대단히 중요하지만 인터넷의 수준도 높아지지 않으면 안됩니다. 인터넷에서 주고받는 논쟁, 교환되는 정보의 수준이 더 높아지지 않으면 안된다고 생각합니다. 이 점에 대해서 우리 한번 같이 생각해 보자는 말씀을 드리고 싶습니다.

오늘 우리 한국의 외교관계라든지 안보관계라든지 하는, 소위 전략적 방향이 어디로 갈 것인가에 대해서 분석이 상당히 잘돼 있다 싶은 책이 하나 있어서 여러분께 권하고 싶어서 들고 나왔는데요, 「코리아, 다시 생존의 기로에 서다」라는 책입니다. 지금까지 우리가 교과서라든지 일반적인 글에서 볼 수 없었던 역사, 한반도를 둘러싸고 진행된 역사의 본질적 구조를 제대로 분석하고 있고 오늘의 현실과 대조해서 100% 맞는 것은 아니지만 상당히 많은 점에 있어서 도움이 될만한 내용이 들어 있습니다. 적어도 저는 이 책을 보면서 사람들의 사고를 발전시키는 데 굉장히 도움이 되겠구나 하는 생각이 들었습니다. 대통령이 좌파 같기도 하고 신자유주의 같기도 하며, 미국한테 자주를 하는 것처럼 보이면서 또 굴복하는 것처럼 보이는, 그런 이해할 수 없는 일들을 왜 하고 있는지에 대해서 어느 정도 이해가 되지 않을까 싶습니다. 아주 이름 있는 학자가 아니라 재야 연구자가 쓴 것인데 이 책 쓴 사람 좋으라고 말씀드리는 것이 아니고 제가 여러분에게 이해되는 데 상당히 도움이 될 것 같아서 말씀드리는 것입니다. 열심히 하겠습니다.

감사합니다.

매일경제신문 창간40주년 축하 메시지

2006년 3월 24일

매일경제신문 창간 마흔 돌을 진심으로 축하드립니다. 임직원과 독자 여러분께도 따뜻한 인사의 말씀을 전합니다. 매일경제신문은 지난 40년간 우리 경제 발전의 든든한 동반자가 되어주었습니다. 이제는 한국을 넘어 세계 수준의 경제신문으로 발돋움했습니다. 특히 '세계지식포럼'과 '비전코리아' 등은 기업경영과 경제정책 수립에 많은 도움을 주고 있습니다.

지금 우리는 선진경제를 향한 길목에 서있습니다. 기술혁신과 인재양성, 차세대 성장동력 육성, 그리고 서비스산업의 경쟁력 강화를 통해 혁신주도형 지식기반경제를 구축해 나가고 있습니다. 또한 선진통상국가 전략을 적극적으로 추진해서 개방을 새로운 기회로 만들어 나가고자 합니다. 이와 함께 양극화 문제의 극복이 무엇보다 중요합니다. 대기업과 중소기업이 동반성장하고 양질의 일자리를 더 많이 만드는 데 함께 힘을 모아나가야 하겠습니다. 정부는 직업능력 향상과 고용지원서비스의 선진화, 그리고 사회안전망 확충에 정책적 노력을 다해 나갈 것입니다. 이러한 때에 매일경제신문에 거는 기대는 매우 큽니다. 지금까지 해 온 것처럼, 우리 경제의 비전을 제시하고 창조적인 대안을 마련하는 데 큰 역할을 다해주기 바랍니다. 다시 한 번 창간 40주년을 축하하며, 매일 경제신문의 무궁한 발전을 기원합니다.

대한상공회의소 특별강연

2006년 3월 28일

손경식 회장님, 그리고 회원 여러분.

초청해 주셔서 대단히 감사합니다. 처음 대통령에 당선되었을 때 상공인과는 조금 어색한 관계가 아닐까라고 보는 사람들이 많았습니다. 그동안 무난히 해 왔다고 생각합니다만 마음 한구석에 항상 걱정이 있었습니다. 이 자리에서 함께 만나서 대화할 수 있다는 것은 상당히 의미 있는 일이라고 생각합니다.

초청을 받아서 왔지만 올 때 목적이 있지 않았겠습니까, 우선, 소통을 위해서 왔습니다. 직접 대면하고 뭔가 이야기를 해야 될 만큼 우리 사이에는 약간의 인식 차이가 있는 것이 사실입니다. 대개 생각이 같다 할지라도 어떤 정책이나 가치의 우선순위에 관해서는 약간 견해가 다를 수도 있습니다. 또 하나는 제가 항상 힘들게 느끼는 것인데, 제가 말하고 나서 다음날 보도를 보면 중요하다고 생각했던 말은 없습니다. 반대로 별로 중요하지도 않고 지엽적인 이야기라든지, 양념으로 한 마디 했던 것만 크게 나옵니다. 제 생각이 국민들한테 잘 전달되지 않는다는 답답함을 항상 가지고 있습니다. 그래서 오늘 이 자리에서 여러분과 저 사이에 조금이라도 소통으로 풀어야 될 문제가 있으면 풀면 좋지 않겠는가라는 희망을 가지고 왔습니다.

두 번째로는 제가 동반성장, 나아가서는 우리 사회 전체의 상생협력을 얘기하고 있습니다. 아무리 봐도 해야 될 것 같은데, 그것은 정부만 해서는 안될 것 같습니다. 결국은 우리 경제를 주도해 가고 있는 기업인 여러분이 함께 문제의식을 가지고 풀기 위해 마음을 모아야 한다고 생각합니다. 해결 방법에 관해서도 어느 정도 생각이 접근될 수 있다면 이 문제를 푸는 데 훨씬 효율적이지 않겠는가, 문제 해결의 가능성이 높아지지 않겠는가 생각합니다. 그래서 여러분께 부탁드리러 왔습니다. 요새 유행하는 용어로 말하면 '로비'하러 왔습니다. 대한민국 대통령이 대한민국 상공계 간부들에게 로비하러 왔습니다. 선거 때 '국민이 대통령입니다.' 라고 써 놓고 보니까 그럴 듯했어요. 오늘 이 자리를 그렇게 의미 부여하면 좋겠다고 생각합니다. 이 자리뿐만 아니고 국민들과 직접 대면하고 대화하고, 또 여러 가지 의견도 받아들이는 것이 '국민이 대통령입니다.' 라는 구호를 내세웠던 그때 생각과 일치하는 것이 아닐까 생각합니다.

한국 경제에 대한 것이 우리의 공동 관심사 아니겠습니까, 잘 갈 거냐, 지금 잘 가고 있는가, 회복된다고들 하니까 저도 그렇게 믿고 있습니다. 조금 자신 있게 말하면 확신을 가지고 있습니다. 특별히 실수하지 않는다면 1998년에 겪고 2002년, 2003년에 겪었던 심각한 위기는 다시 겪지 않을 것입니다. 지난 3년 동안 우리 국민들이 경제적 어려움을 잘 참아 주셨습니다. 정부는 경기를 회복시키기 위한 모든 정책을 다 동원했습니다. 그러나 무리수를 쓰지는 않았습니다. 정석대로 해 왔기 때문에 새로운 위기요인을 만들지 않았습니다.

일례로 제가 취임할 때 신용불량자가 292만 명이었습니다. 2004년 4월에 383만 명까지 올라갔습니다. 작년 연말 통계는 294만 명으로 다시 내려왔습니다. 지금은 좀더 내려왔을 거라고 생각합니다. 신용불량자 문제는 소비의 발목을 잡는 현실적인 요인이자 심리적 요인인데, 이 문제가 거의 풀리지 않았는가 평가하기 때문에 다른 지표들과 더불어 경제회복에 믿음을 갖는 근거가 되고 있습니다.

경쟁력을 지속시키기 위해 성장잠재력을 확충하라고 주장하는 분들이 많습니다. 이 점에 대해서 정부도 아무 이의가 없습니다. 다만 '착실히 진행하고 있습니다.' 이렇게 말씀드리고 싶습니다. 모든 정책을 요소투입형에서 혁신주도형으로 바꾸었습니다. 정부도 혁신하고 기업정책도 혁신하는 기업을 중심으로 추진해 가고 있습니다. 국가적으로 연구,개발에 집중하고, 생산현장에서의 현장 혁신도 중요하기 때문에 혁신도 지원하고 있습니다. 그 다음으로 과학기술과 더불어 인재양성에 아주 집중적인 노력을 기울이고 있습니다. 10대 차세대 성장동력을 조기에 사업화하고, 부품,소재와 기계,화학 분야, 기존 주력 산업의 IT화 등에 대해서 산업정책적 측면에서 많은 노력을 기울이고 있습니다.

제가 대통령이 되었을 때 '시장경제하라.'는 당부를 많이 들었습니다. 시장경제는 계획경제에 대비되는 개념입니다. 우리의 역사적 경험으로 보면 관치경제 또는 관 주도 경제하지 말고, 민간 주도의 시장경제를 하라는 뜻도 포함되어 있습니다. 지금은 시장에서의 자율을 확대해 달라는 얘기로 주장되고 있는 것 같습니다. 결국은 자유롭고 공정한 시장이 가장 효율적인 시장입니다. 그런데 시장에서 자유와 공정이 때로는 충돌할 때가 있습니다. 힘센 주체의 자유가 확대될수록 약자에게 불공정해지는 경우가 있기 때문에 이것을 적절하게 조절하는 것은 정부가 해야 되는 일인 것 같습니다. 충분하고 정확한 정보를 근거로 해서 경쟁하는 것이 시장이기 때문에 그런 의미에서 정보의 비대칭이 발생하지 않도록 하고 시장을 투명하게 하는 것이 일반적인 시장경제인 것 같습니다. 이 문제에 관해서는 상당히 많은 노력을 하고 있습니다.

시장이라는 것이 따로 있는 것이 아니고 그 사회의 정치,사회 제도와 문화 위에 서 있는 것입니다. 사회가 자유롭고 민주적일 때 사람의 창의가 꽃피고, 자유로운 경쟁을 통해 열심히 하고 실력 있는 사람들이 승리하는 공정한 사회, 경쟁력 있는 사회가 만들어집니다. 그렇기 때문에 결국 정치도 중요합니다. 민주주의 발전은 경제의 환경으로서 중요한 것이라고 말할 수 있습니다. 이 점에 관해서 정부와 국민, 정치와 국민 사이의 관계에서 우리 국민의 지위가 좀 향상된 것 같지 않습니까,

시장에서의 공정한 게임이 가장 효율적이고 산업 발전에 가장 도움이 되는 것이라면, 문제는 '유착'입니다. 정경유착만 있는 것이 아닙니다. 권력기관 상호간의 유착, 또 언론과 정권의 유착이 있는데, 이런 요소들

이 일종의 불공정 경쟁을 만들어내는 구조적 요인들입니다. 하지만 지금은 그런 유착 구조는 대개 해소되고 투명성도 많이 높아진 것 아닙니까, 이로 인해 좋은 점도 있고 불편한 점도 있게 마련입니다. 그런데 장기적으로 봐서는 결국 그 방향으로 갈 수밖에 없는 것입니다.

이런 환경에 있어서는 성의를 다하고 있고, 선진경제, 선진사회로 한 발씩 다가가고 있는 것은 사실 아닙니까, 어차피 시대가 가고 있는 당연한 조류이기 대문에 제가 특별히 내세울 일도 없지만 시대에 역행하지 않는 것은 지도자의 자질로 아주 중요한 부분입니다. 그래서 적어도 '역행은 하지 않는 대통령', 따라서 '괜찮은 대통령' 이렇게 기억해주십시오. 위기관리는 매우 중요한 문제입니다. 경제위기에 부닥쳤을 때 우리 사회의 생산성이 크게 떨어지고 양극화가 더욱 심해지게 됩니다. 그래서 위기를 관리하지 않으면 경제가 안정되는 데 지장이 많습니다.

제가 당선됐을 때 북한 핵문제가 터졌습니다. 그때 제가 미국과는 다른 목소리를 냈습니다. 예를 들면 '북한에 대해서 무력행사를 할 수도 있다.'에 대해 저는 '절대 안된다.' 고 했습니다. 미국하고 다른 목소리를 낸다는 것이 국내적으로 부담스러웠던 시기에 이 점을 단호하게 얘기했던 것은, 세계 투자자나 국민들에게 우리 정부가 소위 무력행사에는 절대 가담하지 않겠다는 메세지를 정확하게 내놓아야 경제가 좀 안정되지 않겠느냐 하는 생각 때문이었습니다. 경제 잘했다고 자랑하기 위해 이야기하는 것이 아니고 '대통령이 경제에 신경을 쓰기는 하는가,' 하고 묻는 분들이 많아서 '신경을 많이 씁니다.'라고 말씀드리는 겁니다.

그렇게 한 고비를 넘기고 취임식 때 미국서 오신 손님들을 다시 설득했고 간곡하고 호소했습니다. '우리가 민족 간의 큰 전쟁을 치러서 그 후유증이 아직도 다 치유되지 않고 있는데, 우리에게 한번 더 그와 같은 전쟁을 감수하라는 미국의 조치를 어떻게 받아들일 수 있겠느냐,' 고 설득해서 미국의 무력행사라는 조치는 그때부터 사라졌습니다. 그렇게 해서 안보 불안에 대해서 한 고비 넘었습니다. 그 고비를 넘고 나니까 한, 미관계가 나빠질 것이라는 불안이 계속되었습니다. '노무현 대통령은 친북좌파 세력이고, 반미적 성향을 가지고 있는 대통령이다.' 이렇게 그냥 쉽게 생각하는 분들이 많은데, 그렇지 않습니다. 저는 우리 경제를 위해서도, 우리나라 안보를 위해서도, 그리고 국제정치상의 한국의 발언권을 위해서도 한,미관계가 아주 원만하고 순조롭게 가야 된다는 생각을 가지고 있습니다. 그리고 실제로도 그렇게 관리해 왔습니다.

대통령이 되기 전이라면 제 머리 속에 파병 같은 것은 있을 수가 없습니다. 그런데 파병을 했습니다. 1만 명 또는 5천 명을 얘기하는 가운데 3천 명 정도로 규모를 줄이기는 했지만 파병을 했습니다. 용산기지 이전이라든지 전시 작전통제권 공동행사 체제를 단독행사 체제로 바꾸는 문제 등 여러 가지 문제들에 관해서는 미국하고 조금씩 갈등이 있습니다. 그러나 갈등이 있더라도 악화시키거나 판을 깨지는 않습니다. 안보에 관한 위기관리는 그렇게 해 왔다고 말씀드리고 싶습니다.

그 다음에 경제적 측면에 있어서 위기요인들에 관해서 말씀드리면, 2월에 취임하고 3월에 바로 부닥쳤던 문제가 카드채 문제이고, 또 신용불량자 문제도 있었습니다. 카드사들이 당시 안고 있는 단기부채의 총액이 약 90조 원이라고 보고받았습니다. 90조 원이 한꺼번에 돌아오는 것은 아니지만 지불 정지라는 비상사태가 발생해서 연쇄적으로 터진다고 보면 최대치는 그랬습니다. 돌이켜 생각해 보면, 1997~98년에 우리가 겪었던 것은 과잉투자와 높은 부채비율로 인해 기업이 부도가 난 상황입니다. 기업 쪽 요인에 의해서 금융 시스템이 붕괴한 것이라고 하면, 2003년의 상황은 가계대출이 너무 몰려서 가계 쪽 요인에 의해서 금융 시스템이 위기에 몰려 있었습니다.

카드채 문제를 해결해야 되는데, 이미 IMF 이후에 금융이 전부 민영화돼서 정부가 개입할 수 있는 수단이 없었습니다. 경제팀에서 대처하는 걸 보니까 굉장히 고심을 하더군요. 정부가 개입하는 것 자체도 언론에서 문제가 될 듯하니까 개입 안하는 척해야 하고, 또 일부 은행장들은 '나는 참여 못하겠다.'고 하고, 다른 정책적 수단도 없었습니다.

저는 이 상황에 대해서 아직도 문제의식을 가지고 있습니다. 금융 시스템 위기가 왔을 때 은행연합회가 공동 대응의 틀이 되지 못하고 있으니까요. 그래서 금융권이 공동 대응하지 않고 자기 먼저 살겠다고 각자 행동하게 됐을 때 어떤 결과가 생길까 걱정이 됩니다. 예를 들면, 2002년 10월에 일부 은행이 카드 돌려막기하는 것에 쐐기를 박았거든요. 그것은 악순환의 고리를 끊은 것이긴 한데, 그 은행은 손해를 제일 저게 보게 되는 것이죠. 그것이 급속히 파급되면서 공동 대응하지 않으면 안되는 상황을 경쟁적으로 각자 대응해 버렸거든요. 그런 사태에 대해서 저는 아직도 의문을 가지고 있습니다.

다만 그 부문에 대해서 정부가 개입하는 법을 만들자고 해서는 호응이 있을 수 없으니까, 금융감독원, 재정경제부, 금융정보분석원 등이 만들어 여러 가지 지표로 실무상의 문제점까지도 함께 파악해 볼 수 있는 위험관리 시스템을 최대한 정교하게 만들어 놓았습니다. 아직은 주의 수준까지 간 적은 있지만 경계까지 간 적은 없습니다. 그렇게 위기관리를 하고 있습니다. 노사 문제에 대해서는 특별히 따로 말씀드리지 않겠습니다. 노사 문제는 여러분이 아주 관심을 가지고 있는 중요한 기업환경인데, 아직 시끄럽지만 옛날보다는 많이 안정되어 가고 있고 지금 관리되고 있지 않습니까, 오히려 노동문제라고 얘기하면 노동의 유연화 문제라든지 비정규직 문제가 쟁점이 되고 있고, 원가나 비용 요인으로서의 임금이 문제가 되고 있습니다. 그렇지만 여러분이 잘 아시는 문제라고 생각해서 오늘 제가 자세하게 말씀은 드리지 않겠습니다. 교육 문제에 대해서 걱정들을 참 많이 하고 계십니다. 기업이 관심을 갖는 교육 문제는 주로 대학 교육의 품질에 관한 것이죠. 정부는 대학 교육 개혁을 위해 혼신의 힘을 기울이고 있습니다.

그런데 왜 당장 효과가 나오지 않는가, 그것은 대학 교수님들이 상당히 독립적인 지위와 사회적으로 강한 발언권을 가지고 있고, 학교 운영에 강한 권한을 행사하고 있기 때문입니다. 기술 구조조정이 빠르게 일어나고 있는 이 시대에 맞는 교육을 하자면 학과를 계속 바꾸어 나가야 되는데, 선생님들의 이해관계가 강고하게 결부되어 있기 때문에 학교 구조조정이라는 것은 상당히 더딜 수밖에 없습니다. 그걸 나쁘다고 할 일은 아니지만, 그러나 변화의 시대에 맞지 않는 것 또한 사실입니다. 정부로서도 아주 빠르게 노력하고 있고, 또 대학들도 지금 노력을 하고 있습니다. 그러나 그 속도가 느린 이유는 바로 이런 점들 때문입니다.

여기서 말씀드리고 싶은 것은 아주 고급의 첨단기술, 기초과학의 고급이론에 관한 것은 대학이나 연구에서 합니다만, 기업이 필요로 하는 인재는 기업이 대학에 적극적으로 주문을 좀 해 주시면 어떨까 합니다. 기업들도 답답하지요, 2002년 전경련 조사에 의하면, 대학 나온 사람이 기업이 필요한 지식을 얼마나 습득했다고 보느냐고 물었을 때 26%밖에 안된다는 결과가 있습니다. 대학 교육이 기업에 필요한 실력을 26%밖에 충족시키지 못한다는 것입니다.

이것을 극복해 나가는 데도 대학도 노력해야 되지만 개별 기업이 하는 방법도 있고, 기업단체가 기업이 필요한 학과와 정원, 교육 내용에 대해서 전문가들에게 용역을 주어 그것을 대학에 바로 주문할 수도 있습니다. 사회적 압력이 좀 더 커지면 좋겠다는 생각을 해봅니다.

중등 교육과 관련해서도 장기적으로 우리 인재들을 보다 더 창조성 있게, 사회성 있게, 다양성 있게 키워야만 경쟁력을 가질 수 있는 것 아니겠습니까, 창조성, 사회성, 다양성 있게 키운다는 것은 중등 교육까지의 공교육에서 할 수밖에 없습니다. 학원에서 되는 일은 아니거든요.

그런데 왜 자꾸 학원이 생기고 사교육이 생기냐 하면 대학 입시 때문입니다. 우리 한국 사회가 대학 입시 하나로 자기 평생의 절반을 결정해 버리는 구조 위에 서 있고, 또 대학 입시가 사교육과 학원에 유리하게 되어 있기 때문입니다. 우리 사회는 패자부활전이 잘 안되고 평생 교육도 시원찮습니다. 교육이 잘되고 있는 선진국에서는 30대 중·후반에 대학 들어가는 비율이 굉장히 높지만, 우리나라 사람들은 20대 초반에 대학 나오는 것이 대부분입니다. 20대 초반에 대학 입시 하나로 인생의 절반이 결정되어 버리는 사회적 환경 때문에 대학 입시에 줄을 서고 있고, 한편으로 상징적인 대학들은 전 학생을 서열화시키려고 하고 있습니다. 이렇게 하면 교육이 안되기 때문에 공교육을 살리기 위해 입시제도에 정부가 관여하는 것입니다. 대학으로서는 좋은 사람 뽑으려는 욕심도 있겠지만 대학이 해야 할 더 중요한 일은 어느 정도 우수한 사람들을 가지고 교육을 잘 시켜내는 것 아니겠습니까, 그런 논쟁이 지금 정부와 대학 간에 이뤄지고 있습니다만, 정부의 의지는 단호합니다. 절대 양보하지 않을 것입니다. 공교육을 살려내지 못하고 전 국민 서열화식의 교육 경쟁에 들어가면 중등학교 전체에 과외가 확산될 가능성이 있습니다. 아주 심각한 사회 문제가 생길 소지가 있습니다.

그리고 사교육을 학교 안으로 끌어들이겠습니다. 기업의 인건비 압박 요인을 줄이기 위해서도 사교육은 공교육으로 전부 흡수해서 국가가 책임져야 합니다. 하도 더디니까 아무 진보가 없는 것 같지만, 저는 1998년에 국회 교육상임위원을 했고 지금까지 일관되고 교육의 변화 과정을 지켜보고 있는데, 실제로 긍정적인 방향으로 조금씩 움직이고 있습니다. 상당히 많이 진보했습니다. 아마 2008년 입시 때부터는 상당히 많이 달라질 것입니다. 그리고 남은 2년 동안에 각별히 노력해서 문제를 풀어나가겠습니다.

부동산 문제에 대해서는 부동산 가격이 오르면 기업의 자산이 늘어난다는 이점이 있긴 있습니다. 자본수익이 늘어나겠죠. 그러나 창업하려는 사람에게는 엄청난 부담이고 그 자체가 지대로, 비용이 됩니다. 또 주거비를 통해 임금 압박 요인이 생깁니다. 제가 보기에는 부동산 가격이 안정되는 것이 기업에게도, 기업의 국제 경쟁에도 유리할 것 같은데, 맞는 것이지요. 그래서 이 부문에 대해서는 서민들만 계속 아우성칠 것이 아니라 기업하시는 분들도 사회적 공론 형성에 노력해 주셨으면 좋겠습니다. 장기적으로 경쟁력을 강화하기 위해서, 또 인건비를 안정된 수준으로 유지하기 위해서는 부동산을 잡아야 합니다.

또 한 가지는, 부동산에 거품 들어갔다 거품 빠질 때 반드시 경제에 파동이 오지 않습니까, 그 파동이 잘못하면 일본식 장기침체로 가버리는 수도 있기 때문에 부동산 가격의 안정은 매우 중요합니다. 이 점과 관련해서 일부 신문이나 일부 학자들이 '참여정부 들어와서 부동산 가격이 67%나 올랐다.'고 말하는데, 그건 통계를 전혀 잘못 읽은 것입니다. 실제로 참여정부 들어와서 부동산 가격이 인상된 것은 3년 동안 14% 미만일 겁니다. 그런데 공시지가를 현실화한 것을 가지고 부동산 가격이 60 몇 퍼센트 올랐다고 하고, 또 그것을 놓고 전국의 부동산 가격을 환산해서 수백 조 원이 늘어났다고 하기 때문인데, 그것은 사실과 다릅니다. 8·31조치는 부동산 가격을 안정시키기에 충분한 내용을 가지고 있습니다. 모든 거래가격이 등기부에 등재됩니다. 이것은 거짓말을 할 수가 없습니다. 거짓말하면 처벌받게 돼 있습니다. 1가구 1주택도 양도소득세를 부과하지는 않지만 실거래 가격은 등기부에 다 표시하게 돼 있습니다.

'중국이 몰려온다. 중국과 일본 사이에 우리가 끼어있다.' 이렇게 말하곤 합니다. 기인 자리에서 빠져나가기 위해서는 기술혁신을 계속해서 경쟁력을 향상시켜 나가야 하고, 다른 하나는 한·미 FTA를 통해 미국

시장에서 중국과 일본보다 경쟁 요인을 유리하게 만들어 나가야 합니다. 이게 한,미 FTA를 추진하는 취지 아니겠습니까, 의료, 교육, 법률, 회계 서비스, 심지어는 금융까지도 세계 최고 수준과 경쟁하게 해서 그 분야에서 부가가치를 높여 나가야 합니다. 그러기 위해서 FTA를 통한 개방을 하는 것입니다. 장기적으로 우리의 경쟁력을 한번 높여 보자는 것입니다.

또한 고졸자 82%가 대학을 가는 우리나라의 고학력 구조에서는 서비스 분야를 집중적으로 육성하지 않을 수 없습니다. 우리나라 학생들이 유학을 많이 가는데, 영어를 배우는 것은 국내에서 충족시켜 줘야 하지만, 그 외의 유학은 많이 가야 합니다. 대신 다른 나라 학생들도 우리나라에 또 그만한 숫자가 와야 우리 경제가 균형 있게 가는 것 아니겠습니까, 의료도 마찬가지입니다. 이것이 개방을 적극적으로 해 나가는 이유입니다.

중국과 관련해서는 여러 가지 전략들이 있어서 잘 아시겠지만 한 가지만 말씀드리겠습니다. 프랑스와 독일이 모든 영역에서 거의 같은 수준의 기술과 경제구조를 가지고 있는데, 그 사이에도 교역이 활발합니다. 상호 이익이 있다는 것입니다. 프랑스와 포르투갈 사이에서도 같은 포도주를 가지고 서로 사고팔고 하는 교역이 있습니다. 우리 한국이 지금 싱가포르하고 교역하고 있는 내용을 보면 전자,반도체 등이 많이 있습니다. 같은 기술, 같은 수준의 경제라고 해서 교역이 반드시 손해를 보는 건 아닙니다.

중국에 대해서는 우리 기업들이 구조조정을 너무 빠르게 요구당해서 밖으로 빠져 나가서 일자리가 너무 빨리 비는 것이 문제일 뿐이지, 그 이외의 다른 경쟁 요인에 있어서는 큰 부담이 아닌 것으로 보고 있습니다. 우리 옆에 큰 규모의 경제가 있는 것은 항상 기회요인으로 봐야 되는 것 아닌가, 이렇게 생각합니다. 이대로 가면 잘 갈 거냐, 낙관적인 것만 말씀드렸는데, 못 갈수도 있다는 것이죠. 그 불안요인을 말씀드리면 하나는 양극화이고, 하나는 너무 빨리 고령화되고 있다는 것입니다. 이 모두를 포함해서 미래의 안정을 보장하는 시스템이 너무 취약하다는 것입니다.

주로 서민들 또는 빈곤층의 문제라고 생각하지만, 양극화가 기업에 미치는 영향은 어떤 것일까요, 규제 풀어달라고 얘기하지만, 기업환경에 가장 중요한 것은 시장입니다. 시장요인이 2/3 이상이고, 나머지 1/3을 가지고 규제나 세금, 생활환경과 같은 여러 가지 기업환경을 얘기하는 것 아니겠습니까, 지난번 브라질에 가 보니까 LG가 밀림 속에서 공장을 하고 있더군요. 우리 한국과 비교하면 규제나 환경, 모든 조건이 열악하기 그지없지만 결국 시장이 있으니까 간 것입니다.

바로 양극화라는 것이 장기적으로 가면 시장을 위축시킬 수 있지 않느냐는 것입니다. 저소득층이 돈이 없으면 소비를 못하고, 소비를 못하면 시장이 줍니다. 부자는 쓰는 게 한계가 있거든요. 일정하게 쓰고 나면 더 쓰기 어렵지 않습니까, 소득이 없으니 소비가 줄고 시장이 위축되는 악순환이 될 가능성이 있는 것 아니냐 하는 것입니다.

독일 경제의 장기침체 이유가 뭐냐 하는데, 사회보장 보험료를 가지고 동독에 소득을 이전시키기 때문에 노동비용 부담이 많아져서 이것이 가장 큰 원인이 된다고 얘기합니다만, 한편으로는 연금제도가 흔들리고 있고 국회에서 노후보장을 자꾸만 깎으려고 하기 때문에 독일 국민들이 호주머니를 졸라매기 시작했다는 것입니다. 미래가 불안하니까 저축을 하기 시작한 것이죠. 일본이 소비를 진작시키기 위해 국채를 발행해서 결국 재정부채가 GDP의 160%까지 가버렸습니다. 우리는 재정부채가 GDP 30% 미만입니다. 그런 위험을 안고라도 왜 정부가 소비를 일으키려고 노력하고 사회간접자본에 투자를 하겠는가, 시장 때문이거든요. 양극화라는 것이 그렇게 시장을 위축시킨다고 봅시다.

우리의 도시 근로자 가계소득 5분위 배율을 보면 1993년부터 2005년까지 점차 양극화가 확대되어 가고 있습니다. 그중에서도 1998년에 한꺼번에 아주 심각하게 나빠졌고, 지니계수도 0.291에서 0.316으로 한순간에 악화됐습니다. 국가적 수준에서 부도가 나고 많은 사람들이 구조조정으로 일자리에서 쫓겨나는 과정을 통해 격차가 엄청나게 벌어지게 된 것입니다. 결국 양극화가 세계화,정보화 시대의 하나의 흐름이라고 말할 수 있고, 다음으로는 경기가 나쁘면 갑자기 일자리가 흔들리고, 일자리가 흔들리면 양극화가 아주 심각하게 된다는 것을 말해 주는 것이기도 합니다.

꼭 말씀드리고 싶은 것이 고용없는 성장입니다. 1% 경제성장이 유발하는 취업지수를 보면, 이제는 경제가 성장해도 일자리가 많이 늘어나지 않습니다. 수출을 대비하면 이것은 더욱 더 심각하게 나타납니다. 결국 일자리의 품질이 나빠져서 임금이 아주 높은 사람과 아주 낮은 사람으로 노동구조가 완전히 이분화되어 버린 것입니다.

일자리를 통해 양극화를 해소하지 않으면 시장의 위축 때문에 경제가 지속적으로 성장하기 어렵고, 기업환경이 극도로 나빠진다는 것입니다. 그 점 때문에 양극화 문제를 계속 얘기합니다. 양극화를 자꾸 들고 나오니까 어떤 사람은 2대 8로 가자는 것이냐고 얘기를 하는데, 결코 그런 문제는 아니라고 생각합니다.

일자리 문제를 해결하는 과정에서 정부는 어떤 대책을 가지고 있는가, 중소기업이 대기업보다 일자리가 많기 때문에 중소기업을 살려내야 됩니다 혁신형 중소기업이라야 살아날 수 있고 높은 기술을 가진 중소기업이라야 살 수 있기 때문에 중소기업의 혁신역량, 기술혁신의 역량을 집중적으로 지원해 나가는 정책을 쓰고 있습니다.

그래서 중소기업정책을 가지고 제가 직접 주재하는 회의를 10번 했습니다. 2004년 7월부터 지금까지 중소기업을 놓고 열심히 했는데 좀 달라지지 않겠습니까, 어렵지만 꼭 성과를 내겠습니다. 특히 부품,소재 같은 것을 전략산업으로 지원하려고 하고, 그 다음에 중소기업 전통산업의 IT화, 혁신활동도 집어넣고 해서 최선을 다해 한번 하려고 합니다.

두 번째로는 서비스 산업을 육성해야 됩니다. 서비스 산업 중에 금융, 물류, 법률, 회계, 컨설팅, 의료, 교육처럼 고부가가치 지식기반 서비스 산업은 고학력 인력이 많은 한국의 노동구조에 꼭 필요합니다. 그 외에 일반적으로 고용이 많이 나올 수 있고 부가가치가 높은 서비스 산업을 집중적으로 육성해야 일자리가 나옵니다 흔히 취업계수를 얘기하는데 10억 원에 서비스 산업은 18명이고 제조업은 4.9명입니다.

물론 서비스 산업의 생산성이 매우 낮은 것이 심각한 문제이기는 합니다만, 꼭 한번 성공시켜 보려고 합니다. 그래서 골프장 허가 잘 내주라고 얘기하기도 하고, 큰 레저단지를 만들어 보라고도 하고 서남해안 프로젝트 등도 추진하고 있습니다. 특히 금융 쪽에서, 우리 한국 사람들이 자본을 모아서 개발사업을 적극적으로 하는 수준까지 나갈 수 있도록 정부는 정책적인 지원을 하려고 합니다. 예를 들면 영국의 AMEC사가 인천대교를 맡아서 만들기로 했는데, 우리 국내의 여유자본 가지고 충분히 할 수 있는데 외국 기업으로 간 것입니다. 싱가포르 PSA사 같은 경우도 세계적 차원에서 항만을 경영하고 있습니다. 동북아시아에서만 해도 굉장히 많은 투자들이 있을 수 있기 때문에 여기까지 전부 포함해서 서비스 산업을 육성하고자 합니다.

그래서 국내에 물류전문대학원이나 금융전문대학원도 만들고 MBA 과정을 신설해서 한번 해 보려고 하는데, 성과가 나는 데는 시간이 좀 걸리지 않겠습니까, 제가 대통령하면서 보니까 김영삼 대통령 때 시작했던 것이 지금 열매를 다는 것도 있고 김대중 대통령 때 시작해 놓은 것을 지금 완성해 가는 것도 있습니다. 그래서 처음에는 미약하지만 하나씩 하나씩 씨를 뿌리고 심어나가는 것이 꼭 필요하다고 생각합니다.

다음은 공공 서비스 내지 사회적 서비스 부분의 일자리입니다. 이것은 간병, 보육, 노인을 돌보는 것처럼 약한 사람한테 서비스하는 일들입니다. 국가 기능 중에서는 경찰, 소방, 교육, 도서관 사서 등 국민들에게 직접 하는 복지와 문화 서비스에 대항되는 일자리들인데 우리나라는 아주 적습니다. 따라서 우리나라의 국가적 서비스 수준이 낮다고 말할 수 있습니다. 서비스 수준을 높여서 국민 만족도도 높여 나가야 되고 아울러 거기에서 많은 일자리를 소화해내는 것이 필요합니다.

그 다음에 고용 서비스 제도, 이것은 작년부터 역점을 두고 있습니다. 일자리를 찾아주는 것, 상담을 통해서 개인의 맞춤식 일자리를 알선해 주는 것입니다. 올해부터는 직업훈련제도를 전면적으로 손질해서 한번 낙오한 사람이 재진입할 수 있도록 다시 교육시켜 되돌려 보내는 시스템을 높은 수준으로 만들고자 합니다. 돈과 노력이 많이 들고 시간도 많이 걸릴 것입니다만 남은 2년 동안 집중해서 하려고 합니다.

이것이 돼야 개별기업에서 노동의 유연성이라는 것을 확보하기가 쉽습니다. 사회 전체로서 직업안정성이 높아지기 때문에 개별기업에서 고용조정을 하기가 훨씬 수월해지는 것입니다. 그래서 여기에 재정투자를 아주 획기적으로 늘려서 하려고 합니다. 지금 직업훈련 참여율이 중소기업은 8%이고 대기업은 77.7%거든요. 이런 차이도 극복하기 위해서 여러 가지 노력을 해야 됩니다.

상생협력 부문에서는, 대기업, 중소기업이 상생협력을 하고 있는데 많은 기업들이 도와주셔서 잘 가고 있습니다. 그 다음에 노사 간에 상생협력도 좀 필요합니다. 예를 들면 비정규직이 교육으로부터 배제되고 직장에서 배제되고 오래 있으면 그 사람은 폐인이 돼 버립니다. 그런 노동자들이 많고 국가가 보호하지 않으면 사회 전체 노동의 품질이 떨어질 수밖에 없습니다. 그것은 바로 국가경쟁력을 갉아먹는 것이고 기업을 충원할 인력을 찾기 어려우니까 결국 외국인들이 와야 된다는 얘기가 됩니다. 그래서 정부는 직업훈련이나 취업알선을 집중적으로 하려고 합니다만, 이 분야에서는 기업도 장기적 전망을 가지고 적극적으로 할 일이 있다고 생각합니다. 제도에 대해서도 관대한 대응을 해 주시기 바랍니다.

　노·노간 상생협력도 필요합니다. 대기업과 중소기업, 또는 정규직과 비정규직 사이의 임금격차 같은 것이 그냥 배가 아픈 수준이 아니라 한국 노동력의 구조적인 생산성 자체를 파괴할 수 있는 수준에 가 있습니다. 돈을 얼마나 받느냐는 것이 단순한 금액의 문제가 아니고, 월급을 제대로 못 받아 생활이 안정되지 않은 사람은 직업능력을 향상시키지 못하고, 개인의 건강도 떨어져 노동력을 재생산하는 데 장애가 생기게 됩니다. 그 정도까지는 우리가 함께 대처해야 하는데 노·노간에도 협력을 해야 할 것이 많이 있습니다. 특히 대기업 노동자들은 교섭력이 너무 강해서 탈이고, 중소기업은 교섭력이 너무 약해서 자기 권리를 제대로 주장하지 못하고 있다가 뒷날 불만이 폭발하는 현상이 올 수도 있다는 우려를 가지고 있습니다. 그래서 노동조건이 너무 열악해지지 않도록 근로감독을 강화하려고 합니다.

　한편으로는 중소기업의 노동조합을 기업 쪽에서도 조금 육성해 줄 필요가 있습니다. 노사 간 합의로 사회를 이끌어 나가는 안정된 사회는 노동조합 조직률이 대게 80% 이상 90% 수준이지만 우리는 지금 12% 수준밖에 안됩니다. 노동조합이 대화의 상대로 나설 수 없으니까 국정을 운영하는 데 있어 테이블에 앉아 대화가 될 수 없는 것입니다. 노사정위원회 열어놓고 있는데, 손님이 안 오는 상황입니다.

　노사 간 협력관계 또는 노·노 간 문제를 풀어나가기 위해서 특단의 무언가가 있어야 되는데 지금은 노동 쪽이 너무 경직돼 있는 것 같기는 합니다. 그럼에도 불구하고 제가 보기에는 우리 경제계도 가지고 있는 사회적 역량에 비해서는 노동문제를 주도적으로 끌고 가지 못하는 것 같습니다. 정부에 너무 의존하려고 하는 것이 아닌가 생각합니다. 경제단체가 노동자들을 대화 테이블로 끌어낼 수 있다면 참 좋겠습니다. 지금도 노동조합에서 한마디 하면 경제단체에서 받아치고 경제단체에서 한마디 하면 노동조합에서 받아치고, 정부는 가운데서 해결해야 하는 상황이기 때문에 대화의 구조가 잘 안되는 것 아니냐는 아쉬움이 있습니다.

균형발전과 관련해서 한 가지 말씀드리면, 내후년부터는 매년 10조원 내지 15조 원 이상의 건설물량이 나옵니다. 15조 원이면 아마 GDP 2% 아닌가요, 행정도시, 혁신도시가 본격적인 공사에 들어가게 되면 건설하는 분들에게 일거리가 좀 있을 것 같고요. 이 도시들은 기술적으로나 환경적으로나 경제적으로 가장 쾌적하고 아름다운 첨단도시가 되어, 앞으로 우리나라 건설 수준을 설명할 때 우리 기술이 적용된 현실을 와서 보라고 하면 건축기술에 대해서는 설명을 길게 안해도 될 것이라고 생각합니다.

도·농 상생공간이라고 하는 개념 속에서 농촌의 생활공간을 다시 재편해내는 계획들을 가지고 있습니다. 자연적 환경과 경제적 환경들이 교류하면서 사람들의 생활에도 여유가 있도록 국토공간을 꾸미기 위해 혁신도시 다음에는 농촌생활 공간을 개조해 갑니다. 궁극적으로는 균형발전이라는 틀 속에서 대한민국 국민들 삶의 공간 개념이 달라지는 것입니다. 생활공간의 개념을 전체적으로 바꾸고 교육이나 문화 환경을 지방으로 분산시켜 나가야 합니다. 인재들이 지방에서 일을 해 주기만 하면 비용압력도 서울보다는 조금 줄지 않을까, 그런 기대도 아울러 가지면서 작업을 해 나가고 있습니다.

서울은 밀도를 더 낮춰야 됩니다. 소위 창조적이 사람이 좋아하는 생활 환경을 만들어야 세계 최고의 능력을 가진 인재가 서울에 와서 살려고 하고, 그래야 서울이 국제적인 비즈니스 도시가 될 수 있습니다. 좀 넓게 그리고 쾌적하게 문화적으로, 도시의 컨셉을 바꿔야 됩니다. 그래야 역사와 문화와 숲이 있는, 여유 있고 수준 높은 도시로 가야 될 것이라고 생각합니다.

미래 준비를 위한 일을 누가 할 것인가, '외투를 준비하지 않았다고 겨울이 오지 않는 것은 아니다. 미래를 준비하자.' 이 미래를 준비하는 데 여러 가지 대책이 나오면 거기에는 정부가 할 일이 있습니다. 또 많은 재정이나 비용이 필요합니다. 큰 정부, 작은 정부 논란이 있는데 한국에서 큰 정부 얘기하는 것은 언어도단입니다. 한국에는 큰 정부가 없습니다. 사람 데려다 삼청교육시키는 막강한 정부는 옛날에 있었지만 결코 국민을 위한 서비스 분야에서 큰 정부는 없었습니다.

제가 양극화 해소 얘기하니까 언론은 바로 '세금 더 내란 말이지요.' 그러면서 기사를 쓰기 시작하는데, 세금을 더 안 내고도 할 수 있는 데까지 하겠습니다. 아껴 쓰고, 경제사업에 쓰던 것을 복지사업에 쓰겠습니다. 국방비는 줄일 수 없습니다. 경제사업에도 우리가 R&D 투자를 많이 하기 때문에 얼마나 뽑아낼 수 있을지 모르겠습니다만 돌려쓰겠습니다. 또 세금 안 내는 사람들 세금 좀 내게 세원을 철저하게 발굴하겠습니다. 그 다음에 감면해 주는 것도 좀 깎겠습니다. 세금을 안 내도 되도록 우리가 좀더 노력해 보겠습니다. 올 상반기까지 계산을 해서 내놓아 보려고 합니다. 참 부끄러운 일인데 지금까지 우리가 한번도 계산을 안 했더라고요. 물론 저도 지난 3년 동안 계산 한번 안 했습니다. 기준이 원체 많아 계산이 간단하지 않고 복잡하지만 어떻든 계산은 내놓아 보겠습니다.

세금 말만 나오면 전 국민이 신경을 씁니다. 그런데 오늘 세금 내시는 분이 계신 곳에서 세금 얘기를 좀 하고 싶습니다. 세금을 더 내든 안 내든 누가 세금을 얼마나 내는지를 한번 보고, 누가 제일 먼저 신경을 써야 되는지를 한번 알아보자는 것입니다. 소득금액을 10분위로 나누어 거기에 해당되는 사람들이 전체 세금 중에서 내는 세액을 계산해봤는데, 상위 10%가 우리 소득세의 78%를 내고 있습니다. 아마 여기 계신 분들이 대부분 상위 10%에 들어가시죠, 여러분 다 세금 많이 내고 있는 것이죠. 9분위가 15%, 우리 전체 소득세 총액에서 이렇게 내고 있습니다. 그런데 언론들은 지금 어디에 초점을 맞추고 있느냐 하면 5,6,7,8분위 쪽에 있는 사람들한테 '노무현이 세금 내라 한다. 근로자가 봉이냐' 합니다.

제가 세금 올리자고 한다고 세금 올라가는 나라가 아닙니다. 국회에서 올리는 것이지 제가 올리는 것은 아닙니다. 그러나 만일에 제 말대로 세금이 올라간다고 가정하더라도 10분위 쪽이 세금을 많이 내게 돼 있겠죠, 간접세 부문은 좀 다릅니다만 그래도 돈 많은 사람이 많이 내게 돼 있습니다. 이 세금 걷어서 복지 지출하는 것을 보면 1분위, 2분위, 3분위 쪽에서 혜택을 많이 받습니다. 구조가 그렇게 돼 있다는 것을 우리가 알고, 혹시 어려운 봉급쟁이들 세금 올리면 되느냐, 너무 걱정하지 않으셔도 됩니다.

결론으로, '생각을 바꾸자' 이것을 말씀드리고 싶은데요, 당장 이익이 된다 안된다는 관점에서 벗어나 멀리 보자는 것입니다. 당장 보면 손해 보는 것도 멀리 보면 이익이 되는 것이 있습니다. 여러분하고 저하고 사이에서 당장 의견이 다른 것을 멀리 한 30년쯤이나 50년쯤 내다보고 계산해 보면 그때는 결론이 같아지는 것이 있습니다. 그래서 멀리 내다보고 우리가 한번 손익을 따져 보자는 것입니다. 그리고 함께 가는 기업, 아까 상생협력이라고 얘기했는데, 그런 상생협력을 통해서 기업이 오히려 성공하지 않겠는가, 저는 그렇게 생각합니다.

그래서 여러분에게 드리고 싶은 말씀은 우리가 우리 스스로를 너무 깎아내리고 있는 것 아니냐는 것입니다. 외국 기관에서 국가경쟁력 설문 조사를 하는데 대개 우리나라 기업인들하고 우리나라에 체류하는 외국 기업인들한테 조사를 합니다. 그 조사 내용이 주로 우리 정부 평가나 기업 환경에 관한 여러 가지를 물어봅니다. 그런데 성적이 별로 안 좋아요. 우리 자신을 너무 좀 깎아내리는 측면이 있는 것 같고요. 생활에 대한 만족도만 해도 우리는 40% 대이고 OECD가 보편적으로 한 70% 정도 됩니다.

책임 있게 생각하고 행동하는 문화가 있어야 서로 상충되는 이해관계들을 조절해 나갈 수 있지 않을까 합니다. 그래서 어떤 대안을 얘기할 때는 깊이 생각하고 실현가능한 합리적인 것을 내고, 그 대안은 내 자신의 양보와 희생을 담보하는 데서부터 출발해야 된다고 생각합니다. 그래서 '생각을 바꾸자, 생각을 바꾸어서 뭘 할 것이냐, 동반성장과 상생협력의 경영전략을 세워보자.' 멀리 보면 이것이 성공 가능성이 더 높다는 얘기입니다. 내가 먼저 하자는 얘기입니다.

차이를 수용해야 합니다. 고소득층은 어려운 사람들과의 차이를 좁히기 위해서 관심을 가지고 노력해야 합니다. 각자 열심히 일한 결과 아니겠느냐, 이렇게만 말할 것이 아니라 차이를 줄이려고 노력해야 합니다. 소득이 적은 사람들은 평등에 대한 요구수준을 좀 낮췄으면 좋겠습니다. 국가의 책임을 최소한의 사회 보장 수준으로 보고 일자리에 대한 눈높이도 조절해 나가는 것이 개별노동자는 물론이고 노동 쪽에서 사회적 분위기로서 필요하지 않은가 생각합니다. 지금 빠진 주제가 지배구조, 투명성, 출자총액제한제, 금산분리, 사회이사제 등등 시장규제 중 논란이 많은 것들이 있습니다. 여기에 대해 제가 하나 소개를 드리겠습니다. 규제 중에는 원천봉쇄하는 규제가 있습니다. 불공정 거래할 우려가 있으므로 아예 소유 자체를 못하게 해 버리는 원천봉쇄지요. 접근금지 규제가 있고, 또 '들어오기는 들어오는데 불공정 거래는 하지 마라.' 해서 개별거래를 규제하는 것이 있습니다.

원칙적으로는 부작용이 나타나는 개별행위를 규제하고 단속하면 되는데 이것이 어렵다는 이야기입니다. 조사기능도 좀 부실하고 투명성도 좀 부족하고 계속 뒤쫓아 가면서 하다 보니까 소 잃고 외양간 고친다는 소리를 듣는 사후규제밖에 되지 않는다는 말이죠. 그래서 아예 원천봉쇄 하는 것이 출총제, 금산분리입니다. 기업에 필요 이상의 부담을 주는 것이 사실입니다. 그러니까 기업에서 빨리 풀어달라고 아우성을 치죠.

그런데 우리가 개별행위 규제와 투명성에 관한 시스템이 완벽하지 않기 때문에 균형을 맞추면서 가자고 했던 것이 소위 규제완화 로드맵입니다. 투명성이 높아지고 개별행위 규제를 하기 쉽고 위반사례가 좀 적어지면 원천봉쇄하는 이런 부분은 좀 완화시켜 갈 수 있지 않겠습니까, 이것과 상관관계가 있다는 점을 이해해 주시면 좋겠다는 생각을 합니다. 자유와 공정, 효율 이런 것이 균형을 이루도록 하고, 구조적인 규제와 개별행위 규제의 상호관계를 고려해서 운영을 하겠다는 것입니다.

독점에 관해서는 시장의 규모가 이미 세계화되어 버린 분야는 세계시장을 중심으로 놓고 독점 여부를 판단하는 쪽으로 운영해 가려고 합니다. 대통령의 말이 바로 정책은 아닙니다만 제가 가지고 있는 인식을 말씀드리는 것입니다. 그 다음에 주주 자본주의의 관점을 가진 외국 자본이 국내 기업의 경영권을 위협한다든지, 또는 기업을 해체시켜서 국부를 유출한다는지 논란이 참 많습니다. 이 부분에 관해서는 경영권 보호를 위한 규제를 할 것이냐, 시장원리와 시장에서의 신뢰를 존중할 것이냐, 이런 것이 항상 문제가 됩니다. 그래서 외국 자본이 우리나라 자본을 긴장하게 하고 미꾸라지가 오래 살게 하는 메기의 역할을 할 수도 있습니다. 그러나 어떤 경우에는 외국 자본이 들어와서 자극을 주어서 더 활력 있게 하는 것이 아니고, 다 잡아먹어 버리는 수도 있지 않겠습니까, 이런 것을 면밀히 점검해서 아주 결정적인 것이 아니면 원칙적으로 시장의 원리를 존중하면서 갈 것입니다. 현실적인 위험의 크기, 원칙과 신뢰 사이의 균형 있는 대응을 했으면 좋겠다는 것입니다.

또한 이것을 해결하기 위해서는 개인 투자자든 기관 투자자든, 투자를 하는 사람들이 멀리 내다보는 투자를 해야 합니다. 그리고 그런 관점을 가진 국민자본이 주목받는 기업에 동원될 수도 있다고 생각합니다. 국민 자본의 동원 방법은 상호 펀드를 하는 방법도 있겠지만 개별국민주 형식으로 할 수도 있습니다. 말하자면 국민들이 주식시장에 과감하게 나오고 기금들도 나와서 자본을 형성해서 단기 차익을 노리는 것이 아니라 장기적인 전망을 가지고 투자를 한다면, 주주 자본주의냐 이해관계 자본주의냐 또는 외국자본이냐에 대한 논쟁을 할 필요 없이 실력으로 대응할 수 있지 않겠습니까, 이런 데 대해 우리가 사회적 합의를 모으려는 노력은 별로 하지 않고 문제만 제기하는 수준에 머물러 있는 것이 아닌가 생각합니다. 앞으로는 국민들이 적극적으로 투자하는 방향으로 했으면 좋겠습니다.

민영화가 한때는 정의였습니다. 선이었습니다. 그런데 지금 KT&G 같은 것을 보면 민영화가 다 선일 수는 없다고 생각합니다. 또 민영화의 속도는 우리 한국의 자본이 어느 정도 형성되고 또 외국 자본의 행태가 어느 방향으로 가닥이 잡히느냐에 따라서 조절해 나가야 되는 것 아닌가, 그렇게 생각합니다. 여러분에게 아주 희망 있는 큰 비전이나 약속을 제시한 것이 아니고 우리 정부가 하고 있는 정책의 내용을 소상하게 소개해 드렸습니다. 여러분, 긴 시간 수고하셨습니다.

감사합니다.

카리모프 우즈베키스탄 대통령
내외를 위한 만찬사

2006년 3월 29일

존경하는 카리모프 대통령 각하 내외분, 그리고 귀빈 여러분,

각하 내외분과 일행 여러분을 진심으로 환영합니다. 오늘 이 자리가 양국의 우의를 더욱 굳건하게 다지는 소중한 기회가 될 것으로 생각합니다. 작년 5월 우즈베키스탄을 방문했을 때, 각하께서 베풀어 주신 환대를 잊지 않고 있습니다. 또한 우리 동포들을 만나면서, 이 분들에 대한 각하의 배려와 관심을 잘 알 수 있었습니다. 거듭 감사의 말씀을 드립니다. 위대한 티무르 제국의 중심이었던 우즈베키스탄은 인류 역사에 남을 찬란한 문화를 발전시켜 왔습니다. 지금도 중앙아시아의 중심국가로서 역내 평화와 번영을 앞장서 이끌고 있습니다. 최근에는 경공업 육성 등을 통해 매년 6%가 넘는 고도성장을 지속하고 있습니다. 앞으로도 더 큰 성공을 거둘 것으로 확신하며, 우즈베키스탄 국민의 저력에 경의를

표합니다.

대통령 각하,

우리 두 나라는 수교 14년의 짧은 역사에도 불구하고 긴밀한 이웃이 되었습니다. 각하께서는 네 차례의 방한을 통해 이러한 관계 발전에 큰 힘이 되어주셨습니다. 우리 또한 중앙아시아의 최대 시장이며 20만 명의 동포들이 살고 있는 우즈베키스탄에 대해 각별한 관심을 갖고 있습니다. 이번에 우즈베키스탄 여러 곳의 석유, 가스전 탐사와 광물자원 공동개발에 합의했습니다. 정보통신, 섬유, 금융, 교육, 문화, 관광 등에 있어서도 교류협력을 대폭 확대해나가기로 했습니다. 내년부터 더 많은 우즈베키스탄 근로자들이 우리나라에서 일할 수 있는 길도 열렸습니다. 이제 우리 두 나라 국민은 함께 일하고 같은 드라마를 즐기는 가까운 친구입니다. 오늘 양국 관계를 한 단계 더 높이기로 한 것을 계기로 두 나라 간 실질협력이 더욱 확대되기를 기대합니다.

내외 귀빈 여러분,

각하 내외분의 건강과 우즈베키스탄의 발전, 그리고 우리 두 나라의 우정을 위해 건배를 제의합니다.

건배!(시즈 우춘) 감사합니다.

인천국제공항 자유무역지역 개장행사 축사

2006년 3월 30일

존경하는 인천시민 여러분, 그리고 공항 관계자와 내빈 여러분,

동북아 물류중심을 향해 또 한 번 큰 걸음을 내딛게 되었습니다. 인천국제공항 자유무역지역 개장을 진심으로 축하드립니다. 그동안 밤낮없이 땀흘려 오신 인천국제공항 임직원과 건설 관계자 여러분, 정말 수고 많으셨습니다. 인천시민과 입주 물류업체 여러분께도 축하의 말씀을 드립니다. 자유무역지역 개장은 어제로 개항 5주년을 맞은 인천국제공항에도 큰 선물이 될 것 같습니다. 이 자리를 빌려 개항 5주년을 다시 한 번 축하드립니다.

내외귀빈 여러분,

이제 인천국제공항은 41개국, 133개 도시를 연결하는 세계적인 공항으로 발돋움했습니다. 지난해만 해도 210만 톤의 화물과 2,600만 명

의 이용객을 유치하면서 화물부문 세계 3위, 여객부문 세계 10위를 기록했습니다. 특히 이달 초에는 국제공항협회의 품질서비스 평가에서 세계 유수의 공항들을 제치고 '최우수 공항상'을 수상했습니다. 양적인 면에서뿐만 아니라, 운영과 서비스에 있어서도 당당히 세계의 인정을 받은 것입니다. 2008년까지 2단계 확장공사가 마무리되고, 국제공항복합도시가 갖추어지면 인천국제공항은 동북아 중심공항으로 확고히 자리 잡게 될 것입니다.

내외귀빈 여러분,

오늘 개장하는 자유무역지역은 이러한 인천국제공항의 경쟁력을 더욱 강화하게 될 것입니다. 더 많은 화물이 이곳을 찾게 되는 것은 물론, 국내외 기업들이 한 데 모여 시너지 효과를 만들어 냄으로써 물류서비스의 부가가치를 한층 더 높여줄 것입니다.

이미 물류단지의 절반이 임대될 정도로 업체들의 관심도 아주 높다고 들었습니다. 2010년에는 이곳 자유무역지역을 통해서 1만명의 고용과 7,300억원의 부가가치가 창출될 것으로 전망하고 있습니다. 공항 관계자 여러분의 책임이 정말 무겁다고 하겠습니다. 인천공항 자유무역지역이 개방화된 우리 경제의 좋은 모델이 될 수 있도록 최선을 다해 주기 바랍니다.

인천시민 여러분,

인천은 한국을 대표하는 세계적인 도시가 될 것입니다. 동북아의 물류, 비즈니스 중심이 될 수 있는 충분한 조건을 갖추고 있습니다. 정부는 2003년부터 인천경제자유구역을 지정해서 이러한 가능성을 현실로 만들기 위해 노력하고 있습니다. 이곳 영종지구는 물론이고, 송도국제도시의 발걸음도 매우 활기찹니다. 국제업무단지와 IT, BT 클러스터가 이미 조성되고 있고, 국제학교도 이달에 착공했습니다. 외국병원 설립도 가시화되고 있습니다. 머지않아 비즈니스는 물론 교육, 의료, 주거환경 모든 면에서 완벽한 국제도시의 모습을 갖추게 될 것입니다. 이와 함께 관광레저단지가 들어설 청라지구 개발도 구체화되고 있습니다. 앞으로 인천대교와 공항철도의 개통으로 영종, 송도, 청라지구가 막힘없이 연결되면 세계도시 인천의 발전은 더욱 더 가속화될 것입니다.

인천은 성공할 것입니다. 정부의 의지도 확고합니다. 반드시 성공할 수 있도록 지원해 나가겠습니다. 우리 다 함께 자신감을 가지고 힘차게 도전합시다. 다시 한 번 자유무역지역 개장을 축하드리며, 여러분 모두의 건강과 행복을 기원합니다.

감사합니다.

2006 한국농업최고경영자대회 축하 메시지

2006년 3월 31일

농업최고경영자대회를 진심으로 축하드립니다. 어려운 여건에서도 우리 농촌을 지키기 위해 노력하고 계신 농업인과 한국농업CEO연합회 관계자 여러분께 감사의 말씀을 전합니다. 농업인 여러분의 고충을 잘 알고 있습니다. 개방의 물결은 거세지고, 농촌사회는 점차 활력을 잃어가고 있습니다. 우리 농촌이 뿌리째 흔들릴지 모른다는 우려까지 나옵니다. 그러나 우리 농업, 반드시 지켜낼 것입니다. 농업인 여러분이 어려운 만큼 저와 정부도 혼신의 노력을 다하고 있습니다.

개방을 하더라도 지킬 것은 지키고, 개방에 맞서 경쟁할 수 있는 분야는 확실하게 지원할 것입니다. 농업인의 경영수준에 맞게 필요한 지원을 하는 '맞춤형 농정체계'를 확립해 나가겠습니다. 이미 마련한 대책들도 올해 중에 전면적으로 다시 점검하고 보완하겠습니다. 농촌의 활력도 되살리겠습니다. 국토균형발전과 연계해서 농촌공간을 다양하게 가꾸고, 농촌 생태계와 공동체를 복원함으로써 도시민과 은퇴한 분들이 돌아와 농촌 발전에 기여할 수 있도록 해나갈 것입니다. 농촌의 생활여건과 교육, 의료 등 복지수준도 한층 높여 나가겠습니다. 이미 많은 농업경영인들이 혁신적인 사고와 남다른 노력으로 하나하나 성공사례를 만들어가고 있습니다. '1사 1촌' 운동과 같은 농촌사랑운동도 범국민적으로 전개되고 있습니다. 희망과 자신감을 가집시다. 함께 힘을 모아 우리 농업의 활로를 찾고, 풍요로운 농촌을 만들어 나갑시다.

다시 한번 대회를 축하드리며, 여러분의 큰 발전을 기원합니다.

4월

제15차 국가올림픽위원회 총연합회 총회
개회식 축사 및 개회선언

2006년 4월 2일

존경하는 마리오 바스케즈 라냐 ANOC 회장, 자크 로게 IOC 위원장, 그리고 각국 올림픽위원회 대표단과 내외 귀빈 여러분,

안녕하십니까, 제15차 국가올림픽위원회 총연합회(ANOC) 총회가 이곳 서울에서 열리게 된 것을 매우 기쁘게 생각합니다. 세계 스포츠계 지도자 여러분을 한 자리에서 뵙게 된 것을 무척 행운으로 생각합니다. 대단히 반갑습니다. 여러분의 한국 방문을 온 국민과 함께 진심으로 환영합니다. ANOC는 올림픽의 숭고한 이상을 구현하며 인류의 화합과 평화를 위해 크게 기여해 왔습니다. 그리고 이제는 IOC와 더불어 전세계 203개국이 참여하는 국제 스포츠계의 중심적인 기구로 자리잡았습니다. 이 자리를 빌려, ANOC이 이루어온 성과와 이를 위해 헌신해오신 여러분의 노고에 다시 한 번 경의를 표합니다. 아울러 총회 준비를 위해

애써주신 김정길 KOC 위원장과 관계자 여러분께도 감사의 말씀을 드립니다.

내외 귀빈 여러분,

우리는 모두 같은 소망을 가지고 있습니다. 분쟁과 갈등을 넘어 평화와 공존의 지구촌을 만들어가는 것입니다. 우리는 올림픽에서 그 가능성을 봅니다. 올림픽은 이념과 종교, 민족과 문화의 차이를 넘어 지구촌을 하나로 묶어내는 구심점이 되어 왔습니다. 뿐만 아니라 승패를 떠나 최선을 다하는 모습을 통해 인류에게 벅찬 감동을 전해 주고 있습니다.

한국의 올림픽 역사에서도 이를 확인할 수 있습니다. 1936년 베를린올림픽의 영웅 손기정 선수는 일제 식민통치하에 있던 우리 국민들에게 큰 희망과 자신감을 심어주었습니다. 우리는 또한 서울올림픽이 반목과 대립으로 점철된 냉전의 빙벽을 녹이는 데 기여했음을 매우 자랑스럽게 생각하고 있습니다. 저는 '손에 손잡고, 벽을 넘어서'를 부르던 그때의 감격이 아직도 생생합니다. 올림픽은 세계에서 마지막 남은 분단국인 한반도가 화해와 협력의 길로 나아가는 데도 많은 기여를 했습니다. 시드니올림픽에서 한반도기를 들고 함께 입장하는 남북 선수들에게 전 세계가 보내 준 환호와 찬사는 우리에게 크나큰 격려가 되었습니다. 그런 점에서 올림픽에 대한 우리 국민의 애정과 기대는 각별합니다. 대한민국은 서울올림픽은 물론, 86년 ANOC 총회와 99년 IOC 총회 등을 통해 올림픽운동의 확산에 적극 동참해 왔습니다. 앞으로도 세계평화와 화합이라는 올림픽의 목표를 향해 최선의 노력을 다해 나갈 것입니다.

존경하는 각국 대표단 여러분,

우리 국민들은 잔치를 참 좋아합니다. 잔치를 잘 치른 경험도 많습니다. 올림픽과 유니버시아드, 월드컵과 같이 개최하는 행사마다 성공적으로 치러냈습니다. 앞으로도 기회가 주어진다면 우리 국민들은 하나가 되어 전력을 다해 나갈 것입니다. 한국이 더 많은 기여를 할 수 있도록 여기 계신 분들의 아낌없는 협조를 부탁드립니다. 아무쪼록 이번 총회가 회원국 간의 친선과 유대를 다지는 소중한 계기가 되기를 바라며, 제15차 ANOC 총회의 개막을 선언합니다.

감사합니다.

제주 4·3 사건 희생자 위령제 추도사

2006년 4월 3일

존경하는 국민 여러분, 제주도민과 4·3 유가족 여러분,

우리는 오늘, 58년 전 분단과 냉전이 불러온 불행한 역사 속에서 무고하게 희생당한 분들의 넋을 위로하기 위해 이 자리에 함께 모였습니다. 저는 먼저, 깊은 애도의 마음으로 4·3 영령들을 추모하며 삼가 명복을 빕니다. 오랜 세월 말로 다 할 수 없는 억울함을 가슴에 감추고 고통을 견디어 오신 유가족 여러분께 진심으로 위로의 말씀을 드립니다. 아울러 무력충돌과 진압의 과정에서 국가권력이 불법하게 행사 되었던 잘못에 대해 제주도민 여러분께 다시 한번 사과드립니다.

제주도민과 유가족 여러분,

2년 반 전, 저는 4·3사건 진상조사 결과를 보고 받고, 대통령으로서 국가를 대표하여 여러분께 사과드린 바 있습니다. 그때 여러분이 보내주

신 박수와 눈물을 저는 지금도 생생히 기억하고 있습니다. 그리고 그것이 무엇을 의미하는지 늘 가슴에 새기고 있습니다. 정부는 그동안 희생자 명예회복과 추모사업 등에 많은 노력을 기울여 왔습니다. 지난달에도 2,800여명을 4·3 희생자로 추가 인정했고, 이곳 4·3평화공원 조성을 적극 지원하고 있습니다. 유해와 유적지를 발굴하는 일도 지속적으로 지원해 나갈 것입니다. 이제 4·3사건위원회가 건의한 정부의 사과와 명예회복, 추모사업 등은 나름대로 상당한 진전이 이뤄진 것 같습니다. 아직도 아쉬운 부분이 적지 않을 것입니다만, 이에 대해서는 국민적인 공감대를 넓혀가면서 가능한 일 하나하나를 점진적으로 풀어 나가야 할 것이라고 생각합니다.

앞으로도 평화와 인권의 소중함을 일깨워준 4·3사건을 제대로 알리고, 무고한 희생이 헛되지 않도록 최선을 다해 나가겠습니다.

국민 여러분,

자랑스런 역사든 부끄러운 역사든, 역사는 있는 그대로 밝히고 정리해 나가야 합니다. 특히 국가권력에 의해 저질러진 잘못은 반드시 정리하고 넘어가야 합니다.

국가권력은 어떠한 경우에도 합법적으로 행사되어야 하고, 일탈에 대한 책임은 특별히 무겁게 다뤄져야 합니다. 또한 용서와 화해를 말하기 전에 억울하게 고통받은 분들의 상처를 치유하고 명예를 회복해 주어야 합니다. 이것은 국가가 해야 할 최소한의 도리이자 의무입니다. 그랬을 때 국가권력에 대한 국민의 신뢰가 확보되고, 그 위에서 우리 국민들이 함께 상생하고 통합할 수 있을 것입니다.

아직도 과거사 정리 작업이 미래로 나아가는 데 걸림돌이 된다고 생각하는 분들도 있는 것 같습니다. 그러나 저는 결코 그렇지 않다고 생각합니다. 과거사가 제대로 정리되지 않았기 때문에 갈등의 걸림돌을 지금껏 넘어서지 못했던 것입니다. 누구를 벌하고, 무엇을 빼앗자는 것이 아닙니다. 사실은 사실대로 분명하게 밝히고, 억울한 누명과 맺힌 한을 풀어주고, 그리고 다시는 이런 일이 일어나지 않도록 함께 다짐하자는 것입니다. 그래야 진정한 용서와 화해를 통해 우리 국민이 하나가 되는 길로 나아갈 수 있습니다. 지난날의 역사를 하나하나 매듭지어갈 때, 그 매듭은 미래를 향해 내딛는 새로운 디딤돌이 될 수 있을 것입니다.

제주도민 여러분,

제주도는 대한민국의 보배입니다. 우리 국민은 물론 세계인이 사랑하는 평화의 섬, 번영의 섬으로 힘차게 도약하고 있습니다.

저는 제주도가 반드시 해낼 것이라고 믿습니다. 도민 여러분은 폐허를 딛고 아름다운 섬을 재건해냈고, 어느 지역보다 높은 자치역량을 보여주고 있습니다. 주민 스스로 결의해서 항상 중앙정부가 기대하는 이상의 높은 성과를 이루어오셨습니다. 여러분이 앞장서 나아가는 만큼 정부도 열심히 성원하고 힘껏 밀어드리겠습니다. 함께 힘을 모아 풍요롭고 활력 넘치는 제주를 만들어 나갑시다. 이 평화의 섬을 통해 한국과 동북아의 평화, 나아가 세계의 평화가 이루어질 수 있도록 합시다.

저는 오늘 이 자리에서 행사를 지켜보면서 그 엄청난 고통과 분노가 시간이 흐르면서 돌이켜 볼 수 있는 역사가 되고, 그 역사의 마당에서 진행되는 공연을 보면서 앞으로 또 수십 년의 세월이 흐르면 이것이 제주도의 새로운 문화로 자리 잡고, 그것이 우리 국민들에게 이제 분노와 불신과 증오가 아니라 사랑과 믿음과 화해를 가르쳐주는 중요한 상징물이 될 것이라는 기대를 가지게 되었습니다. 함께 노력해 나갑시다.

다시 한번 4·3 영령들을 추모하며, 영원한 안식을 빕니다.

감사합니다.

메시치 크로아티아 대통령을 위한 만찬사

2006년 4월 6일

존경하는 메시치 대통령 각하, 그리고 내외 귀빈 여러분,

오늘 저녁, 크로아티아 국가원수로는 처음 우리나라를 찾아주신 각하와 일행 여러분을 모시게 되어 매우 기쁩니다. 온 국민과 함께 진심으로 환영합니다. 각하께서는 크로아티아의 희망을 만들어 오셨습니다. 민주주의 발전과 정치 안정, 그리고 적극적인 개혁을 통해 국가발전의 힘찬 도약대를 마련했습니다. EU와 NATO 가입도 국제사회의 지지 속에 빠르게 추진하고 계십니다. 경제 또한 각하께서 힘껏 추진해온 수출 확대와 투자 유치, SOC 건설 등에 힘입어 꾸준히 성장하고 있습니다. 이번 방한기간에도 여러 차례 우리 경제인들을 만난다고 들었습니다. 많은 성과가 있을 것으로 기대합니다. 저는 크로아티아가 각하의 탁월한 지도력과 국민의 저력으로 크게 발전할 것으로 확신합니다.

대통령 각하,

우리 두 나라는 이제 수교 14년이 되었습니다. 최근 들어 양국간 우호협력이 더욱 본격화되고 있습니다. 지난해 크로아티아에 우리 상주공관이 개설되었고, 외교부간 정책협의회도 가동되었습니다. 오늘 정상회담을 계기로 우리 두 나라 관계는 더욱 긴밀해질 것입니다. 경제, 통상, 조선, 해운 등 다양한 분야에서 실질협력이 확대될 것으로 생각합니다. 우리 국민은 98년 월드컵 4강에 오른 크로아티아 축구는 물론, '두브로닉'항과 '플리트비체' 호수와 같은 문화, 관광 명소에 대한 관심도 큽니다. 유엔을 비롯한 국제무대에서의 협력도 지금까지 해온 것처럼 앞으로도 긴밀할 것입니다. 크로아티아가 EU 가입을 통해 남동부유럽의 핵심국가로 우뚝 서고, 한국이 동북아의 중심국가로 나아가는 데 있어서 우리 양국은 꼭 필요한 동반자가 될 것입니다.

내외 귀빈 여러분,

대통령 각하의 건강과 크로아티아의 발전, 그리고 우리 두 나라 국민의 우정을 위해 건배를 제의합니다.

건배! 감사합니다.

제50회 신문의 날 축하 메시지

2006년 4월 6일

제50회 신문의 날을 진심으로 축하드리며, 발행인과 편집인, 기자 여러분을 비롯한 모든 신문인 여러분께 따뜻한 인사를 전합니다. 우리나라 신문의 역사는 인권과 민주주의의 역사입니다. 돌이켜보면 지난 50년 신문의 역사는 우리 현대사의 발자취 그대로입니다. 숨길 수 없는 부끄러운 과거도 있었지만 온갖 시련 속에서도 정의롭게 행동해온 신문인들이 있었기에 오늘 우리 민주주의가 여기까지 올 수 있었습니다. 그동안 온갖 고통과 희생을 감수해 온 신문인들과 그분들이 지켜 온 우리 신문의 역사에 경의를 표합니다. 지금도 참여정부와 일부 신문 사이에 건강한 긴장관계를 넘는 비정상적인 대립관계가 계속되고 있는 상황은, 관용과 대화를 본질로 하는 민주주의의 장래를 위해 심히 걱정스러운 일이 아닐 수 없습니다. 그러나 그럼에도 불구하고 참여정부 들어 우리 언론

환경이 많은 진보를 이루었다는 사실 또한 누구도 부인하기 어려울 것입니다.

참여정부는 우리 언론에 대해 긴장과 견제의 관계를 유지하고 있습니다. 저는 이것을 매우 건강한 관계로 생각합니다. 민주주의 사회에서 언론은 정부를 감시하고 견제하는 일이 본분이므로 정부와의 사이에 긴장이 없다면 그것은 정상적인 일이 아닐 것이기 때문입니다. 정부로서는 힘든 일이 아닐 수 없지만, 이것이 민주주의의 원칙을 지키고 발전시켜 나가는 일이라는 자부심을 가지고 노력하고 있습니다.

참여정부는 나아가 정부가 언론을 견제하는 힘겨운 일을 하고 있습니다. 국가권력이 우월한 힘을 일방적으로 행사하던 권위주의 시대나 초기 민주주의 사회에서는 언론이 국가권력을 견제하도록 보장하는 것이 민주주의의 중요한 과제였습니다. 그러나 이제 다양한 기관과 시민사회에 권력이 분산되고, 그 중에서도 언론의 영향력이 막대하게 커진 사회에서는 언론 스스로, 횡포가 가능한 우월적 권력이 되지 않도록 견제받지 않으면 안될 것이기 때문입니다. 이 일은 소비자와 시민사회, 그리고 사법기관이 함께 해야 할 일이지만 각기 그 역할이 충분하지 못한 현실에서 정부의 역할은 중요한 의미를 가진다고 생각합니다. 저는 이런 노력이 진행되는 가운데, 기사의 정확도와 분석, 비판의 수준이 많이 높아지고, 정부와 언론의 관계도 단순한 갈등 관계를 넘어 선의의 경쟁과 창조적 협력 관계로 발전하고 있는 것으로 판단하고 있습니다.

이제 저는 이 시점에서 우리 신문에게 '공정한 사실, 책임있는 주장'을 주문하고 싶습니다. '정확한 사실'이 아니고 '공정한 사실'을 주문하는 이유는 우리 신문이 근거없는 사실을 함부로 보도하는 수준은 이미 넘어섰지만, 때때로 파편적인 사실은 정확하나 사실의 불공정한 취사선택으로 전체적인 사실은 부정확한 보도를 하는 경우가 아직 남아 있기 때문입니다. 그리고 '책임있는 주장'을 주문하는 이유는 깊이 그리고 다각적으로 생각하지 않은 듯한 보도나 합리적인 대안이 없는 주장과 비판으로 사회일반의 인식과 여론에 혼란을 야기하는 경우가 적지 않기 때문입니다.

사회적 의제를 선정하고 이끄는 데 언론만큼 영향력 있는 주체도 없습니다. 신문이 우리 사회의 과제와 미래를 공정하고 책임있게 제시하고 우리 국민의 역량을 하나로 모으기 위해 노력할 때, 양극화를 비롯한 우리 사회의 미래 과제들도 올바른 해결책을 찾을 수 있을 것이고, 또한 우리 신문이 사회적 공기로서 성공할 수 있을 것입니다.

신문의 날을 거듭 축하드리며, 여러분 모두의 건승을 기원합니다.

천태종 제14대 총무원장 주정산 스님 취임 축하 메시지

2006년 4월 9일

주정산 스님의 총무원장 취임을 진심으로 축하드립니다.

불자들의 큰 신망 속에 여러 중책을 맡아 오신 주정산 스님께서 앞으로 종단의 더 큰 발전을 이끌어 가실 것으로 기대합니다. 애국불교, 생활불교, 대중불교를 실천해온 천태종이 화합과 상생의 길을 넓혀 더불어 잘사는 대한민국을 만드는 데 더욱 앞장서 주시기 바랍니다. 거듭 취임 법회를 봉축드리며, 부처님의 대자대비하심이 여러분과 함께 하기를 기원합니다.

대한민국 임시정부 수립 87주년 기념 메시지

2006년 4월 13일

임시정부 수립 여든일곱 돌을 뜻깊게 생각하며, 조국 독립을 위해 헌신하신 애국선열들께 머리 숙여 경의를 표합니다. 독립유공자와 유가족 여러분께도 깊은 존경과 감사의 말씀을 드립니다.

임시정부는 독립운동의 중심으로서 항일투쟁을 이끌며 민족자존과 독립 의지를 세계만방에 떨쳤습니다. 일제의 혹독한 탄압 속에서도 대한민국의 법통을 굳건히 지켜냈고, 오늘 우리가 누리는 자유와 민주주의, 평화와 번영의 주춧돌을 놓았습니다.

이 자랑스런 역사를 기념하며 우리는 선열들이 꿈꾸었던 힘있고 풍요로운 나라를 만들기 위해 무엇을 해야 하는지 다시 한번 생각하게 됩니다. 지금 우리 앞에 놓인 도전이 거셉니다. 앞으로 10년이 우리에게 커다란 고비입니다. 무엇보다 양극화를 해소하고 저출산, 고령화와 같은 미래의 불안요소들을 하나하나 극복해 나가야 합니다.

　이를 위해서는 꼭 해야 할 일들에 대해 국민적 합의를 이루어내야 합니다. 각자의 주장만 내세울 것이 아니라 대화하고 타협하고 양보할 것은 양보하는 상생의 문화를 만들어 가야 합니다. 좀더 멀리 보고 책임 있게 행동해야 합니다. 이것이 대의를 위해 모든 것을 바치신 선열들의 뜻을 받들고, 우리 후손들에게 희망찬 대한민국을 물려주는 길이 될 것입니다.

　다시 한번 독립유공자와 유가족 여러분께 존경의 말씀을 드리며, 여러분 모두의 건강과 행복을 기원합니다.

2006 전국 국민생활체육대축전 축하 메시지

2006년 4월 14일

'2006 전국 국민생활체육 대축전'을 축하합니다. 대회 준비를 위해 애써주신 여수시민과 전남도민, 그리고 관계자 여러분께 감사를 드립니다. 일본선수단 여러분에게도 따뜻한 환영의 인사를 전합니다. 생활체육은 개인의 건강과 가정의 화목, 나아가 공동체의 단합을 이끄는 동력이 되고 있습니다. 나이와 성별, 계층과 지역을 넘어 우리 삶을 더욱 풍요롭게 하는 데 크게 기여하고 있습니다. 생활체육이 가져다주는 사회경제적 효과도 매우 크다고 들었습니다. 규칙적으로 운동하는 분들은 그렇지 않은 분들에 비해 의료비를 절반 이상 줄일 수 있다는 보고도 있습니다. 생활체육 그 자체가 바로 경쟁력이 되고 있는 것입니다.

정부는 그동안 체육시설 확충과 다양한 프로그램 보급을 통해 건강하고 활력 넘치는 사회를 만드는 데 힘써 왔습니다. 앞으로도 우리 국민 누구나가, 생활 속에서 운동의 즐거움을 누릴 수 있도록 정책적인 지원을 아끼지 않을 것입니다. 이와 함께 전국 곳곳을 복지와 문화, 여가, 안전 등을 고루 갖춘 살기 좋은 공간으로 재편성해서 국민의 삶의 질을 더욱 높여나가겠습니다.

아무쪼록 이번 대회가 그동안 가꾸어온 기량을 유감없이 발휘하고 서로간의 우의를 다지는 축제의 장이 되길 기대하며, 여러분 모두 즐거운 시간되시기 바랍니다.

제38회 국가조찬기도회 연설

2006년 4월 20일

　　작년에 제가 이 자리에 참석했습니다. 그 자리에서는 제가 좀 긴장하고 떨려서 무슨 말을 했는지 뭘 했는지도 잘 기억할 수 없었습니다. 그러나 시간이 지나고 보니까 제가 바로 작년 이 자리에 참석해서 큰 은혜를 받고 큰 용기를 얻었던 것 같습니다. 엄숙한 자리에 가면 좀 어지럽고 몸이 굳어지는 느낌을 받습니다만, 저는 오늘 이 자리에서 무겁고 몸이 굳어지는 느낌보다는 마음이 편안하고 하나님의 큰 은혜가 제게도 내려오는구나 하는 느낌을 받았습니다.

　　기도와 설교, 간증을 들으면서 제 마음에도 큰 가르침과 깨달음이 다가오는 것 같은 느낌을 받았습니다. 저를 위해 기도하시는 분들이 제게 지혜와 용기를 주라고 기도해 주셨습니다. 저도 제 마음대로 할 수 있는 일이 아니어서 지혜와 용기를 달라고 같이 기도하겠습니다. 한 가지기도가 더 있었습니다 겸손한 지도자가 되게 해 달라고 기도하겠습니다. 이 또한 하나님의 뜻에 달린 일이기도 하지만 그러나 이것은 제가 노력할 몫도 크다고 생각합니다. 그래서 겸손한 지도자가 되도록 열심히 노력하겠습니다. 그렇게 해 달라고 기도도 드리겠습니다.

식민지 지배를 받았습니다. 그리고 민족이 서로 갈라서 싸웠습니다. 엄청난 고통을 받았습니다. 그 뒤에도 정치적으로 독재와 민주주의, 이 두 개의 명분을 놓고 배제와 투쟁의 지루한 싸움을 해 왔습니다. 아직도 그와 같은 불신과 대결의 구조가 완전히 극복된 것은 아니지만 그러나 이제는 좀 달라지고 있는 것 같습니다. 언제나 불신하고 적대하고 무슨 일이 있으면 벽부터 먼저 쌓으려고 했던 우리 국민들 사이에서 이제 서로를 이해하고 신뢰하고 협력하려는 노력들이 계속되고 있습니다. 작은 성과들도 많이 나오고 있고 큰 성과가 기대되는 그런 일도 있습니다. 지난 16일 부활절에 한국 기독교 양대 조직인 한국기독교총연합회와 한국기독교교회협의회가 진보와 보수의 벽을 허물고 함께 연합예배를 올린 사실이 방송과 신문을 통해서 전 국민에게 전달됐습니다. 저는 큰 감동을 받았습니다. 큰 희망을 느꼈습니다. '해 보자. 되겠구나.' 큰 격려가 되었습니다. 신념을 가지고 저도 그렇게 하도록 노력하겠습니다.

사람마다 소망이 다르기도 합니다. 그러나 또한 아주 비슷한 소망을 함께 가지고 있습니다. 우리나라가 보다 더 민주주의하는 나라가 되기를 바랍니다. 그렇게 해서 사람이 보다 더 존중받고 사람 중에서도 권력을 갖지 않은 보통사람, 그렇게 큰 부를 누리지 못하는 보통사람이라도 남 못지않게 존중받고 국민으로서의 당당한 권리를 누리는 사회가 되기를 바랍니다. 저도 같은 소망을 가지고 있습니다. 그리고 우리나라가 보다 넉넉하고 여유 있는 나라가 되기를 바랍니다.

그러자면 경제가 활력이 있어야 합니다. 그래서 경제가 잘되는 나라를 바라고 있습니다. 저도 같습니다. 앞서가는 사람만 잘 가고 뒤에 처진 사람은 낙오하는 일이 없도록 다 함께 더불어 잘사는 사회가 되기를 모두들 바라고 있습니다. 이점이야말로 저도 정말 간절히 소망하고 있습니다. 특히 지금 이 시점은 혹시 우리 사회가 전체적으로 너무 빠른 속도로 발전해 가는 가운데 미처 변화를 따라가지 못하는 사람이 낙오하지 않을까 걱정이 많은 시기입니다.

우리나라뿐만 아니고 전 세계가 지금 이 걱정을 하고 있습니다. 최근 미국에서 나온 보고서도 그렇고, OECD에서 나온 보고서에서도 불안요소로서 항상 이 양극화 문제를 우려하고 있습니다. 이 문제에 대해서 정성을 다해서 대처해 나가겠습니다. 이 문제를 극복하기 위해서 온 힘을 다 모아 나가겠습니다.

대통령에 취임할 때 동북아시아에 평화구조를 한번 만들어 보자는 간절한 소망을 말씀드린 일이 있습니다. 별 진전이 없습니다. 지금 이 시점에서도 과거에 부당한 역사로 취급한, 말하자면 침략전쟁으로 확보한 점령지에 대한 권리를 주장하는 사람들이 있고 보니 그저 화해하겠다는 말만으로는 해결될 수 없는 어려운 상황에 부닥쳐 있습니다. 우리가 선의를 가진다고만 되는 일이 아니고 그야말로 지혜와 용기가 필요한 것 같습니다. 이 난관을 극복하고 우선 우리 한반도부터겠지만 멀리 보아선 동북아 모든 사람들이 평화와 협력의 토대 위에서 공동의 번영을 누리는 사회를 만들기 위해서 부드러울 땐 부드럽고 강할 때는 강하고, 또 엄숙할 때는 엄숙하고 지혜로운 판단을 할 수 있게 기도해 주십시오. 여러분, 믿고 도와주십시오. 부족한 게 많습니다. 마음에 들지 않는 일도 많을 것입니다. 그러나 믿고 도와주십시오. 선의로 하겠습니다.

저도 일반국민으로서 또는 시민운동에 참여한 사람으로서 나중에는 야당 정치인으로서 그때그때 지도자가 하는 일이 못마땅해서 비판도 많이 하고 때로는 투쟁도 했습니다. 물론 그때 제 선택이 다 틀린 것은 아니지만 지나고 보니까 그 일들이 또 다 이루어졌습니다. 그리고 역대 대통령이 모두 우리 역사의 진보를 위해서 하실 몫들을 다하셨습니다. 매번 불만스럽고 매번 못마땅했던 그 시기를 넘겨 왔습니다만 대부분 그 일들은 다 해결이 됐고 지금 우리들이 부닥쳐 있는 문제들은 새로운 문제들입니다.

여러분 보시기에 불안하고 못마땅하고 걱정이 되시겠지만 5년, 10년이 지나고 나면 지금 우리가 걱정하던 문제들을 거의 다 극복하고 또 새로운 문제와 싸우고 있을 것입니다. 그때 노무현 대통령 때문에 우리가 정말 겪지 않아야 할 고통을 받았고 한발 나갈 수 있는 역사를 뒤로 돌려놓았고, 참으로 안타까운 시간이 있었다는 말을 우리 국민들이 하지 않도록 눈 부릅뜨고 마음 굳게 다져 먹고 힘껏 노력하겠습니다. 힘껏 봉사하겠습니다. 도와주십시오.

감사합니다.

카트라이트 뉴질랜드 총독 내외를 위한 만찬사

2006년 4월 20일

존경하는 실비아 카트라이트 총독 각하 내외분, 그리고 귀빈 여러분,

오늘 저녁, 뉴질랜드 총독으로 처음 우리나라를 찾아주신 각하 내외분을 모시게 되어 매우 기쁩니다. 뉴질랜드는 6·25 전쟁 당시 6천여명이 참전해서 우리와 함께 싸운 혈맹입니다. 우리는 뉴질랜드 용사들의 고귀한 헌신을 잊지 않고 있으며, 앞으로도 영원히 기억할 것입니다. 뉴질랜드에 대한 우리 국민의 관심도 각별합니다. 매년 10만명 이상이 방문하고 있고, 3만명의 동포들이 살고 있습니다. 지난달에는 각하께서 우리 동포들을 특별히 격려해주셨다고 들었습니다. 진심으로 감사드립니다.

각하께서는 세계적인 여성지도자로 존경받고 계십니다. 법조인으로서 평생을 인권신장과 여성의 지위향상을 위해 헌신해 오셨습니다. 지

금도 빈곤층을 비롯한 사회적 약자의 권익신장에 많은 노력을 기울이고 계십니다. 뉴질랜드를 모든 면에서 세계의 모범국가로 발전시켜온 각하와 국민의 저력에 깊은 존경의 말씀을 드립니다.

총독 각하,

우리 두 나라의 우호협력관계에 대해서는 긴 설명이 필요치 않을 것입니다. 뉴질랜드는 그동안 한반도의 평화와 안정을 위한 우리의 노력을 적극 지지해주었고, UN과 APEC을 비롯한 국제무대에서도 늘 든든한 친구가 되어주었습니다. 또한 한국은 뉴질랜드의 여섯 번째 수출시장이며, 앞으로 교역규모는 더욱 늘어날 것입니다. IT, BT와 같은 과학기술 분야의 협력가능성도 매우 큽니다. 최근 들어서는 문화교류도 매우 활발합니다. 어제 각하께서 뉴질랜드 영화를 직접 소개해주셨습니다만, 이미 작년에 우리나라 5개 도시에서 뉴질랜드영화제가 성공적으로 개최되었습니다. 올 하반기에는 뉴질랜드에서 두 번째 한국영화제가 열리게 됩니다.

저는 우리 두 나라가 정치, 경제, 문화, 인적교류 등에서 그 어느 때보다 활발한 협력관계를 발전시켜가고 있는 것을 기쁘게 생각하며, 가까운 장래에 뉴질랜드를 방문하게 되기를 기대합니다.

귀빈 여러분,

각하 내외분의 건강과 뉴질랜드의 무궁한 발전, 그리고 우리 두 나라의 우정을 위한 건배를 제의합니다.

건배! 감사합니다.

2006 원자력 체험전 축하 메시지

2006년 4월 20일

과학의 달, 4월을 맞아 열리는 '2006 원자력 체험전'을 매우 뜻깊게 생각합니다. 아울러 끊임없는 기술혁신을 통해 우리나라를 세계 6위의 원자력발전 국가로 발전시켜 온 과학기술인 여러분께 깊은 존경과 격려의 박수를 보냅니다. 원자력발전은 고유가 문제와 온실가스 의무감축에 대처할 수 있는 현실적인 대안입니다. 특히 에너지의 97%를 해외에 의존하고, 세계 일곱 번째로 석유를 많이 쓰고 있는 우리 입장에서는 더욱 그렇습니다.

다행히 우리는 1980년대 초부터 원자력발전을 지속적으로 확충해 왔고, 이제는 전력 생산의 40% 가까이를 담당하고 있습니다. 그리고 지난해에는 19년간 표류해오던 방사성 폐기물 처리장 부지 선정도 완료되었습니다. 원자력발전이 비용 면에서 효율적일뿐 아니라 안전하다는 인식이 높아진 것입니다. 또한 원자력기술은 생명공학, 나노기술과 같은 첨단 과학기술분야에 폭넓게 활용할 수 있는 미래 성장동력입니다. 기술 자립도 95%를 이룩한 원전기술의 수출은 물론, 관련 산업 발전에 원자력기술이 더 많은 기여를 해나가야 하겠습니다. 그런 점에서 이번 행사는 그 의미가 매우 큽니다. 우리 원자력기술의 현주소를 확인하고, 원자력에 대한 국민들의 이해를 높이는 중요한 계기가 되기를 기대합니다.

다시 한 번 '원자력 체험전' 개최를 축하드리며, 원자력 관계자와 과학기술인 여러분 모두의 건승을 기원합니다.

한·일관계에 대한 특별 담화문

2006년 4월 25일

존경하는 국민 여러분,

독도는 우리 땅입니다. 그냥 우리 땅이 아니라 40년 통한의 역사가 뚜렷하게 새겨져 있는 역사의 땅입니다. 독도는 일본의 한반도 침탈 과정에서 가장 먼저 병탄되었던 우리 땅입니다. 일본이 러일전쟁 중에 전쟁 수행을 목적으로 편입하고 점령했던 땅입니다.

러일전쟁은 제국주의 일본이 한국에 대한 지배권을 확보하기 위해 일으킨 한반도 침략전쟁입니다. 일본은 러일전쟁을 빌미로 우리 땅에 군대를 상륙시켜 한반도를 점령했습니다. 군대를 동원하여 궁을 포위하고 황실과 정부를 협박하여 한일의정서를 강제로 체결하고, 토지와 한국민을 징발하고 군사시설을 설치했습니다. 우리 국토 일부에서 일방적으로 군정을 실시하고, 나중에는 재정권과 외교권마저 박탈하여 우리의 주권을 유린했습니다. 일본은 이런 와중에 독도를 자국 영토로 편입하고, 망루와 전선을 가설하여 전쟁에 이용했던 것입니다. 그리고 한반도에 대한 군사적 점령상태를 계속하면서 국권을 박탈하고 식민지 지배권을 확보하였습니다.

지금 일본이 독도에 대한 권리를 주장하는 것은 제국주의 침략전쟁에 의한 점령지 권리, 나아가서는 과거 식민지 영토권을 주장하는 것입니다. 이것은 한국의 완전한 해방과 독립을 부정하는 행위입니다. 또한 과거 일본이 저지른 침략전쟁과 학살, 40년간에 걸친 수탈과 고문, 투옥, 강제징용, 심지어 위안부까지 동원했던 그 범죄의 역사에 대한 정당성을 주장하는 행위입니다. 우리는 결코 이를 용납할 수 없습니다.

우리 국민에게 독도는 완전한 주권회복의 상징입니다. 야스쿠니신사 참배, 역사교과서 문제와 더불어 과거 역사에 대한 일본의 인식, 그리고 미래의 한일 관계와 동아시아의 평화에 대한 일본의 의지를 가늠하는 시금석입니다. 일본이 잘못된 역사를 미화하고 그에 근거한 권리를 주장하는 한, 한·일 간의 우호관계는 결코 바로 설 수가 없습니다. 일본이 이들 문제에 집착하는 한, 우리는 한·일 간의 미래와 동아시아의 평화에 관한 일본의 어떤 수사도 믿을 수가 없을 것입니다. 어떤 경제적인 이해관계도, 문화적인 교류도 이 벽을 녹이지는 못할 것입니다.

한·일 간에는 아직 배타적 경제수역의 경계가 확정되지 못하고 있습니다. 이는 일본이 독도를 자기 영토라고 주장하고, 그 위에서 독도기점까지 고집하고 있기 때문입니다. 동해해저 지명문제는 배타적 경제수역 문제와 연관되어 있습니다. 배타적 수역의 경계가 합의되지 않고 있는 가운데, 일본이 우리 해역의 해저지명을 부당하게 선점하고 있으니 이를 바로잡으려고 하는 것은 우리의 당연한 권리입니다. 따라서 일본이 동해해저 지명문제에 대한 부당한 주장을 포기하지 않는 한 배타적 경제수역에 관한 문제도 더 미룰 수 없는 문제가 되었고, 결국 독도문제도 더 이상 조용한 대응으로 관리할 수 없는 문제가 되었습니다.

독도를 분쟁지역화 하려는 일본의 의도를 우려하는 견해가 없지는 않으나, 우리에게 독도는 단순히 조그만 섬에 대한 영유권의 문제가 아니라 일본과의 관계에서 잘못된 역사의 청산과 완전한 주권확립을 상징하는 문제입니다. 공개적으로 당당하게 대처해 나가야 할 일입니다.

존경하는 국민 여러분,

이제 정부는 독도문제에 대한 대응방침을 전면 재검토하겠습니다. 독도문제를 일본의 역사교과서 왜곡, 야스쿠니신사 참배 문제와 더불어 한·일 양국의 과거사 청산과 역사인식, 자주독립의 역사와 주권 수호 차원에서 정면으로 다루어 나가겠습니다.

물리적인 도발에 대해서는 강력하고 단호하게 대응할 것입니다. 세계 여론과 일본 국민에게 일본 정부의 부당한 처사를 끊임없이 고발해 나갈 것입니다. 일본 정부가 잘못을 바로잡을 때까지 국가적 역량과 외교적 자원을 모두 동원하여 지속적으로 노력할 것입니다. 그밖에도 필요한 모든 일을 다 할 것입니다. 어떤 비용과 희생이 따르더라도 결코 포기하거나 타협할 수 없는 문제이기 때문입니다.

저는 우리의 역사를 모독하고 한국민의 자존을 저해하는 일본 정부의 일련의 행위가 일본 국민의 보편적인 인식에 기초하고 있는 것은 아닐 것이라는 기대를 가지고 있습니다. 한일 간의 우호관계, 나아가서는 동아시아의 평화를 위태롭게 하는 행위가 결코 옳은 일도, 일본에게 이로운 일도 아니라는 사실을 일본 국민들도 잘 알고 있을 것이기 때문입니다. 우리가 감정적 대응을 자제하고 냉정하게 대응해야 하는 이유도 여기에 있습니다.

일본 국민과 지도자들에게 간곡히 당부합니다. 우리는 더 이상 새로운 사과를 요구하지 않습니다. 이미 누차 행한 사과에 부합하는 행동을 요구할 뿐입니다. 잘못된 역사를 미화하거나 정당화하는 행위로 한국의 주권과 국민적 자존심을 모욕하는 행위를 중지하라는 것입니다. 한국에 대한 특별한 대우를 요구하는 것이 아니라 국제사회의 보편적인 가치와 기준에 맞는 행동을 요구하는 것입니다. 역사의 진실과 인류사회의 양심 앞에 솔직하고 겸허해지기를 바라는 것입니다. 일본이 이웃나라에 대해, 나아가서는 국제사회에서 이 기준으로 행동할 때, 비로소 일본은 경제의 크기에 걸맞은 성숙한 나라, 나아가 국제사회에서 주도적인 역할을 할 수 있는 국가로 서게 될 것입니다.

국민 여러분,

우리는 식민지배의 아픈 역사에도 불구하고 일본과 선린우호의 역사를 새로 쓰기 위해 부단히 노력해왔습니다. 양국은 민주주의와 시장경제라는 공통의 지향 속에 호혜와 평등, 평화와 번영이라는 목표를 향해 전진해 왔고 큰 관계발전을 이루었습니다.

이제 양국은 공통의 지향과 목표를 항구적으로 지속하기 위해 더욱더 노력해야 합니다. 양국 관계를 뛰어넘어 동북아의 평화와 번영, 나아가 세계의 평화와 번영에 함께 이바지해야 합니다. 그러기 위해서는 과거사의 올바른 인식과 청산, 주권의 상호 존중이라는 신뢰가 중요합니다. 일본은 제국주의 침략사의 어두운 과거를 과감히 털고 일어서야 합니다. 21세기 동북아의 평화와 번영, 나아가 세계 평화를 향한 일본의 결단을 기대합니다.

감사합니다.

LG필립스LCD 파주공장 준공식 축사

2006년 4월 27일

존경하는 손학규 지사를 비롯한 경기도민과 파주 시민여러분, 그리고 국내외 기업인과 귀빈 여러분.

LG필립스 LCD파주공장의 준공을 진심으로 축하드립니다.

생각 같아서는 제 축사 빼고 조금 전에 봤던 공연을 한 5분쯤 더 봤으면 좋을 걸 그랬다는 생각이 듭니다만준비된 순서니까 제가 열심히 축사를 하겠습니다. 축사순서가 뒤에 있다는 것은 매우 불리합니다. 잔뜩 적어왔는데 좀 곤란하게 되었습니다. 기업이 공장을 준공하는데 대통령이 온다는 것은 아주 이례적인 일입니다. 그러나 오늘 저는 올만하다 싶어서 왔습니다. 우리 모두가 기뻐할 일이기 때문입니다. 개인적으로 약간의 인연도 있어서 왔습니다. 이 공장 부지를 결정할 때 국무회의에서 결정을 했는데 어려운 결정이었습니다. 그런데 지금 이 자리에 와서 보니까 참 잘된 결정이었다는 생각이 듭니다. 손학규 지사님, 정말 기쁘시겠습니다. 이거 해달라고 떼를 그렇게 쓰시더니 이제 만족하십니까,

이 자리에는 창조와 도전이 있습니다. 창조와 도전이 역사를 만듭니다. 저는 오늘 다 함께하고 있는 이 자리에서, 우리가 하고 있는 이 창조와 도전이 우리 한국을 이제 선진한국으로 만들어 갈 것이라는 기대를 가지고 있습니다. 우리 한국의 가능성을 확인하는 자리입니다. 온 국민과 함께 정말 기뻐할 일입니다. 많은 사람들의 땀이 이 자리에 함께 엉켜있습니다.

이 엄청난 일을 기획하고 결단하실 때 얼마나 고심이 많았겠습니까, 저는 기업에 투자하고 또 투자한 기업이 이득을 얻는 일을 도전에 대한 대가라고 생각합니다. 도전은 항상 위험을 수반하는 것이기 때문에 위험을 무릅쓰고 도전한 사람에게 큰 대가가 있는 것은 아주 당연한 일입니다. 그런 의미에서 오늘 그야말로 큰 출발을 하는 LG필립스에 대해서 크게 축하와 격려를 보냅니다. 조금 전에 우리 손학규 지사께서 하나하나 소개하셨듯이 중앙정부, 경기도, 파주시, 많은 사람들이 땀을 흘렸습니다. 또 많은 사람들이 희생하고 양보했습니다. 그렇게 마음을 모아서 이루어진 오늘의 준공입니다. 저는 그것이 우리 전 국민의 저력이라고 생각합니다. 우리 국민들이 이런 일을 해낼 수 있기 때문에 우리한국의 미래가 있는 것이라고 생각합니다. 저는 오늘 이 LG필립스 LCD공장의 준공이 한국의 미래를 상징하는 그야말로 축복의 자리라고 생각합니다.

물론 어려운 곳도 많이 있습니다. 아직 우리가 보살펴야 될 어두운 곳도 많이 있습니다. 우리한국이 아주 앞서가는 곳이 있으면 함께 가야

될 어려운 사람들도 있습니다. 기업하시는 분들은 기업을 열심히 해 주시면 어려운 분들은 또 정치하는 사람들이 열심히 챙기겠습니다. 열심히 성공하셔서 세금 많이 내시고, 정치하는 사람들은 또 열심히 그 세금 받아서 어려운 사람들과 함께 더불어 살 수 있는 사회를 만들기 위해서 땀 흘리겠습니다. 거듭 준공을 축하드리며, 계속 창조하고 혁신하고 도전해서 세계 1등의 자리를 끝까지 지켜 주시기 바랍니다.

5월

민주평화통일 미주지역 자문회의 연설

2006년 5월 3일

감사합니다, 여러분. 정말 반갑습니다. 이렇게 많은 분들을 한꺼번에 만나니까 또 느낌이 다릅니다. 정말 가슴이 뭉클할 만큼 반갑습니다. 그리고 너무 감동적입니다. 바쁜 가운데서도, 큰 부담을 받으면서까지 시간을 내서 이렇게 많은 분들이 모국을 방문해 주시니 감격스러운 일이 아닐 수 없습니다. 저도 잠시 해외에 나가면 민족에 대한 감정이 각별해지고 국가에 대한 생각도 아주 각별해집니다. 하물며 여러분은 고향을 떠나서 한국과 다른 환경 속에서 오랫동안 사셨으니 그 마음이 오죽하시겠습니까, 그런 각별한 애국심이 이런 행사를 할 수 있는 정성으로 표현되었다고 생각합니다.

오늘 이재정 수석부의장님, 그리고 조병창 북미주 부의장님 말씀 모두 감사합니다. 그리고 네 분 협의회장님도 좋은 말씀을 해 주셨습니다. 해외 지지기반, 차세대 육성, 지역협의회 활성화, 그리고 남북관계의 안정과 발전을 위한 정책, 아주 좋은 말씀들이었습니다. 해외에 계셔서 우리보다 약간 정보에 어두울 수도 있다고 생각했는데, 대단히 수준 높은 말씀을 해 주셨습니다. 정책의 최고 책임자가 저니까 정책에 반영되도록 하겠습니다.

한명숙 의원이 국무총리가 되셨습니다. 이분이 국회 외무통일위원회 위원이셨는데 그동안 정부에 해외동포정책 좀 제대로 하라고 많이 다그치셨습니다. 그냥 해외동포정책을 잘하라 하는 수준이 아니고 해외동포청을 신설한다거나 지금의 기구를 대폭 강화하는 방법으로 해외동포들을 네트워킹하고, 그 자원을 국력의 한 부분으로 개발시켜 나가자, 통일의 동력으로 결집시켜 나가자, 그런 제안을 끊임없이 해 오셨습니다. 그런 분이 총리가 되셨으니까 앞으로 좀 달라지지 않겠습니까, 외교부에서는 지금 꽤 잘하는 편이고, 더 하실 일이 있으면 저희한테 맡겨 주십시오. 다 하겠습니다, 하는데 요사이 좀 갈등이 있습니다. 이 부분은 저희가 의논해서 모자람이 없도록 그렇게 하겠습니다.

방법이 조금 다르고 서로 하고 싶어하는 욕심이 있을 뿐이지 중요성에 대해서는 인식을 같이 하고 있습니다. 어떻든 차질 없이 해외동포 여러분이 역량을 엮어 나가고 또 합쳐 나가고 우리 국내의 역량과 하나로 키워 나가는 데 차질이 없도록 하겠습니다. 우리 미래의 운명은 우리들의 생각에 달려 있습니다. 그런데 우리의 생각이라는 것은 문화, 민족이라는 혈연과 같은 틀 속에서 생깁니다 국가라는 틀 속에서 국가적 사고가 생깁니다. 근대국가는 시장의 크기에 따라 국가의 크기를 결정해

왔습니다. 지금은 시장이 많이 커져서 국가도 시장의 크기만큼 커질 것인지는 아직 조금 더 두고 봐야 할 일입니다만, 국가라는 틀이 우리 사고를 지배하고 시작이라고 하는 틀이 우리의 사고를 지배합니다. 그 외에 인류가 공동으로 번영해야 한다는 인류의 대의, 이런 것이 그 어느 때보다 강하게 작용하고 있습니다. 말하자면 인류의 보편적인 가치가 우리의 생각을 구속하고 있습니다.

이렇게 우리 생각을 지배하는 사고의 틀들이 똑같이 가는 것은 아니고 서로 충돌되고 있습니다. 이 충돌하는 가운데서 어느 것이 중심이 되어 우리 사고를 움직일 것이냐가 중요합니다. 가장 정확한 인식을 중심으로 우리의 사고를 모아 나가지 않으면 사분오열될 수밖에 없습니다. 그것이 정확하지 않으면 함께 가다가도, 단결해서 가다가도 길을 잘못 들어 망하는 길로 갈 수도 있고, 좋은 길이 있어도 '네 길이 옳다, 내 길이 옳다' 밀고 당기고 싸움만 하다 보면 성공을 거둘 수 없게 될지도 모릅니다.

어떻게 판단할 것인가에 대해서는, '민족의 동질성을 중심으로 판단하자. 국가라는 가치를 중심으로 판단하자. 미래의 질서를 중심으로 판단하자'는 견해가 있을 수 있습니다. 그런데 이것도 시간의 선후가 다르고, 오늘이 다르고 내일이 달라서 더욱더 복잡합니다. 우리가 여기에서 가장 옳고 또 가장 많은 합의를 얻어낼 수 있는 길을 어떻게 찾을 것인가는 역사적으로 고찰할 수밖에 없습니다. 가장 가까운 답은 우리의 역사 속에 있다고 생각합니다. 역사라는 것은 반복되는 속성이 있고, 또 하나는 나아가는 방향에 자기 법칙성이 있습니다. 반복되는 역사를 보고 반복될 수 있다는 판단을 하고 역사가 길게 나아가는 방향을 보고, 내일의 역사가 어디로 갈 것이라는 판단을 할 수 있습니다.

지금 동북아시아에는 희망도 있고 불안도 있습니다. 하나는 동북아시아 경제권이라는 커다란 가능성을 가지고 있습니다. 그래서 저를 포함한 성급한 사람들은 동북아공동체를 지향하는 미래의 비전을 얘기합니다. 그러나 약간 쑥스럽게도, 잘 아시듯이 지금 한국은 일본과 역사문제를 가지고 서로 얼굴을 붉히고 있습니다. 이런 얼굴 붉히는 관계가 여러 가지 다른 변수들과 함께 작용해서 또다시 어떤 불행한 역사의 구렁텅이로 빨려 들어가지 않을까 불안감이 존재합니다. 미국과 일본이 굳게 손잡고 중국을 경계하자, 이렇게 말하고 있습니다. 그것이 우리 미래에 어떤 영향을 미칠 것인가, 중국과 일본이 무슨 일을 하던 우리는 우리의 길을 갈 수 있을 것인가, 아니면 또다시 휩쓸릴 것인가, 이것이 저에게도 끊임 없는 질문입니다. 대통령이 되면 다 알 수 있을 것 같았는데, 대통령이 된 지금도 이 의문 사이에서 끊임없이 방황합니다. 조금 전에 협의회장 한 분께서 '시애틀의 잠 못 이루는 밤'을 말씀하셨는데, '청와대의 잠 못 이루는 밤'도 있습니다.

중국에서 통일국가가 나타나면 한반도는 한 번씩 홍역을 치릅니다. 한 무제가 나타나서 중국을 통일하고 강력한 통일국가를 이룩하고 난 다음에 그 세력을 한반도로 뻗쳤습니다. 세력의 확장을 위해서 나왔다고 말할 수도 있을 것이고, 한편으로는 중화사상에 의해서 천하를 중국의 질서 속에서 다스려야 된다는 사상을 실현하기 위해서라고도 할 수 있을 것입니다. BC 109년에서 1년 동안을 버티었는데 마침내 고조선은 함락되었습니다.

고구려의 수난은 수와 당이라는 강력한 통일국가가 등장하고 배후에 신라라는 국가가 있었는데, 그와 같은 상황에서 소위 중국의 천하의 질서, 천자의 질서, 요새 말로 하면 패권질서를 끝내 거부한 데서 비롯되었습니다. 독자적 연호를 쓰고 독립과 자존을 지키려고 하다가 협공을 당해서 결국 고구려의 상무적 기상도 버티지 못하고 무너지고 말았습니다. 우리는 고구려의 역사에 대해서 뿌듯한 자랑을 느낍니다만 전략적으로 적절했는가 하는 데 대해서는 한번 생각해 볼 필요가 있습니다. 그러나 역사는 돌이킬 수 없는 문제이고 그 자리로 다시 돌아간다고 해도 우리 하고 싶은 대로 할 수 없는 상황과 조건이 있습니다. 그 이후 북방에서 요와 거란, 금나라가 나타났을 때 중원의 지배권을 확립하기 전에 배후의 후환을 없애기 위해서 우리나라를 침공합니다. 중원의 패권을 장악하고 나면 그 패권을 우리더러 승인하라는 뜻으로 반드시 '너 내 신하 맞지.' 이렇게 확인을 하고, 확인을 거부하면 대병을 일으켜서 우리 국토를 유린했습니다. 명과 청이 교체될 때도 우리는 같은 역사를 반복했습니다.

일본에 강대한 세력이 나타났을 대에도 한반도에는 전쟁이 일어났습니다. 1592년 소위 임진왜란이라는 것이 그것이죠. 그리고 조선 말에 일본이 근대화하면서 서구화되면서 한반도에서 청·일, 러·일 전쟁이 일어나고 마침내 한국이 식민지화되었습니다. 그 이전에도 일본은 삼국시대인 5세기경에 중국에 보낸 국서에서 한반도에 대한 지배권을 주장합니다.

어떻든 우리 역사는 중국이 강해져도 일이 나고, 일본이 강해져도 일이 난 역사입니다. 우리가 사고를 친 일이 없는데 이웃나라 사정으로 항상 고난을 당했던 역사를 가지고 있습니다. 임진왜란 때는 우리나라의 도자기 기술이 세계 최고의 수준에 있었습니다. 도자기 기술은 바로 그 시대 산업기술의 꽃이었습니다. 일본은 수많이 도공을 잡아가 버렸고, 우리나라는 도자기 산업기반이 완전히 붕괴돼버렸습니다. 공부하는 사람, 농사 잘 짓는 사람 등을 비롯해서 10만 명을 잡아가 버렸습니다. 경작지 3분의 1로 축소돼 버렸습니다. 너무 오래된 일이기는 하지만 그때 그렇게 당하지 않았더라면 한국이 근대화 과정에서 산업적으로 상당히 발전했을지도 모르는 일입니다. 수백 년 전까지 인과관계를 연결하기는 그렇습니다만, 어떻든 애석한 역사입니다.

일본이 국가적으로 영광을 추구하는 네 번째 행위가 작금의 행동들이라고 생각합니다. 일본은 왜 계속해서 국가적 영광을 추구할까 생각해 보았습니다. 이것은 꼭 논리적인 것은 아닙니다만, 중국의 천자는 하늘 아래 하나의 권력이기 때문에 모든 권력은 그 질서 속에서 위계를 정해야 하는 것입니다. 그런데 중국의 천자 사상을 일본이 그대로 베껴 갔습니다. 삼국시대 이전에도 천황이라는 이름이 있기는 있었는데, 통일신라가 탄생하니까 일본도 위기를 느껴서 국가제도를 다시 정비하고 대보율령(大寶律令)이라는 것을 반포해서 당나라 제도를 그대로 가져갔습니다.

당나라는 거대한 제국이고 여러 변방들이 있어서 황제의 나라와 왕의 나라 간 위계를 둘 수 있었는데, 일본은 그렇지 않았습니다. 그런데 일본도 황제가 있으면 왕이 있어야 될 것 아닙니까, 그래서 굳이 왕의 자격을 가지라고 요구한 데가 오키나와와 유구였고, 한국이었습니다. 그런데 한국의 왕이 그렇게 하려 하지 않았습니다. 그래서 계속 옥신각신 싸웠습니다. 솔직히 말씀드려서 우리는 민족사관의 입장에서 인정하지 않으려고 합니다만 우리는 중국더러 항상 큰집이라고 했습니다. 깍듯이 형님 대우를 하고 살았는데 또 난데없이 일본이 저도 형님하겠다고 하니까 족보가 다르잖아요. 이게 수천 년 내려온 한·일관계입니다. 그러므로 오늘날 그 같은 국수적 경향이 심상치 않게 느껴지는 것 또한 사실입니다.

대륙과 해양에서 큰 변화가 있을 때 우리가 어떻게 대응했던가를 보면, 대체로 국제정세에 어두웠다고 할 수 있습니다. 고려 초기에 국제정세를 잘 알고 잘 대처한 것으로 평가되고, 조선 초기 약 100년 간 국제정세를 잘 알고 적절하게 대응했던 것으로 평가됩니다. 물론 그것은 중국의 패권적 질서를 수용하는 것이기는 합니다만, 어떻든 그렇게 해서 우리 국민들이 전쟁 걱정 없이 비교적 편안하게 살면서 많은 산업적, 문화적 발전을 이루어냈습니다. 다른 시기를 보면 국제정세에 어두웠습니다. 아무것도 모르니까 적절하게 대처할 수도 없었고, 대비가 될 리도 없었습니다.

그 다음에는 알아도 대비를 못한 사연이 있습니다. 나라가 분열돼 있었기 때문에 쟤가 위험하다고 하니까 나는 안전하다고 말해야 되고, 쟤가 안전하다고 말하니까 나는 위험하다고 말해야 되는 그런 시절이 있었습니다. 우리가 국치를 당한 시기마다 국내에 분열이 있었습니다. 당파싸움의 역사를 얘기하면 민족사관의 입장에서는, 그것은 일본의 식민사관이 만든 자기비하의 역사일 뿐이지 우리가 당쟁이 뭐 있었느냐, 그리고 당쟁의 긍정적 역할도 있었다고 합니다. 맞습니다. 긍정적 역할이 있었던 것은 사실입니다. 그러나 그와 같은 당쟁이 국난을 앞에 두고도 그치지 않아 마침내 국난에 제대로 대응할 수 없을 만큼 국론을 분열시켜 버렸습니다. 그래서 제대로 대응을 못했습니다. 구한말은 어디로 갔어야 되느냐 생각해 보면 갈 데가 없었지요. 국력이 하나도 없는데 국론을 어디로 정하면 무슨 소용이 있었겠습니까, 국력이 하나도 없으니까 대책이 없고, 대책이 없으니까 공리공론만 가지고 죽기 살기로 싸움만 하는 것입니다. 힘이 없으면 큰 일을 앞두고 싸움이 납니다. 자녀 결혼시킬 때도 돈이 돌아가면 집안이 기쁘지만 돈이 안 돌아가면 부모 간에 싸움을 하지 않습니까, 실력이 없는데 별수 있습니까, 그렇게 해서 고스란히 당했습니다.

또 한 가지는 유감스럽게도 우리 주변의 친구들이 힘이 너무 셉니다. 중국도 세고 일본도 세고 러시아도 세고 미국도 셉니다. 그러나 어느 한쪽에 줄 안 서도 됩니다. 힘 있으면 됩니다. 이제 비로소 한국이 그 힘을 갖게 된 것입니다. 우리 부모 세대, 그리고 우리 세대는 정말 위대합니다. 그 열악한 환경 속에서도, 민족이 분열된 상황 속에서도, 또 우리의 운명을 남에게 절반은 의지하고 사는 상황 속에서도 세계 최고의 업적을 만들어 냈습니다. 세계 최고의 기적을 만들어낸 것입니다. 정말 우리 국민들 고맙습니다. 한국이 이만하면 이제 누가 뭐라고 해도 어느 한쪽에 안 붙어도 갈만 합니다.

지난 50년 동안 우리가 신세를 많이 졌습니다. 주로 미국에게 신세를 졌습니다. 결코 미국하고 얼굴 붉힐 일이 아닙니다. 신세를 졌고 도움을 받았습니다. 감사하게 생각하고 영원히 친구로 갈 것입니다. 그러나 기대서 사는 것 하고 독자적으로 살면서 다정한 친구가 되는 것하고는 별개 문제 아니겠습니까, 그동안 우리가 기대는 전략을 통해서 성공했지만 이만큼 몸집이 커지고 살림도 좀 나면 독자적인 진로를 선택해서 성공하는 전략도 생각해야 되지 않겠습니까, 언제까지 기대서만 살 수는 없는 것입니다. 지금까지 잘못된 것도 없고 앞으로 잘못될 일도 없습니다. 우리가 지금 어떤 선택을 하느냐, 이것이 중요한 것입니다.

저는 반복되는 역사를 우려하면서 지난날 역사를 얘기했습니다. 그러나 또 역사는 진보한다고 말했습니다. 진보하는 역사는 제왕의 권력이 모든 국민들에게, 또 세계 모든 이들에게 확대돼 나가는 과정입니다. 개인의 존엄성이 왕과 다르지 않게 성장해 가는 과정이 인류 역사의 진보과정이요, 문명의 발전과정입니다. 모든 역사는 반복되지만 이 발전의 역사는 반복되지 않고 한 방향을 가지고 앞으로 나아가고 있습니다.

민주주의와 자유입니다. 민주주의와 자유의 사상에 우리가 감화되지 않았을 때 지배를 받아들이고 복종을 선택했습니다. 복종을 수용할 수 있었습니다. 그러나 이제는 불가능합니다. 부족국가의 상태를 벗어난 오늘날 중앙집권적 정치제도를 가지고 민주주의 사상으로 국가를 통치하는 모든 나라의 국민들은 이제는 어떤 외부의 지배도 수용하지 않을 것입니다. 자기 나라 독재의 억압도 결코 수용할 수 없는 사람들이 어떻게 다른 민족과 다른 국가의 지배를 받아들일 수 있겠습니까,

저는 이것은 돌이킬 수 없는 역사라고 생각합니다. 그러므로 중국과 일본 또는 미국과 중국의 잠재적 갈등요인들이 좀 우려되는 것이 사실이지만 과거와 같은 침략과 지배, 억압의 역사는 결코 반복되지 않을

것이라는 믿음을 가지고 있습니다. 고난의 역사가 반복될 수도 있다는 불안감과 이 진보의 역사가 결코 같은 역사를 반복하지 않을 것이라는 믿음이 서로 얽혀서 저를 잠 못 들게 하는 것입니다.

앞으로 나아가려는 역사와 반복하려는 역사, 이 두 개의 힘이 팽팽하게 실려 있는 것이 21세기 초 두 세계의 상황이고 동북아시아를 둘러싸고 있는 질서입니다. '어디로 갈 것이냐,' 우리가 한쪽의 손을 듭시다. 되돌아가지 않게, 앞으로 나아가게 하는 것은 우리의 선택에 달려 있습니다. 우리가 어떻게 하느냐가 그 팽팽한 균형을 개고 역사를 진보의 방향으로 이끌고 갈 수 있습니다. 역사의 법칙은 거역하기 어려운 것도 사실이지만 그 많은 역사의 법칙은 사람이 만들어 온 것입니다.

위대한 민족은 위대한 역사를 만들어야 합니다. 다시는 그와 같은 고난의 역사를 반복하지 않는 지혜로운 선택을 할 수 있도록 좀더 깊이 생각하고 또 마음을 굳게 다져 나가야 합니다. 몇몇 사람이 해서 되는 일이 아니고 우리 모두가 함께 생각과 힘을 모아 나가자는 것입니다. 중요한 것은 함께 가야 한다는 것입니다. 갈라지면 안됩니다. 지금 이미 남과 북이 갈라져 있지 않습니까, 남북의 문제를 어떻게 풀어갈 것이냐의 문제를 놓고 남남이 갈라져 있지 않습니까,

미국과의 관계를 어떻게 풀어갈 것이냐, 일본과의 관계를 어떻게 풀어갈 것이냐를 놓고 지금 약간의 혼돈이 있습니다. 우리는 이것을 극복해야 됩니다. 제일 중요한 것은 올바른 전략을 선택하는 것입니다. 그 전략은 역사의 교훈으로부터 찾아내야 됩니다. 그래서 제가 장황하게 역사 얘기를 말씀드린 것입니다. 분열해서 안된다는 것도 그중에 하나입니

다. 무엇을 선택할 것인가에 관해서 조금 전에 말씀드리기도 했지만 함께 논의하고 찾아 나가 봅시다.

미국은 러·일전쟁 시기에는 일본의 편이었습니다. 그러나 중·일전쟁 시기에는 일본에 반대하는 입장에 서 있었고 태평양전쟁 시기에는 일본과 싸웠습니다. 해방기 소련이 등장할 때는 다시 소련을 견제하기 위해서 일본의 손을 들어 주었습니다. 그 틈에 샌프란시스코 강화조약에서 우리 독도가 빠져 버렸습니다. 한국전쟁이 일어났을 때 우리의 은인이 되었습니다. 저는 친구를 의심할 생각은 없습니다만, 역사의 법칙은 냉엄한 것이라는 것이죠. 민족, 국가, 경제, 그리고 인류와 같이 이 틀들이 어떻게 서로 충돌하고 겹쳐지느냐에 따라 국가의 선택은 그때그때 달라지는 것입니다.

우리는 어떤 상황의 변화에도 자기를 지킬 수 있는 힘을 가지고 가야 합니다. 남에게 의지하는 것보다는 우리 스스로의 역량으로 판단해서 감당해 나갑시다. 이것이 국민을 단결시키는 데 가장 쉬운 것 아니겠습니까, 또 이것이 옳다고도 생각하지만 국민들이 이쪽이든 저쪽이든 수용하기 좋은 그런 길 아니겠습니까, 서로 함께 가기 좋은 길이라고 생각합니다. 그래서 전략적으로 올바른 방향으로 우리가 찾아 나가야 합니다.

이제 우리가 할 일은 상대방의 생각을 존중해야 합니다. 상대방의 생각에 귀를 기울이면서 멀리 내다보고 조금씩 서로 조절해 나가도록 노력해야 합니다. 싸우자면 한이 없습니다. 감정을 가지고 얼굴을 붉히고 말을 하다 보면 주제를 어디로 사라지고 없고, 말꼬투리만 잡고 치고받고 싸우게 됩니다. 끝이 없어집니다. 국가의 운명을 결정하는 중대한 정책에 대해서도 가끔은 이런 모양이 벌어질 수 있습니다.

마음을 열어야 합니다. 주제를 놓치지 말아야 합니다. 깊이 생각해야 합니다. 그렇게 해서 하나게 되는 길을 찾아야 합니다. 하나가 되는 길은 가슴을 열고 대화해야 하고, 전략적으로 가장 옳은 방법을 찾아야 하고, 모두가 선택하기 좋은 길을 선택해야 합니다. 나는 편안하고 부자가 되지만 상대방이 망하는 길은 아무리 옳은 길이라고 해도 선택하기 어려운 것 아니겠습니까, 함께 갈 수 있는 길을 선택해야 합니다. 지혜를 모아야 합니다.

이제는 우리 국민의 힘을 하나로 모으기만 하면 됩니다. 한국, 지금 잘하고 있습니다. 어려운 사람들의 문제가 좀 해소돼야 하는데 정부가 지금 노력하고 있고, 모든 국민들이 걱정하고 있기 때문에 소위 양극화라는 문제는 극복될 것입니다. 왜 양극화 문제를 요란하게 얘기하느냐 하면, 떠들어야 문제가 되고 문제가 돼야 극복되기 때문입니다.

우리 함께 행군을 하고 있는데 선두는 잘 가고 있습니다. 2000년도 벤처 거품이 너무 컸다가 좀 가라앉았는데 다시 회복되고 있습니다. 우리나라 기술발전의 속도가 굉장히 빠릅니다. 특히 특허 출원건수가 세계 6위입니다. 내년에 5위가 되고, 내후년에 4위로 올라갈 것입니다. 그리고 지금 기름값이 이렇게 올라가고 있는데도 우리 경제가 잘 버티고 있습니다. 환율 때문에 머리가 아픕니다. 투자가 오는 것은 반가운데 달러가 자꾸 쌓여서 공급초과가 돼서 원화가치가 자꾸 올라가 수출에 무슨 영향을 미칠까 걱정입니다. 그런 상황 속에서 우리 경제가 잘 버텨 가고 있습니다. 여러분, 미래에 대해서 낙관적인 전망을 가지십시오. 자신감을 가지십시오. 그것이 중요합니다.

　얘기를 하다가 하나 빠뜨렸습니다. '역사가 이젠 누구의 지배도 받아들일 수 없는 시대로 간다. 그래서 누가 누구를 지배하는 시대는 이제 끝난 것 아닌가' 라는 얘기를 했습니다. 그 점과 관련해서 중국과 미국이 앞으로 사이가 참 나빠질 것 아니냐, 그래서 큰 일 벌어질 것 아니냐, 그런 걱정들 많이 하시죠,

　미국의 정권이 바뀌면 중국에 대한 정책이 조금씩 달라집니다. 지금 그 전체를 보면 중국하고 비교적 각이 서 있는 상황이기 때문에 우리 불안이 좀더 커져 있는 것입니다. 각이 덜 선 시대도 있었습니다. 예를 들면 키신저 장관 같은 분을 만나면 중국하고 반드시 함께 가야 된다고 거듭 강조하거든요. 미국도 그때그때 조금씩 변화하지만 세계적인 화해와 협력의 큰 틀을 깨지는 못할 것입니다. 그리고 깨지는 않을 것입니다. 전략적 관점에서 중국을 경계하는 것이 이 시기 미국에게 필요하면 중국을 경계하는 노선을 선택하고, 전략적 동반자라는 이름을 쓰면서까지 중국과 가까이 가는 전략을 선택할 때는 또 그것이 필요해서 그렇게 선택합니다.

　그런데 그 사이에 낀 우리가 이것을 미국 역사의 큰 흐름이나 미국 정책의 큰 흐름에서 보지 않고 그때그때 쳐다보면 어떤 때는 중국과 미국이 어떤 일이 있으려나 생각되기도 하고, 또 어느 시기에 보면 손잡고 세계질서를 화해와 평화의 길로 가려는가 보다, 이런 느낌을 받게 됩니다. 그래서 중·일관계, 미·일관계, 그리고 한국을 포함한 전체 관계를 크고 길게 내다봐야 합니다.

전체적으로 세계의 질서는 화해와 협력의 방향으로 한 발 한 발 다가가고 있습니다. 누구도 거역할 수 없는 도도한 역사의, 진보의 흐름이라고 생각합니다. 그럼에도 불구하고 우리가 대비하지 않고 방심하면 이한반도를 둘러싼 동북아시아에서 그 역사의 큰 흐름을 역행하는 우발적인 사건이나 불행한 사건을 감수해야 될지도 모릅니다. 여기에 우리 국민의 선택이 있습니다. 한국 국민은 이미 역량을 갖췄습니다. 이제 올바른 전략만 선택하면 됩니다. 지금 그 길을 가고 있습니다. 올바른 전략을 선택하고 올바른 정책을 하고 있다는 믿음을 저는 가지고 있습니다. 왜 그런 믿음을 가졌느냐 하면, 오늘 여러분이 건의해 주신 것하고 제가 하고 있는 것하고 똑같기 때문입니다.

민주평통은 공식적인 관계를 가지고 있는 해외 유일한 조직입니다. 가장 강력한 조직이고 유일한 조직이고 영향력 있는 조직입니다. 그동안 공부하시느라 수고 많으셨고, 경주에서 이제 편안하고 재미있는 밤을 보내시기 바랍니다. 돌아가셔서 사업 잘하시고, 민주평통 활동도 열심히 하시고 한국을 열심히 응원해 주십시오. 그리고 한국 정부가 다하지 못하는 북한에 대한 역할들을 여러분께서 열심히 해 주십시오 그래서 앞으로 우리 민족이 하나 되고, 그리고 동북아시아가 커다란 화해와 협력의 큰 길로 나아갈 수 있도록 함께 노력합시다.

감사합니다.

제17회 한산모시문화제 축하 메시지

2006년 5월 4일

충남도민 여러분, 그리고 서천군민 여러분,

안녕하십니까, 한산모시문화제를 진심으로 축하드립니다. 지금 제가 입고 있는 이 옷도 한산모시입니다. 1,500년을 이어온 한산모시는 우아한 멋과 착용감, 모든 면에서 단연 최고입니다. 한번 입어보면 왜 명품이라고 하는지 실감이 납니다.

이처럼 선조의 지혜가 담긴 전통기술은 첨단산업과는 또다른 면에서 높은 경쟁력이 있습니다. 창조적으로 계승, 발전시켜 나간다면 지역경제의 확실한 동력이 될 것입니다.

바야흐로 서해안 시대가 열리고 있습니다. 국토의 구심점이자 행정 중심지로서 충남의 발전도 매우 빨라지고 있습니다. 서천이 새로운 기회를 맞고 있는 것입니다. 아름다운 자연과 문화유산, 그리고 여러분의 넉넉한 인심이 바로 성공의 자산입니다. 함께 힘을 모아 삶의 조건을 잘 갖춘 도시, 지방화 시대의 성공모델을 만들어 주시기 바랍니다. 정부도 여러분의 노력을 힘껏 성원하겠습니다. 한산모시문화제를 거듭 축하드리며, 여러분 모두 건강하고 행복하십시오.

불기2550년 부처님 오신 날 봉축 메시지

2006년 5월 5일

불기 2550년 부처님 오신 날을 온 국민과 함께 봉축드립니다. 자비 광명으로 중생의 앞길을 밝혀주신 부처님의 높은 공덕을 기립니다. 부처님께서는 출가와 고행을 통해 큰 깨달음을 얻으시고, 만유불성과 자타불이의 가르침을 우리에게 주셨습니다. 부처님의 말씀은 시대를 뛰어넘어 모든 인류가 새기고 따라야 할 소중한 지혜가 되고 있습니다.

특히 불교는 우리 국민에게 매우 각별합니다. 찬란한 문화를 꽃피우고 국가적 어려움을 극복했던 역사의 중심에 늘 불교와 불자 여러분이 있었습니다. 지금 우리는 선진한국의 길목에서 거센 도전들에 직면해 있습니다. 세계시장에서의 경쟁은 점점 더 치열해지고 있고, 사회 각 분야에서 양극화 현상이 심화되고 있습니다. 저출산, 고령화도 지금부터 대비해야 할 문제입니다. 미래를 위해 꼭 해야 할 일들은 하루빨리 합의를 이루고, 국민적 역량을 결집해 나가야 합니다.

이를 위해서는 대화와 타협을 통해 서로 협력하는 문화, 멀리 내다보면서 양보할 것은 양보하는 결단이 필요합니다. 이것이 상생과 화합의 불교정신을 실천하고, 이 땅 위에 불국토를 구현해 나가는 길이라고 생각합니다. 더 풍요롭고 여유 있는 나라, 앞서가는 사람을 힘껏 응원하고 뒤처진 사람도 끌어안고 함께 가는 따뜻하고 활기찬 대한민국을 만드는 데 불교계 여러분의 중심적인 역할을 당부드립니다. 부처님 오신 날을 거듭 봉축드리며, 부처님의 대자대비하심이 온누리에 가득하길 기원합니다.

감사합니다.

한·몽골 경제인 오찬 간담회 연설

2006년 5월 8일

존경하는 엥흐볼드 총리, 뎀베렐 상공회의소 회장, 발도르즈 경제협력위원장, 손경식 회장과 김영훈 경제협력위원장, 그리고 양국 경제인 여러분,

대단히 반갑습니다. 올해 맞이할 몽골 건국 800주년 기념일을 미리 축하드립니다.

지금까지 수십 개 국가를 방문했지만 이번에 동행하는 경제인 숫자가 가장 많은 편에 속합니다. 순방을 갈 때 장관들도 함께 동행하는데, 이번에 가장 많은 숫자의 장관이 동행하는 것 같습니다. 지금 한국과 몽골 사이의 교역과 투자 규모에 비해 매우 많은 숫자입니다. 저는 이렇게 많은 경제인이 함께 온 이유를 곰곰이 생각해봤습니다. 그런데 얼른 이해가 가지 않았습니다.

우리 한국 사람들은 몽골을 형제간처럼 가깝게 생각합니다. 그리고 몽골의 역사와 문화, 자연에 대해 상당한 신비감과 동경을 가지고 있습니다. 그리고 제가 막상 몽골에 와보니 고향에 온 것 같은 편안한 느낌을 받습니다. 그러나 이러한 것이 우리의 많은 기업인들이 몽골을 방문한 이유로는 적합지가 않습니다. 다들 바쁜 분들이고, 관광을 온 것은 아닐 테니 말입니다.

1999년에 김대중 전 대통령이 몽골을 방문했을 때 '상호보완적 협력 관계'를 구축하고, 그 후 꾸준히 한국과 몽골의 관계를 발전시켜 왔습니다. 이번에는 상호 신뢰와 우호를 바탕으로 협력을 더욱 더 증진하는 '선진우호협력 동반자 관계'에 새롭게 합의했습니다. 눈에 보이지 않고 숫자로 나타나지 않는 가운데서도 양국의 관계는 긴밀히 발전해왔고, 이것이 기업인들에게 몽골에 새로운 기회가 있다는 판단을 준 것이라고 생각합니다.

실제로 최근 몽골은 높은 경제성장률을 기록하고 있습니다. 2004년에는 10.6%, 2005년에는 6%라는 견조한 성장세를 이루고 있습니다. 올 초에는 2021년을 목표로 하는 장기 개발전략을 세우고 본격적인 경제개발을 시작했습니다. 이런 변화가 우리 경제인들에게 몽골에 가면 기회가 있을 것이라는 신호를 준 것이라고 생각합니다.

저는 우리 한국 경제인 여러분께 감히 말씀드리고 싶습니다. 한국과 몽골의 관계는 점점 더 긴밀해질 것입니다. 몽골은 민주주의의 토대 위에 정치적으로 안정되고, 강력한 리더십 아래 큰 국가 발전을 이뤄갈 것입니다. 아울러 몽골 경제인에게도 한국 경제인을 잡아라, 나아가서는 한국을 잡으라고 권고 드리고 싶습니다. 한국 경제인들은 무에서 유를 창조한 사람들입니다. 우리는 18~19세기 식민지 경영으로 부를 축적해 경제를 발전시킨 것이 아니라, 오히려 식민지 지배를 받고 아무 것도 없는 황무지에서 경제를 일군 사람들입니다. 우리는 경제를 성공시킨 최근의 경험을 갖고 있습니다. 우리의 경험과 노하우를 나눠서 같이 한번 잘 살아 보자는 협력 의지가 넘치는 사람들입니다.

우리는 부자가 된 지 오래 되지 않아서 많은 돈은 없습니다. 돈은 많이 못 드리지만 그보다 더 중요한 정성, 경험, 지식의 교류 등에 대해서는 누구 못지않은 자산을 갖고 있고, 그것을 함께하려는 의지도 갖고 있습니다. 이번 방문을 계기로 민, 관 사이에 16개 협약이 성공적으로 체결됐거나 체결될 것입니다.

몽골은 국토가 넓어 일거에 도로교통 인프라를 갖추는 일이 쉽지 않을 것입니다. 저는 세계적인 기술, 경제 흐름으로 봐서 물적 인프라보다는 정보통신이나 교육 인프라가 더 중요하다고 생각합니다. 그리고 우리는 정보통신 시스템이 바탕이 된 교육 인프라를 세계 최고 수준으로, 그것도 아주 낮은 비용으로 제공할 수 있습니다. 예를 들어 인터넷에서 초고속통신망으로 발전했지만, 이제 한국은 초고속 인터넷 수준의 무선 인터넷을 개발했습니다. 휴대전화와 비슷하나 조금 다른 것입니다. 몽골의 경우 넓은 국토라서 유선을 생략하고 바로 무선으로 가는 가능성도 있을 것으로 봅니다.

농업분야는 당장 이익을 얻는 아이템이 별로 없습니다. 그러나 이번에 농림부 장관이 동행했습니다. 조류독감, 구제역 등 질병 퇴치를 지원하고, 기술을 협의하고, 산림녹화를 통한 환경개선에 대한 적극적인 의지를 갖고 온 것입니다. 당장은 이익이 안 될지 모르지만 멀리 보면 한국에게도 이익이 될 것입니다. 이제 개별적인 교역과 투자를 활발히 하는 수준을 넘어 정부 차원의 개발 계획을 세우고 사업을 기획해 한국의 경험을 공유하고 이를 제도화하는 방안을 논의하고 있습니다.

경제인 여러분,

멀리 보고 갑시다. 정부도 멀리 보고 가겠습니다. 그러면 생각보다 빨리 성공할 것입니다. 한국에는 많은 몽골 근로자들이 와 있습니다. 근무지에서 인권 침해가 없도록, 생활의 불편이 없도록 최대한 지원하겠습니다. 며칠 전에는 설사 불법 체류자라 해도 교육을 받으러 갔다가 적발되는 일이 없도록 두 가지를 분리하기로 했습니다.

숫자가 더 늘어나려면 기업으로부터 수요가 많아져야 합니다. 불법이 안 되도록 법을 관대하게 운영하려 하지만 기업이 원하지 않는 인력까지 받기는 어려운 것이 현실입니다. 그런 점에서 부득이한 규제는 양해해 주기 바랍니다. 그러나 우리로서는 최선을 다하겠습니다.

감사합니다.

엥흐바야르 몽골 대통령 내외 주최
국빈만찬 답사

2006년 5월 8일

존경하는 남바린 엥흐바야르 대통령 각하 내외분, 그리고 귀빈 여러분,

우리 내외와 일행을 위해 성대한 자리를 마련해 주신 각하께 감사드립니다.

먼저 몽골 건국 800주년을 축하드립니다. 이처럼 뜻깊은 해에 첫 국빈으로 방문하게 된 것을 기쁘게 생각합니다. 세계를 경영했던 칭기스칸 시대의 영광이 오늘의 몽골 부흥으로 되살아날 것으로 믿습니다. 각하께서는 이미 몽골의 역사를 다시 쓰고 계십니다. 민주주의와 시장경제의 확고한 기반을 다지고, 과감한 개혁, 개방을 통해 높은 경제성장을 이끌고 있습니다. 이제 각하께서 직접 수립한 '2021 국가발전 전략계획'을 토대로 몽골이 '한 가리드'처럼 더 힘차게 도약할 것으로 믿으며, 각하의

지도력에 경의를 표합니다.

대통령 각하,

오늘 정상회담에서 양국 관계를 '선린우호협력 동반자'로 발전시키기로 한 것을 매우 뜻깊게 생각합니다. 무엇보다 교역과 투자 확대, 자원협력, 사회간접자본과 IT분야 발전 지원 등 경제협력 방안들이 성공적으로 추진될 것으로 기대합니다. 이밖에도 우리 두 나라는 정치, 외교, 문화 등 여러 분야에서 교류협력을 빠르게 확대해 가고 있습니다. 특히 몽골은 한반도 평화와 남북 화해협력에 많은 관심과 지원을 보내 주었습니다. 인적교류에 있어서도 이미 각하께서 한국을 네 차례나 방문할 만큼 매우 활발합니다. 인종과 언어, 음식에 이르기까지 유사한 문화적 전통을 가지고 있는 두 나라 관계가 앞으로 더욱 빠르고 넓게 발전해 나갈 것으로 확신합니다.

귀빈 여러분,

대통령 각하 내외분의 건강과 몽골의 발전, 그리고 우리 두 나라의 우정을 위해 건배를 제의합니다.

감사합니다.

한·아제르바이잔 경제인 오찬 간담회 연설

2006년 5월 11일

존경하는 아르투르 라시자데 총리, 에밀 마지도프 수출투자진흥청 사장, 그리고 손경식 회장을 비롯한 양국 경제인 여러분,

안녕하십니까, 이렇게 저를 따뜻하게 맞아주셔서 감사합니다.

저는 오늘 아제르바이잔을 처음 방문합니다. 저와 동행한 경제인들도 처음일 것입니다. 그러나 이렇게 함께 있으니 마치 오랜 친구가 모여 좋은 일을 논의하는 것처럼 다정해 보입니다. 오늘 오전 여러분들 사이의 모임에서 서로의 이익을 증진하는 데 대한 많은 대화가 있었으리라 생각합니다. 좋은 성과가 있었습니까,

사업에 관한 이야기는 조금 있다 드리고, 먼저 우리나라를 소개할까 합니다. 우리나라는 사계절이 뚜렷하고 하늘이 맑고 바다가 푸른 아름다운 나라입니다. 이곳 아제르바이잔과 아주 비슷합니다. 특히 이곳

바쿠의 바다는 제 고향 부산의 바다와 아주 비슷합니다. 우리나라는 지난 2천년 동안 수백 번의 침략을 받고 수십 년간의 지배를 받았습니다. 우리 국민들은 많은 고난을 겪고 살아왔습니다. 2차 대전이 끝나고 난 다음 맨주먹에서 출발해 열심히 땀 흘려 일하고, 그래서 오늘의 경제발전을 이뤘습니다. 섬유, 조선, 자동차, 전자, 반도체, 통신 등 여러 분야에서 이제 세계 최고 수준의 실력을 갖게 되었습니다. 건설, 도시계획, 자원개발 분야에서도 세계 어느 나라와 비교해도 뒤떨어지지 않는 능력을 보유하고 있습니다.

서울은 천만 인구를 갖고 있고 주변도시를 포함하면 2천만 인구를 갖고 있습니다. 지금 이 전역이 동북아 중심, 국제도시로 발전하고 있습니다. 또한 우리는 새 행정수도를 건설하고 있습니다. 인구 50만으로 예정된 이 도시에 건설, 도시계획, 환경, 문화, 정보통신 모든 분야에서 세계 최고 기술을 집적시켜 세계 최고의 도시를 만들려 하고 있습니다. 그 외에도 전국에 인구 5만 정도의 혁신도시를 10개 정도 건설하려고 합니다. 우리는 이 행정도시와 혁신도시 건설과정에서 한국이 가진 모든 기술을 집중시켜 한국의 문화와 환경, 삶의 질을 한 단계 도약시키려는 야심찬 계획을 갖고 있습니다. 앞으로 여러분이 6년쯤 뒤에 한국을 방문하면 세계에서 가장 발전된 첨단문명도시를 서울과 지방에서 잘 볼 수 있을 것입니다.

우리는 식민지 역사와 동족끼리 전쟁을 치르는 내전까지 겪는 완전한 폐허 위에서 이와 같은 꿈을 가꿔왔고 앞으로 이를 발전시켜 나갈 것입니다. 지금까지 제가 한국 자랑을 한 것 같지만, 이 말을 드리는 것은 한국의 자랑 아니라 아제르바이잔의 미래를 말하고자 하는 것입니다. 저는 어제 이곳 아제르바이잔에 도착했고, 오늘 오전 알리예프 대통령과 회담을 했습니다. 아제르바이잔의 모습을 보고 대통령과 만나면서 아제르바이잔의 미래와 기회를 발견했습니다. 아제르바이잔은 한국이 가진 모든 것을 갖고 있습니다. 날씨가 맑고 따뜻하고, 바다와 나무가 아름다운 것까지 다 갖고 있습니다.

어제 아제르바이잔의 국립묘지와 전 대통령의 묘소를 들렀습니다. 그곳에는 나라를 위해 희생한 많은 젊은 사람들이 있었고, 이 나라를 새 나라로 만들기 위해 땀 흘려 노력한 많은 지도자들의 묘지가 있었습니다. 그곳에는 아제르바이잔이 독립된 자유의 나라로서 미래역사를 만들어 가고자 하는 국민들의 꿈이 있었고, 아제르바이잔을 영원히 남에게 지배받지 않고 행복한 나라로 만들려는 지도자들의 염원이 있었습니다.

우리 한국에도 그런 국립묘지가 있습니다. 그곳에는 나라를 위해, 국민들을 행복하게 하기 위해 목숨 바친 많은 이름없는 사람들의 묘소가 있습니다. 저는 자랑스런 역사의 한국이 있기까지는 그 많은 사람들의 희생과 열정이 뒷받침됐다고 생각합니다. 그런데 아제르바이잔에 와 보니 한국이 갖지 않은 더 큰 행운과 기회를 갖고 있었습니다. 바로 석유입니다. 그리고 그 석유가 지정학적으로 아주 유리한 위치에 있습니다.

오전에 알리예프 대통령은 "석유는 하나의 밑천일 뿐이다. 우리는 석유에 그치지 않을 것이다"고 말했습니다. 이 기회에 도로, 항만, 발전소, 도시건설, 제조업, IT 등 모든 분야에 투자하고, 그것을 통해 아제르바이잔이 석유에 의존하는 나라가 아니라 고도의 사회간접자본시설과 기술을 가진 훌륭한 나라로 만들겠다는 비전을 이야기 했습니다.

아제르바이잔에게 주어진 이 기회를 아제르바이잔이 선진국으로 갈 수 있는 기회로 만들겠다는 강한 의지를 저는 느낄 수 있었습니다. 그리고 그 가능성을 믿습니다. 공항에서 시내로 들어오면서 거리 곳곳에선 많은 타워크레인을 봤습니다. 한국경제가 발전하고 성공을 거둘 때 봤던 모습과 너무도 흡사했고, 저로 하여금 활발하게 건설하고 발전해가던 그때 기억을 생각나게 했습니다.

저는 알리예프 대통령에게 한국은 아제르바이잔에서 새로운 기회를 찾기 위해 힘쓰겠다고 말씀드렸습니다. 아제르바이잔의 성장과 발전의 기회가 한국에게도 좋은 기회가 되도록 협력하자고 말씀드렸습니다.

아제르바이잔 경제인 여러분,

저희에게 그런 기회를 나눠주시겠습니까, 그저 달라는 소리는 아닙니다. 우리도 대가를 지불하겠습니다. 우리도 아주 가치 있는 자산을 갖고 있습니다. 조금 전에 말했듯이 우리는 폐허가 된 상태에서 무에서 유를 창조한 경험이 있습니다. 남의 나라에서 많은 것을 가져다 축적한 부를 통해 계속 앞장서 온 나라가 아니라, 남의 나라보다 뒤늦게 출발했지만 열심히 달려 앞선 사람을 따라잡은 나라입니다. 지금 정보통신 분야는 세계 1등입니다.

또한 우리 한국이 가진 경험은 100년 전, 50년 전 경험이 아니라, 불과 20~30년 전의 생생한 경험입니다. 이같은 경험은 정부뿐만 아니라, 기업, 학자, 국민들 모두 함께 가지고 있는 것입니다. 우리 한국 국민들은 지금도 세계에서 가장 부지런하게 일하고 있습니다. 노동시간 통계가 그것을 말해주고 있습니다.

아제르바이잔 기업인 여러분,

한국과 협력하고 싶지 않습니까, 옆에 앉은 우리 기업인과 손을 잡으십시오. 우리 기업인들은 도전정신과 열정, 부지런함으로 오늘을 일군 소중한 경험을 가진 사람들입니다. 특히 우리 한국의 기업은 '계약서 +30%'란 알파를 더 지급하는 기업이라고 감히 말할 수 있습니다.

여러분은 유럽에서 가정에 TV를 한 대 사서 설치하는데 며칠 걸리는지, 사무실을 내고 컴퓨터 시스템을 설치하는 데 며칠 걸리는지 아십니까, 컴퓨터를 주문하면 며칠이나 걸려야 배달되고, 선이 연결 안 돼 기술자를 부르면 저녁 6시 되면 근무시간 끝났다고 그 다음날 와서 다시 연결해야 되는 정도로 많은 시간이 걸린다고 들었습니다. 왜 이렇게 늦느냐고 불평하면, 계약서를 내보이면서 계약대로 했지 않냐고 반문한다고 합니다. 한국에서는 오전에 TV 주문하면 오후에 볼 수 있습니다. 오늘 컴퓨터를 주문하면 내일 일할 수 있게 해줍니다. 계약서에는 없지만 해줍니다.

한국은 아직도 갈 길이 멉니다. 그러므로 열심히 할 것입니다. 아제르바이잔과 같은 좋은 친구를 원하고, 함께 협력해야 성공할 수 있다는 것도 잘 알고 있습니다. 한국기업과 잘 협력하십시오. 그것이 제 바람입니다. 법과 제도가 다르고 관습이 달라 다소 어려움이 있겠지만, 교류협력의 장애는 양국 정부가 열심히 노력해 문제를 해결하겠습니다. 오늘 오전 알리예프 대통령과 회담한 자리에서 장관들이 나와 7개 협약에 서명했습니다. 우리가 준비한 시간에 비하면 아주 빠른 성공입니다. 몇 개

더 서명할 수 있었는데 두 정상이 시간이 많지 않아 7개만 했습니다. 또한 저는 알리예프 대통령을 한국으로 초청했습니다. 내년쯤 올 것으로 짐작하고 있지만 더 빨리 오시게 될지도 모르겠습니다. 여러분들 사이에 혹시 어려운 일이 있으면, 대통령이 한국 올 때 또다시 협정 서명으로 해결하겠습니다.

아제르바이잔이 주한대사관을 올해 안에 개설한다고 했습니다. 한국의 주아제르바이잔 대사관도 내년 중에 개설하려고 했는데 올해 중에 하도록 하겠습니다. 한국이 속도에 있어 아주 빠른 나라라고 자랑했는데, 아제르바이잔에 와보니 한국보다 더 빠른 나라가 있어 한국이 자랑하기 어렵게 됐습니다. 도전정신과 열정을 함께 나누며, 믿고 가슴을 열고 서로 협력해 나갑시다.

감사합니다.

알리예프 아제르바이잔 대통령 내외 주최
국빈만찬 답사

2006년 5월 11일

존경하는 일함 알리예프 대통령 각하 내외분, 그리고 귀빈 여러분,

나와 우리 일행을 환대해 주신 각하 내외분께 감사드립니다. 대한민국 대통령으로는 처음 아제르바이잔을 방문하게 된 것을 매우 기쁘게 생각합니다. 어제 이곳에 도착했지만, 아제르바이잔이 왜 세계의 주목을 받고 있는지 알 수 있습니다. 가는 곳, 만나는 사람마다 역동성이 느껴집니다. 오늘 오후에 다녀온 '상가찰 오일터미널'은 세계로 뻗어가는 아제르바이잔의 힘을 상징적으로 보여주는 듯 했습니다. 아제르바이잔은 지난해 26%라는 경이적인 성장률을 기록했습니다. 에너지뿐만 아니라 섬유, 건설, 전자, 관광산업 등도 하루가 다르게 발전하고 있습니다. 2008년까지 GDP규모를 두 배로 늘리겠다는 각하의 구상이 하나하나 실현되어 가고 있는 것입니다. 아제르바이잔이 신실크로드 시대를 선도하는 국가

로 더욱 크게 발전할 것으로 믿으며, 각하의 지도력과 국민의 저력에 깊은 경의를 표합니다.

대통령 각하,

오늘 각하와의 정상회담은 매우 만족스러웠습니다. 올해가 양국관계를 획기적으로 발전시키는 뜻깊은 해가 될 것으로 확신합니다.

오늘 합의한 '양국 관계와 협력 원칙에 관한 공동선언'과 항공, 문화협정이 그 든든한 토대가 될 것입니다. 또한 올해에는 수교 14년 만에 양국에 상주 대사관이 설치됩니다. 이번에 체결된 에너지, IT, 건설, 교통 분야 협력약정도 실질협력을 한단계 더 끌어올리게 될 것입니다.

최근 들어 서로에 대한 관심도 높아지고 있습니다. 태권도와 한방이 이곳에서 큰 인기를 얻고 있다고 들었습니다. 지난해에는 바쿠가 한국 TV에 소개된 바 있고, 올해 서울에서는 아제르바이잔 문화주간행사가 열립니다. 앞으로 이러한 교류협력을 확대해 갈수록 양국은 더욱 믿음직하고 꼭 필요한 친구가 될 것입니다.

귀빈 여러분,

알리예프 대통령 각하 내외분의 건강과 아제르바이잔의 번영, 그리고 우리 두 나라의 우정을 위해 건배를 제의합니다.

감사합니다.

한·아랍에미리트 경제인 오찬간담회 연설

2006년 5월 14일

존경하는 오바이드 휴마이드 알 타이어 두바이상의 회장, 오마 알 샴시 아랍에미리트상의연합회 회장, 한국의 손경식 회장과 서영태 경협 위원장, 그리고 양국의 경제계 지도자 여러분,

대단히 반갑습니다. 소중한 자리에 초대해 주셔서 감사합니다. 준비된 말씀을 드리기 전에 아랍에미리트에 도착해서 어제와 오늘을 지낸 제 소감 먼저 말씀드리겠습니다.

비행기에서 끝없이 펼쳐져 있는 사막을 보며 저는 이 땅이 신의 축복이 비켜간 자리가 아닌가 하는 의문을 가져보았습니다. 하지만 내려와서 몇 시간 지나지 않아 제 짐작이 틀렸다는 사실을 알았습니다. 신은 이 나라에 석유를 주었고 그것을 잘 활용할 수 있는 훌륭한 지도자를 보내주었고 그 지도자에게 지혜와 용기를 주었습니다.

우리는 라인강의 기적 얘기를 들으면서 열심히 땀 흘려 일했고, '한강의 기적'이라는 업적을 이루어냈습니다. 그런데 지금 이곳에서는 라인강의 기적이나 한강의 기적보다 더 놀라운 기적이 진행되고 있습니다. 미래를 향한 원대한 꿈을 가지고 활력 있게 뻗어나가는 아랍에미리트와 두바이 경제를 우리는 보고 있습니다. 이러한 성장의 대열에 함께 참여하고자 저와 우리 경제인들은 이곳에 왔습니다. 여러 나라를 순방했습니다만, 그 어느 나라에 동행했던 경제인보다 많은 경제인들이 동행했고, 어느 나라에서보다 더 많은 양국 경제인들이 오늘 이 자리에 함께하고 계십니다. 아랍에미리트는 우리에게 매우 중요한 나라이고, 또 저와 우리 경제인들은 이곳 아랍에미리트에서 소중한 기회를 찾고 있습니다.

우리는 많은 석유를 쓰는 나라이고, 한국 경제는 석유가 없으면 성장할 수 없는 경제입니다. 우리가 쓰고 있는 석유의 18%, 가스의 15%를 아랍에미리트로부터 공급받고 있습니다. 아랍에미리트는 우리가 석유 때문에 어려움을 겪을 때에도 변함없이 석유를 공급해주었고 앞으로도 그럴 것이라고 우리는 굳게 믿고 있습니다. 이번 방문을 계기로 두 나라는 한국의 석유기지에 공동으로 석유를 비축하기로 하는 약정을 체결했습니다. 이것은 양국의 이익을 위해 매우 중요한 약정이라고 생각합니다.

작년 한 해 동안 우리는 아랍에미리트로부터 원유를 포함해 100억 달러를 수입했습니다. 우리는 27억 달러의 상품을 아랍에미리트에 수출했고, 또 8억 달러 정도의 건설공사를 수주했습니다. 100억 달러를 아랍에미리트에 드리고, 35억 달러를 되받아 갔다고 말하면 될 것입니다. 우리는 좀 더 열심히 해야 한다고 생각합니다. 열심히 해서 힘차게 뻗어나가고 있는, 그야말로 활력에 넘치고 있는 이 아랍에미리트와 두바이에서 돈을 좀더 벌어가지 않으면 우리는 계속해서 석유를 살 수 없습니다. 우리는 석유를 살 수 있는 돈을 좀 더 벌 수 있는 기회를 찾기 위해 이곳 아랍에미리트에 왔습니다. 여러분, 기회를 주시겠습니까,

거저 달라고 하지는 않겠습니다. 한국은 아주 높은 건설 기술을 가지고 지난 60년대부터 중동에서 약 2000억 달러의 공사를 한 실적을 가지고 있습니다. 아랍에미리트에서도 약 54억 달러에 해당되는 공사를 했습니다. 여러분께서 앉아계신 이곳 호텔도 우리 한국 기업이 지은 것이라고 들었습니다.

우리 한국의 기업은 이제 건설 공사만 수주하지 않고, 투자를 해서 땅을 사고 또 건설해서 분양하는 사업에도 착수했습니다. 이 사업의 투자가 성공을 거둔다면 아마 더 많은 우리 기업들이 두바이에 투자를 하게 될 것이라고 생각합니다. 한국은 지금 약 50만 명 규모의 신행정도시를 계획하고 있습니다. 건설, 정보통신, 환경, 문화 등 모든 분야에서 최고의 기술을 총동원해서 가장 과학적이고 경제적이면서 가장 아름답고 환경적인 도시를 건설하려고 합니다. 아주 아름답고 훌륭한 도시인 말레이시아 푸트라자야와 경쟁하려고 했었는데 지금 이곳에 와보니까 두바이보다 더 좋은 도시를 만들기 위해 노력해야겠다는 생각이 듭니다. 한국의 기업들은 여러분이 허락해 주신다면 이같은 훌륭한 기술로써 서비스할 것입니다.

경제인 여러분,

아랍에미리트에 내려서 본 푸른 숲은 그야말로 '기적' 그 자체였습

니다. 이 사막에서 도저히 있을 수 없는 일이 현실로 이곳 두바이에서, 그리고 아부다비에서 펼쳐지고 있는 것입니다.

여러분이 만든 이 숲은 인류문명이 만든 그 어떤 유적보다도 훌륭한 유산이 될 것이라고 생각합니다. 두바이와 아부다비에 만든 이 푸른 숲, 아름다운 도시는 창조와 평화, 그리고 공존이라는 인간의 소중한 가치를 실현하고 있는 아주 아름다운 창조물입니다. 수천 년이 지나도 모든 사람들이 칭찬할만한 훌륭한 업적을 만들고 계신 것입니다.

사막을 숲으로 만든다는 것을 불가능한 일로만 생각했습니다. 그런데 나는 여러분이 만든 이 숲을 보면서 사람이 하는 일에는 불가능이 없다는 사실을 확인했고, 사람이 가진 꿈에는 한계가 없다는 사실을 확인했습니다. 그런데 이 숲을 가꾸기 위해서 쓰고 있는 물의 상당량이 한국 기업이 만든 설비에 의해 생산되고 있습니다. 저는 이 사실이 무척 자랑스럽습니다.

이곳의 숲을 보면서 아직 구체적인 단계는 아니지만 실현 가능할 수 있는 하나의 꿈을 생각해 보았습니다. 한국은 지금 세계 최고의 원자력 발전 기술을 갖고 있고, 그것을 잘 운용할 수 있는 많은 기술자를 보유하고 있는 국가입니다. 또한 인구가 밀집한 도시와 가까운 곳에 원자력 발전소를 지어놓고 있기 때문에 안전성에 있어서 세계 어느 나라보다 훨씬 우수한 기술을 가지고 있습니다. 말하자면 한국의 원자력 발전소는 세계에서 가장 안전한 발전소라고 할 것입니다.

지금 한국은 전 세계가 함께 하고 있는 핵융합 에너지 개발 계획에 참여하고 있습니다. 핵심기술은 공동 개발하고 있습니다만, 그 외에 여러 가지 주변기술은 각국이 각기 개발하고 있습니다. 이 분야에서도 한국은 세계 최고 수준의 기술을 갖고 있다고 자부합니다. 지금 한국과 아랍에미리트 사이에 진행되고 있는 스마트로 건설 계획이 성공하게 되면 보다 싼 담수를 생산할 수 있을 것입니다. 그리고 시간이 많이 걸리겠지만 핵융합 발전 기술이 성공하게 되었을 때도 한국이 이곳에 핵융합 발전소를 만들어서 이 넓은 사막을 전부 적실 수 있는 물을 생산하고 싶습니다. 그렇게 될 수 있도록 아랍에미리트 경제가 계속 발전하고 우리 한국과 긴밀한 관계를 갖기를 기대합니다.

어제와 그제 이곳 두바이에서 와이브로(Wibro), DMB 시연회가 있었습니다. 휴대폰으로 모든 가전제품을 조정할 수 있는 홈네트워크와 교통망에 유용하게 쓰일 수 있는 텔레매틱스 기술에 관해서도 전시했습니다. 한국이 가지고 있는 정보통신 기술은 바로 두바이와 같이 고도의 지식을 활용해서 움직이는 경제에 있어서 아주 필수적인 것입니다.

우리는 아랍에미리트의 높은 IT 기술을 잘 알고 있습니다. 그러나 하나의 실용기술을 위해서는 수백, 수천 가지 기술들이 결합되어야 하기 때문에 어느 나라도 혼자서 모든 기술을 다 개발할 수는 없습니다. IT 분야의 기술협력을 통해서 아랍에미리트는 이곳 중동의 허브로서, 그리고 우리 한국은 동북아시아의 허브로서 각기 최고의 기술을 활용할 수 있게 되기를 바랍니다.

양국의 경제인 여러분,

한국은 빈손으로 출발해서 40년 만에 섬유, 철강, 조선, 자동차, 반도체, IT 분야에서 세계 최고 수준의 경쟁력을 가진 나라가 되었습니다.

항공기술도 부분적으로 세계 최고 수준에 도전하고 있습니다. 우리는 이 분야에서도 꼭 성공할 것입니다. 한국은 늦게 출발하고 빨리 따라잡는 성공을 거두었습니다. 말하자면 경제발전 과정에 있어서 최근의 경험을 갖고 있습니다. 아마 그 점에 있어서 이곳 두바이와 아주 비슷하다고 생각합니다.

누구도 모두를 다 가질 수는 없습니다. 우리는 우리가 가진 것과 두바이가 가진 것을 서로 함께 나눠 가지기를 바랍니다. 한국은 동북아시아의 허브, 특히 금융 부문에 있어 허브국가가 되기를 원하는데 그 점에 있어서는 두바이가 한발 앞서가고 있으므로 많은 것을 배워야 할 것이라고 생각합니다. 한국은 계약서에 있는 모든 것을 하고도 항상 플러스 알파를 더 이행하는 성의를 가지고 있습니다. 리비아 대수로 공사를 했는데, 그 뒤에 수로관 일부가 파열됐을 때 그것에 대한 보완공사에서 우리 한국이 계약서 문제를 따지지 않고 최선을 다해 높게 평가받은 일이 있습니다.

여러분이 유럽에서 TV를 주문하면, 도착하는 데 며칠, 설치하는 기술자가 오는 데 며칠, 근무시간이 끝나면 다음날로 미뤄서 또 며칠, 그렇게 해서 여러 날이 걸릴 것이라고 생각합니다. 그러나 우리 한국에서는 TV를 오전에 주문하면 저녁에 바로 볼 수 있도록 다 해결해줍니다. 또 사무실에 컴퓨터 시스템을 설치할 때도 오늘 주문하면 내일 아침에 일할 수 있게 밤을 새워서라도 완벽하게 해줍니다. 계약서에 일일이 다 기록되지 않은 많은 추가적인 서비스를 한국 기업들은 성의 있게 제공하고 있습니다.

가격이 같다면 단연 한국이고, 만일에 좀 비싸더라도 한국이 결국 싸게 친다고 생각합니다. 지금도 한국 근로자들은 가장 많은 시간을 일하는, 가장 부지런한 사람들입니다. 한국을 기억해 주십시오. 한국의 성실하고 책임 있는 기업인들을 잘 기억해 주십시오. 한국은 아랍에미리트를 위해서 최선의 친구가 될 것입니다. 그리고 한국의 기업인들은 여러분의 가장 좋은 동반자가 될 것입니다.

　　감사합니다.

스승의 날 사랑의 사이버 카네이션 메시지

2006년 5월 15일

선생님, 고맙습니다. 그리고 정말 수고 많으십니다. 선생님 한 분 한 분께 감사와 존경의 마음을 담아 카네이션을 드립니다.

인생을 사는 지혜를 여러 곳에서 배웁니다. 가정에서도 배우고 사회에 나와서도 배웁니다. 자연을 통해 얻는 가르침도 많습니다. 그러나 가장 기억에 남는 것은 역시 학교입니다. 선생님의 가르침입니다. 우리나라가 세계 10위의 경제력을 가지고, 어디 내놓아도 손색없는 민주주의를 하게 된 것도 교육의 힘입니다. 지금 우리 아이들이 역량과 자질에서 세계 최고라고 평가받는 것 또한 선생님들의 노력과 헌신 덕분입니다. 거듭 감사의 말씀을 드립니다.

선생님, 교육 현실에 대해 이런저런 우려가 없지 않습니다. 분명한 것은 공교육이 제 역할을 다할 수 있어야 한다는 것입니다. 우리의 미래가 교육에 달려 있고, 교육의 중심이 학교라고 한다면 어떤 일이 있더라도 학교를 바로 세워야 합니다. 교권이 제자리로 올라서고, 학생들은 학교에서 지식과 인성을 기를 수 있어야 합니다. 학생과 학부모, 정부, 정치권 모두가 함께 힘을 모아서 풀어 가야 할 일이지만, 그 중심적인 역할은 역시 선생님이 해 주실 수밖에 없습니다. 우리 선생님들은 믿습니다. 대다수 선생님들이 긍지와 자부심으로 참다운 스승의 길을 가고 계십니다. 많은 선생님들이 교육 혁신에 나서고 있고 하나하나 성과를 이뤄 가고 있습니다.

저와 정부도 더욱 노력하겠습니다. 더 많이 대화하고, 학교현장의 지지와 동의를 얻는 데 정성을 쏟겠습니다. 무엇보다 선생님들의 무거운 짐을 덜어드리고, 처우를 개선하는 데 최선을 다하겠습니다.

이렇게 노력해 가면 서로간의 신뢰가 쌓이게 될 것입니다. 우리 학교가 지역공동체의 구심점 역할을 회복하고 밝은 미래를 열어가는 원천이 될 것입니다. 선생님의 노고에 더욱 감사드리며, 가정과 건강과 행복이 가득하기를 기원합니다.

제37차 세계 농업인연맹총회 축하 메시지

2006년 5월 17일

여러분, 안녕하십니까, 제37차 세계농업인연맹 총회를 축하드립니다. 잭 윌킨슨 회장과 각국의 농민단체 여러분을 진심으로 환영합니다. 올해로 창립 예순 돌을 맞는 세계농업인연맹에도 축하의 말씀을 전합니다. 그동안 세계농업인연맹은 농업발전과 농업인의 권익향상에 크게 기여해왔습니다. 특히 이번 총회에서 제정되는 '세계농민헌장'은 농업의 중요성과 농촌의 가치를 되새기는 좋은 계기가 될 것으로 생각합니다.

농업은 인류역사와 함께해 온 생명산업입니다. 전통문화의 뿌리이기도 합니다. 이러한 농업이 지금, 세계화의 물결 속에 커다란 도전에 직면해 있습니다. 해답은 경쟁력입니다. 창의적인 아이디어와 적극적인 노력으로 농업을 발전시키고, 농촌을 자연과 문화가 살아있는 매력적인 공간으로 만들어 나가야 합니다. 한국도 열심히 노력하고 있습니다. 많은 농업인들이 혁신을 통해 경쟁력을 키워가고 있고, 농촌생태계와 공동체를 새롭게 복원해서 농촌을 좀 더 풍요롭고 살기 좋은 공간으로 바꿔 나가고 있습니다. 희망과 자신감을 갖고 도전해 나가면 농업과 농촌의 새로운 역사가 반드시 열릴 것입니다. 이번 총회의 큰 성공과 여러분 모두의 건승을 기원합니다.

감사합니다.

5·18 민주화운동 26주년 기념식 연설

2006년 5월 18일

존경하는 국민 여러분, 그리고 광주시민과 전남도민 여러분,

오늘은 자유와 인권, 정의의 횃불을 높이 들었던 5·18민주화운동 스물여섯 돌입니다. 이 뜻깊은 날을 맞아 저는 먼저, 희생을 바치신 임들의 영전에 머리 숙여 경의를 표하고 삼가 명복을 빕니다. 사랑하는 가족을 가슴에 묻고 피눈물을 흘려 오신 유가족 여러분, 그리고 모진 고문과 투옥, 부상의 후유증으로 아직까지 고통받고 계신 피해자 여러분께 마음으로 위로의 말씀을 드립니다. 아울러 역사의 고비마다 우리가 나아갈 길을 제시하고 앞장서서 실천해 오신 광주시민과 전남도민 여러분께 깊은 존경과 감사의 말씀을 올립니다.

존경하는 국민 여러분,

5·18은 우리 민주주의 역사에 찬란하게 빛나는 기념비입니다. 세

계 역사에 길이 기억될 진보의 역사입니다. 80년 5월, 광주에서 타올랐던 민주화의 불꽃은 87년 6월항쟁으로 이어졌고, 다시는 되돌아가지 않을 민주주의의 뿌리를 튼튼하게 내리게 해주셨습니다. 광주의 피와 눈물이 오늘 우리가 누리는 민주주의의 밑거름이 된 것입니다.

뿐만 아니라 5·18 광주는 도덕적 시민상과 공동체의 모범을 보여주었습니다. 생명이 위협 받는 절박한 상황에서도 너나없이 주먹밥을 나누었고 부상자를 앞장서서 치료했습니다. 시민들의 자치로 완벽한 치안을 유지했습니다. 세계에 유례가 없는 이 자랑스런 역사를 우리 국민은 영원히 잊지 않고 기념할 것입니다.

국민 여러분,

그러나 한편으로, 5·18은 있어서는 안 될 불행한 역사입니다. 우리 모두 다짐해야 합니다. 다시는 이와 같은 역사를 되풀이해서는 안 됩니다. 돌이켜 보면, 동학혁명과 3·1운동, 4·19혁명 모두가 역사의 진보를 위한 숭고한 투쟁이었습니다. 우리 민권과 민주주의 역사의 자랑이요 초석입니다. 그러나 안타깝게도 매 시기마다 수많은 사람들이 고통과 희생을 바쳐야 했고, 그 고난의 역사는 반복되었습니다. 동학혁명 당시를 돌이켜 보면 참으로 억울하기 그지없습니다. 편협하고 독단적인 사상체계에 빠져 세상물정에 어두웠던 이 나라의 위정자들은 변화하는 세계의 조류를 받아들여야 할 시기에 새로운 학문과 사상을 배척하고, 그도 모자라 수많은 사람들의 목숨을 빼앗고 탄압했습니다. 백성의 삶을 보살피고 민권을 북돋우어야 할 시기에 사리사욕을 위하여 혹은 왕권 강화를 내세워서 민생은 도탄에 빠뜨려놓고 그들끼리는 끊임없이 분열하고 싸웠습니다. 마침내는 터져 나오는 백성들의 요구를 억누르기 위해서 외세까지 끌어들였다가 나라와 백성을 남에게 내주고야 말았습니다. 어리석고 무책임한 지배층의 잘못이 없었더라면 망국의 설움도 없었을 것이요, 3·1운동도 필요하지 않았을 것입니다. 4·19가 5·16 군사쿠데타로 좌절되지 않았더라면, 그리고 우리가 그것을 용납하지 않았더라면 5·18의 비극도 없었을 것입니다.

국민 여러분,

이제 이 같은 불행한 역사를 되풀이해서는 안 됩니다. 그러기 위해서 우리는 역사로부터 배워야 합니다. 5·18정신을 올바르게 선양하고 역사 발전의 교훈으로 삼아나가야 합니다. 무엇보다 세계사의 흐름과 우리의 위치를 정확하게 파악하고 우리가 나아가야 할 방향과 지금 우리가 해야 할 일이 무엇인지를 냉정하게 다시 한번 짚어보아야 합니다.

지금은 지도자의 말 한마디로 모든 것을 다할 수 있는 시대가 아닙니다. 그것은 무소불위의 독재시대에나 가능했던 일입니다. 아직도 권력자의 얼굴만 쳐다보는 그 시대의 낡은 사고가 남아있다면 단호히 버려야 합니다. 스스로 주권자로서의 확고한 의식을 가지고 멀리 보고 깊이 생각하면서 책임있게 참여하는 자율과 책임의 시대로 가야 합니다.

우리의 생각과 행동이 아직도 반독재 투쟁의 시대에 머물러 있어서도 안 됩니다. 이미 절차적 민주주의가 정착되었고, 시민사회가 괄목할 만한 성장을 이루었습니다. 사회의 투명성도 몰라보게 높아졌습니다. 우리 사회는 이미 성숙한 민주주의의 단계로 들어서고 있습니다. 남은 과제는 대화와 타협의 민주주의 가치를 생활 속에 뿌리내리는 일입니다.

그러자면 상대를 존중하고 양보할 것은 양보해서 합의를 이뤄내는 관용의 문화를 만들어 나가야 합니다. 이를 위해서는 지역주의와 집단이기주의를 반드시 극복해야 합니다.

국민 여러분,

5·18광주가 주는 또 하나의 교훈은 화해와 통합의 역사를 이루라는 것입니다. 5·18은 민주주의에 대한 열망의 분출이기도 했지만, 오랜 소외와 차별, 그리고 권력의 유지를 위해 국민을 분열시켰던 결과로서 발생한 것이기도 합니다. 균형사회를 만들어야 합니다. 지역간, 계층간, 산업간, 근로자 상호간의 격차를 줄여서 균형 잡힌 사회를 만들어야 합니다. 국가균형발전과 양극화 해소, 그리고 동반성장이 절실한 이유가 여기에 있다고 하겠습니다. 이와 함께, 역사에 대한 올바른 정리, 그리고 진심어린 사과와 반성, 그 위에서 용서하고 화해함으로써 진정한 통합의 역사를 열어 나가야 할 것입니다. 이것이 5·18정신을 오늘에 되살리고 불행한 역사를 되풀이하지 않는 길이 될 것입니다.

진실로 함께 반성합시다. 그리고 우리 함께 힘을 모읍시다. 원칙과 신뢰가 바로서는 사회, 모든 것이 투명하고 공정하게 돌아가는 사회, 권한이 골고루 분권화되고 자율과 책임으로 함께 꾸려가는 사회, 그리고 대화와 타협으로 모든 국민이 하나로 통합되는 사회를 위해 우리 함께 노력합시다. 이곳에 계신 5·18 영령들이 우리의 앞길을 밝혀주실 것입니다.

감사합니다.

6월

서울 외신기자클럽 창립 50주년 축하 메시지

2006년 6월 2일

외신기자 여러분, 안녕하십니까, 서울외신기자클럽 창립 50주년을 축하드립니다.

지난 반세기, 그 격동의 시기에 외신기자 여러분은 우리의 든든한 친구가 되어주었습니다. 언론을 통제했던 군사독재정권 시절에는 우리의 정치와 인권 상황을 있는 그대로 보도해서 우리 사회의 민주화를 앞당기는 데 크게 기여하기도 했습니다. 우리 경제가 세계 10위 규모로 도약하는 데에도 여러분의 역할이 컸습니다. 우리 국민을 대신해서 깊은 감사의 말씀을 드립니다.

외신기자 여러분,

언론의 영향력은 그 어떤 권력에도 결코 뒤지지 않습니다. 사람의 생각과 마음을 움직일 수 있기 때문입니다. 언론이 말하는 미래가 바

로 우리의 미래가 됩니다. 언론의 도덕성과 절제, 그리고 민주성이 강조
되는 이유도 여기에 있습니다. 언론인 여러분이 정확하고 공정한 보도
에 힘쓰면서 미래지향적인 대안을 제시해 나갈 때 지구촌은 더 평화롭
고 행복해질 수 있을 것입니다. 한국은 역동적인 발전을 계속하고 있습
니다. 사회는 더욱 투명해지고, 민주주의와 인권도 한층 성숙한 단계로
나아가고 있습니다. 한국의 장래를 낙관적으로 전망한다면 그것은 아마,
아주 정확한 기사가 될 것이라고 생각합니다. 앞으로도 우리나라를 더욱
사랑해 주시고, 즐겁고 보람된 한국 생활이 되시기 바라며, 외신기자클
럽의 무궁한 발전을 기원합니다.

감사합니다.

제51회 현충일 추념사

2006년 6월 6일

존경하는 국민 여러분, 국가유공자와 유가족 여러분,

오늘은 쉰 한 번째 현충일입니다. 나라를 위해 목숨을 바치신 애국선열들의 숭고한 희생을 기리며, 삼가 명복을 빕니다. 아울러 국가유공자와 유가족 여러분께 깊은 존경과 감사의 말씀을 드립니다. 오늘 우리가 독립된 나라에서 자유와 평화, 그리고 번영을 누리면서 저마다의 소중한 미래를 가꾸며 살 수 있게 된 것은 선열들의 고귀한 희생이 있었기 때문입니다. 우리는 애국선열들을 영원히 기억하고 기릴 것입니다. 여기에 그치지 않고 선열들의 애국과 희생정신을 본받아 실천하고, 이를 자손만대에 가르칠 것입니다. 국가유공자와 보훈가족을 예우하는 데도 최선을 다해 나가겠습니다.

국민 여러분,

저는 이 자리에서 방금 말씀드린 다짐에 보태어, 다짐 하나를 더 말씀드리고자 합니다. 다시는 우리 국민들의 희생을 요구하는 불행한 역사를 되풀이하지 않도록 하자는 것입니다. 애국선열들이 안타까운 희생을 바쳤던 그 역사로부터 배우기를 소홀히 했거나, 또는 배웠더라도 실천하기를 외면해서, 같은 불행을 반복해 온 부끄러운 역사를 다시는 되풀이하지 않도록 하자는 것입니다.

100년 전, 우리는 망국의 치욕을 겪어야 했습니다. 백성들은 굶주리고 짓밟히는 고난의 세월을 겪어야 했고, 수많은 애국지사들은 가족을 버리고 고향을 버리고 멀리 이역만리에서 싸우다가 끝내는 목숨을 바쳐야 했습니다. 이 땅의 위정자들이 나라의 힘을 키우지 않고 서로 편을 갈라 끊임없이 싸우다가 초래한 일입니다. 국민의 힘을 하나로 모아 나라를 일으켜야 할 때, 오히려 백성들을 억압하여 스스로 일어서지 못하게 한 결과입니다. 사리사욕 때문이라고도 말하고, 또는 다름을 절대로 용납하지 않는 독단적인 사상체계 때문이었다고도 말합니다. 아마 두 가지 다일 것입니다.

해방이 되었으나 동서대립의 국제질서가 주된 원인이 되어 나라가 갈라졌고, 마침내 동족간의 전쟁이라는 엄청난 불행을 당했습니다. 그러나 우리 민족이 하나로 단결해서 대처했더라면 그 엄청난 불행은 피할 수도 있지 않았을까 하는 아쉬움은 단지 저만의 것은 아닐 것입니다. 모두가 한 목소리로 민족정기와 자주독립, 통일을 외쳤지만 서로를 배제하고 용납하지 못한 채 목숨까지 걸고 싸웠습니다. 나라와 민족을 배반한 친일파까지 권력에 이용한 장기독재는 결국 4·19의 희생을 가져 왔습니다. 5·16과 10월유신, 군사독재로 이어진 불행한 역사도 5·18의 비극을 낳았습니다. 해마다 3·1절, 광복절, 제헌절을 기념하면서도 우리가 역사로부터 제대로 배우지 못했거나 역사의 교훈을 실천하지 않았던 것입니다.

국민 여러분,

이제 이 같은 불행한 역사는 마감해야 합니다. 분열을 끝내고 국민의 힘을 하나로 모아야 합니다. 그러자면 상대와 상대의 권리를 존중하고 의견과 이해관계의 다름을 인정해야 합니다. 대화로 설득하고 양보로 타협할 줄 알아야 합니다. 끝내 합의를 이룰 수 없는 경우라도 상대를 배제하거나 타도하려고 해서는 안 됩니다. 이제 절대반대도, 결사반대도 다시 생각합시다. 규칙에 따라 결론을 내고 그 결과에 승복해야 합니다. 이것이 민주주의입니다. 독선과 아집, 그리고 배제와 타도는 민주주의의 적입니다. 역사발전의 장애물입니다. 우리 정치도 적과 동지의 문화가 아니라 대화와 타협, 경쟁의 문화로 바꾸어 나갑시다. 기업들이 시장에서 상품의 질과 서비스로 경쟁하듯이 정치도 정책과 서비스로 경쟁하는 시대로 가야 합니다.

국민 여러분,

과거 대결의 역사로부터 비롯된 감정의 응어리도 이제 다 풀어야 합니다.

우리는 지난날 애국하는 방법을 놓고 적대했던 분들을 이곳 현충원, 그리고 4·19, 5·18 민주묘지 등 전국의 국립묘지에 함께 모시고 있습니다. 그리고 우리는 이 분들의 공적을 다 같이 추앙하고 기념하고 있습니다. 그런 점에서 보면 이미 우리는 제도적으로 화해를 이루었다고 말해야 할 것입니다. 그러나 마음으로부터의 진정한 화해와 통합은 아직 이루어지지 않고 있는 것 같습니다. 아직도 나와 다른 생각을 가진 사람에게 이념적 색채를 씌우려는 풍토가 남아있고, 또 억울하게 희생당한 분들의 분노와 원한이 다 풀리지 않은 것도 사실입니다.

이제 이것마저도 극복해 나갑시다. 지난날의 잘못은 진심으로 반성하고 사과합시다. 용서하고 화해합시다. 그래서 하나가 되고 힘을 모아 새로운 나라를 만들어 나갑시다. 그리하여 다시는 불행한 역사, 부끄러운 역사를 되풀이하지 않을 당당하고 자랑스러운 역사를 만들어 나갑시다. 다시 한번 순국선열과 호국영령들을 추모하며, 영원한 안식을 빕니다.

감사합니다.

세계한인회장 초청 다과회 말씀

2006년 6월 7일

　여러분, 대단히 반갑습니다. 한인회장단 회의가 보람 있는 모임이 되었는지 모르겠습니다.

　해외에 나가면 저는 두 가지 때문에 놀랍니다. 하나는 국내에서 듣고 느끼는 것보다 훨씬 우리 국력이 커져 있다는 사실에 놀랍니다. 많은 나라로부터 부러움을 사고 있습니다. 두 번째는 해외 동포들이 그 사회에서 신뢰가 아주 높다는 것을 확인하고 다시 놀랍니다. 우리나라는 해외 동포가 많은 나라입니다. 경우에 따라서는 부끄럽고 골치 아픈 일도 많이 있을 법한데 적어도 제가 다닌 여러 나라에서는 동포들이 모두 그 사회에서 존경을 받고 있었습니다. 제가 만난 정상들과 국가 지도자들이 다 그렇게 평가합니다. 여러 가지 사례를 말씀드릴 수 있습니다만 시간이 허락하지 않을 것 같고, 또 여러분도 대개 아시는 일이라서 결론만 요약하면 그렇습니다.

　참 자랑스럽습니다. 제가 여러분 덕분에 해외에 나가서 대접을 받는다는 생각을 가지고 있습니다. 이렇게 조국에 오셔서 함께 모여서 여러 가지 논의를 하시고 조국과 여러분이 다르지 않다는 것, 하나라는 것을 확인하는 것도 큰 의미가 있지만 여러분이 전 세계적인 네트워크를 가지고 다음 세기를 준비하고 있다는 것, 이것이 갖는 의미를 저는 매우 크게 봅니다.

　우리나라는 한때 나라를 잃었고 분단이라는 큰 고통의 역사를 겪고 있습니다. 앞으로 우리의 미래가 번영으로 가는 것은 큰 문제가 없을 것입니다. 그러나 통합을 이루는 것이 큰 숙제입니다.

　우리는 과거의 불행한 역사에서 교훈을 얻어야 합니다. 특히 구한말 나라를 잃은 역사로부터 뼈아픈 교훈을 얻어야 합니다. 당시 국력이 약한 상황에서 과연 어떤 국가전략이 옳은 것이었는지는 의문스럽습니다. 지금 우리의 국력은 100년 전과는 비교가 안됩니다. 당당한 세계 10위권입니다. 경제, 국방, 문화, 지적수준 등이 상당하게 와 있습니다. 정말 든든하고 자랑스럽습니다. 우리 역사 주에서는 고조선, 통일신라, 고려 초기, 조선 세종 시대가 강성했습니다. 하지만 실질 국력은 지금이 그 어느 때보다도 융성하고 강하며 역동적입니다. 그런 면에서 자신이 있고 희망이 있습니다.

　세계사적으로 볼 때 자유와 권리가 확대되고 평등과 분배가 증진되는 진보의 과정을 가고 있습니다. 그것은 뒤로 돌릴 수 없습니다. 앞으로 국가 간의 전쟁은 있을 수 있지만 과거와 같은 식민지 제국주의 시대로 되돌아가지는 못할 것입니다. 한국의 국력과 역사, 그리고 진보로 나아가는 세계 조류를 감안할 때 뒷걸음치지는 않을 것입니다. 가끔 중국이나 일본의 일부 사람들이 패권주의와 국수주의 경향을 보이고 있지만 과거의 역사가 되풀이되지는 않을 것입니다.

가장 위험한 것은 우리 내부적인 분열입니다. 특히 남북관계를 잘 관리하는 것이 매우 중요합니다. 남북관계를 잘 관리하면서 그 위에 대외적인 문제에 대해 지혜롭게 대처해야 합니다. 주변국과 자주적인 관계를 유지하면서도 서로 적대하지 말고 우호적 관계를 잘 유지해야 합니다. 우리에게는 그럴 만한 역량이 있습니다. 앞으로 어떤 정부가 들어서더라도 이러한 방향은 변함없을 것입니다.

여러분이 할 일이 있습니다. 민족의 분열을 극복하고 통합을 이루는 바람을 불어넣어 주십시오. 그리고 해외에서도 동포들 간의 갈등을 극복해 주기 바랍니다. 국내에서도 제가 정치하는 동안 분열을 극복하기 위해 노력할 것입니다. 최근 일본의 동포사회가 분열을 극복하고 손을 잡았습니다. 이는 역사적인 일이며, 남북관계 발전에 큰 디딤돌을 놓아주는 일입니다. 아무쪼록 여러분은 번영하는 조국에 믿음을 가지고 세계를 향해 계속 뻗어 나가기 바랍니다.

감사합니다.

해군 잠수함 손원일함 진수식 축사

2006년 6월 9일

친애하는 해군장병 여러분, 현대중공업 임직원과 내빈 여러분,

오늘, 최신예잠수함 '손원일함'을 진수하게 된 것을 매우 뜻깊게 생각합니다. 온 국민과 더불어 진심으로 축하를 드립니다. 손원일함은 우리의 자주국방 의지와 역량을 보여주는 또 하나의 쾌거입니다. 우리 바다를 철통같이 지켜 낼 손원일함의 당당한 모습을 보면서 참으로 마음 든든함을 느낍니다. 해군 발전의 초석을 다진 손원일 제독도 이 자리를 매우 기쁜 마음으로 바라보고 계실 것입니다. 그동안 혼신을 다해 애써 주신 현대중공업 기술진과 근로자 여러분, 그리고 해군 관계자 여러분께 큰 감사와 격려의 박수를 보냅니다.

해군장병과 내빈 여러분,

자주국방은 국가 존립의 기반입니다. 평화와 번영의 토대입니다. 우

리 역사가 그것을 증명하고 있습니다. 스스로를 지킬 힘이 있었을 때는 국운이 융성했지만, 그렇지 못했을 때는 대륙과 해양이 요동칠 때마다 이루 말할 수 없는 수난을 겪어야 했습니다. 국가적 전략도, 외교적 노력도 힘 없이는 아무 소용이 없었던 것입니다.

지금 우리가 국방개혁을 추진하고 있는 것도 이러한 역사의 교훈을 본받아 다시는 고난의 역사를 반복하지 않기 위해서입니다. 국방개혁기본법이 조속히 제정되고 국가와 국민이 이를 적극 뒷받침해서 우리 군을 선진정예강군으로 발전시켜 나가야 하겠습니다.

해군장병 여러분,

해군력은 자주국방의 중추입니다. 400여년 전에도, 충무공 이순신 제독이 이끄는 수군이 있었기 때문에 일본의 침략으로부터 나라를 지켜낼 수 있었습니다. 뿐만 아니라 해상교통로의 안전을 확보하고, 영해와 배타적 경제수역에서 우리의 주권과 이익을 보호하는 데도 해군의 역할은 막중합니다. '문무대왕함'과 '독도함'에 이어, 오늘 '손원일함'을 진수하고, 해상전력의 핵심인 '이지스구축함'도 건조를 시작했습니다. 이를 바탕으로 기동함대가 만들어지면 우리 해군은 그야말로 대양해군이 될 것입니다. 해군장병 여러분은 자주국방의 선봉이라는 자긍심을 갖고 우리의 해양영토를 굳건히 수호해 주길 당부합니다.

현대중공업과 조선산업 관계자 여러분,

우리가 해군력 증강에 이만한 자신감을 갖게 된 데에는 세계 최고의 조선산업이 밑받침되었습니다. 세계 1위부터 7위까지가 모두 우리 기업이고, 기술경쟁력 또한 독보적인 것으로 평가받고 있습니다.

특히 현대중공업은 건조능력과 수주량에서 세계 1위일 뿐 아니라, 1980년 최초의 국산 전투함을 건조한 이래 해군력 강화에도 크게 기여해 왔습니다. 앞으로도 우리 조선산업과 방위산업 발전에 더욱 힘써주시기 바랍니다.

참석자 여러분,

함께 힘을 모아 해양강국의 자랑스런 역사를 만들어 갑시다. 우리 바다를 평화와 번영의 터전으로 만들어 나갑시다. 다시 한번 '손원일함'의 진수를 축하하며 무운장구를 기원합니다.

감사합니다.

노벨 평화상 수상자 광주 정상회의 축사

2006년 6월 16일

존경하는 김대중 전 대통령님, 미하일 고르바초프 전 대통령을 비롯한 노벨 평화상 수상자와 수상단체 대표 여러분, 그리고 광주시민과 내외 귀빈 여러분,

노벨 평화상 수상자 광주정상회의를 진심으로 축하드립니다. 해외에서 오신 참석자 여러분께 따뜻한 환영의 인사를 드립니다. 노벨 평화상 수상자 여러분은 우리 인류에게 큰 희망을 주신 분들입니다. 분쟁의 평화적 해결과 소외된 사람들의 인권신장, 그리고 환경보호 등을 위해 헌신해 오신 여러분이 계셨기에 우리는 보다 더 평화롭고 행복한 내일을 꿈꿀 수 있게 되었습니다.

한국의 민주주의와 인권도 김대중 전 대통령님을 빼놓고는 얘기하기가 어렵습니다. 특히 햇볕정책과 6·15공동선언은 적대와 반목의 남

북관계를 화해와 협력의 길로 들어서게 한 역사적 전환점이 되고 있습니다. 역사의 진보를 이끌고 계신 여러분 모두에게 깊은 존경과 감사의 말씀을 드리며, 이번 회의가 한반도와 동아시아의 평화는 물론 세계 평화를 위한 소중한 계기가 될 것으로 믿습니다.

내외 귀빈 여러분,

인류 역사는 전쟁과 지배의 불행한 역사를 되풀이하면서도 자유와 인권, 그리고 민주주의가 확대되는 방향으로 진보해 왔습니다. 앞으로도 이러한 흐름은 변하지 않을 것입니다.

이곳 동북아시아에도 과거사가 남긴 불신과 갈등요인들로 인해 불행한 역사가 되풀이되지 않을까 하는 우려가 있는 것도 사실이지만, 과거와 같이 제국주의 시대로 되돌아가는 일은 없을 것입니다. 그것이 역사의 진보이기 때문입니다. 남북관계도 그때그때 우여곡절은 있겠지만 이제 누구도 화해와 협력의 큰 물줄기를 되돌려 놓지는 못할 것입니다. 지금 남북관계는 그 어느 때보다 안정적으로 발전해가고 있습니다. 하루 천명이 넘는 사람들이 남북을 왕래하고 있고, 지난 한해 동안에도 남북 간 교역이 10억 달러를 넘어섰습니다. 3년째 접어든 개성공단은 시범단지의 성공적인 가동에 이어 올해 안에 100만평에 이르는 1단계 사업이 분양을 마무리할 예정입니다. 이달 초에 열린 남북경제협력추진위원회에서는 북한의 경공업과 지하자원 개발 등으로 협력분야를 다양화하고 그 방식도 호혜적인 단계로 심화시켜 나가기로 했습니다. 이달 말로 예정된 김대중 전 대통령님의 방북도 남북관계를 한층 더 진전시키는 좋은 계기가 될 것입니다.

존경하는 참석자 여러분,

한반도의 평화는 동북아시아, 나아가서는 세계평화와 직결되어 있습니다. 우리는 지금까지의 성과를 바탕으로 북핵문제의 평화적 해결과 남북간 신뢰 구축, 그리고 남북 공동번영의 토대를 마련하기 위해 지속적인 노력을 기울여 나갈 것입니다. 이것이 우리 한국에게 주어진 시대적 사명이고, 역사 발전에 기여하는 길이라고 생각합니다. 지혜와 경륜이 높으신 참석자 여러분의 많은 관심과 성원을 부탁드립니다.

내외 귀빈 여러분,

이곳 광주는 민주주의의 성지입니다. 26년 전, 광주는 불의한 권력에 맞서 자유와 민주주의를 지키기 위해 분연히 일어섰고, 목숨이 오가는 극한상황에서도 도덕적 시민의 모범을 보여주었습니다.

이번 회의가 이러한 5·18 광주정신을 세계 속에 기리고, 평화에 대한 우리의 다짐을 더욱 굳건히 하는 뜻깊은 자리가 되기를 기대합니다. 여러분 모두의 건승을 기원합니다.

감사합니다.

군 주요 지휘관과의 대화 말씀

2006년 6월 16일

여러분, 반갑습니다.

여러분을 만나면 저는 항상 기분이 좋습니다. 그냥 기분이 좋습니다. 대통령의 책임 중에 제일 무거운 것이 국가를 보위하는 것이고, 또 이를 위해서 국군을 통수하는 일인데 여러분을 보면 항상 든든합니다. 여러분을 만나면 자신만만해지는 느낌을 받습니다. 여러분 자체가 당연히 그런 믿음을 주는 존재이기도 하지만, 여러분의 태도에서 풍기는 느낌이 그런 믿음을 줍니다. 또 하나는 박수 소리가 매우 커서 그렇습니다. 한 번 더 칩시다.

여러분은 전쟁하는 조직입니다. 그런데 여러분이나 저는 지금 전쟁을 없게 하기 위해서 노력하고 있습니다. 상당히 모순된 상황이죠. 전쟁을 주 업무로 하는 사람들이 전쟁은 없어야 된다는 목표를 가지고 일하는 것이 상당히 모순되지 않습니까, 그런 것을 통일적으로 이해하는 것을 전략적 사고라고 해야 하지 않겠습니까,

그래서 오늘 강연 제목으로 한국의 미래, 21세기 한국의 비전과 전략 같은 이름을 붙였다가 마음에 안들어서 '전략적 사고로 미래를 준비하자'는 이름을 붙여 봤습니다. 오늘 이 자리에서 전략적 사고라는 개념 하나와 미래라는 개념 하나를 여러분에게 던져 놓고, 전쟁이 과연 있을 것인가, 어떻게 하면 전쟁을 없게 할 것이며, 만일에 있게 되면 어떻게 해서 이걸 것인가 하는 문제에 대해서 여러분과 얘기했으면 좋겠습니다.

지난날 많은 전쟁이 있었습니다. 우리가 속설로서 '역사는 반복된다.' 라고 얘기합니다. 오늘날 한반도 주변 정세를 놓고 100년 전 정세와 유사하다고 말하는 사람들도 있습니다. 지난날 역사를 보면 전쟁이 없을 것이라는 전망과 인식을 가지고 살았던 세대가 아마 수백 년이 되는 것 같습니다. 그러나 그 평화에 대한 기대는 여지없이 깨지고 전쟁은 계속 반복되어 왔습니다. '역사는 반복된다.' 는 법칙에 의하면 전쟁은 앞으로도 있을 수 있습니다. 그래서 여러분이 열심히 준비하고 있는 것입니다. 한편 일반적인 관점에서 볼 때 전쟁이 없을 것이라는 주장도 상당히 설득력이 있습니다. 역사는 반복되는 역사가 있고 진보하는 역사가 있다고 생각합니다. 진보하는 역사는 인간의 지혜가 발전함에 따라서 점점 좋아지고 있는 역사를 말하는 것입니다. 먼저 개인의 존엄성, 인권, 자유와 평등의 권리가 보다 많은 사람들에게 보다 넓은 지역으로 확산돼 나가는 과정을 역사의 진보라고 말할 수 있습니다. 과거에 노예를 부리던 시절도 있었고, 신분의 차이를 두고 지배하고 복종하던 시대도 있었지만,

이제 적어도 한 나라 안에서 민주주의는 보편적인 것이 됐습니다.

　민주주의가 다시 전제군주 시대 또는 절대주의 시대로, 파시스트의 시대로 되돌아가지는 않을 것입니다. 왜냐하면 이 시대를 사는 사람들이 자유와 인권에 대한 가치를 너무나 소중하게 생각하고 이미 몸으로 체험하고 모두의 기득권이 되었기 때문에 그것을 도로 뺏어 가는 어떤 제도나 질서에 대해서 결코 승복하지 않습니다. 그래서 이제는 국가 간의 대결 상태가 있을 수는 있지만, 전쟁까지는 있을 수 있지만, 어느 국가나 다른 국가를, 어느 민족이 다른 민족을 장기적으로 지배하고 복종시키는 것은 불가능한 시대가 온 것이 틀림없는 것 같습니다. 전 세계적으로 부족 상태로 남아 있던 지역은 이제 다 해소되고 모든 나라가 중앙집권적 통일국가의 제도를 정비하고 대체로 민주주의 사상과 결합시켜서 국가라는 제도를 발전시키고, 그러면서 세계 보편적 가치를 바라보면서 나아가고 있기 때문에 이 방향에 있어서 역사는 진보하는 것이고, 이 진보는 전쟁과는 잘 맞지 않기 때문에 여간해서 전쟁이 나기는 어려운 상황으로 나가고 있다고 저는 생각합니다. 그럼에도 불구하고 아직 국제질서는 매우 다양하고 복잡하기 때문에 현재도 여기저기서 전쟁을 하고 있고, 또 언제 어디서 어떤 사고가 발생할지 모르는 위험을 지니고 있습니다.

　우리나라의 경우 남북이 분단돼 있고 오랫동안 대치해 왔고 지금도 대치 상태를 계속하고 있습니다. 상당히 안정됐다고 생각하지만, 또 안정시켰다고 생각하지만 아직까지 어떤 충돌의 위험을 대비하면서 국가를 운영해 가고 있습니다. 아마 우리 국민들 중에서 북한의 도발이 있을 것이라고 생각하는 사람들이 많지는 않을 것입니다. 그러나 여러분은 그럴 수도 있다고 생각하면서 항상 대비하고 있을 것입니다. 어떻든 저는 가능성은 있다는 쪽에 서 있습니다.

여러분이 장성 진급하면 드리는 칼이 삼정도(三精刀)입니다. 삼정도를 족보 있는 칼로 바꾸고 그 다음에 거기 문구를 하나 새기기로 했는데 제가 필사즉생(必死卽生)으로 하자고 했습니다. 두 개의 문구가 올라왔는데 하나는 위국헌신(爲國獻身)이었습니다. 군인의 본분입니다. 또 하나는 필사즉생이었습니다. 제가 필사즉생을 선택했습니다. 왜냐하면 승리한 장군의 말씀이기 때문입니다. 우리는 항상 이기는 쪽이 좋지 않습니까, 말뜻과 같이 우리가 책임을 다한다는 사명감도 중요하지만, 결과도 매우 중요하지 않습니까, 그래서 필사즉생의 자세로 반드시 결과를 성취해내는 것이 중요하다고 생각해서 필사즉생으로 했습니다.

앞으로 이 질서가 계속 가는 것은 아니라고 생각합니다만 현재 미, 일, 중, 러 4개국이 우리를 둘러싸고 있는데, 전통적으로 미·일, 일·영과 같은 해양세력이 한 편이 되고 중·러와 같은 대륙세력이 한편이 돼서 한반도를 항상 경계선으로 놓고 대립해 왔던 역사가 있습니다. 이 대립의 전선에 존재하는 한 우리가 원하지 않은 이유로, 우리가 선택하지 않은 이유로 언젠가 또 이런 일이 있을지도 모른다는 불안이 항상 존재하는 것입니다. 지리적 숙명이라고 얘기를 합니다만 이것 또한 우리가 존재하고 있는 상황입니다.

저는 우리가 어떻게 하느냐에 따라서 이것의 결과가 달라질 수 있다고 생각합니다. 이 점을 매우 중요하게 생각합니다. 중,일 구도만으로도 동북아시아는 다소 불안한 정세가 전개될 수 있습니다. 지금도 군비 경쟁이라든지 정치적으로 힘겨루기를 하고 있습니다. 이런 사고는 오랫동안 세계 여러 나라에서 반복되는 것입니다. 이것을 통틀어서 '패권적 사고'라고 얘기하기도 합니다. 제가 얼마 전에 여러분께 드린 책 하나가 이와 같은 사고를 중심으로 움직이고 있는 세계 질서에 대한 통사를 써놓은 것입니다. 한번 곰곰이 보시면 좋겠다는 생각이 듭니다. 어떻든 우리는 이와 같은 상황 속에서 전쟁의 가능성을 제거해야 합니다. 막아야 합니다. 그리고 만일 불행한 사태가 있을 때에는 반드시 이겨야 합니다. 어떻게 할 것인가, 여러 가지 궁리들이 나와 있습니다만 저는 역사로부터 배워야 한다고 생각합니다. 역사를 돌이켜 보면 대개 답이 나옵니다.

첫 번째 과제는 국력을 확실하게 해야 한다는 것입니다. 총체적인 국력을 확고하게 다지고 그 토대 위에서 군사력을 확고하게 갖추어야 합니다. 임진왜란 때 우리가 참혹하게 당했습니다. 왜군이 부산에 상륙하고 아마 한 달이 채 되지 않아서 서울을 내줬습니다. 그것은 우리가 아무런 준비가 없었기 때문입니다. 돈도 없고 군대도 없었습니다. 구한말에도 역시 그랬습니다. 임진왜란 때도 구한말 대도 논의는 분분했습니다. 일본까지 사람이 갔다 오고 쳐들어올 것인지에 대해서 논의는 분분했지만 아무런 대비는 없었습니다. 물론 서인이 득세했기 때문에 그렇다고 말할 수 있지만 처음부터 전쟁을 위해서 안보 상황을 옥신각신한 것이지 아예 대비할 생각이 없었던 것이 아닌가 싶을 만큼 한심하게 행동했습니다. 구한말에도 역시 우리는 아무런 군대가 없었습니다. 이것은 아주 초보적인 것이라서 거듭 반복하지 않겠습니다.

국력은 기본입니다. 군사력도 기본입니다. 우리는 분열했습니다. 분열로 인해서 전쟁을 당했거나 또는 전쟁에 졌습니다. 임진왜란 때도 분열이 아무런 준비를 하지 못한 원인이었지만, 전쟁 때도 끊임없는 분열이 있었습니다. 그중에서도 가장 결정적인 분열은 동인과 서인의 싸움 와중에서 이순신 장군이 투옥되고 자칫하면 희생될 뻔한 것이었습니다. 구한말 때도 국론이 통일된 일이 없습니다. 지도부 상호 간에, 지도부와 백성들 간에 한 번도 그런 일이 없습니다.

오늘의 상황에서 우리가 좀 돌이켜 볼만한 사례라고 한다면 고구려를 말할 수 있을 것입니다. 고구려가 끝내 무너졌습니다. 598년에 30만 군대와 싸워서 이기고 612년에는 113만이라고 하는 대군을 맞아서 물리쳤던 그 강대국이 끝내 무너졌습니다. 왜 무너졌을까, 크게 보면 신라와 백제가 뒤에서 받치고 있었기 때문입니다. 신라와 백제와의 사이에서 동맹관계를 맺지 못하고 적대관계를 만들었기 때문에 고구려는 항상 배후가 불안한 국가일 수밖에 없었습니다. 우리 한민족으로 보면 그것이 큰 의미에서 하나의 분열이라고 말할 수 있습니다. 고구려의 국력이 중국 쪽으로 뻗어 나갈 수 없었던 아킬레스가 뒤쪽에 있었던 것입니다. 만약 군사적으로 통일되거나 동맹관계를 맺어 나갔더라면 고구려가 위로 뻗어나갈 수 있거나 적어도 나라를 지킬 수는 있을 것이라고 말할 수 있습니다.

642년에 연개소문이 등장합니다. 연개소문이 쿠데타에 의해서 등장하면서 국내적으로 약간의 분열이 생기기 시작했고, 그것이 소위 상국인 당나라에게 내정간섭의 빌미를 준 것입니다. 실제로 645년에 당 태종이 쳐들어 왔는데 그 때도 역시 잘 막아냈습니다만, 국력은 그때부터

피폐해지기 시작했습니다. 나중에는 남생이 당나라로 도망가서 당나라 군사들을 앞장서 이끌고 들어오고, 666년에 연정토가 신라로 도망가서 신라 군사를 앞장서 이끌고 들어와서 결국 고구려가 668년에 무너졌습니다. 1년간 항쟁하다가 무너졌습니다.

우리의 국력은 앞으로 지속돼 나갑니다. 다이내믹 코리아, 이렇게 선전하고 있죠, 코리아는 지속돼 나갑니다. 왜냐하면 국민이 스스로 주인 노릇을 하고 있기 때문입니다. 이런 것은 한번 참고해 볼 만한 일이라고 생각합니다. 임진왜란 때 명나라 장군이 왜 조선이 저렇게 무기력하게 짓밟히고 있는가를 분석했는데, 조선 조정이 나태하고 분열되고 의존적 태도를 가지고 명나라만 믿고 아무런 대비를 하지 않았다는 평가를 했다고 합니다. 구한말도 국내적으로 무슨 일만 생기면 청나라 군대를 불러옵니다. 임오군란 때도 청군이 왔습니다. 그래서 대원군을 압송해 가고 위안스카이가 주둔하면서 내정간섭을 하게 되는데, 그때도 누군가가 불러왔습니다. 그 뒤 갑신정변 이후에 톈진조약에 의해서 양쪽이 철퇴했다가 다시 1894년 동학전쟁이 일어났을 때 다시 청군을 불렀는데 일본이 먼저 달려온 거죠. 의존적 사고입니다.

그 다음에 전략이 없었던 것입니다. 내가 여러분께 드린 책에 소개된 것을 보면 선조는 임진왜란이 터지자마자 한양을 비우고 평양으로 도망을 가고, 한양이 함락되자마자 요동으로 도망을 가겠다고 합니다. 다행히 동인의 유성룡은 말할 것도 없고 서인의 윤두수도 반대를 해서 몽진(蒙塵)을 하지 않았습니다. 내가 왜놈들한테 맞아 죽기보다는 죽어도 군자의 나라에 가서 죽어야 되지 않겠는가 하면서 넘어가겠다고 했고, 명군이 파병을 하니까 그때부터는 무조건 싸우자고 했다는 것입니다. 싸움은 장군이 알아서 하면 되는데 이순신 장군 보고 싸우러 나가라는데 안 나간다고 잡아넣었습니다. 저는 이 책을 알기 전까지는 이 역사를 몰랐습니다. 그걸 읽어보니까 창피스러웠습니다.

인조 시대에는 병자호란이라는 것이 그랬죠. 정묘호란과 병자호란 두 번 모두 아무 전략 없는 강경 정책으로 실패했고, 대원군도 큰 틀에서 정치적 전략이 부재했던 것 같습니다. 사대부도 적으로 돌리고 백성도 다 적으로 돌려놓고 나니까 개방을 하고 싶어도 할 수가 없는 상황이 돼서 마침내 희생양이 필요하니까 동학교도를 죽였고, 1866년도에는 병인사옥이라고 해서 소위 이단적 사고를 가진 사람들 8천 명을 잡아다 죽였습니다.

지나고 나서 생각해보면 이 세월이 금쪽 같은 세월이었습니다. 1863년에 대원군이 집권을 하게 되는데 1873년에 물러날 때까지 이 시기에 우리가 개방을 하고 선진 과학문명을 받아들이고 제도를 개혁해 나갔다면 성공할 수도 있지 않았을까, 물론 저도 장담은 못하겠습니다. 어떻든 명치유신이 1868년에 일어난 것을 보면 어쩌면 우리도 1863년에, 1865년쯤이라도 개혁하고 개방했더라면 그렇게 일방적으로 당하지는 않았을 수도 있지 않았을까 생각합니다.

물론 그 뒤에도 몇 번의 계기가 있었습니다. 예를 들면 청일 전쟁 때 우리가 일본군을 불러들이지 않았더라면, 1990년도 정도까지 실수 없이 관리해 왔더라면 하는 것이죠. 그런데 아마 그렇게 가정해 볼 수 있는 시점이 대원군 시대까지입니다. 물론 그 이전에 준비했더라면 확실하게 성공하는 것인데, 대원군 때까지만이라도 준비했으면 성공할 수 있지 않았을까 하는 것입니다.

'민씨정권'은 전략이 있었는지 없었는지 저도 모르겠습니다. 적어도 우왕좌왕한 것은 맞는 것 같습니다. 친일정부 한 번 세웠다가 안되면 친청정부 한 번 세웠다가 또 마음에 안 들면 친러정부 좋아갔습니다. 주체적 역량으로 바로 서 본 일은 한 번도 없습니다. 그건 어쩔 수가 없죠. 이미 자주적 역량을 가지고 어떻게 해볼 수 있는 상황이 아니었기 때문에 그렇습니다. 어떻든 전략의 부재, 이것이 민족에게 그야말로 참담한 비극의 씨앗이 된다는 것을 보여 주는 여러 가지 얘기들을 잘 정리한 책이라서 제가 여러분께 하나 드렸습니다.

많은 역사책을 읽었습니다. 저도 앞일을 알자면 옛날 일을 아는 것이 옳다 싶어서 많은 역사책을 부지런히 읽었는데, 아무리 읽어도 도저히 답이 나오지 않습니다. '아'하고 머리가 트여야 하는데 트이질 않습니다. 그런데 이 책을 보면, 여기에다 토론해서 우리 생각을 좀더 덧붙이면 이건 정답이다 할 만큼 전략적인 인과관계가 잘 정리돼 있습니다. 물론 이 책은 많은 소장학자들의 분석을 토대로 한 것입니다. 전략적 사고로 참 잘 정리된 것 같습니다.

앞으로 어떻게 할 것인가, 별거 있습니까, 국력을 길러야죠. 우리가 비전과 전략이라는 말을 자주 쓰는데, 비전은 앞으로 어떻게 될지 내다본다는 말이고, 전략은 그 전망에 비추어서 우리가 살길이 뭔지 물어본다는 것입니다. 내다봤는데 우리 살길이 아무데도 없으면 어떡하죠, 많은 학자들의 글을 읽어보면 우리가 살길이 하나도 안 나오는 경우가 있습니다. 예측과 전망 중에 우리가 살 길이 있으면 알겠다 하고 그 길로 가면 되겠는데, 아무리 읽어봐도 우리 길은 꽉꽉 막혀버린 경우가 더러 있습니다. 그런 글을 읽을 때 답답합니다.

길이 없는 비전은 비전이 아닙니다. 내가 갈 길이 없는 비전은 비전이 아닙니다. 그건 예측일 뿐입니다. 거기에 내가 갈 길을 내는 것이 전략 아니겠습니까, 내가 갈 길을 만들어서 우리의 미래를 전망하는 것, 의지가 실려야 비전이라고 생각합니다. 그래서 의지를 실어서 우리 한번 얘기해 보자 이겁니다.

국력을 키우자고 자신 있게 말할 수 있습니다. 지금 우리 국력의 총화는 세계 10위권이라고 합니다. 물론 브릭스(BRICs) 국가들이 성장해 오기 때문에 이 순위는 약간씩 움직일 수 잇습니다만 어떻든 10위권으로 올라섰습니다. 1990년대 초반에 14위였는데 그 동안 몇 계단 올라서 잘 가고 있습니다. 우리나라가 가장 융성했던 시기가 언제냐고 하면 고조선 때는 잘 모르겠고 신라시대, 통일신라시대가 국운이 융성했던 시대라고 얘기를 했습니다. 그 다음에 세종대왕 시대입니다. 그때 이래로 지금 국력이 최고입니다. 세종대왕 시대보다 더 많은지 적은지는 학자들이 한번 분석해 봐야겠지만 지금 이런 수준으로 갑니다.

다른 점이 있습니다. 세종대왕이 돌아가시고 나니까 대왕의 창조적 사고와 기풍을 계속해 나갈 사회적 토대가 없어서 세종대왕으로 끝이 나버렸습니다. 그런데 지금 우리 대한민국은 이 창조적 기풍이 계승돼 나갈 것입니다. 왜 그러냐, 국민이 주도하고 있기 때문입니다. 세종대왕 시절에도 천민사상, 민본사상을 가지고 백성의 기를 살렸기 때문에 과학상의 발명이라든지 군사적으로 사군과 육진을 개척한다든지 하는 성과가 있었습니다. 그러나 백성이 나라의 정치를 주도하지 못했기 때문에, 백성이 스스로의 운명을 개척하는 일에 참여할 수 없었기 때문에 세종대왕이 돌아가시고 나니까 지도자들이 자기들 권력 중심으로 쳐다보고 백성들을 다시 사고체계 밖으로 밀어내 버렸기 때문에 그때부터 침체의 길을 걷기 시작했습니다. 백성을 위해서 힘들게 만들어 놓은 한글도 뒷방으로 밀어 넣었습니다. 그러니까 세종 시대 국운은 지속되지를 못했습니다. 정조대왕 때 반짝 했습니다만 정조대왕 역시 왕권을 강화하는 방식으로만 국정을 운영했기 대문에 돌아가시고 나니까 그분을 지지하던 많은 학자들까지 일망타진되고 맙니다.

그러나 지금 우리의 국력은 앞으로 지속되어 나갑니다. 왜냐하면 국민이 스스로 주인 노릇을 하고 있기 때문입니다. 국민이 지도자의 위치에 와 있고, 민주주의가 활력 있게 발전하고 있기 때문입니다. 국민의 기가 충천하고 있어서 계속된다는 것입니다.

창조적 분위기는 계속됩니다. 시장의 경쟁에서 창조적 에너지가 발생하는 것 아닙니까, 자유와 평등의 정치제도 속에서 인간의 자유와 창의가 만발하는 것 아니겠습니까, 갑니다. 깨지 않으면 가게 되어 있습니다. 개방해야 됩니다. 이미 충분히 개방했습니다만 더 개방해야 됩니다. 눈에 보이는 것, 좋은 것 있으면 다 받아들여야 됩니다. 물론 받아들이는 데는 대가를 지불해야 됩니다. 우리가 옛날에 광목이 들어오니까 베틀에서 짠 베 한 필 가져가서 아이들 천자문 책 사오던 우리 어머니들의 사업이 무너졌습니다. 그때처럼 대비 없이 해서는 안되지만, 들어오면 피해를 입는 쪽이 항상 존재하지만, 전체적으로 그것을 산업적으로 이용할 수 있어야 된다는 것입니다. 우리는 그때 광목 기계를 들여올 능력이 없었기 때문에 개방은 우리가 견딜 수 없는 것이었습니다만, 이제 산업적 기반은 한국이 세계 최고 수준 아닙니까, 조선, 자동차, 통신, 반도체는 세계 최고 수준이고, 항공 산업도 곧 그렇게 갈 것입니다. 개방하고 교류해야 합니다.

그 다음에는 분열을 극복해야 됩니다. 모든 형태의 분열을 극복해야 됩니다. 제가 조금 전에 고구려 얘기를 했습니다. 그때 고구려가 통일을 했더라면 하고 뼈 아파하는 사람들이 많이 있습니다. 그때 고구려가 통일을 했더라면 우리가 중국 쪽으로 뻗어나갈 수 있지 않았을까, 아니면 적어도 요동지방이라도 가지고 지금보다 좀더 웅비하는 대한민국을 경영하지 않았을까, 이렇게 얘기합니다. 통일을 못한 것은 우리 내부의 통합이 이루어지지 않았기 때문입니다. 또한 고구려 내부가 전략적으로 선택을 잘못한 것이 아닌가 생각합니다.

어떻든 동북아시아가 한·일·북·중, 한·일·미, 북·중·러 이렇게 대치하는 상황이 되면 그것은 우리의 미래에 대단히 불안한 요소가 되고 우리의 발전을 저해하는 요소가 되기 때문에 동북아시아도 분열적 상황을 가급적 극복해야 됩니다. 남북관계가 이런 분열적 요소에 도화선이 될 수가 있는 것입니다. 잘못 관리하면 그렇게 됩니다. 그래서 한반도로 말미암아 그와 같은 사태가 발생하지 않도록 관리하는 것은, 그리고 남북 간 협력과 통합은 북한을 위해서 하는 것이 아니라 우리 스스로의 생존을 위해서입니다. 국내적으로는 당 안에서 단결, 당과 당 사이에서도 나라를 위해서 단결, 국민도 전부 다 단결해야 하는데, 모두가 단결을 얘기하는 데 단결이 안되는 이유는 나를 중심으로 단결하라고 외치기 때문입니다.

이 문제를 해결하는 방법이 민주주의입니다. 우리가 생각하는 소위 전술, 전략을 포함한 가치, 이 모든 사고체계가 절대적인 것은 없다는 것입니다. 너도 옳을 수 있고 나도 옳을 수 있고, 너와 나는 이해관계가 다르고 가치관이 다르지만 공존할 권리가 있다는 사실을 서로 인정하는 것입니다. 그렇게 하면 우리가 발명한 최선의 절차, 민주주의가 완벽한 절차가 아니고 많은 결점과 약점을 가지고 있지만 정해진 절차에 따라서 결정하고 절대로 상대방을 배제하지 않으면 된다는 것입니다.

한말에 동양이 다 식민지가 됐는데, 살아 있는 나라가 어디 있었겠습니까, 힘없는 우리가 아무리 좋은 전략을 가지고 있었더라도 아마 어쩔 수 없었을 것이다, 저는 그렇게 생각하는데 딱 하나 예외인 나라가 태국이었습니다. 인도차이나를 프랑스가 점령하고 미얀마를 영국이 점령하자 태국이 그 사이에 끼어 있어서 완충지로서 영국과 프랑스가 서로 충돌하지 않기로 한 측면이 있고, 우리와는 조금 다르다고 볼 수 있습니다. 그러나 그때 태국이 왕실을 중심으로 해서 단결했다는 것은 사실인 것 같습니다. 그래서 예외가 되었고 우리는 그 예외에 들어가지 못했습니다.

2차 대전 이후에 분단을 이겨낸 나라는 오스트리아 딱 한 나라가 있는데 그것도 우리와 사정이 같다고 말할 수는 없습니다. 그러나 우리가 배우고자 하는 것은 같다, 안 같다는 문제를 떠나서 서로 다른 행동이 가능하다는 사실이고, 또 그런 선택을 하기 위해서 노력하는 몸부림이 있어야 된다는 것입니다. 남한테 의지해서 우리 미래를 맡기는 일은 하지 말자는 것입니다 번번이 실패하지 않았습니까, 임진왜란 때도 명나라 군대가 작전통제권을 가지고 우리나라 장수들 데려다가 볼기치기까지 하고 임금까지 바꾸어 버리겠다고 했습니다. 남한테 의지하면 그런 일이 생기는 것입니다.

그 다음에는 전략을 가져야 됩니다. 그런데 전략이라는 것은 그때그때 만들어지는 것이기 대문에 제가 일일이 말씀드릴 수 없고 역사적 안목으로 세상을 바라봐야 됩니다. 역사적 경험으로부터 동떨어진 사례는 거의 발생하지 않습니다. 왜냐하면 인간이 생각하는 방법은 비슷하기 때문입니다. 그 비슷한 사고로부터 발생하는 역사적 사건들은 거의 비슷하게 반복되는 성향이 있기 때문에 역사 속에서 답을 찾아내야 됩니다. 그 역사적 안목으로 미래를 바라보는 능력을 통찰력이라고 얘기합니다. 크게 봐야 됩니다. 전략적으로 사고해 나가야 합니다.

오늘날 쟁점이 되고 있는 몇 가지 문제들을 한번 생각해 보십시다. 먼저 남북관계에서 우리가 고려할 것은 다 답이 나와 있는데 그래도 확고한 원칙, 그리고 우선순위를 기억해 둘 필요가 있습니다. 이것은 제가 생각하고 있는 것입니다. 안전이 제1번입니다. 평화와 안전이 똑같은 것일 수도 있고 좀 다른 것일 수도 있어서 안전이 1번이고, 평화가 2번입니다. 3번이 통일입니다. 통일에 관해서 국가연합, 연방제 다음에 통일 이렇게 말하는데 저는 경제통합이 제일 우선하는 문제라고 생각합니다. 먹고 사는 것이 제일 중요한 문제이기 때문입니다. 경제통합 다음에 문화통합, 그 다음에 정치통합의 순서로 가야하고 시간을 아주 넉넉하고 여유 있게 잡아서 점진적으로 단계적으로 그렇게 가야 합니다.

그래서 그것에 대해 얘기하겠습니다. 평화를 깨는 통일은 지금 적절하지 않다는 것입니다. 언제나 그런 것은 아닙니다. 링컨 대통령은 평화를 포기하고 통일을 선택했습니다. 역사적으로 통일을 얻기 위해서 평화를 포기하고 전쟁을 선택했던 역사는 있습니다. 그러나 우리의 경우는 미국 남북전쟁 때와는 상황이 달라서 그렇게 할 수가 없습니다. 어떤 경우라도 평화가 깨지면 통일이 오지도 않고 더욱더 분단은 깊어질 수밖에 없기 때문에 승부가 나지도 않고, 동북아시아 전체의 질서가 아주 심각해지기 때문에 적어도 우리는 그렇게 할 수 없습니다.

남북관계에서 가장 중요한 것은 위기요인을 잘 관리하는 것입니다. 이와 관련해서 대북지원 때문에 시비가 있습니다. 대북지원 문제는 1차적으로 평화 비용으로 생각하고, 2차적으로는 통일 비용으로 생각해야 합니다. 평화적으로, 그러면서도 관계를 진전시키는 방법은 신뢰밖에 없습니다. 평화를 얘기해도 상대가 믿지를 않습니다. 그러니까 어려운 것입니다. 그래서 확실하게 믿도록 신뢰를 확보해 나가야 합니다. 대북 지원이 거기에 해당하고 NLL(북방한계선)문제에 대해서 합리적인 공존의 방법을 찾아나가는 것도 그렇습니다. 공존의 방법을 찾아 나가자는 것이지 북한에게 전술적, 전략적으로 유리한 이익을 주어서 우리를 위태롭게 하자는 것이 아닙니다. 핵심은 위기요인을 제거하는 것, 압력을 낮추는 것, 신뢰를 높이자는 것입니다.

자주국방하자니까 반미하자는 것 아니냐고 하는 사람들이 있는데,

이것은 잘못된 사고입니다. 자주는 자주고 반미는 반미입니다. 별개의 개념입니다. 친미 자주도 얼마든지 할 수 있습니다. 개방적 자주, 우호적 자주도 할 수 있습니다. 우리가 협력적 자주로 표현을 합니다만 미국과의 관계에서 협력하면서 간다는 말이겠지요. 그 외에 모든 나라들과 우리는 우호적인 자주관계를 가져갈 것입니다.

안보는, 군을 비롯해서 여러 가지 관점이 있지만 큰 틀로서 전략적으로 사고해서 전쟁의 위협을 사전에 제거하는 것이 가장 중요합니다. 이 방향으로 가야 합니다. 미리 대비하지 않으면 그만큼 뒤에 우리 부담이 커집니다. 지금 투자하는 것이 다른 어떤 투자보다 더 효율적인 투자가 될 것입니다.

이제 제 얘기를 마치면서 참여정부의 국정운영 기조를 딱 몇 마디로 정리해 말씀드리겠습니다. 오늘의 정치는 내일의 역사가 됩니다. 그래서 정치와 역사에 관련해서는 원칙주의를 견지해 왔고 앞으로도 원칙주의를 견지해 나갈 것입니다. 이 문제는 적당하게 타협하지 않을 것입니다. 외교와 안보에 있어서는 점진주의 내지 단계주의로 가겠습니다. 많은 사람들이 자주국방 빨리 하라고 다잡고, 어떤 사람은 자주국방 천천히 하면 안되느냐고 얘기하지만, 제 입장은 적절한 속도로 가자는 점진주의의 관점을 가지고 가고 있습니다. 국방 문제에 관한 한 우리 군에서 대체로 판단해서 하고자 하는 대로 제가 승인을 해 왔습니다. 앞으로도 그렇게 할 수 있으리라고 생각합니다. 문화정책에 있어서는 문화적 다원주의를 수용해야 한다고 생각합니다. 이것은 안보 문제하고는 별 관계가 없지만 여러분의 저의 정치를 이런 관점과 틀로 보시면 왜 저렇게 하는지 이해하기가 좋을 것입니다.

한 말씀 더 드리고 싶은 것은, 여러분 힘내십시오. 군에 대한 우리 국민의 신뢰도 많이 높아지지 않았는가 생각합니다. 만일에 아직 그렇지 않다면 제 임기 마칠 때쯤 다시 측정해 보면 확실하게 높아진 것을 여러분이 발견하게 될 것입니다.

제가 대통령이 되고 난 뒤에 예측하지 않았던 몇몇 사고들이 있었고, 군 내부에 이런저런 수사도 있었고 이것저것 일이 많았습니다. 하지만 그 고비를 넘기면서 요새는 그런 문제들이 전혀 발생하지 않고, 군 병력 관리상의 사고가 있었습니다만 국방부와 군 여러분이 그 문제를 해소하기 위해서 정말 눈물겹게 노력하는 모습을 제가 보았습니다. 열심히 노력해서 이제는 그런 우연적 사고도 확률이 점점 낮아지지 않을까 생각합니다. 그게 단지 우연만은 아니거든요. 관리 수준에도 영향이 있기 때문에 그런 점에서 신뢰를 가지고 있습니다. 특히 인사 문제에 있어서도 잡음이 없고 해서 우리 국민들의 군에 대한 신뢰가 상당히 높아졌을 것입니다.

아마 이미지가 제일 많이 바뀐 데가 국정원일 것 같고, 그 다음에 군이 아닐까 생각합니다. 좋은 일입니다. 여러분은 그냥 국가를 위해서 일하는 사람들이 아니고 생사를 걸어놓고 국가를 위해서, 그리고 국민을 위해서 복무하는 사람들인데, 국민에게 신뢰가 높아진다는 것은 전쟁에서 희생을 바치는 것만큼이나 보람 있는 일 아니겠습니까,

그래서 조금 더 노력합시다. 사고 안 나게 더욱 관리 잘 하십시오. 병영 복지에 대해서 신경을 쓴다고 쓰는데 모든 것이 시간이 걸리는 건

어쩔 수 없는 것 같습니다. 우리도 좀더 속도를 붙이겠습니다. 예산 문제
도 대통령 딴에는 싸움을 많이 합니다. 하여튼 최대한 우리가 하고 있습
니다. 지금 여러 가지 상황에 비추어서 국방비를 상징적으로 조금씩이라
도 올려간다는 것 자체가 중요한 것 아니겠습니까, 좀 도와주십시오.

　　감사합니다.

한국고용정보원 개원식 축하 메시지

2006년 6월 21일

한국고용정보원의 개원을 축하하며, 관계자 여러분의 노고를 치하합니다.

일자리야말로 가장 중요한 민생대책입니다. 가장 효과적인 양극화 해소방안이기도 합니다. 정부는 더 많은 일자리를 만들기 위해 경제의 활력 회복과 산업경쟁력 강화에 최선을 다하고 있습니다. 아울러 직업훈련과 취업알선체계를 획기적으로 발전시켜 일자리의 질과 안정성을 높여나가는 데 정책적 역량을 집중하고 있습니다.

지난해부터 고용안정센터 선진화사업이 본격적으로 추진되고 있고, 올해부터 3년간 6조원을 투입해서 튼튼한 고용안정망을 구축해 나갈 것입니다. 고용정보원은 그 핵심인프라입니다. 구인과 구직 정보의 제공은 물론, 직업연구와 상담프로그램 개발, 노동시장 수급 전망 등을 통해 우리의 고용지원서비스를 세계 최고 수준으로 높여 나가야 하겠습니다. 함께 힘을 모아 일자리와 노후 걱정이 없고, 젊은이들이 미래에 대해 희망을 가질 수 있는 사회를 만들어 나갑시다.

한국고용정보원의 큰 발전을 기원합니다.

대한민국 임시정부 기념관 건립
추진위원회 발족식 축하 전문

2006년 6월 23일

대한민국 임시정부 기념관 건립추진위원회의 발족을 진심으로 축하합니다.

대한민국 임시정부는 자주, 민주, 통합의 가치를 실천하며 조국 광복을 이뤄내고 건국의 주춧돌을 놓았습니다. 이 자랑스러운 역사를 기념하고 후세에 가르치는 일은 민족의 자긍심을 드높이고, 힘 있고 풍요로운 나라를 만들어가는 정신적 토대가 될 것입니다. 정부는 애국선열들의 희생과 헌신을 명예로 지켜드리고, 역사의 본보기로 삼아나가는 데 최선을 다해나가겠습니다.

국민 여러분의 관심과 성원 속에 기념관 건립이 성공적으로 추진되기를 기원합니다.

6·25 참전용사 위로연 연설

2006년 6월 26일

존경하는 6·25 참전용사 여러분, 군 원로와 내외 귀빈 여러분,

안녕하십니까, 여러분의 건강하신 모습을 뵙게 되어 매우 기쁩니다. 특히 해외에서 오신 참전용사와 가족 여러분을 온 국민과 더불어 환영합니다. 6·25전쟁은 결코 있어서는 안 될 민족적 비극이었습니다. 여러분의 수많은 전우들과 국민이 목숨을 잃고, 온 나라가 잿더미가 되었습니다. 그러나 여러분의 헌신과 희생으로 자유와 평화를 지켜낼 수 있었습니다.

이제 대한민국은 세계 10위권의 경제력을 가진 힘 있는 나라로 성장했고, 세계 어디에 내놓아도 손색이 없는 민주국가로 성장하고 있습니다. 전쟁의 폐허 위에서 정말 놀라운 발전을 이룩한 것입니다. 국내외 참전용사와 가족 여러분께 우리 국민이 보내는 깊은 감사의 말씀을 드립

니다.

참전용사 여러분,

지금도 남북한은 분단되어 있고, 북핵문제와 같은 불안요인이 남아 있습니다. 최근 북한의 미사일 문제에서도 보듯이 한반도의 안보상황은 아직 유동적입니다. 그러나 그럼에도 불구하고 적어도 6·25와 같은 전쟁이 다시 일어나는 일은 없을 것입니다. 우리에게는 이것을 막을 충분한 힘이 있고, 또 어떤 충돌도 막아낼 수 있도록 철저히 대비하고 있기 때문입니다. 무엇보다 우리는 남북관계를 안전과 평화에 최우선 순위를 두고 관리해 나가고 있습니다. 어려운 상황에서도 끊임없이 대화하고 교류협력을 확대해 온 것도 바로 이 때문입니다. 남북간 신뢰구축이야말로 평화를 지키는 굳건한 토대가 된다고 생각합니다.

지금의 남북관계는 과거와 많이 다릅니다. 이런 저런 우여곡절이 있지만, 대화의 통로는 항상 열려있고 경제협력사업도 지속적으로 추진되고 있습니다. 개성공단에는 지금 7천명이 넘는 북한근로자들이 우리 기업과 함께 일하고 있고, 금강산을 다녀온 우리 국민만도 120만명을 넘어섰습니다. 앞으로도 우리는 이곳 한반도에 화해와 협력의 분위기가 더욱 확산될 수 있도록 최선의 노력을 다해 나갈 것입니다.

참전용사 여러분,

그러나 우리의 안전과 평화를 지키는 기본은 역시 자주적 방위역량을 확고하게 갖추는 것입니다.

참여정부는 지난 십여 년 이상을 미뤄왔던 국방개혁을 본격적으로 추진하고 있습니다. 우리 군이 자발적으로 참여해서 만들어낸 국방개혁안은 국방운영체제의 선진화와 군 전력체제의 개선, 병영문화 개선 등을 내용으로 하고 있습니다. 이 국방개혁안이 국회에서 법제화되고 충실히 이행되면 우리 군은 자주국방 역량을 갖춘 선진정예강군으로 발전하게 될 것입니다.

우리의 자주국방 노력이 한미동맹을 해치지는 않을까 걱정하는 분들이 계십니다. 그러나 자주와 동맹은 배치되는 것이 아니라 상호보완적인 것입니다. 스스로를 지킬 힘이 있을 때 동맹도 더욱 굳건하게 유지되는 것이라고 생각합니다. 참여정부 들어서 한미관계는 건강하고 공고하게 발전하고 있습니다. 한미 간의 긴밀한 협의를 통해 용산기지 이전, 주한미군 재배치와 감축문제 등을 단계적으로 추진하고 있습니다. 앞으로도 한미안보협력은 더욱 포괄적인 형태로 성숙해나갈 것입니다.

국내외 참전용사 여러분,

대한민국은 여러분의 헌신을 결코 잊지 않을 것입니다. 이 땅에 평화와 민주주의를 확고히 뿌리 내리게 하고 세계의 평화와 번영에 기여함으로써 여러분의 희생에 보답할 것입니다.

해마다 6월 25일이 되면 지난날 역사에서 받았던 것을 다 돌려줄 수 없다는 것 때문에 심경이 착잡합니다. 예를 들면 1592년 우리나라는 일본의 군대에 의해 짓밟혔습니다. 또 한편 2천년의 역사 동안 여러 차례 중국으로부터 침략을 받아왔습니다.

사람들의 가슴속에는 역사를 통해서 우리가 받았던 많은 것을 되돌려 주고 싶은 심정이 왜 없겠습니까. 그러나 미래를 위해 그것을 용납하지 않는다는 사실도 우리는 잘 알고 있습니다.

6·25로 인해 우리 민족이 흘린 피, 그리고 참전용사들이 흘린 피에 대해 우리는 잊지 못하고 있습니다. 또 받은 것을 돌려주어야 한다는 생각을 가지는 것은 당연한지도 모르겠습니다. 하지만 보다 안전하고 평화롭고 서로 협력하고 하나된 한반도와 동북아의 새로운 질서를 생각하면 옛날에 받은 것을 바로 되돌려줄 수 없다는 사실이 우리를 착잡하게 하고 있습니다.

미래를 위해 과거의 원한들을 극복하고 새로운 미래를 설계하기 위한 각오를 다져나가야 합니다. 여러분 가슴속에 사무쳐있는 여러 가지 착잡한 생각들을 저도 잘 이해하고 있습니다. 그러나 그럼에도 불구하고 우리의 미래를 위해, 남북관계의 개선을 위해서 최선의 노력을 다하고 있다는 점을 널리 이해해 줬으면 고맙겠습니다.

다시 한번 참전용사 여러분께 감사드리며, 머무시는 동안 행복한 시간 보내시기 바랍니다.

감사합니다.

페르난데스 도미니카 공화국 대통령 내외를 위한 만찬사

2006년 6월 30일

존경하는 페르난데스 대통령 각하 내외분, 그리고 내외 귀빈 여러분, 오늘 저녁, 도미니카공화국의 귀한 손님들을 모시게 되어 기쁩니다. 다시 한번 각하와 일행 여러분을 환영합니다. 각하께서는 도미니카공화국의 힘찬 도약을 이끌고 계십니다. 공공부문 혁신을 성공적으로 추진하고 있고, 치안강화와 물가안정에도 큰 성과를 거두고 있습니다. 특히 정보통신산업 육성과 개방정책은 새로운 국가발전의 토대가 되고 있습니다. 이에 힘입어 지난해 9%가 넘는 높은 경제성장을 달성했고, 외국인 투자유치에서도 카리브 국가 중 최고의 실적을 기록했습니다. 앞으로미, 중미 자유무역협정이 발효되면 이러한 성장은 더욱 가속화될 것입니다. 카리브의 중심국가로 발전을 거듭해가고 있는 도미니카공화국의 저력과 각하의 지도력에 경의를 표합니다.

대통령 각하,

오늘 수교 44년 만에 처음 가진 정상회담은 매우 유익했습니다. 두 나라간 실질협력을 확대하는 전기가 될 것이라고 생각합니다. 교역과 투자는 물론, IT, 에너지, 관광 등 여러 분야의 협력 방안에 대해 깊이 있는 논의가 이루어졌고, 이를 뒷받침하기 위한 '투자보장협정'도 체결되었습니다. 유엔을 비롯한 국제무대에서의 협력도 더욱 강화해 나가기로 했습니다.

이 중에서도 IT분야 협력은 빠른 속도로 진행되고 있습니다. 지난해 'IT협력약정'에 이어 이번에 '관세청 정보화사업 EDCF 협정'이 체결되었고, 전자정부나 교육정보화 사업에 대한 기대도 큽니다. 카리브, 중미의 IT허브로 나아가는 도미니카공화국에게 한국은 좋은 파트너가 될 것입니다. 최근 도미니카공화국에 대한 우리 국민의 관심이 커지고 있습니다. 세계적인 야구 강국으로, 또 카리브해의 아름다운 나라로 많은 사람들이 가보고 싶어 합니다. 각하의 이번 방문을 계기로 문화와 체육, 학술 등의 민간교류도 더욱 활발해 질 것으로 기대합니다.

내외 귀빈 여러분,

각하 내외분의 건강과 도미니카공화국의 번영, 그리고 우리 두 나라의 영원한 우정을 위해 건배를 제의합니다.

감사합니다.

7월

고위 공무원단에게 보내는 서신

2006년 7월 1일

고위공무원단 여러분께.

고위공무원단의 일원이 된 것을 진심으로 축하합니다. 그동안 맡은 바 소임에 최선을 다해 온 여러분의 노고를 치하합니다. 오늘 여러분은 계급이 없는 임용장을 받았습니다. 정부 수립 이후 지속되어왔던 연공서 열주의와 폐쇄적 계급제를 벗고, 개방과 경쟁, 성과와 책임 중심의 공직 사회로 한발 더 나아가는 역사적 전환점에 서 있는 것입니다. 이제 여러 분은 동료간 그리고 선후배간 선의의 경쟁을 통해 보직을 받게 됩니다. 능력과 성과가 가장 중요한 잣대가 되고, 더 이상 시험기수나 연령, 승진 순서 등에 매이지 않을 것입니다.

또한 민간전문가나 다른 부처 공무원과도 경쟁하게 됩니다. 그러나 경쟁이 치열해지는 만큼 기회도 많아질 것입니다. 현 부처에 구애받지 않고 마음만 먹으면 정부 어느 곳에서든 일할 수 있게 됩니다. 교류가 활성화되고 부처간 협의가 원활해질 때 조직에 활력이 생기고 정부 경쟁력도 한층 높아지게 될 것입니다.

고위공무원단 여러분,

오랜 기간 우리 공직사회를 지배해 온 관행과 문화가 하루아침에 바뀌기는 어려울 것입니다. 무엇보다 또 다른 계급제로 흐르지는 않을까 걱정하는 분들이 많은 것 같습니다. 그래서는 안 됩니다. 적극적으로 경쟁하고 활발하게 교류하는 분위기를 만들어가야 합니다. 공모직위 등을 통해 새로운 부처, 새로운 업무에 과감하게 도전해 보기 바랍니다. 정부도 여러분이 적재적소에서 보람 있게 일하고 그에 상응하는 대우를 받을 수 있도록 최선을 다해 나갈 것입니다.

저는 여러분을 믿습니다. 여러분은 지난 3년 반 가까이 많은 어려움 속에서도 변화와 혁신에 앞장서 왔습니다. 이번 인사혁신도 여러분이라면 반드시 성공시켜 낼 것이라고 믿습니다. 부정적인 생각이나 우려가 있다면 떨쳐버립시다. 각자의 발전을 위한 새로운 기회로 삼고, 보다 경쟁력 있는 정부를 만드는 계기가 되도록 합시다.

거듭 임용을 축하하며, 여러분의 건승을 기원합니다.

제주특별자치도 출범 축하 메시지

2006년 7월 1일

지방자치의 새 지평이 열렸습니다. 제주특별자치도의 역사적인 출범을 진심으로 축하드립니다. 오늘부터 제주는 외교, 국방, 사법을 제외한 모든 분야에서 고도의 자치권을 갖게 됩니다. 1천 건이 넘는 중앙정부 권한이 이미 제주로 이양되었습니다. 각종 규제들도 국제자유도시의 위상에 걸맞게 계속 정비되어 나갈 것입니다.

제주가 특별자치도가 된 것은 그럴만한 역량이 있기 때문입니다. 여러분은 아픈 역사를 용서와 화해로 극복하고 아름답고 평화로운 섬을 재건해 냈습니다. 높은 자치역량으로 추진하는 사업마다 기대 이상의 성과를 거둬왔습니다. 이제 제도적인 기반은 마련되었습니다. 축복받은 자연과 문화를 잘 가꾸고, 관광, 의료, 교육 등 경쟁력 있는 산업을 육성하는 일은 여러분의 몫입니다. 제주의 힘을 보여주십시오. 꼭 성공해서 우리 국민은 물론 세계인이 사랑하는 평화와 번영의 섬을 만들어 주십시오. 정부도 최선을 다해 지원하겠습니다.

제주특별자치도의 출범을 거듭 축하드리며, 도민 여러분의 건강과 행복을 기원합니다.

민선 제4기 지방자치단체장 취임 축하 메시지

2006년 7월 1일

취임을 진심으로 축하합니다.

우리의 지방자치는 10여년의 짧은 역사에도 불구하고 확실하게 본 궤도에 들어섰습니다. 특히 참여정부 들어서는 근본적인 변화들이 이뤄지고 있습니다. 행정중심복합도시와 혁신, 기업도시, 신 활력지역을 비롯한 국가균형발전이 착실히 추진되고 있고, 지방재정 확충과 자율권 확대도 대대적으로 진행되고 있습니다. 이와 함께 지역의 주체들이 스스로 비전과 전략을 수립하고 역량을 키워나가는 지역혁신이 빠르게 확산되고 있습니다.

이러한 지방화와 혁신의 분위기를 더욱 살려나가기 위해서는 민선 제4기를 이끌어갈 단체장의 선도적인 역할이 중요합니다. 앞으로 지자체의 행정역량이 민간기업을 앞서나갈 수 있도록 혁신의 성공사례를 많이 만들어 주기 바랍니다. 양적으로만 팽창하는 도시가 아니라 질 높은 삶의 조건을 고루 갖춘 쾌적하고 활력 넘치는 지역공동체를 만드는 데 앞장서 주실 것으로 믿습니다. 중앙정부도 열심히 뒷받침하겠습니다. 중앙정부와 지자체는 선진한국을 향한 동반자입니다. 서로 배우고 격려하면서 전국이 다함께 잘사는 행복한 대한민국을 만들어 나갑시다.

다시 한번 취임을 축하드리며, 무궁한 발전을 기원합니다.

중부일보 창간 15주년 축하 메시지

2006년 7월 7일

중부일보 창간 열다섯 돌을 진심으로 축하합니다.

지방자치시대의 개막과 함께 창간된 중부일보는 알찬 정보와 깊이 있는 분석으로 독자들의 사랑을 받아왔습니다. 특히 '그늘 없는 경기도'와 같이 소외된 이웃을 위한 기획보도는 지방언론의 좋은 모범이 되고 있습니다. 인천, 경기의 미래는 더없이 밝습니다. 인천경제자유구역이 동북아 물류, 비즈니스 허브로 힘차게 나아가고 있고, 경기북부는 첨단산업과 남북교류협력의 거점으로 거듭나고 있습니다. 수원은 반도체 클러스터로, 경기남부와 동부는 각각 해상물류와 휴양, 관광산업의 중심으로 집중 육성될 것입니다.

정부는 국가균형발전정책과 더불어 수도권 규제를 합리적으로 개선해가고 있습니다. 이에 따라 수도권은 무분별한 과밀에서 벗어나 계획적인 관리가 가능해지고, 경쟁력과 삶의 질을 고루 갖춘 지역으로 도약하게 될 것입니다. 중부일보에 거는 기대가 큽니다. 인천, 경기지역이 보다 풍요롭고 살기 좋은 곳으로 발전해 나가는 데 더욱 적극적인 역할을 해주시기 바랍니다.

다시 한번 창간 15주년을 축하드리며, 중부일보의 무궁한 발전을 기원합니다.

매일신문 창간 60주년 축하 메시지

2006년 7월 7일

매일신문 창간 예순 돌을 진심으로 축하드립니다. 임직원과 애독자 여러분께 따뜻한 인사 말씀을 전합니다. 매일신문은 오랜 전통의 대표적 지방언론으로서 지역사회 발전에 크게 기여해 왔습니다. '독자농촌체험'과 '어린이사진전' 같은 다양한 행사 또한 독자들의 큰 호응을 얻고 있다고 들었습니다.

지금 대구, 경북이 새롭게 도약하고 있습니다. 김천과 대구에 혁신도시가 건설되고 있고, 경북 13개 시, 군에서는 신활력사업이 본격적으로 추진되고 있습니다. 경주지역도 방폐장 유치로 새로운 발전의 전기를 마련해가고 있습니다. 특히 전통 주력산업의 토대 위에서 IT, NT, 메카트로닉스 등 첨단산업이 빠르게 성장하고 있습니다. 우수한 대학과 인적자원, 그리고 대구경북과학기술연구원과 같은 연구 인프라는 이러한 발전을 이끄는 힘찬 동력이 될 것입니다. 앞으로 매일신문이 대구, 경북의 밝은 미래를 앞당기는 데 더 큰 역할을 해주실 것으로 믿습니다.

다시 한번 창간 60주년을 축하드리며, 무궁한 발전을 기원합니다.

제5회 재외동포교육 국제학술대회 축하 메시지

2006년 7월 26일

안녕하십니까,

재외동포교육 국제학술대회를 위해 고국을 방문해 주신 여러분을 진심으로 환영합니다. 해외에 갈 때마다 저는 우리 국력이 국내에서 느끼는 것보다 훨씬 커져 있다는 사실을 확인합니다. 대한민국의 역량과 역동성에 대한 평가는 우리 스스로가 생각하는 그 이상인 것 같습니다. 또 하나 가슴 뿌듯한 일은, 가는 나라마다 예외 없이 우리 동포사회가 큰 존경과 신뢰를 받고 있다는 것입니다. 특히 2세들의 활약은 놀라울 정도입니다. 해외에서 최선을 다하고 계신 동포 여러분께 큰 격려의 박수를 보냅니다.

인구 대비로 세계 네 번째 규모인 670만 재외동포는 대한민국의 엄청난 자산입니다. 동포 여러분 한분 한분이 한민족으로서 긍지를 갖고 더 큰 성공을 이뤄나갈 때 대한민국의 위상은 더욱 높아질 것입니다. 그런 점에서 우리의 말과 글, 역사와 문화를 가르치는 동포 교육인 여러분의 헌신은 참으로 가치 있는 일이 아닐 수 없습니다. 앞으로도 훌륭한 인재들을 더 많이 키워주시고, 동포사회의 단합과 발전에 큰 역할을 해주시기 바랍니다. 이번 행사가 재외동포교육을 더욱 내실 있게 다지는 좋은 기회가 되길 기대하며, 머무시는 동안 즐겁고 보람된 시간 보내십시오. 감사합니다.

8월

제67차 국제 와이즈멘 세계대회 축하 메시지

2006년 8월 3일

여러분, 안녕하십니까,

제67차 국제와이즈멘 세계대회가 부산에서 열리게 된 것을 기쁘게 생각합니다. 세계 각국에서 오신 와이즈멘 여러분을 환영합니다. 국제와이즈멘은 사랑과 봉사의 연대입니다. 소외된 이웃을 돕는 일에서부터 난민구호와 기아퇴치에 이르기까지 다양한 봉사활동을 펼치고 있고, YMCA를 통해 시민사회 운동에도 적극 참여하고 있습니다. 여러분의 헌신에 깊은 존경의 말씀을 드립니다.

참석자 여러분,

우리가 소망하는 사회는 모두가 더불어 잘사는 사회입니다. 경제적으로 넉넉할 뿐만 아니라, 모든 사람의 존엄과 가치가 존중되는 사회입니다. 그러나 이것은 경제가 성장하고 과학기술이 발전한다고 해서 이룰 수 있는 것이 아닙니다. 정부와 기업, 언론, 시민사회가 서로 협력하는 가운데 조화와 균형의 지혜를 찾고 이를 책임 있게 실천해 나가는 것이 중요합니다. 와이즈멘은 그 좋은 본보기가 되고 있습니다. 앞으로도 국제적인 협력과 연대를 통해 보다 행복한 지구촌을 만드는 데 앞장서 주시기 바랍니다.

이번 대회의 큰 성공과 여러분의 건승을 기원합니다.

국정현안 시·도지사 초청 토론회 모두 말씀

2006년 8월 8일

지방자치단체의 새로운 집행부 출범을 축하드립니다.

그동안 이렇게 모두에게 인사드릴 기회가 없었습니다. 지방자치 시대라고 하지만 독립, 분리된 것이 아니고 국정에 있어서 서로 유기적으로 연관되어 있기 때문에 중앙정부와 지방정부의 긴밀한 협력이 필요합니다. 그런 점에서 오늘은 중앙정부와 지방 정부가 손발을 맞추어 첫출발을 하는 날입니다. 매우 뜻깊은 날이라고 생각합니다.

오늘 중앙정부가 발전은 준비한 것이 균형발전, 살기 좋은 지역 만들기, 방과후 학교, 고용지원정책에 관한 지역 네트워크 구성 등입니다. 중앙정부가 준비했지만 사실은 지역주민을 위한 것이기 때문에 이해관계는 지방자치단체에 있다고 생각합니다. 중앙정부가 발제할 주제들의 의미에 대해서 간략하게 말씀드리겠습니다. 균형발전의 뜻은 여러분이 잘 알고 계실 것입니다. 장기적으로 지속가능한 발전을 위해서, 미래에 있어서의 경쟁력을 지속적으로 향상시켜 나가기 위해서 국가가 균형발전을 해야 한다는 데 대해서는 원론적으로 이의가 없을 것으로 봅니다. 다만 균형발전을 놓고 수도권과 지방 사이에 다소의 대립 또는 갈등이 있는 것 같습니다. 당장 눈앞의 이익을 놓고 보면 이해관계가 상충되고 그로 인한 갈등이 있을 수 있지만, 조금만 멀리 보면 이것은 모두를 위한 것입니다. 수도권을 위해서도 균형발전정책은 꼭 필요한 것이라고 생각합니다.

대개 선진국이라고 하면 OECD 국가들을 말하기도 하고, 좀더 좁히면 G7 국가 또는 G10 국가를 얘기하기도 합니다. G10 하면 한국도 이제 턱걸이를 할 수 있는 나라입니다. 그런데 이런 선진국들을 보면 균형적으로 발전해 있습니다. 지역적으로 잘 분산되어 있고 균형 있게 발전하고 있습니다. 수도권도 비교적 넓은 공간을 여유 있게 쓰면서 쾌적한 삶의 조건을 갖추고 있습니다. 그런 점에 있어서 우리나라는 많은 문제들이 있기 대문에 결국은 수도권 집중현상을 해소하지 않으면 안되는 것입니다. 이대로 가면 수도권 자체의 경쟁력에 장애가 올 것이라고 생각합니다.

얼마 전에 두바이에 갔을 때 그곳 상공회의소장과 잠시 대화를 나눌 기회가 있었습니다. "어떻게 해서 그 많은 기업과 그 많은 사람들이 두바이로 몰려듭니까" 했더니 딱 한 마디로 "살기가 좋습니다"라고 했습니다. 그 말이 객관적으로 사실인지 아닌지는 모르겠습니다만 시사하는 의미는 굉장히 큰 것입니다. 앞으로는 살기 좋은 지역이 바로 경쟁력의 핵심 요건이 됩니다. 지식기반 사회에 있어서의 경쟁력은 지적 영역에서 생산성이 매우 높은 것을 말합니다. 표현이 조금 어색하긴 하지만 지적 수준이 높고 경쟁력이 있는 사람들이 사기 좋은 환경을 만들어야 최고의 인재들이 모이게 되고, 그 인재들이 모여야 사람들을 먹여 살릴 수 있는 경제가 형성된다는 것입니다. 그래서 살기 좋은 환경의 조성이라는 것은 앞으로의 경쟁력에 있어서 가장 핵심적인 조건이 될 것입니다.

그런 점에서 볼 때 우리나라 전체, 특히 수도권의 살기 좋은 환경 경쟁력이 얼마나 높으냐에 대해서 심각하게 생각해 보아야 된다고 생각합니다. 현재에 있어서도 수도권의 생활환경 경쟁력은 매우 낮은 것 같은데 앞으로 더 과밀화된다면 또는 지금의 상황을 개선하지 못한다면 앞으로 수도권의 경쟁력이 얼마나 가겠느냐 하는 문제에 대해서 우리가 관심을 가져야 합니다. 그래서 국가균형발전이라는 것이 수도권과 지방 모두가 함께 상생해 보자고 하는 정책으로서 꼭 성공했으면 좋겠다고 생각합니다. 이 원론적인 주장에 대해서는 아마 수도권 단체장 여러분께서도 크게 이의가 없으리라고 생각합니다. 그 내용에 '살기 좋은 지역 만들기'가 있습니다. 수도권도 지방도 모두 다 살기 좋은 지역을 한번 만들어 보자는 것입니다.

살기 좋은 지역 만들기의 첫 번째가 일자리입니다. 일자리는 기업이 가야 생기는데, 경쟁력 있는 기업이 필요로 하는 것은 인재입니다. 인재를 만들어내는 지방대학, 그 다음에 기업이 필요로 하는 것은 고급 인재들이 살기 좋은 생활환경입니다. 그 중에서 첫 번째가 아이들 교육시킬 수 있는 경쟁력 있는 학교입니다. 지방에서 이것이 항상 어렵습니다.

지방은 아이들 교육환경 경쟁력이 떨어집니다.

그래서 방과후학교라는 것은 균형발전을 위해서도 매우 중요한 사업입니다. 방과후학교라는 것은 전국적으로 실시되는 것입니다. 서울을 배제하지 않습니다만, 절실히 필요한 곳은 역시 지방입니다. 낙후된 지역에 꼭 필요한 것이어서 이것을 꼭 좀 성공시키면 지방 방전에도 도움이 되고 공교육을 정상화시킬 수 있는 핵심적인 수단이 될 수 있습니다. 고등학교 수준에서는 그것이 일종의 입시과외 같은 결과로 나타나지 않겠느냐는 의문을 제기하는 분들이 있는데, 입시제도가 존재하는 한 학교에서 하든 학원에 가서 하든 어디에서든 하게 되어 있는 것입니다.

그래서 정부는 입시가 과열 경쟁이 되지 않도록 입시제도 자체에 대해서 여러 가지 노력을 하고 있습니다. 2008년도에 시행될 새로운 입시제도도 종합적으로 '한 줄 세우기'가 아니라 '분야별 줄 세우기'를 함으로써 교육의 다양성을 확보하고, 아울러 입시 경쟁에 있어서도 분야별 경쟁을 하게 함으로써 지나치게 과열된 입시 경쟁을 막아 보자는 뜻을 가지고 있습니다. 그래서 입시제도를 바꾸는 것이 우선이지 방과후학교에서 입시 공부하지 말라고 하는 것은 현실과 동떨어진 것이 아닌가 생각합니다. 초·중등학교 방과후학교에서는 특기 적성교육을 많이 하는 것 같고, 고등학교에 오면 입시중심이 되지만 그것 또한 전국에 기회를 골고루 준다는 뜻에서 장려할 일이 아니겠느냐, 그렇게 생각합니다. 현실을 인정하고 공교육을 중심으로 우리 교육을 살려 나가자는 뜻으로 이해해 주시면 좋겠습니다.

여하간 일자리가 제일 중요합니다. 참여정부가 양극화 문제라든지 민생문제를 해결하지 못했지 않았느냐고 질문하면 저도 대답하기가 난감합니다. 민생문제가 풀렸다고 생각하는 사람이 없습니다. 핵심적인 것은 비정규직입니다. 그보다 조금 더 심각한 쪽이 영세 자영업입니다. 영세 자영업 비율도 한국이 세계 최고이고 비정규직 비율도 한국이 세계 최고라는 말이 있습니다. 아직 정확한 통계를 보지는 못했습니다만 한국이 압도적으로 많은 것은 사실입니다. 이 안에 적대적인 빈곤의 문제가 있고 상대적 빈곤의 문제가 있습니다. 여기에 대해 국가가 뭔가 역할을 해야 합니다. 작은 정부냐 큰 정부냐가 아니라 국민에 대해 할 도리를 다하는 정부, 책임을 다하는 정부가 되어야 합니다. 해결책을 내놔야 되는데 유감스럽게도 아직 이 문제에 대해서 명쾌한 해결책을 내놓지 못했습니다.

정치적으로 면피성 발언을 한다면 이 문제는 1998년부터 물려받은 것 아니냐는 말을 할 수 있습니다만 오늘은 그 얘기를 할 자리는 아닌 것 같습니다. 원인이 어디에 있든 간에 해결하려고 노력하고 있습니다. 비정규직을 줄이는 것은 고용의 유연성 문제로 제도적으로 접근해야 되는데, 노·사·정 합의가 이뤄지지 않아서 길을 찾지 못하고 있고, 비정규직인 상태에서 처우를 개선하는 비정규직 보호법은 국회에 올라가 있습니다만 아직 국회에서 해결을 못하고 있습니다. 영세 자영업자는 28% 수준으로 얘기하고 있는데, 미국은 7%, 일본은 얼마 전까지 15%라는 통계를 봤는데 최근 자료를 보니까 10% 정도였습니다. 그러니까 우리가 미국의 4배, 일본의 3배 가까운 영세 자영업자를 가지고 있는 것입니다. 그래서 자영업을 살리는 것도 중요하지만 비율에 있어서 이미 살리는 것이 한국의 시장구조, 경제구조로서는 한계에 도달해 있습니다.

이 문제를 해결하기 위해서는 국민 개개인의 직업능력을 향상시켜 줄 수 밖에 없습니다. 노동부에서 범정부적인 역량을 기울여서 고용지원 시스템을 개발하고 제공하고 있습니다. 또한 직업능력 향상 프로그램을 필요한 모든 국민에게로 확대 제공해 나가고 있습니다. 여기서 평생교육 프로그램으로 한발 더 나아가고, 대학교에서는 우수한 인적자원을 양성해 가고 있습니다. 우수 인재 양성은 미래 발전을 위한 또 다른 발전전략으로 열심히 해 나가겠습니다.

그러나 시민들에게는 당장 고용지원 서비스가 더 중요한 것 아니겠습니까, 노동부가 하고 있습니다만 노동부는 지역에 밀착하는 데 한계가 있습니다. 그래서 지방정부와 지역의 여러 기관, 시민사회, 지방 학계, 교육기관 모두가 일자리를 마련해 주기 위한 통합적인 협력 체계를 형성해야 되는 것입니다. 중앙정부와 지방정부 사이의 분권과 자율은 한 편에 있어서는 좋지만 다른 한편에 있어서는 손발이 잘 안 맞는 약점도 있습니다. 이것은 명령이 아니라 자발적인 협력에 의해서 풀어야 합니다. 일자리 없는 것을 전부 중앙정부의 책임이라고만 하지 말고, 그 지역에 일자리가 없는 것은 지방정부의 책임이라는 인식을 가지고 같이 협력해 나갈 방도를 오늘 노동부 장관이 말씀하실 모양입니다.

이런 것을 통해서 중앙정부와 지방정부가 합심하여 손발을 맞추어서 국민의 어려운 문제를 함께 풀어 나가고, 민생 해결책을 조금이라도 더 빨리 만들 수 있도록 함께 협력을 다짐하는 자리가 되기를 바랍니다. 여러분이 지방정부를 운영하는 데 있어서의 여러 애로라든지 정책 건의는 전부 수렴해서 다음 회의 때 답을 드리겠습니다.

오늘 반갑습니다. 좋은 기회가 되기를 바랍니다.

감사합니다.

제61주년 광복절 경축사

2006년 8월 15일

존경하는 국민 여러분, 그리고 해외동포 여러분,

61년 전 오늘, 우리는 빼앗긴 나라를 다시 찾았습니다. 그 감격과 기쁨에 온 겨레가 얼싸안았습니다. 그리고 당당한 자주독립국가를 만들어갈 것을 다짐했습니다. 조국 광복의 그날까지 모든 것을 바쳐 헌신해오신 애국선열들의 높은 뜻을 기리며, 독립유공자와 유가족 여러분께 존경과 감사의 말씀을 드립니다.

지난 한 세기, 우리의 역사는 고난과 극복의 역사입니다. 나라를 잃은 칠흑같은 절망 속에서도 우리 선조들은 항일독립투쟁을 멈추지 않았습니다. 우리 국민은 전쟁의 잿더미에서 나라 경제를 세계 10위권의 강국으로 올려놓았습니다. 독재체제를 물리치고 자유와 활력이 넘치는 민주주의 시대를 열어가고 있습니다. 또한 역사의 진실을 밝혀 민족사의 정통성을 바로 세우고, 나라의 자주적 위상도 새롭게 정립해가고 있습니다. 오늘의 대한민국을 만들어 오신 국민 여러분께 깊은 감사의 말씀을 드립니다.

국민 여러분,

이러한 도전과 성취의 역사는 앞으로도 계속될 것입니다. 우리 경제는 민생문제가 구조적인 어려움으로 남아 있지만, 투명하고 공정한 시장 위에서 기술혁신과 인재양성을 통해 지속적인 성장을 이어갈 것입니다. 세계 정상의 제조업을 뒷받침하고 21세기 지식정보화시대를 이끌어 갈 첨단 과학기술역량도 한층 강화되고 있습니다. 수도권과 지방이 함께 성장하는 균형발전의 토대도 마련하고 있습니다.

권위주의는 해체되고, 국민이 진정한 주인 대접을 받는 시대로 들어섰습니다. 우리의 자녀들은 자율과 창의를 꽃피우며 과학과 예술, 체육 등 모든 분야에서 세계의 젊은이들과 당당히 어깨를 겨루고 있습니다. 지금 대한민국과 한국인의 힘은 세계로 뻗어나가고 있습니다.

그러나 우리의 미래에 희망만 있는 것은 아닙니다. 우리 역사에서 당연히 이루었어야 할 일을 이루지 못한 것도 있습니다. 무엇보다 분단을 극복하는 일이 미완의 숙제로 남아 있습니다. 남북관계의 진전에도 불구하고 때때로 긴장과 대립이 조성되고 있고, 통일로 가는 길에는 아직도 많은 난관이 가로 놓여 있습니다. 동북아시아의 대결적 질서도 미래를 안심할 수 없게 하는 요인입니다. 식민지배의 시대는 끝이 났으나 뿌리 깊은 갈등요소들이 아직 남아 있고, 냉전시대는 끝이 났으나 갈등과 대결구도는 완전히 해소되지 않고 있습니다. 마치 지진판 구조와 같은 지역적 불안정이 우리가 도전하고 해결해야 할 과제로 남아 있습니다. 우리 내부에 남아 있는 분열적 역사의 잔재도 역사발전의 발목을 잡는 장애요인의 하나입니다. 식민지배와 좌우의 이념대결, 그리고 독재 시대를 거치면서 쌓인 갈등과 대립의 정서와 문화가 지금도 국민통합을 어렵게 하고 있습니다.

국민 여러분,

우리 민족의 안전과 평화, 그리고 미래의 번영을 위해서는, 한편으로는 상황을 조심스럽게 관리하면서 한편으로는 이와 같은 도전요인을 하나하나 극복해 나가야 할 것입니다. 무엇보다 분단상황을 지혜롭게 관리해 나가야 합니다. 적대적 감정을 자극해서 신뢰가 무너지는 일이 없도록 해야 합니다. 남북관계에서 인권도 중요하고 국민의 자존심도 매우 중요합니다. 그러나 그 무엇보다 중요한 것은 한반도의 평화와 안정에 최우선을 두고 상황을 감당할 수 있는 수준으로 관리해 나가는 것입니다.

확실한 억지력을 가지고 철저히 대비하는 동시에, 관용과 인내로써 북한을 설득하고 개혁, 개방의 길로 이끌어야 합니다. 개성공단을 비롯한 경제협력 사업을 남북이 함께 평화와 번영의 길로 나아가는 튼튼한 다리로 만들어야 합니다. 가슴 속에 남아 있는 분노와 증오의 감정도 이제 넘어서야 합니다. 지난날 북한이 저지른 전쟁과 납치 등으로 고통 받은 사람들을 생각하면 북한에 대해 관용과 화해의 손을 내민다는 것이 결코 쉬운 일은 아닐 것입니다. 그러나 우리와 우리 후손들의 평화롭고 번영된 삶을 위해서는 넓은 마음과 긴 시야로 지난날을 용서하고 화해와 협력의 길로 나아가야 할 것입니다.

북한은 조건 없이 6자회담에 복귀해야 합니다. 우리는 북한이 핵을 포기하고, 동시에 미국을 포함한 주요국들과 관계를 개선하여 평화와 공동번영의 길로 나아갈 수 있도록 적극적인 노력과 지원을 아끼지 않을 것입니다. 6자회담의 당사국들은 회담의 재개와 진전을 위해 다양한 형태의 대화를 시도해야 할 것입니다. 지난해 6자회담에서 이루어진 9·19 합의에는 북핵 문제 해결뿐만 아니라 동북아시아의 새로운 질서를 만들어갈 수 있는 출발점이 제시되어 있습니다. 6자회담이 성공하면 미국은 동북아시아를 평화와 번영의 공동체로 만드는 데 주도적인 기여를 하게 될 것입니다. 또한 그것은 이 지역에 민주주의와 시장경제, 그리고 인권의 가치를 앞당겨 실현하는 결과를 가져 올 것입니다.

존경하는 국민 여러분,

우리의 운명을 멀리 내다볼 때 또 하나의 불안요인인 동북아의 잠재적인 대결구도에도 적극 대처해 나가야 합니다.

첫째, 동북아 지역에 새로운 통합의 질서를 구축해 나가야 합니다. 서로 진영을 가르고 진영끼리 뭉쳐서 상대방을 불신하고 견제하는 자세로는 대결의 구조를 해소하기 어렵습니다. 이 지역에 이해관계가 있는 국가들 모두가 대립과 갈등이 아니라 평화와 공존의 질서를 만들기 위해 마음을 모아야 합니다.

그 중에서도 우리 대한민국의 역할은 매우 중요합니다. 우리가 어떤 태도를 가지느냐에 따라 다른 나라들의 태도도 달라질 수 있습니다. 우리가 먼저 중심을 잡아야 합니다. 그동안 우리 역사는 강대국들의 의지에 따라 결정된 경우가 많았습니다. 그래서 우리는 오랫동안 우리의 운명을 결정하는 일에 강대국의 뜻을 먼저 살피지 않을 수 없었습니다.

그러나 이제 달라져야 합니다. 우리의 국력이나 주변국과의 관계가 이전과는 달라졌습니다. 우리가 추구하는 목표를 국제사회의 현실과 조화시켜 나가되, 한국인의 입장에서 생각하고 결단해 나가야 합니다. 강대국들이 동북아시아의 미래를 얘기할 때 한국인의 운명에 대한 자율권을 존중하도록 우리가 적극적으로 설득해나가야 합니다.

둘째, 지역평화와 협력질서를 위협하는 패권주의를 경계해야 합니다. 과거 동북아의 평화를 깨뜨린 것은 열강들의 패권주의였고, 그때마다 한반도는 전쟁의 소용돌이에 휘말려야 했습니다. 그리고 국민들은 고통을 받아야 했습니다. 러일전쟁, 청일전쟁도 그 이름과는 달리 열강들이 우리 땅에서 벌인 전쟁이었습니다. 불행하게도 동북아에는 지금도 과거의 불안한 기운이 꿈틀거리고 있습니다.

일본의 헌법개정 논의를 우려하는 것도 바로 이 때문입니다. 2차대전이 끝난 지 오랜 세월이 흘렀습니다. 평화헌법 개정 자체를 가지고 시비를 하는 것은 지나친 일이라 할 수도 있을 것입니다. 그러나 일본은 헌법을 개정하기 전에 먼저 해야 할 일이 있습니다. 과거에 대하여 진심으로 반성하고, 여러 차례의 사과를 뒷받침하는 실천으로 다시는 과거와 같은 일을 반복할 의사가 없음을 분명하게 증명해야 할 것입니다. 독도, 역사교과서, 야스쿠니 신사참배, 그리고 일본군 위안부 문제의 해결을 위한 실질적인 조치가 그것입니다. 독일이 오데르-나이세 국경선을 인정한 일과, 최근 프랑스, 폴란드 등 이웃나라와 협의하여 공동으로 역사교과서를 발간한 사례는 좋은 본보기가 될 것입니다.

셋째, 우리나라는 우리가 지킨다는 확고한 의지와 그렇게 할 수 있는 힘을 갖추어야 합니다. 이를 위해 참여정부는 국방개혁을 추진해서 우리의 자주방위역량을 강화해 나가고 있습니다. 주한미군 재배치를 포함한 한미안보협력 관계도 미래지향적으로 발전시켜 나가고 있습니다. 전시작전통제권 환수는 나라의 주권을 바로 세우는 일입니다. 국군통수권에 관한 헌법정신에 맞지 않는 비정상적인 상태를 바로잡는 일입니다. 또한 달라진 우리군의 위상에 걸맞은 것입니다. 지난 20년 동안 준비하고 미국과 긴밀히 협의하면서 체계적으로 추진해 온 일입니다. 확고한 한미동맹의 토대 위에서 진행되고 있고, 미국도 적극적으로 협력하고 있습니다. 저는 우리 군의 역량을 신뢰합니다. 국방력은 총체적인 국력의 크기에 비례합니다. 제조업과 첨단기술력을 더욱 발전시키고, 교육과 사회투자를 통해 지속가능한 성장기반을 구축해 나가야 합니다. 서비스산업 육성과 선진통상국가 전략을 적극 추진해서 선진국 문턱을 이제 뛰어넘어야 하겠습니다.

개방은 우리의 생존전략입니다. 지금까지 대한민국은 높은 교육열과 도전정신, 그리고 개방을 통해 성공해 왔습니다. 과거 개방 때마다 많은 반대와 우려가 있었습니다. 그러나 그것은 항상 우리에게 새로운 기회로 증명되었습니다. 미국과의 FTA는 또 하나의 도전입니다. 도전은 항상 불안한 것입니다. 그러나 도전하지 않고는 더 나은 미래를 열 수가 없습니다. 선진국으로 가기 위해서는 경쟁의 질적 수준을 한 단계 더 높여야 합니다.

미국은 세계 최대의 시장이자 최고의 시장입니다. 그동안은 일본의 성장모델을 쫓아 왔지만, 이제는 중국의 추격을 뿌리치고 일본을 넘어설 새로운 성공모델을 만들어 나가야 합니다. 그러자면 미국시장에서, 특히 서비스 산업에서 미국과 경쟁하여 성공을 이루어내야 합니다. 저는 우리 국민의 역량을 믿습니다. 우리 국민은 끊임없이 신화를 창조해 온 국민들입니다.

국민 여러분,

이 모든 것을 위해서는 국민의 의견을 하나로 모을 수 있어야 합니다. 개인의 생각은 각기 다를 수 있지만 국민의 뜻은 하나로 통합되어야 합니다. 우리는 늘 단결과 통합을 얘기했지만 실제로는 자신의 주장을 따르라고 요구했을 뿐, 남의 말을 받아들이거나 타협하려 하지 않았습니다. 그에 그치지 않고 뜻이 다르다고 서로 배척하고 심지어 죽이기까지 했던 시절도 있었습니다. 그 시절, 대화와 타협을 말하는 사람은 설 자리를 잃을 수밖에 없었습니다. 이제 그런 시대는 과거가 되었으나 우리 정치와 사회에는 아직도 대화와 타협을 거부하는 극단주의가 남아 있습니다. 극단주의는 국민통합을 불가능하게 합니다. 국민의 뜻을 하나로 모으는 유일한 방법은 민주주의를 제대로 하는 것입니다. 민주주의 원리의 핵심은 상대주의와 관용입니다. 그리고 규칙을 존중하는 것입니다. 대화와 타협을 통해 합의를 이루고 끝내 합의를 이룰 수 없는 경우라도 규칙에 따라 결론을 내고 그 결과에 승복하는 것입니다.

지난날 역사를 돌이켜 보면, 이단을 용납하지 않는 극단주의의 비타협 노선이 나라를 분열시켜 왔고 그것이 불행한 역사를 낳았습니다. 앞으로는 통합의 노선이 현실의 힘으로 나라를 이끌고 역사의 정통이 되도록 만들어 나가야 합니다.

　해방 후 정부수립과정에서 하나의 나라를 이루고자 했던 통합주의 노선은 좌절하고 말았습니다. 그러나 그렇다고 이러한 노선의 역사적인 가치마저 깎아내려서는 안 될 것입니다. 우리 민족의 자주적 역량을 일깨워 분열을 막고자 했던 노력은 다시 평가되어야 할 것입니다. 아울러 우리는 지난날 분열과 대결의 역사가 남긴 상처를 치유하고, 나라와 국민이 하나로 통합된 새로운 미래를 만들기 위해 각별한 노력을 해야 할 것입니다. 과거 대결과 반목의 역사에서 비롯된 감정의 응어리는 이제 씻어내야 합니다. 민주주의와 인권이라는 최소한의 가치를 인정하고, 이를 침해한 행위에 대해서는 진심으로 반성하고 사과해야 합니다. 반면에 과거 역사의 과오에서 비롯된, 정통성시비나 자격시비도 이제 역사의 평가로 돌립시다. 그래서 진정한 용서와 화해를 이루고 미래를 향해 함께 나아갑시다.

　존경하는 국민 여러분,

　대한민국은 2차대전 이후 독립한 나라 중에 민주주의와 시장경제를 모두 성공시킨 유일한 나라입니다. 우리가 이룩한 성취는 전 세계 개발도상국들의 모범이 되고 있습니다. 이제 더 큰 도약을 이뤄가야 할 때입니다. 모든 국민이 평화롭고 안정된 토대 위에서 활력 있는 삶을 누리고, 모든 청소년에게 내일을 위한 기회가 공정하게 주어지는 나라, 선진한국이 바로 우리의 꿈입니다.

　한·미 FTA는 경제선진국을 향한 새로운 도전입니다. 양극화 해소와 동반성장은 복지한국을 향한 비전입니다. 자주국방은 한반도의 평화와 안전을 스스로의 힘으로 확고히 지켜나가자는 의지와 역량의 상징입니다. 국민의 힘을 하나로 모아 끊임없이 혁신하고 창조해 나가면, 참여정부가 마무리되는 2008년에는 국민소득 2만 달러 시대가 열릴 것입니다. 그리고 10년 안에 명실상부한 세계 일류국가로 도약하게 될 것입니다. 밝은 미래가 우리 앞에 있습니다. 희망과 자신감을 가지고 힘차게 나아갑시다. 지금 해야 할 일은 뒤로 미루지 말고 책임 있게 해 나갑시다. 저와 우리 정부도 최선을 다하겠습니다.

감사합니다.

제1회 광주 국제공연예술제 축하 메시지

2006년 8월 17일

문화수도 광주가 또 하나의 멋진 축제를 마련했습니다. 광주국제공연예술제 개막을 진심으로 축하합니다. 해외에서 오신 문화예술인 여러분을 환영합니다. 공연예술은 우리의 삶을 풍요롭게 하는 활력소입니다. 춤과 노래, 연극 각 장르마다 색다른 즐거움을 선사합니다. 다양한 공연예술을 한 자리에서 만나는 일은 그래서 더욱 뜻깊고 소중한 기회가 아닐 수 없습니다.

특히 광주가 마련한 행사여서 더욱 믿음이 가고 기대가 됩니다. 광주는 훌륭한 문화전통과 예술에 대한 시민들의 열정이 있는 곳입니다. 공연하는 사람도, 공연을 보는 관객도 모두가 함께 감동과 즐거움을 나눌 수 있을 것으로 생각합니다. 이번 축제가 비엔날레와 함께 광주를 대표하는 세계적인 공연예술제로 발전해 가길 기원합니다. 정부도 문화도

시 광주의 성공은 물론, 품격 있고 문화적인 활력이 넘치는 대한민국을 만들기 위해 최선을 다해나갈 것입니다.

여러분 모두 즐거운 시간 보내십시오.

감사합니다.

2006년도 제1회 추가경정예산안 제출에 즈음한 시정연설

2006년 8월 21일

존경하는 국민 여러분, 그리고 국회의장과 의원 여러분!

2006년도 제1회 추가경정예산안을 국회에 제출하고 그 심의를 요청하면서, 추가경정예산안을 편성하게 된 배경과 주요내용을 말씀드리고 의원 여러분의 이해와 협조를 구하고자 합니다. 이번 추가경정예산안은 신속한 재해복구를 뒷받침하기 위한 것입니다. 먼저 구체적인 설명에 앞서, 이번 태풍과 집중호우로 희생되신 분들께 머리 숙여 명복을 빌며, 유가족 여러분께도 깊은 위로의 말씀을 드립니다. 아울러 아직까지 피해복구에 여념이 없으신 수재민 여러분께도 위로와 격려의 말씀을 드리고자 합니다. 또한, 피해복구와 수재민 지원에 적극 동참하여 주신 국민 여러분과 의원 여러분께도 진심으로 감사를 드립니다.

의원 여러분!

정부는 이번 태풍과 집중호우로 피해를 입은 국민이 하루빨리 안정을 되찾을 수 있도록 적극 노력하여 왔습니다. 지난 7월 18일 18개 시·군을 '특별재난지역'으로 선포하였으며 8월 10일에는 21개 시·군을 추가로 '특별재난지역'으로 선포하였습니다. 더불어 7월 21일에는 수재민 구호와 응급복구를 위해 개산예비비 2천억 원을 26개 시·군에 신속히 지원하였으며, 8월 17일에는 재해대책예비비 7천여억 원을 추가로 지원한 바 있습니다. 또한, 수재민에 대한 국세, 지방세 감면, 농어민·중소기업 등에 대한 융자지원 등 금융,세제상의 지원도 병행하고 있습니다.

의원 여러분!

정부는 관계부처와 지방자치단체와의 합동 조사를 거쳐 이번 수해로 인한 피해를 항구적으로 복구하기 위한 계획을 지난 8월 14일 확정하였습니다. 이번 태풍 '에위니아'와 집중호우로 인한 재산피해는 약 1조 8,344억 원으로 집계되었으며 정부는 이러한 피해복구를 위해 약 2조 6,741억 원을 지원하기로 하였습니다. 위와 같은 피해복구비를 충당하기 위해 정부는 이미 확보되어 있는 재해대책예비비를 2차례에 걸쳐 우선 지출하였으나 약 1조7,600억 원의 재원이 부족한 실정입니다. 따라서 이번 추가경정예산안에는 재해 복구를 위한 부족 재원 1조 7,600억 원을 반영하였으며 더불어 향후 9월 이후 재해에 대비한 재해대책예비비 3천억 원을 반영하였습니다. 이와 함께 지방교부세 정산소요 949억 원을 반영하였습니다. 이는 관련법에 따라 지급되는 정산금으로서, 재정여건이 어려운 지방자치단체의 재해 복구 추진에 큰 도움이 될 것으로 기대합니다. 이번 추가경정예산안을 통하여 증액되는 재정규모는 총 2조 1,549억 원으로서 정부는 우선 2005년 일반회계 세계잉여금 중 8,549억원을 활용하고, 나머지 1조 3천억 원은 국채발행을 통해 조달하고자 합니다.

존경하는 국민 여러분, 그리고 국회의장과 의원 여러분!

이번 추가경정예산안은 태풍과 호우피해로 고통받고 있는 많은 국민의 생활을 조속히 안정시키고 피해를 조기에 복구하기 위한 것으로서, 적정 소요를 반영하여 국회에 제출하였습니다. 정부는 이번 추가경정예산안이 확정 되는대로 피해복구계획에 따라 최대한 신속히 지출하여 피해복구와 수재민 지원에 만전을 기하도록 하겠습니다. 아울러 중앙정부와 지방자치단체는 함께 협력하여 이번 수해의 상처를 하루속히 치유해 나가는 한편 이러한 재해가 반복되지 않도록 사전 예방투자에도 적극 힘써 나가겠습니다.

의원 여러분!

이와 같은 추가경정예산안 편성 취지를 깊이 이해하시어 2006년도 제1회 추가경정예산안을 원안대로 심의, 의결하여 주시기 바랍니다.

감사합니다.

용산기지 공원화 선포식 축사

2006년 8월 24일

존경하는 국민 여러분, 서울시민 여러분, 그리고 내외 귀빈 여러분,

참으로 뜻깊은 자리입니다. '용산이 정말 우리 품으로 돌아오는구나.' 실감이 납니다. 용산기지 공원화 사업이 첫발을 내딛게 된 것을 진심으로 축하합니다. 이곳 용산은 아픈 역사를 가진 땅입니다. 124년 전 임오군란을 빌미로 청나라 군대가 주둔하여 우리나라의 국정을 좌지우지 해왔고, 청일전쟁과 러일전쟁을 계기로 일본군이 이 땅을 강점하면서 제국주의 침략과 지배의 전진기지가 되었습니다. 그리고 해방 후에는 미군이 주둔하여 우리의 국방을 기대어 왔던 땅입니다.

이제 이 땅에 새로운 미래가 열리고 있습니다. 침략과 지배, 전쟁과 고난의 역사를 과거로 보내고, 자주와 평화의 대한민국, 세계를 향해 비상하는 대한민국을 상징하는 기념비적인 공원이 들어서게 될 것입니다.

우리 후손들은 이곳에서 지난날 고난과 수치의 역사와 함께 도전과 극복의 역사를 돌이켜 보고, 대한국민의 긍지와 자신감을 확인하고, 새로운 미래를 다짐할 것입니다. 이 땅의 의미가 달라지는 것입니다. 그 뿐만이 아닙니다. 이곳은 서울시민의 삶을 풍요롭게 하는 새로운 삶의 공간이자, 미래 서울을 이끄는 새로운 번영의 축이 될 것입니다.

서울 한복판에 새로 열릴 80만평의 녹지공원은 생각만 해도 가슴을 부풀게 만듭니다. 시민 누구나 차표 한 장 들고 부담없이 찾아와서 역사와 문화, 그리고 아름다운 자연을 마음껏 누릴 수 있는 시민의 마당이 될 것입니다. 북으로는 남산에서 북한산으로 이어지고, 남으로는 한강을 건너 관악산까지 뻗어가는 생태축은 서울의 새로운 활력소가 될 것입니다.

쾌적하고 품위 있는 삶의 공간은 미래 도시경쟁력의 핵심요소입니다. 이곳 용산이 매력 있는 삶의 공간이 되면, 고속철도역 역세권 개발과 결합하여 강, 남북의 균형발전을 이끌게 될 것입니다. 이렇게 되면 용산은 이제 서울의 용산을 넘어 대한민국의 용산, 나아가서는 동북아시아의 용산, 세계의 용산으로 발돋움하게 될 것입니다. 서울을 세계 일류 도시로 끌어 올리는 견인차가 될 것입니다.

국민 여러분,

용산기지 이전은 미래지향적인 한미동맹 구상의 토대 위에서 진행되고 있습니다. 참여정부가 어느 날 갑자기 시작한 일이 아닙니다. 오래 전부터 우리 국민들이 요구해 왔던 민족의 숙원사업입니다. 그래서 1990년에 노태우 정부가 기본합의서까지 체결했고, 그 이후 외환위기 등으로 미루어 오던 것을 참여정부 들어 마무리 지으려고 하는 것입니다.

용산기지 이전을 비롯한 주한미군 재배치가 이루어지면, 평택에 349만평을 제공하는 대신 전국 각지에 있는 5,100만평을 돌려받게 됩니다. 서울, 부산, 대구, 인천, 춘천의 반환기지는 도시모습을 새롭게 바꿀 것이고, 특히 의정부, 동두천의 900만평은 접경지역의 소외를 해소하는 계기가 될 것입니다. 이 일을 위하여 평택시민들은 새로운 군부대를 받아들였습니다. 많은 농민들이 삶의 터전을 내놓아야 하는 아픔을 겪었습니다. 이러한 아픔과 갈등을 극복하고 용산기지 이전에 협력해 주신 평택시민 여러분께 이 자리를 빌려 감사의 말씀을 드립니다. 정부는 이 변화가 앞으로 평택시민에게 새로운 부담이 아니라, 새로운 기회가 되도록 최선의 지원을 다해 나갈 것입니다.

존경하는 국민 여러분, 그리고 서울시민 여러분,

세계 어디에도 대도시 중심부에 완전히 새로운 그림을 그릴 수 있는 80만평의 대지가 백지상태로 남아있는 곳은 없습니다. 그런 만큼 방향을 잘 잡고, 지켜야 할 원칙들은 분명하게 지켜 나가는 것이 중요합니다. 무엇보다 계획단계부터 실행과정까지 국민들이 큰 관심을 갖고 활발하게 참여할 수 있도록 해야겠습니다. 우리 국민의 예술성과 창조적 역량이야말로 공원화 사업의 가장 확실한 성공열쇠가 될 것입니다. 서둘러 완결하려고 해서도 안될 것입니다. 용산공원은 지금 세대만이 아니라 미래 세대들에게도 소중한 자산입니다. 긴 시야를 가지고, 푸르고 넓게 활용하면서 차근차근 완성해 나가야 할 것입니다. 이 사업에는 걱정이 되는 점도 있습니다. 서울시민 중에는 이 사업을 서울시가 시민의 뜻에 맞게 추진하기를 원하는 분도 많을 것입니다. 당연한 생각입니다. 그러나 이 사업은 그 뜻에 있어서 국가적 의미가 매우 큽니다. 그리고 그 결과 또한 국가적인 것입니다. 또한 용산기지 이전에는 막대한 비용이 들어가고, 이것은 전 국민이 부담해야 하는 것입니다.

따라서 중앙정부가 전 국민의 의견을 모으고, 서울시민과 전체 국민의 이해관계를 조정하면서 추진하는 것도 일리가 있다고 생각합니다. 그래서 이 사업을 국가사업으로 중앙정부가 주도해 나가고 있는 것입니다. 서울시와의 관계는 앞으로 원만히 협의해서 갈등 없이 잘 진행될 수 있도록 해 나갈 것입니다. 이제 시작입니다. 국민의 지혜를 하나로 모아 용산의 새로운 미래를 만들어 나갑시다. 이곳 용산공원이 대한민국의 자유와 평화와 번영을 상징하는 희망의 광장이 되도록 합시다.

감사합니다.

제14차 ILO 아시아·태평양지역 총회 축사

2006년 8월 29일

존경하는 랏트나시리 위크라마나야카 스리랑카 총리, 마루프 바킷 요르단 총리, 후안 소마비아 ILO 사무총장, 그리고 국제기구와 각국 대표 여러분,

제14차 ILO(국제노동기구) 아시아, 태평양 지역총회 개회를 축하드립니다. 국제기구와 42개국에서 오신 참석자 여러분을 진심으로 환영합니다. ILO아, 태 총회는 지난 56년간 노동자의 인권보호와 권익신장에 크게 기여해 왔습니다. 여러분의 공헌에 감사드리며, 이처럼 뜻깊은 회의가 대한민국 부산에서 열리게 된 것을 매우 기쁘게 생각합니다. 이번 회의를 주관한 ILO 관계자와 여러분 모두에게 감사의 말씀을 드립니다.

내외 귀빈 여러분,

세계화와 지식정보화의 진전은 개인과 국가에게 많은 혜택을 주었

습니다. 개방을 통한 경쟁 촉진과 무역자유화의 가속화는 부의 창출과 경제성장의 원천이 되고 있습니다. 또한 정보통신기술의 발달로 지역통합이 강화되면서 국가간 상호의존과 협력 필요성이 높아져 환경, 인권 등 전 지구적 문제 해결에도 긍정적인 영향을 주고 있습니다. 아, 태지역에서도 무역자유화가 회원국들의 경제성장과 국민후생 증진에 기여한 것으로 평가되고 있습니다.

2006년 IMF 경제전망보고서에 따르면, 아시아는 지난해 7.1%의 높은 성장률을 기록하면서 세계경제를 선도하고 있습니다. 유구한 역사와 문화, 풍부한 인적자원과 같은 잠재력이 발휘되면 앞으로 더욱 비약적인 발전을 하게 될 것입니다.

참석자 여러분,

이러한 세계화의 성과에도 불구하고 우리가 주목해야 할 점은 그 혜택이 공평하게 배분되고 있지 못하다는 것입니다. 경제주체들의 경쟁력 차이로 인해 지역간, 국가간, 계층간 격차가 벌어지는 경제 양극화 현상이 나타나고 있습니다. 이러한 현상이 가속화되면 장기적으로 성장잠재력을 떨어뜨리고 노동시장 구조의양극화를 심화시키게 됩니다. 이는 근로자간 소득격차뿐만 아니라 빈곤층 증대와 사회적 갈등으로 이어져 지속가능한 성장에도 부정적인 영향을 미치게 될 것입니다.

최근 아·태지역도 양극화로 인해 많은 도전에 직면하고 있습니다. 매년 4~7%의 경제성장에도 불구하고 실업률은 오히려 높아지는 '고용 없는 성장'이 지속되고 있고, 특히 청년실업 문제는 더욱 심각해서 25세 이상의 실업률보다 세 배나 높은 실정입니다. 또한 일자리 부족은 근로

취약계층의 고용을 불안정하게 만들어 열악한 근로조건에도 어쩔 수 없이 일해야 하는 문제를 낳고 있습니다. 현재 아시아에는 하루 소득 2달러 미만의 근로빈곤층이 10억 명을 넘어 전 세계의 3/4을 차지하고 있습니다. 그런 점에서 '아시아에서 양질의 일자리 창출'을 주제로 열리는 이번 총회는 그 의미가 매우 큽니다. 서로의 경험과 지혜를 모아 좋은 방안들이 많이 제시되기를 기대합니다.

내외 귀빈 여러분,

한국은 97년 말 외환위기를 겪기도 했으나, 이를 극복하면서 최근까지 4~5%의 성장을 계속하고 있습니다. 그러나 시장경쟁이 심화되고, 경제주체간 지식, 정보격차가 확대되면서 대기업과 중소기업, 정규직과 비정규직, 그리고 소득 계층간 격차가 점점 더크게 벌어지고 있습니다. 이러한 격차의 심화는 소비를 위축시켜 내수시장 침체와 투자 감소를 가져오고, 이것이 다시 양질의 일자리 축소와 비정규직 근로자 확대 등으로 이어지는 악순환을 낳고 있습니다. 이 문제를 해결하는 핵심은 일자리입니다. 일자리야말로 가장 근본적인 양극화 극복대책입니다. 일자리가 많아져야 하고 일자리의 질도 좋아져야 합니다. 한국은 이를 위해 일자리가 많은 중소기업을 활성화하는 데 정책적 역량을 집중하고 있습니다. 대, 중소기업 협력관계 구축, 혁신형 중소기업 육성, 금융지원체계 개편 등 중소기업 정책을 근본적으로 혁신해가고 있습니다. 고용창출효과가 큰 서비스산업도 다양화, 고급화해 나가고 있습니다. 특히 고학력 청년실업 문제를 해결하기 위해 금융, 물류, 법률, 회계, 컨설팅과 같은 지식기반서비스산업을 적극 육성하고 있습니다. 국민의 삶의 질과 직결되는 보건, 복지, 교육, 문화 등 사회서비스 일자리도 대폭 늘려가고 있습니다.

지난해부터는 고용지원서비스와 직업능력개발이 결합된 선진적인 고용안전망 구축을 국가 전략과제로 선정해서 집중적인 투자를 하고 있습니다. 이를 통해 일하고자 하는 사람 누구나 능력개발의 기회를 갖고, 각자에게 알맞은 일자리를 제공받을 수 있도록 해 나갈 것입니다. 일할 능력이 없는 사람에게 필요한 사회안전망 기능도 강화하고 있습니다. 1997년에 비해 사회보장 예산을 3배 이상 늘려 노인과 저소득층의 복지를 증진시키고, 비정규직, 영세자영업자에 대한 사회보험 혜택을 확대하는 정책도 추진하고 있습니다. 아울러 국제기준에 부합하는 노사관계 선진화 방안을 추진하고 있으며, 비정규직근로자와 장애인, 여성 등 취약계층에 대한 차별시정에도 각별한 노력을 기울이고 있습니다.

그러나 정부의 정책만으로는 한계가 있습니다. 기업은 장기적인 안목과 경영전략을 가지고 사람을 키우고, 노동조합은 비정규직을 비롯한 노동자 전체의 관점에서 생각하고 양보할 것은 양보해야 합니다. 대화와 타협으로 합의의 생산성을 높이고, 합의한 내용을 책임있게 실천해 나간다면 보다 좋은 일자리를 더 많이 만들어낼 수 있을 것입니다.

존경하는 참석자 여러분,

인력과 자본이 자유롭게 넘나드는 세계화 시대에, 일자리 문제는 어느 한 나라만의 문제가 아닙니다. 국가간 협력은 물론, ILO 등 관련 국제기구들과의 전략적 파트너십을 강화할 필요가 있습니다. 이번 총회가 이를 위한 소중한 계기가 되기를 기대하며, 한국에 머무시는 동안 즐겁고 보람된 시간 보내시기 바랍니다.

감사합니다.

9월

중도일보 창간 55주년 축하 메시지

2006년 9월 1일

중도일보 창간 쉰다섯 돌을 축하드립니다. 임직원과 애독자 여러분께 따뜻한 인사 말씀을 전합니다. 중도일보는 그동안 공정한 보도와 생생한 지역밀착형 기사로 독자들의 큰 사랑을 받아왔습니다. 특히 '신(新금강시대'와 같은 기획보도는 지역발전의 비전과 대안을 제시하는 매우 알찬 내용이었습니다.

충청권 시대가 열리고 있습니다. 행정중심복합도시가 본격적으로 추진되고 있고, 대덕연구개발특구도 발걸음이 더욱 빨라지고 있습니다. 고속철도 분기점이 들어설 충북도 교통의 중심으로, IT, BT의 메카로 발전하고 있습니다. 정부는 충청지역이 국가균형발전의 모범이 될 수 있도록 지원을 아끼지 않을 것입니다. 중도일보에 거는 기대가 큽니다. 대표적인 지방언론으로서 국가균형발전이 성공할 수 있도록 더욱 적극적인 역할을 해주시기 바랍니다.

다시 한번 창간 55주년을 축하드리며, 중도일보의 무궁한 발전을 기원합니다.

그리스군 한국전 참전용사를 위한 격려사

2006년 9월 3일

존경하는 스틸리아누 드라코스 참전용사회 회장, 비론 폴리도라스 공공자원부 장관과 바실리오스 시디스 파파고스 시장님, 그리고 한국전 참전용사와 가족 여러분,

대단히 반갑습니다. 저는 조금 전 아테네에 도착해서 가장 먼저 이 곳을 찾았습니다. 우리에게 가장 고마운 분들이 여러분이고, 또 한국 대통령을 가장 기다린 분들도 여러분이라고 생각했기 때문입니다. 우리가 위기에 처했을 때, 큰 도움을 주신 여러분께 깊은 존경과 감사의 말씀을 드립니다. 한국전쟁 당시 1만 명이 넘는 그리스 젊은이들이 참전했습니다. 스파르타 대대와 항공수송단은 자유와 평화를 지키기 위해 우리와 함께 싸웠습니다. 그리고 수많은 분들이 고귀한 생명을 잃었습니다. 우리는 이분들을 진정한 영웅으로 영원히 기억할 것입니다.

50여년 전 전쟁으로 폐허가 되었던 대한민국은 이제 세계 10위권의 경제력을 갖추고, 어디에 내놔도 손색이 없는 민주주의를 하는 나라가 되었습니다. 우리 안보를 스스로 책임지는 자주국방력도 갖춰가고 있습니다. 이렇게 성공하기까지 여러분을 비롯한 세계의 친구들이 큰 힘이 되어주었습니다. 거듭 감사의 인사를 드립니다. 한국과 그리스는 여러분이 닦아놓은 혈맹의 토대 위에서 우호협력관계를 더욱 발전시켜 가고 있습니다. 특히 해운과 조선, 관광, IT 등에서 꼭 필요한 동반자가 되었습니다. 저의 이번 방문이 양국관계를 한 단계 도약시키는 계기가 되기를 기대하며, 여러분께서도 지금까지 해 오신 것처럼 더 많은 관심을 갖고 성원해주시기 바랍니다. 참전용사 여러분의 건강과 가족 여러분 모두의 행복을 기원합니다.

감사합니다.

한·그리스 비즈니스 포럼 연설

2006년 9월 4일

존경하는 디미트리스 다스칼로풀로스 그리스 산업연합회장, 요르고스 알로고스쿠피스 경제재정부 장관, 아싸나스 라비다스 경협위원장, 이희범 회장과 남상태 위원장, 그리고 양국 경제계 지도자 여러분,

대단히 반갑습니다. 대한민국 대통령으로는 처음 그리스를 방문해서 여러분과 만나게 된 것을 기쁘게 생각합니다. 오늘 이 자리가 양국 경제협력의 좋은 계기가 되길 바랍니다. 우리 두 나라의 인연은 각별합니다. 56년 전, 한국전쟁 당시 1만 명이 넘는 그리스 젊은이들이 참전해서 우리와 함께 싸웠습니다. 그리고 186명이 자유와 평화를 위해 귀중한 생명을 잃고, 6백여 명이 부상했습니다.

저는 어제 이곳에 도착해서 제일 먼저 한국전 참전기념비를 찾아 이 분들의 숭고한 희생을 기렸습니다. 그리고 참전용사들도 만났습니다.

그분들은 지금도 한국을 잊지 않고, 저를 누구보다 환영해주셨습니다. 다시 한번 그리스 국민 여러분께 마음으로부터 감사의 말씀을 드립니다.

양국 경제인 여러분,

경제 분야에서도 우리 두 나라의 인연은 특별합니다. 1972년 당시, 텅 빈 바닷가에 조선소 건립을 기획하고 있던 우리 기업을 믿고 대형유조선 두 척을 발주해준 분이 바로 그리스인입니다. 그리고 한국은 지금 세계 제일의 조선강국이 되었습니다. 여러분의 신뢰와 우정이 기적을 만든 것입니다.

저는 오늘 오전 카롤로스 파풀리아스대통령과 정상회담을 갖고 양국간 실질협력을 더욱 강화해 나가기로 했습니다. 내일 있을 카라만리스 총리와의 회담도 주된 관심사는 경제협력 확대방안이 될 것입니다. 세계 최고의 해운국인 그리스와 한국의 협력은 호혜적 협력의 대표적인 모델입니다. 그리스에서 수입하는 선박의 절반 이상이 한국에서 건조되고 있습니다. 오늘 체결한 '해운협력협정'과 오전에 열린 조선라운드테이블은 해운물류, 조선 분야의 협력을 한층 더 강화하는 계기가 될 것입니다. 이 밖에도 세계 최고수준인 한국의 건설시공능력과 IT 기술력은 그리스가 추진하고 있는 항만 현대화와 운영 자동화 사업에 큰 힘이 될 수 있을 것입니다.

이번에 체결한 관광협력협정도 관광산업에 대한 경험을 공유하고, 민간교류를 활성화하는 토대가 될 것입니다. 특히 우리는 세계관광대국인 그리스로부터 선진적인 노하우를 배우는 데 많은 관심을 갖고 있습니다. 한국의 서남해안 개발사업에도 에게해 개발경험이 좋은 참고가 될 수 있을 것입니다.

그리스 경제인 여러분은 양국간 교역불균형문제를 우려하고 계신 줄 알고 있습니다. 이것은 그리스의 선박 수입에 따른 불가피한 결과라는 측면도 있지만, 한국도 보다 적극적인 노력을 기울여 나가고자 합니다. 오는 11월에는 우리나라 구매사절단이 이곳을 방문해서 그리스 상품에 대한 수입 확대 가능성을 모색할 것입니다.

참석자 여러분,

우리 두 나라의 경제적 역량에 대해서는 일일이 말씀드릴 필요가 없을 것입니다. 문제는 이것을 어떻게 잘 결합해서 서로에게 이익이 되도록 하느냐는 것입니다. 그리고 그 해법을 가장 잘 알고 계신 분들은 바로 여기 계신 경제인 여러분입니다.

오늘 이 포럼에서 논의하는 제3국 공동진출도 좋은 방안의 하나일 것입니다. 발칸지역의 유일한 EU국가로서 이 지역의 협력을 선도해 온 그리스의 경험과 네트워크, 그리고 한국의 자본, 기술이 결합되면 성공적인 협력모델을 만들 수 있을 것입니다. 무엇보다 한국 기업인들은 협력의 파트너로서 충분한 자격이 있습니다. 우리 기업들은 맨주먹으로 지금의 성공을 이뤄낸 가장 최근의 경험을 갖고 있습니다. 또한 한번 손을 잡으면 아무리 어려워도 쉽게 놓지 않고, 가진 기술과 노하우를 나누는 데도 인색하지 않습니다.

양국 기업인 여러분,

당장의 이익도 중요하지만 미래의 더 큰 이익을 봅시다. 함께 손잡고 공동의 번영을 이루어나갑시다. 한국 정부도 최대한 여러분의 노력을

뒷받침할 것입니다. 오늘 이 자리를 거듭 축하드리며, 여러분의 사업이
더욱 번창하시길 기원합니다.

　　감사합니다.

아테네 시청 방문 및 황금 메달 수여식 답사

2006년 9월 4일

존경하는 테오도로스 베라키스 시장님, 그리고 아테네 시민 여러분, 여러분의 따뜻한 환영에 감사드립니다. 아테네 시 황금메달을 받게 된 것을 큰 영광으로 생각합니다.

저는 인류가 만들어낸 가장 뛰어난 창작품의 하나로 민주주의를 꼽습니다. 민주주의야말로 인간의 존엄을 높이고 자유와 창의를 발현할 수 있는 성공적인 제도이기 때문입니다. 아테네는 이러한 민주주의를 태동시킨 것만으로도 인류 역사에 지대한 공헌을 한 것입니다. 오늘 제게 주신 황금메달도 민주주의 발전과 세계 평화를 위해 우리 두 나라가 함께 힘을 모아 나가자는 메시지를 담고 있다고 생각합니다. 여러분의 우정과 이러한 뜻이 큰 결실을 맺을 수 있도록 최선을 다해나가겠습니다.

내외 귀빈 여러분,

아테네는 참으로 매력적인 도시입니다. 아크로폴리스를 비롯한 고대 유적들이 잘 보존돼 있고, 시내 곳곳의 건물과 시가지도 한결같이 예술적이고 품위가 있습니다. 그러나 더욱 인상적인 것은 눈에 보이지 않는 문화적 저력과 활기찬 시민들의 모습입니다. 나날이 발전하고 있는 그리스의 힘을 느끼게 됩니다. 실제로 이곳 아테네는 2004년 올림픽을 성공적으로 개최한 이후 더 큰 도약을 이뤄가고 있습니다. 아테네를 찾는 관광객도 매년 10% 이상 증가하고 있다고 들었습니다. 아테네의 번영을 이끌고 계신 시장님의 지도력과 시민 여러분의 저력에 경의를 표합니다.

내외 귀빈 여러분,

아테네는 또한 양국 우호협력 증진의 든든한 가교가 되고 있습니다. 이곳 지하철에는 한국기업의 전동차가 달리고 있고, 지난 5월에는 서울과 아테네가 자매결연을 맺었습니다. 앞으로도 좋은 친구로서 더 많이 교류하고 서로의 번영과 발전을 위해 함께 나아가게 되기를 희망합니다. 여러분의 환영에 거듭 감사드리며, 아테네와 시민 여러분의 더 큰 발전을 기원합니다.

감사합니다.

파풀리아스 그리스 대통령 내외 주최 국빈만찬 답사

2006년 9월 4일

존경하는 카롤로스 파풀리아스 대통령 각하 내외분, 그리고 내외 귀빈 여러분,

여러분의 따뜻한 환영과 각하의 좋은 말씀에 감사드립니다. 대한민국 국가원수로는 처음 그리스를 방문하게 된 것을 기쁘게 생각하며, 우리 국민이 보내는 우정의 인사를 전합니다. 그리스는 꼭 한번 와보고 싶었던 나라입니다. 수많은 철학자와 예술가를 배출하고, 2천5백년 전에 이미 민주주의를 꽃피웠던 국가적 저력을 직접 확인하고 싶었습니다. 그러나 이보다 더 큰 이유는 오랜 우방에 대한 감사의 마음을 전하기 위해서입니다. 6·25전쟁 당시 186명의 그리스 용사들이 머나먼 한국 땅에서 고귀한 목숨을 잃었습니다. 우리는 이 분들의 희생을 결코 잊지 않을 것입니다.

내외 귀빈 여러분,

우리 모두는 아테네 올림픽을 통해 세계일류국가로 도약해가는 그리스의 역동적인 모습을 보았습니다. 그리스는 EU회원국 중 최고 수준인 4%대의 경제성장을 계속하고 있고, 정부혁신을 비롯한 사회 전반의 개혁을 성공적으로 추진하고 있습니다.

대외적으로도 국제평화유지활동에 적극 참여하는 등 지구촌의 평화와 번영에 많은 노력을 기울이고 있습니다. 특히 각하께서는 뛰어난 안목과 지속적인 대화를 통해 이웃나라와의 관계를 개선하는 데 주도적인 역할을 해오셨습니다. 각하의 지도력에 경의를 표하며, 국민의 저력으로 그리스가 더 큰 발전을 이뤄갈 것으로 믿습니다.

내외 귀빈 여러분,

나는 오늘 정상회담에서 우리 두 나라가 경제, 문화 등 많은 분야에서 좋은 동반자라는 사실을 거듭 확인했습니다. 이번에 체결한 해운협정과 관광협정은 양국간 실질협력을 증진하는 든든한 토대가 될 것입니다. 세계 최고의 해운대국인 그리스와 세계 1위의 조선강국인 한국의 협력은 모두에게 큰 이익이 될 것입니다. 그리스의 항만 현대화사업과 한국이 큰 관심을 갖고 있는 관광분야에서도 성공적인 협력모델을 만들 수 있을 것입니다. 국민간의 교류도 크게 늘고 있습니다. 최근 한국 대학에 그리스어과가 개설되었고, 이곳에서도 한국 영화와 예술에 대한 관심이 높은 것으로 알고 있습니다. 유구한 역사와 문화, 예의를 중시하는 국민성까지 닮은 우리 두 나라는 앞으로도 서로에게 큰 힘이 될 것입니다.

귀빈 여러분,

각하 내외분의 건강과 그리스의 번영, 그리고 우리 두 나라의 우정을 위해 건배를 제의합니다. 이스 이기안(건배) !

한·루마니아 경제인 오찬간담회 연설

2006년 9월 6일

존경하는 빌토르 바비욱 루마니아 상공회의소 회장, 그리고 손경식 대한상의 회장을 비롯한 양국 경제계 지도자 여러분,

안녕하십니까, 이렇게 반갑게 맞아 주셔서 감사합니다.

오전에 좋은 대화 나누셨습니까, 저는 바세스쿠 대통령과 네 명의 장관과 여러 가지, 특히 경제 문제에 관해 많은 대화를 나눴습니다. 매우 만족스러웠습니다. 만약 제가 사업을 하는 사람이라면 회담을 마치고 루마니아에 투자를 결정했을 것입니다. 어제 공항에서 오는 길에, 그리고 시내 곳곳에서 우리 광고물과 자동차를 보면서 한국에 대한 루마니아 국민들의 높은 관심을 실감하고 있습니다. 우리 국민을 대신해서 감사의 말씀을 드립니다.

한국에서도 루마니아는 매우 친숙한 나라입니다. 많은 국민들이 얼

마 후 있을 루마니아 국립오페라단의 내한공연을 고대하고 있고, '라 체 타테' 와인도 인기가 높습니다. 또한 한국 대학에서는 이미 1987년부터 루마니아어를 가르치고 있습니다. 최근에는 저의 고향 부산과 콘스탄차 항 간에 직항로도 열렸습니다.

양국 경제인 여러분,

1990년 수교 이후 두 나라간 교역은 꾸준히 늘어왔습니다. 최근 들어서는 양적으로뿐만 아니라 질적 수준도 한 단계 높아지고 있습니다. 작년에는 루마니아의 대표 IT기업인 '소프트윈' 제품이 한국에 첫 선을 보였습니다. 두 나라간 교역이 첨단 분야로까지 확대되고 있는 것입니다.

투자 분야는 더욱 활기찹니다. 1990년대 진출한 한국 기업들이 이제는 루마니아 경제의 한 몫을 담당하고 있습니다. 얼마 전에는 발전설비 분야에서도 대규모 투자가 이루어졌습니다. 내년 EU가입을 앞두고 있는 루마니아에 대한 우리 기업의 관심은 앞으로 더욱 커질 것입니다. 이번에 체결한 '투자보장협정에 관한 의정서'와 '투자협력 양해각서'도 여기에 한층 더 속도를 붙이게 될 것입니다.

참석자 여러분,

지금이야말로 양국간 실질협력을 한 단계 더 끌어올릴 수 있는 기회입니다. 오전에 바세스쿠 대통령과 여러 협정을 체결하고, '양국간 우호, 협력과 동반자 관계에 관한 공동성명'을 채택한 것도 이런 취지에서입니다. 무엇보다, 우리 두 나라는 에너지산업 분야에서 좋은 파트너가 될 수 있습니다. 루마니아는 발칸지역의 에너지 공급원으로 도약한다는 목표를 세우고, 원자력발전소 건설을 비롯한 에너지산업 현대화 프로젝트를 광범위하게 추진하고 있습니다. 그리고 한국은 세계 최고 수준의 원자력발전소 건설기술과 운영노하우를 가지고 있습니다. 세계 450여 개의 원전 중에서 이용률 5위까지가 모두 한국 원전입니다. 뿐만 아니라 한국 기업들은 한번 공사를 맡으면 기간과 비용, 품질 면에서 늘 계약서에 있는 것보다 좋은 성과를 내왔습니다. 얼마 전 한국 기업이 피테슈티 시 소재 페트롬 사의 정유시설을 당초 계약기간보다 2개월 앞당겨 준공시킨 것은 여러분도 아실 것입니다.

현재 협의 중에 있는 체르나보다 3·4호기 원전사업 등이 좋은 결실을 맺어 이 같은 협력사례가 더 많이 나오게 되기를 기대합니다.

양국 기업인 여러분,

에너지산업 외에도 우리는 서로 도울 수 있는 분야가 많습니다. 바세스쿠 대통령께서 새로운 성장동력 산업으로 육성하고 계신 정보통신과 석유화학, 자동차 분야 등에서 한국 기업은 아주 빠른 속도로 성공을 이루어낸 경험을 가지고 있습니다. 그것은 불과 반세기 만에 1인당 국민소득 80달러를 16,000달러로 올려놓은 경험이고, 루마니아가 가고자 하는 성공의 길과 비슷한 것입니다. 우리 기업인들은 시장경제를 성공적으로 발전시켜 가고 있는 루마니아의 좋은 친구가 될 것입니다. 특히 저는 정보통신 분야에서의 협력 가능성에 주목합니다. 루마니아는 동유럽 국가 가운데 IT전문가를 가장 많이 가지고 있는 나라입니다. 정보보호 소프트웨어 분야에서는 유럽 최정상의 기술 수준을 보유하고 있습니다.

한국 역시 전 국토에 초고속통신망을 구축하고 있으며, IT제조업 경쟁력과 전자정부 구축 등에서 가장 앞선 나라 중의 하나가 되고 있습니다. 이러한 두 나라의 강점이 서로 합해지면 모범적인 협력모델을 만들어낼 수 있을 것입니다. 루마니아의 높은 수준의 과학기술과 학문도 잘 알고 있습니다. 과학기술 개발 및 혁신협력에 관한 의정서 체결을 계기로 과학기술 분야에서도 양국 간 협력이 더욱 확대되기를 기대합니다.

루마니아 경제인 여러분,

우리 기업과 손을 잡으십시오. 무에서 유를 창조한 신화를 만들어 낸 사람들입니다. 한국 정부와 국민은 루마니아인을 좋아합니다. 루마니아의 성공을 적극적으로 뒷받침할 의사를 갖고 있습니다. 좋은 대화 나누고, 좋은 친구가 되기를 바랍니다. 큰 성공 거두시기 바랍니다.

감사합니다.

바세스쿠 루마니아 대통령 내외 주최
국빈만찬 답사

2006년 9월 6일

존경하는 트라이안 바세스쿠 대통령 각하 내외분, 그리고 내외 귀빈 여러분,

저와 우리 일행을 따뜻하게 그리고 성대히 맞아주신 대통령 각하와 루마니아 국민 여러분께 감사말씀 드립니다. 체제 전환한 지 16년 남짓한 기간 동안에 루마니아가 이룬 정치적 민주화와 경제적 성과는 그야말로 눈부신 것입니다. 정치, 경제적으로 안정된 토대 위에서 아주 높은 수준의 경제성장을 이루고 있습니다. 양적인 성장만이 아니라, 제도의 개혁이라고 하는 토대 위에서 이루어지는 질적 성장인 점에 더 큰 의미가 있다고 생각합니다.

루마니아가 이처럼 아주 놀라운 성과를 거두고 있는 동안에 우리 한국 기업들도 루마니아에 와서 역시 큰 성공을 거두었습니다. 이제 루

마니아가 EU에 가입하게 되면 그것은 또 하나의 기회가 될 것입니다. 루마니아에게만 새로운 기회가 아니라 지금 이 자리에 계신 한국에서 온 경제인 여러분에게도 새로운 기회가 온다는 것을 의미하는 것입니다.

오늘 오후에 세계은행 평가에서 동남유럽권에서 가장 투자 환경이 좋은 나라가 루마니아라고 발표됐다고 합니다. 우리 일행은 그럴 줄 알고 이 시기에 맞추어서 루마니아를 방문했습니다. 루마니아에게 이와 같은 성공이 계속된다면 훗날 우리가 그것을 기적이라고 이름붙일 수 있을 것입니다. 한국도 기적이라고 평가되는 성과를 과거에 경험한 바 있습니다. 한국과 루마니아가 손잡고 협력하면 더 큰 기적을 만들어 낼 수 있을 것입니다.

저는 새로운 기회를 맞이하는 루마니아를 위해서, 또 우리 한국의 경제인들이 이곳 루마니아에서 새로운 기회를 발견하기를 바라는 마음에서, 그리고 오늘 생일을 맞이하신 바세스쿠 대통령 각하 부인을 축하드리는 마음을 함께 보태서 건배를 청하겠습니다.

제가 바세스쿠 대통령을 두 번 만났는데 만나는 동안에 너무 마음이 잘 통해서 정말 따뜻한 친구가 되었습니다. 그래서 새로운 친구가 된 것을 제 스스로 축하하는 마음까지 이 잔에 담고 싶습니다. 건배!

감사합니다.

할로넨 핀란드 대통령 내외 주최 국빈만찬 답사

2006년 9월 7일

존경하는 타르야 할로넨 대통령 각하 내외분, 그리고 자리를 함께 하신 귀빈 여러분,

대한민국 대통령으로서 처음 핀란드를 방문했습니다. ASEM 정상회의 준비로 바쁘신 가운데도 우리 일행을 위해 성대한 자리를 마련해주시고, 따뜻한 환영의 말씀을 해주신 데 대해 감사드립니다.

세계는 지금 핀란드를 주목하고 있습니다. 끊임없는 혁신과 R&D 투자로 세계 1위의 국가경쟁력을 유지하면서, 사회복지에서도 모범을 보이고 있는 핀란드는 '세계의 우등생'이라는 칭찬을 듣기에 부족함이 없습니다. 유기적인 산학연 협력과 혁신 클러스터, 그리고 합의를 중시하는 정치문화와 선진복지체계는 우리에게도 좋은 본보기가 되고 있습니다. 각하께서는 이러한 성공의 중심에 계십니다. 사회적 정의와 평등에

대한 신념을 바탕으로 평생을 노동자, 여성의 권익신장을 위해 헌신해 오셨고, 고급인력 양성과 기술투자 확대를 통해 부강한 핀란드를 만들어 가고 있습니다. 또한 EU 의장국으로서 국제 인권보호와 개도국 지원에 도 선도적인 역할을 하고 있습니다. 각하의 지도력과 국민의 역량으로 '작지만 강한 나라', 핀란드의 기적은 앞으로도 계속될 것이라고 확신합 니다.

내외귀빈 여러분,

한국과 핀란드는 가까워지면 질수록 서로에게 도움이 되는 친구입 니다. 우선, 두 나라가 세계 최고 수준의 기술력을 인정받고 있는 정보통 신 분야가 그 대상이 될 수 있을 것입니다. 휴대방송서비스 분야 등에서 함께 힘을 모은다면 서로에게 더 큰 발전의 기회를 제공해줄 수 있을 것 이고, 전자정부 사업에서는 해외 공동진출도 가능할 것입니다. 이번 방 문기간 중에 열리는 제1차 과학기술포럼을 계기로 이 분야의 협력도 한 층 강화되기를 희망합니다. 두 나라의 대표적인 혁신 클러스터인 대덕과 오울루 간의 협력뿐만 아니라 국제적인 연구프로젝트에도 양국의 공동 참여가 더욱 촉진되기를 바랍니다.

아울러 지역균형발전, 산학연 협력체제 강화, 저출산, 고령화문제 해결과 같은 주요 국정과제 추진에 있어서도 두 나라간에 활발한 정책 협력과 경험 공유가 이루어지기를 기대합니다. 그런 점에서 오늘 정상회 담은 매우 유익했습니다. 우리 두 나라가 함께 할 일이 많다는 것을 확인 한 자리였습니다. 앞으로 직항로까지 열리면 한국과 핀란드는 경제와 통 상은 물론 문화, 인적교류, 국제협력 등 모든 면에서 한층 '성숙한 동반자 관계'로 발전해갈 것입니다.

내외 귀빈 여러분,

각하 내외분의 건승과 핀란드의 발전, 그리고 우리 두 나라의 영원한 우정을 위해 건배를 제의합니다.

건배! 감사합니다.

헬싱키 시 주최 오찬 답사

2006년 9월 8일

존경하는 타르야 할로넨 대통령 각하 내외분, 힐투넨 헬싱키 시의회 의장, 유시 파유넨 시장, 그리고 귀빈 여러분,

따뜻한 환대와 오찬에 감사드립니다. 어제 이곳에 도착했지만 숲과 호수와 공원에 둘러싸인 도시의 모습이 무척 인상적입니다. '유럽 문화의 도시'로 선정될 만큼 문화시설과 공연도 풍부하다고 들었습니다. 쾌적하고 품위있는 삶의 환경이 도시경쟁력의 핵심요소라는 사실을 다시금 확인할 수 있었습니다.

헬싱키는 평화와 화합의 장소로 잘 알려져 있습니다. 냉전이 고조되던 1952년에는 올림픽의 성공적 개최를 통해 화합의 메시지를 전 세계에 전했고, 1975년 '헬싱키 선언'은 유럽이 동서 간의 대립을 넘어 평화와 안정의 길로 나아가는 데 크게 기여했습니다. 이틀 뒤, 이곳에서 개

막하는 ASEM 정상회의도 아시아와 유럽의 정상들이 모여 두 대륙 간의 파트너십 증진과 공동번영을 위한 소중한 계기가 될 것으로 믿습니다.

귀빈 여러분,

방금 전 한국상품전시회를 둘러보면서 한국에 대한 헬싱키 시민들의 높은 관심을 확인할 수 있었습니다. 이미 1939년에 람스테트 교수가 외국인으로는 처음 한국어 문법책을 저술해 세계에 소개했고, 헬싱키 대학에서는 1980년부터 한국어 강좌를 운영해 오고 있습니다. 우리 한국도 핀란드에 대해 관심이 많습니다. 세계 최고의 경쟁력을 가진 핀란드를 배우기 위해 공무원과 기업인, 언론인 등 많은 사람들이 이곳을 찾고 있고, 공동으로 MBA 과정을 운영하고 있기도 합니다.

이러한 관심과 교류가 실질협력을 확대하는 좋은 밑거름이 될 것이라고 생각하며, 앞으로도 서로를 이해하고 가까워질 수 있는 기회가 더 많아지길 기대합니다.

귀빈 여러분,

헬싱키시의 발전과 번영, 그리고 우리 두 나라의 영원한 우정을 위해 건배를 제의합니다.

감사합니다.

제6차 ASEM 정상회의 개회식 연설

2006년 9월 10일

존경하는 의장, 각국 정상과 대표 여러분,

제6차 ASEM 정상회의의 개막을 축하하며, 핀란드 국민 여러분께 감사드립니다.

헬싱키 선언을 통해 냉전시대 극복의 기초를 다졌던 역사적인 도시에서 열리는 이번 회의의 성공을 확신합니다. ASEM이 출범한 지 10년이 되었습니다. 그동안 ASEM은 유럽과 아시아의 상호 이해와 교류협력을 증진하는 연결고리로서 중요한 역할을 해왔습니다. 아시아 국가들은이 회의를 통해 유럽이 이뤄낸 통합과 다자안보협력의 경험을 배우고있습니다. 유럽의 경험은 아시아가 평화롭고 안정적인 안보질서를 구축하고 지역 공동체로 나아가는 데 많은 시사점을 주고 있습니다. 또한 두지역은 경제에 있어서도 긴밀한 파트너가 되고 있습니다. 큰 시장을 바탕으로 역동적인 성장을 계속하고 있는 아시아와 성숙한 경제의 유럽이 협력을 더욱 강화해 나간다면 두 지역은 물론, 세계경제에도 크게 공헌하게 될 것입니다.

내외 귀빈 여러분,

한국은 ASEM과 특별한 인연을 맺어 왔습니다. 2000년에는 제3차 정상회의를 성공적으로 개최했고, 여러 사업을 통해 두 지역의 연대를 강화하기 위해 노력해왔습니다. 초고속 정보통신망 구축을 통한 '정보 실크로드', 장학사업을 통한 '교육 실크로드', 그리고 남북한 철도를 시발로 유럽까지 이어가는 '철의 실크로드' 구상이 바로 그것입니다.

유럽 국가들과의 경제협력 또한 크게 확대되었습니다. 지금 EU는 우리의 두 번째 수출시장이자 한국에 가장 많은 투자를 하고 있는 파트너입니다. 지난해 EU와의 교역액은 527억 유로로 10년 전에 비해 두 배 이상 증가했고, 유럽에서 공부하는 우리 유학생도 두 배 이상 늘었습니다.

각국 정상과 대표 여러분,

ASEM은 이제 지난 10년간의 성과를 바탕으로 한 단계 더 협력의 수준을 높여가야 합니다. '대화의 장'을 넘어 보다 실질적인 '협력의 매개체'로 거듭나야 합니다. 범세계적인 도전에 대한 공동대응도 그 좋은 방안이 될 것입니다. 무엇보다 저는, 세계화와 정보화의 진전으로 심화되고 있는 지역간, 국가간, 계층간 양극화 문제를 해결하는 데 ASEM이 보다 적극적인 노력을 기울여야 한다고 생각합니다. 원조와 같은 직접적인 도움도 중요하지만, 정보인프라 구축과 인력 양성을 통해 시대 변화에 스스로 대처할 수 있는 역량을 갖추도록 지원하는 것은 더 중요할 것입니다. 한국은 지금까지 해 온 것처럼, 앞으로도 정보, 교육 격차 해소를 비롯한 ASEM 차원의 양극화 문제 해결 노력에 적극 참여해 나갈 것입니다. 이번 회의가 ASEM의 새로운 10년을 열어가는 역사적인 자리가 되기를 바라며, 여러분 모두의 건승을 기원합니다. 감사합니다.

ASEM 정상회의 조정국 기자회견 모두 연설

2006년 9월 11일

존경하는 반하넨 총리, 동료 조정국 정상과 기자 여러분,

먼저 ASEM 동북아 조정국 정상으로서 금번 정상회의의 성공적 개최를 위해서 노고를 아끼지 않으신 핀란드 정부와 국민 여러분께 축하와 감사 인사를 드립니다. 특히 지난 1975년 역사적인 헬싱키 회의를 통해서 유럽안보협력회의를 탄생시키고 동서 간 화해의 서막을 연 바로 이곳에서 ASEM 10주년을 맞이한 것은 무척 뜻깊은 일이라고 생각합니다.

저는 이번 정상회의에서, 이곳 헬싱키에서 시작된 유럽의 신뢰 구축과 통합의 역사적 경험을 교훈으로 삼아서 아직도 냉전의 잔재가 남아 있는 동북아 지역의 다자안보협력체제를 구축하고자 하는 비전을 밝힌 바 있습니다. 아울러 저는 북한 핵과 미사일 문제의 평화적 해결과 남북관계의 진전을 위한 한국 정부의 노력을 설명하였으며, 이에 대해 아

시아와 유럽 국가의 정상들이 한목소리로 지지를 표명해 주신 것은 한반도와 동북아의 평화체제 구축을 위한 중요한 메시지가 될 것으로 생각합니다.

앞서 반하낸 핀란드 총리께서 말씀하신 바와 같이 이번 정상회의에서 루마니아, 불가리아와 함께 인도, 파키스탄, 몽골과 ASEAN 사무국의 ASEM 가입이 결정된 것은 ASEM의 발전을 위한 새로운 활력이 될 것으로 확신합니다. 특히 몽골, 인도, 파키스탄이 한·중·일 동북아 3국과 같은 그룹에 포함된 것을 진심으로 환영합니다.

이제 ASEM은 지난 10년간의 성과를 바탕으로 대화체의 수준을 넘어서 실질협력의 강화를 추구해야 할 시점입니다. 정치·경제·문화 등 제반 분야에서 정부와 민간 상호간에 다양한 협력의 네트워크를 구축하고 협력 성과를 관리하는 시스템을 발전시켜 나가야 할 것입니다. 끝으로 역사적인 제6차 헬싱키 ASEM 정상회의의 성공적인 개최를 위해서 땀을 흘리신 많은 분들의 노력에 대해서 다시 한번 깊은 감사의 말씀을 드립니다.

감사합니다.

대한변리사회 창립 60주년 축하 메시지

2006년 9월 6일

대한변리사회 창립 예순 돌을 진심으로 축하합니다. 국민의 지식재산 보호와 과학기술 발전에 이바지해 오신 여러분의 노고에 감사드립니다. 지금은 창의적인 지식과 기술이 경쟁력을 좌우하는 시대입니다. 지식재산권에 대한 인식이 높아지면서 특허기술이 기업은 물론 국부의 새로운 원천이 되고 있습니다.

우리는 이 분야에서 놀랄만한 성공을 이뤄왔습니다. 변리사회가 창립했을 때, 500건에도 못 미치던 연간 산업재산권 출원 건수가 이제 35만 건을 넘어 세계 4위, 국제특허 6위로 발돋움했습니다. 지난해 국제 평가기관인 IMD는 우리나라의 특허생산성 지수를 세계 2위로 평가했습니다. 규모와 경쟁력, 모든 면에서 기술선진국의 반열에 올라서게 된 것입니다. 정부는 그동안 기술혁신과 인재양성을 최우선 전략으로 삼아 국가적 역량을 집중해 왔습니다. 특히 산, 학, 연 협력체계 구축, 핵심, 원천기술 개발 등 특허강국의 위상에 걸맞은 환경을 만드는 데 최선을 다하고 있습니다.

참여정부 출범 당시 23개월 걸리던 특허심사처리기간을 14개월로 단축했고, 세계 최초로 온라인 전자민원 서비스를 도입하는 등 특허심사 시스템을 획기적으로 개선했습니다. 앞으로 집중심리제 도입 등을 통해 심판처리기간도 올 연말까지 6개월로 줄여 명실상부한 선진국형 심판행정체계를 구축해 나갈 것입니다. 다시 한번 대한변리사회 창립 예순 돌을 축하드리며, 지식재산 강국의 위상을 한층 더 높이는 데 여러분께서 앞장서 주시기 바랍니다.

아시아 정당국제회의 제4차 총회 축하 메시지

2006년 9월 8일

아시아정당국제회의 총회를 축하드립니다. 각국에서 오신 정당지도자 여러분을 환영합니다. 특히 이번 총회는 한국의 여야 정당이 함께 준비해서 더욱 뜻깊은 것 같습니다. '아시아는 어디로 갈 것인가,' 선뜻 대답하기 어려운 문제입니다. 그러나 '어디로 가야할 것인가,'는 분명합니다. 모든 나라가 평화에 대한 불안감 없이 공존하고 협력하면서 함께 번영을 누리는 미래가 바로 그것입니다.

중요한 것은 신뢰입니다. 신뢰를 쌓기 위해서는 우선 대화해야 합니다. 만나서 대화해야 이해가 깊어지고, 불신과 오해를 극복할 수 있습니다. 없던 길도 열리게 됩니다. 또 하나, 실천해야 합니다. 상대방을 존중하고, 인류 보편의 가치를 실현하기 위해 노력하고 있다는 것을 행동으로 보여줘야 합니다. 그랬을 때 서로를 진정한 친구로 받아들일 수 있을 것입니다.

　각국의 정치지도자 여러분이 이러한 길에 앞장서 주실 것으로 믿으며, 이번 총회가 아시아 국가 간의 상호이해와 협력을 증진하는 좋은 계기가 되기를 기대합니다.

부산일보 창간 60주년 축하 메시지

2006년 9월 10일

부산일보 창간 예순 돌을 축하드립니다. 임직원과 애독자 여러분께 따뜻한 인사를 전합니다.

부산일보는 우리 현대사의 희로애락을 시민과 함께 해왔습니다. 깊이 있는 취재와 알찬 정보, 다양한 문화행사를 통해 지역사회 발전에 크게 기여해 왔습니다. 이제 최고의 지역일간지를 넘어 전국에서 가장 유력한 석간신문으로 자리매김했습니다. 본격적인 지방화 시대를 맞아 부산일보의 위상은 앞으로 더욱 높아질 것입니다. 부산은 지금 밝은 미래를 향해 힘차게 나아가고 있습니다. 부산항이 동북아 물류중심의 든든한 토대가 되고 있고, 부산북항 재개발과 미군부대 이전은 부산이 한층 여유롭고 쾌적한 도시로 거듭나는 계기가 될 것입니다. 문화, 관광, 컨벤션 산업도 빠르게 성장하고 있습니다. APEC 정상회의를 성공적으로 치러내 부산을 세계에 알렸고, 얼마 전에는 '아시아 10대 국제회의 도시'로 선정되기도 했습니다.

저는 부산시민의 역량을 믿습니다. 교육, 문화 등 모든 면에서 질 높은 삶의 조건을 고루 갖춘 품격있는 도시, 동남권 전체의 번영을 이끄는 세계적인 해양도시로 발전해 나갈 것입니다. 공정한 보도와 책임있는 주장으로 부산일보가 이러한 길에 선도적인 역할을 다해주길 바랍니다.

창간 60주년을 거듭 축하드리며, 부산일보의 무궁한 발전을 기원합니다.

제6차 동북아지역 자치단체연합 총회
축하 메시지

2006년 9월 13일

　제6차 동북아지역 자치단체연합 총회를 축하드립니다. 부산을 방문하신 여러분을 진심으로 환영합니다. 올해로 창립 열 돌을 맞는 동북아지역 자치단체연합에도 축하의 인사를 전합니다. 세계는 지금 동북아시아를 주목하고 있습니다. 세계 경제를 이끌어 가는 견인차로서 역동적인 성장을 거듭하고 있고, 역내 국가간 협력과 인적 교류도 확대되고 있습니다.

　그러나 해결해야 할 과제도 적지 않습니다. 아직도 식민지배와 냉전에서 비롯된 역사의 상처가 아물지 않고 있습니다. 앞으로의 비전에 대한 합의도 부족한 것이 사실입니다. 한국은 '평화와 번영의 동북아시대'를 열어가기 위해 적극적인 노력을 기울이고 있습니다. 여러분과 함께 이 지역에 협력과 통합의 새로운 질서를 만들어 가고자 합니다. 무엇보다 책임있는 실천으로 불신과 오해를 극복하고 신뢰를 쌓아나가는 것이 중요하다고 생각합니다. 동북아지역 자치단체연합에 거는 기대가 큽니다. 지방정부 간의 긴밀한 협력이야말로 동북아의 평화와 번영을 앞당기는 실질적인 밑거름이기 때문입니다. 지난 10년간 동북아의 교류협력에 앞장서 오신 여러분께서 서로의 다양성을 조화롭게 발전시켜, 동북아가 하나의 공동체로 나아가는 데 더 큰 역할을 해 주실 것으로 믿습니다.

다시 한번 총회를 축하드리며, 머무시는 동안 즐겁고 보람된 시간 보내시기 바랍니다.

제3차 OECD 국세청장회의 축하 메시지

2006년 9월 14일

제3차 OECD 국세청장회의 개막을 축하드립니다. 각국 국세청장을 비롯한 참석자 여러분을 진심으로 환영합니다.

우리는 지금 자본과 기술, 인력이 자유롭게 넘나드는 세계화 시대에 살고 있습니다. 이에 따라 각국의 조세경쟁이 심화되고 있고, 나라마다 다른 조세체계를 부당하게 이용하는 경우도 늘고 있습니다. 조세행정을 이끌고 계신 여러분께서 국제적인 기준을 확립하고 공조를 강화해서 과세의 합리성과 실효성을 높이는 데 더욱 앞장서 주시기 바랍니다.

한국 경제는 눈부신 발전을 거듭해 세계 10위권의 규모로 성장했습니다. 또한 투명하고 공정한 시장을 만드는 개혁도 큰 진전을 이뤄왔습니다. 정경유착의 고리가 끊어졌고 불합리한 규제도 과감히 철폐하고 있습니다. 국내외 기업 누구나 자유롭게 실력으로 경쟁하는 시장이 자리

잡아가고 있는 것입니다.

이번 회의가 국제적 협력과 파트너십을 강화하는 계기가 되기를 기대하며, 머무시는 동안 유익한 시간되시기 바랍니다.

감지중국-한국 행사 축하 메시지

2006년 9월 21일

    중국의 문화예술과 경제를 소개하는 '감지중국 – 한국' 행사가 서울에서 열리게 된 것을 매우 기쁘게 생각합니다. 준비를 위해 애써주신 양국 관계자 여러분께 감사의 말씀을 드립니다. 양국관계는 수교 이후 지난 14년 동안 빠르게 발전해 왔습니다. 중국은 우리나라의 첫 번째 교역 상대국이자 투자대상국이 되었고, 수교 당시 한 해 20여만명에 불과하던 인적 교류도 크게 늘어 하루 1만명 이상이 양국을 오가고 있습니다. 드라마와 영화를 비롯한 문화교류 역시 갈수록 활발해지고 있습니다. 특히 '한·중 교류의 해'인 내년은 두 나라간 민간교류를 확대하고 상호이해를 증진하는 좋은 계기가 될 것입니다.

    이제, 지금까지 발전시켜온 우호협력의 길을 더 크게 넓혀가야 합니다. 서로를 존중하는 가운데 협력에 장애가 되는 요인들을 제거해서 더 큰 신뢰를 쌓아나가야 합니다. 그래서 평화와 공동번영의 미래를 향해 함께 손잡고 나아가야 하겠습니다. 이번 행사의 큰 성공을 기원하며, 내년 중국에서 있을 '다이나믹 코리아' 행사도 많은 관심과 성원을 부탁드립니다.

2006 가야 세계문화축전 축하 전문

2006년 9월 22일

가야세계문화축전을 진심으로 축하드립니다. 김해시민과 참가자 여러분께 인사의 말씀을 전합니다. 가야세계문화축전은 찬란했던 가야의 역사와 문화를 직접 보고 느낄 수 있는 좋은 기회입니다. 다양한 전시와 체험행사는 물론이고, 수준 높은 문화공연까지 관람객들의 즐거움을 더해 줄 것으로 기대합니다. 우리의 문화유산을 되살려 멋진 축제로 가꿔 가는 시민들의 역량에 박수를 보내며, 앞으로 김해가 국제적인 문화관광도시로 크게 발전해 갈 것이라고 확신합니다.

가야세계문화축전의 큰 성공과 여러분 모두의 행복을 기원합니다.

동북아역사재단 출범식 축사

2006년 9월 28일

여러분, 반갑습니다. 학계와 시민사회 지도자 여러분께도 특별히 감사 인사를 드립니다. 이 자리에 참석해 주셔서 감사합니다. 국회에서도 위원장님께서 오셔서 감사합니다.

오늘 동북아역사재단 출범은 역사적으로 뜻깊은 일이라 생각합니다. 우리가 열심히 배우고 존중하는 역사를 보면, 과거사로 머물러 있는 역사도 있고 오늘의 현실 속에 갈등으로 결합돼 있는 역사도 있습니다. 역사의 해석과 역사 문제에 대한 정리와 처리를 놓고 간간이 정치적 갈등이 벌어지고 있습니다. 국민들의 감정적 행동이 표출되기도 합니다. 어떻게 보면 역사가 정치화되고 있다고도 생각합니다. 저는 그것이 잘못된 것이라고 생각하지 않습니다. 역사라는 것은 그저 과거의 사실로 존재하는 것이 아닙니다. 과거의 사실이 오늘의 의미로 살아 있고, 오늘 우리가 어떻게 해야 할 것인가에 대한 길을 제시하는 지침으로서의 생명력을 갖고 있기 때문에 역사 문제가 정치화되고 감정화하고 갈등요소가 되는 것도 자연스런 일이라고 생각합니다.

그럼에도 우리가 항상 부닥치는 어려움은 정치적 협상이나 싸움으로 이 문제가 해결되지 않는다는 것입니다. 각국 국민들이 갖고 있는 국민정서로서 감정을 표출하는 것으로는 역사 문제가 해결되지 않는다는 것입니다. 그러나 그렇게 내버려 둘 수 있는 문제도 아닙니다. 합리적으로 정리하거나 해결할 필요가 있는 문제입니다.

지금 우리나라는 동북아에서 이전의 변방의 역사를 청산하고 극복해서 당당하게 동북아 역사를 주도하는 일원으로서 자기 역할을 다해야 되는 시기를 맞이하고 있습니다. 그걸 할 수 있는 시기를 맞이하고 있습니다. 그렇다고 세계 정세가 한국만이 우뚝 서서 과거의 모든 수모를 다 극복하고 맺힌 한을 풀고 한국이 좌지우지 주도할 수 있는 새로운 역사를 용납할 것 같지는 않습니다. 이제 평화와 공존, 그리고 공동번영의 새로운 시대를 열어 나가야 할 시기에 있습니다. 그런데 유독 동북아만은 그 문제에 있어서 뒤처져 있습니다. 유럽에 갈 때마다 한없이 부러운 게 새로운 시대를 맞이하는 새로운 질서가 부럽고, 심지어 우리보다 개발이 좀 늦은 것으로 인식하는 아프리카에 가서도 공동체 논의가 동북아 지역보다 앞서 있는 게 아닌가 하는 현실을 보면서, 한편으로는 부럽고 한편으로는 우리의 처지가 부끄럽고 딱하다는 느낌을 갖습니다. 앞으로 동북아의 새로운 역사를 열어 나가야 됩니다. 지난날처럼 중국이나 일본에 맡겨 놓고 따라갈 수만은 없는 문제이고, 우리가 한발 앞장서서 새로운 질서는 주장하고 제안해서 힘을 합쳐서 새로운 시대를 열어 나가야 합니다. 그럴 때입니다.

그런데 이것이 안되는 여러 이유가 있겠지만 크게 봐서 동북아의 정치가 유럽만큼 성숙하지 못한 것이 아닌가, 그렇게 말할 수 있습니다. 또 하나는 과거 역사를 다루는 자세가 유럽과는 차이가 있지 않은가 생각합니다. 유럽은 제국주의 상호간에 싸움을 하긴 했지만 긴 역사 동안 장기간에 걸쳐 식민 지배를 받았던 국가들은 별로 존재하지 않습니다. 아시아에는 제국주의 식민 지배를 했던 국가와 지배를 받고 온갖 고통을 겪었던 국가가 함께 존재하기 때문에 유럽보다 역사문제를 풀기가 훨씬 어려운 환경에 있는 것이 사실입니다. 여기에다 과거의 역사를 대하는 태도에 있어서도 유럽과는 다르다는 점입니다. 저는 이것을 정치적 성숙성의 차이라고 생각합니다. 역사에 있어서의 차이도 있지만 정치적 성숙성에 있어서도 차이가 있기 때문에 이 같이 역사에 대한 다른 태도가 나타난다고 생각합니다.

유럽에서는 이미 독일과 폴란드 사이에 공동의 역사교과서가 만들어지고 역사를 함께 가르치는 수준에까지 왔고, 역사 문제가 두 나라의 협력관계에 아무런 걸림돌이 되지 않는 시대에 와 있습니다. 얼마 전에 주독일 한국 대사가 프랑스와 독일도 역사공동교재를 만들었다는 보고서와 함께 그 책을 제게 보내왔습니다. 거기에는 아직 합의되지 않은 역사적 사실의 인식에 관해서는 각기 다른 주장을 나란히 실어 놓았습니다. 주장이 서로 다르다는 점만이라도 함께 가르치는 그와 같은 합의를 한 것입니다. 적어도 두 나라 역사를 함께 인식하려는 노력을 보여주고 있습니다. 아직 우리에게는 좀더 많은 시간이 필요하겠지만 노력 없이 되는 일은 아니라고 생각합니다. 모두 진지한 노력을 통해 우리도 그런 방향으로 갔으면 좋겠다고 생각합니다.

조금 전에 말씀 드렸듯이 힘으로 해결할 수 있는 문제도 아닙니다. 정치적 협상으로 해결할 수 있는 문제일 수도 없습니다. 협상은 할 수 있으나 사실을 바꿀 수는 없는 문제이고 정치적 협상이 학술적 활동을 구속할 수도 없기 때문에 정치적 합의만으로 되는 일도 아닙니다. 감정적 대립이란 것은 끊임없이 감정적 대결을 증폭시켜 나갈 뿐이지 문제 해결에는 전혀 도움이 되지 않습니다. 오히려 합리적 문제 해결에 지장이 되는 경우도 있을 수 있습니다. 보다 성숙한 자세로 이 문제를 해결할 수 있는 어떤 토대를 마련해야 합니다.

역사는 객관적 사실에서 출발하는 것이 옳다고 생각합니다. 사실은 매우 엄숙한 것입니다. 사실을 탐구하고 또 사실에 관해 인식이 서로 다른 부분은 진실을 밝혀서 인식을 하나로 합치시키려는 노력이 필요할 것입니다. 그 다음에는 진실을 존중하려는 태도가 필요합니다. 이 부분에 관해서는 정치가가 나서는 것보다는 오히려 학문하시는 분들이 좀더 마음을 열고 대화하기가 쉽지 않을까 생각합니다. 왜냐하면 저도 정치하는 사람입니다만 정치하는 사람들은 정치적 목적이 사실에 앞서는 경우가 많습니다. 사실의 취사선택에 있어서도 정치적 목적을 항상 고려하게 돼 있습니다. 학문하는 분들은 그 점으로부터 좀 자유로울 것입니다. 또 정치하는 사람이 하는 일에는 정치적 시비가 항상 따라오게 돼 있습니다. 학문하는 사람 사이에서도 그와 같은 갈등이 없는 것은 아니겠지만 좀더 객관적일 수 있다고 생각합니다. 그래서 학문적 접근을 통해서 역사 문제에 대한 인식의 차이와 갈등을 풀어 나가고자 하는 것이 고구려 역사재단의 설립 목적이었고, 또한 그것을 뛰어넘어서 동북아 전체를 연구해 보자고 하는 것이 동북아역사재단의 출범 목적입니다.

우리가 한·일 관계, 한·중 관계, 중·일 관계를 보면 각각의 관계가 전체의 관계가 될 것 같지만 실제로 전체를 사고하면서 각자의 관계를 맺어나가는 것과 따로따로 3각의 관계를 가져가는 것이 같지는 않습니다. 경우에 따라서는 각자의 관계가 서로를 견제하고 분열을 이용하는 관계도 될 수 있기 때문에 합리적인 문제 해결에 도움이 안됩니다. 따라서 외교 문제에 있어서도 한·중·일 관계를 기본적으로 하나의 틀로서 함께 풀어 나가려는 시각을 가지고 외교를 해 나가야 한다고 생각합니다.

또 유사한 관점에서 학술적인 문제에 대한 것도 3국이 공동의 목표와 공동의 의식을 갖고 가려는 노력을 해 나가면 한·일의 공동연구, 한·중의 공동연구가 따로 진행되는 것보다는 좀더 많은 결과를 얻어낼 수 있다고 생각합니다. 그래서 한·중 간에 고구려사 문제를 놓고 연구와 토론, 때로는 논쟁도 필요하고, 또 한·일 간에도 이러한 것이 필요하겠지만 한·중·일 3국을 묶어 역사 인식을 함께하는 계기를 만들어 가는 것이 중요하다고 생각합니다.

그런 점에서 본다면 우리 동북아역사재단은 고구려역사재단에서 한 단계 발전한 형태의 목표를 추구하는 조직으로 이해할 수 있습니다. 연구가 많이 필요할 것입니다. 그러나 연구 결과를 따로 갖고 있는 것은 의미가 적을 것입니다. 3국간의 연구결과를 공유해 나가는 노력이 필요합니다. 적당한 타협이 아니라 객관적 진실을 추구해 나가되 함께하는 것이 필요합니다. 이와 같은 합의가 이뤄지기 전까지 또는 설사 역사 인식에 대해 합의가 이뤄진다 하더라도 현실과 관련된 많은 문제에 있어서 각국 간 이익이 따로 있고 갈등이 존재할 수 있습니다. 지금도 존재하고 있습니다.

이런 과정에서는 세 나라 국민들의 인식이 매우 중요하고 나아가서는 주변의 다른 나라, 전 세계 다른 나라들의 역사에 대한 인식이 중요합니다. 지금 우리가 아주 어려움을 느끼고 있는 것은 외교 마당에 나가서, 예를 들면 유럽에 나가서 한,일 역사에 대한 얘기를 들어보면 사실과 전혀 다른 인식을 갖고 있는 사람들이 많이 있습니다. 도 지난날 역사의 결과로서 오늘 우리가 갖고 있는 양국 간 갈등관계라든지 영토문제에 대한 갈등에 대해서도 기본적으로 역사인식이 우리에게 매우 불리하게 돼 있는 점이 많습니다.

연구하시는 분들은 연구결과에 만족하거나 거기까지가 자기가 할 일로 생각하고 그 이상의 것을 생각하지 않을 수 있습니다. 정치하는 사람이 아무리 사실을 들고 나가서 설명한다 할지라도 그 설득력에는 한계가 있습니다. 역사적 사실이 잘못 기록돼 있는 문건들이 정치인들이 뜯어고칠 수 있는 곳에 존재하는 것이 아니라 그 나라에서 연구하는 사람 또는 실무적인 일을 하는 사람들이 관리하는 많은 자료 속에 들어 있습니다. 정치인들의 정치적 발언으로 이 문제를 바로잡거나 해결할 수 있는 것은 아닐 것입니다. 그 같은 문제를 해결하는 데 민관이 함께 적절히 협력하면서 역할을 나눠 맡는 노력이 필요합니다. 그런 일을 해 보자는 것이 동북아역사재단의 또 하나의 역할이라고 생각합니다.

우리는 그런 역할에 더 많은 기대를 갖고 있습니다. 동북아역사재단 외에 개별 학자나 학교, 연구기관 등 많은 곳에서 역사를 연구하고 있지만 그 같은 노력을 조직적으로 하지 못했습니다. 우리가 연구한 성과를 가지고, 다양하게 존재하고 있는 잘못된 역사적 기록들을 바로잡고 세계적으로 공인을 받아 나가는 일이 매우 중요하고, 그렇기 때문에 동북아역사재단의 역할이 중요합니다. 여러 가지 여건이 충분히 만족할 만큼 갖춰져 있는지는 잘 모르겠지만 일단 열심히 해주십시오. 열심히 해보다가 역량이 부족하다 싶으면 역량을 보충하고, 다른 영역에서의 협력이 필요하면 협력을 받고, 정부로서도 최선을 다해 뒷받침해 드리겠습니다. 재단이 하는 일을 우리 국민들이 잘 이해하고 성원해 주실 수 있도록 함께 설득해 나가겠습니다.

무엇보다 중요한 것은 여러분 스스로 신뢰를 받는 것입니다. 노력하는 모습만큼 신뢰가 높아질 것이고 성과만큼 역량이 커질 것입니다. 노력해서 큰 역량을 갖추고 큰 성과를 내주십시오. 그래서 과거의 한으로부터 탈출하지 못하는 상황을 극복하고 우리 국민뿐만 아니라 한·중·일 국민 모두가 미래 동북아의 새로운 질서를 형성할 수 있는 인식의 토대를 만들어서 새로운 역사를 창조하는 데 밑거름이 되어 주시기 바랍니다.

감사합니다.

경향신문 창간 60주년 축하 메시지

2006년 9월 28일

창간 예순 돌을 진심으로 축하드립니다.

우리 현대사와 굴곡을 함께 해온 경향신문은 역사의 고비 마다 시대적 소명을 다하기 위해 노력해 왔습니다. 독재시대에는 폐간과 강제매각이라는 수난을 당하면서도 정의의 펜을 굽히지 않았고, 민주화 이후에는 부끄러운 과거를 고백하는 용기를 보여주기도 했습니다. 또한 언론의 지배구조가 과제로 대두되었을 때는 사원주주회사로 거듭나 사회적 의제를 책임 있게 이끌어 나가고 있습니다. '대한민국 희망언론'으로서 우리 언론의 새 지평을 열어가고 있는 경향신문에 거듭 축하와 감사의 인사를 전합니다. 지금 우리 앞에는 대한민국의 미래를 좌우할 많은 과제들이 놓여 있습니다. 진지한 대화와 협력이 지금처럼 필요한 때가 없습니다.

무엇보다, 정확한 정보가 국민에게 전달되고 다양하고 공정한 공론의 장이 마련되어야 할 것입니다. 그래서 우리 사회가 지향해야 할 목표와 전략에 대해 합의를 이루고, 함께 힘을 모아 나가야 하겠습니다. 경향신문에 거는 기대가 큽니다. 공정한 보도와 책임있는 주장으로 대한민국의 밝은 앞날을 열어가는 데 앞장서 주실 것으로 믿습니다. 다시 한번 창간 예순 돌을 축하드리며, 경향신문의 무궁한 발전을 기원합니다.

10월

제58주년 국군의 날 연설

2006년 10월 1일

친애하는 국군장병 여러분, 그리고 내외귀빈 여러분,

건군 58주년 국군의 날을 온 국민과 함께 축하합니다. 지금 이 시각에도 뜨거운 애국심으로 조국방위의 사명을 다하고 있는 국군장병 여러분의 노고를 치하합니다. 아울러 우리 군의 오늘을 만들어 오신 창군원로와 예비역, 그리고 주한미군 장병 여러분에게 감사의 말씀을 드립니다. 참으로 든든하고 자랑스럽습니다. 막강한 '대한 강군'으로 우뚝 선 우리 군에 대해 무한한 애정과 신뢰의 박수를 보냅니다.

국군장병 여러분,

건군 당시 우리 군은 변변한 무기 하나 제대로 갖추지 못한 초라한 군대였습니다. 오직 나라를 지켜야 한다는 의지 하나로 출발했습니다. 곧이어 발발한 6·25전쟁 때에는 탱크 한 대, 전투기 한 대 없이 맨몸으로 싸웠습니다. 말로 다 할 수 없는 고초를 겪으며 우리의 자유와 평화를 지켜냈습니다. 그러나 이제 우리 군은 규모나 전투력에서 세계 열 손가락 안에 드는 강력한 군대로 성장했습니다. 최신예 전투기들이 우리 영공을 수호하고 있고, 한국형 구축함과 잠수함이 바다를 물샐틈없이 지키고 있습니다. 우리 손으로 만든 T-50 고등 훈련기나 K-9 자주포 등은 세계의 주목을 받고 있습니다.

최근 들어서는 주한미군이 맡고 있던 임무의 일부가 한미 간의 합의에 따라 한국군으로 전환되고 있습니다. 유도탄사령부 창설 등 북한의 장사정포에 대한 대비도 한층 강화되었고, 첨단 정보전력과 지휘통제통신체계도 차질 없이 갖추어나가고 있습니다.

우리 군은 또한 UN평화유지군으로 세계의 평화와 안정에 기여해 왔고, 지금도 이라크와 아프가니스탄을 비롯한 12개국에서 임무를 훌륭히 수행하고 있습니다. 58년 전 우리 군대를 세우던 그 때를 생각하면 실로 놀라운 발전이 아닐 수 없습니다. 격세지감이란 말을 실감하게 됩니다. 장병 여러분 스스로 큰 자부심을 가져주기 바라며, 거듭 여러분의 노고를 치하합니다.

국민 여러분,

이제 대북 억지력은 물론이고, 동북아시아의 안보상황과 세계적인 군사력 발전추세에 발맞춰나가야 합니다. 어떤 상황에서도 우리 안보를 책임지는 자주적 방위역량을 갖춰나가야 합니다. 이를 위해 참여정부는 국방비를 지속적으로 확충하고 국방개혁에 박차를 가하고 있습니다. 우리 군의 괄목할만한 성장의 토대 위에서 더욱 효율적이고 강력한 선진정예강군을 만들어 나가고 있습니다.

우선 1단계 중기계획이 완료되는 2010년대 초반에는 우리 군이 한반도에서의 전쟁억제를 주도할 수 있는 역량을 갖추게 됩니다. '국방개혁 2020'에 따라 기술집약형 군 구조와 전력의 첨단화를 이루게 되면, 한반도는 물론 동북아의 평화구조 정착에 중심적인 역할을 수행하게 될 것입니다. 국방개혁이 반드시 성공할 수 있도록 우리 군의 적극적인 노력과 국민 여러분의 아낌없는 성원을 당부드립니다.

국민 여러분,

지금까지 한미동맹은 우리 안보와 군 발전에 큰 힘이 되어왔습니다. 지난달 한미 정상회담에서도 나와 부시 대통령은 한국에 대한 미국의 방위공약은 확고하며, 한미동맹이 미래지향적으로 발전해 나갈 것임을 거듭 확인했습니다. 또한 6자회담의 조속한 재개와 북핵 문제의 평화적 해결을 위해 긴밀히 협력해 나가기로 했습니다.

앞으로도 한미동맹은 한반도에서 전쟁을 막고 동북아의 평화와 안정을 지키는 든든한 버팀목이 될 것입니다.

국군장병 여러분,

여러분의 사기는 전투력의 핵심입니다. 장병들의 복지증진을 국방개혁의 중점과제로 추진하고 있는 것도 바로 이 때문입니다.

군 의료서비스를 민간 수준 못지않게 획기적으로 개선해 나갈 것입니다. 또한 병영생활관이나 간부숙소를 현대화하고, 인권보호와 병영문화 개선에도 지속적인 노력을 기울여 나갈 것입니다. 제대군인에 대한 맞춤식 전직지원체계도 마련해가고 있습니다. 우리 젊은이들이 자랑과 보람으로 여기는 군대, 부모님들이 안심하고 자식들을 보낼 수 있는 군대를 만드는 데 최선을 다하겠습니다.

국군장병 여러분,

여러분은 우리 군의 변화와 발전을 이끄는 중심에 서 있습니다. 조국의 안전과 평화, 그리고 우리 군의 미래가 여러분에게 달려 있습니다. 모든 역량을 하나로 모아 더욱 자랑스런 대한민국 국군이 되어주기 바랍니다. 나는 여러분의 능력과 애국심을 믿습니다. 그리고 언제나 여러분과 함께 할 것입니다. 장병 여러분의 무운과 건승을 기원합니다.

감사합니다.

경향신문 창간 60주년 기념 특별 기고

2006년 10월 2일

경향신문 창간 예순 돌을 진심으로 축하합니다.

해방 이듬해에 창간한 경향신문은 우리 현대사와 영욕을 함께 해 왔습니다. 백범 김구 선생이 암살되자 두 번이나 호외를 발행했고, 6·25전쟁 발발도 가장 먼저 알렸습니다. 그런가 하면 권력의 횡포에 맞서 싸우다 폐간의 수난을 겪었고, 한 때는 권력에 의해 회사가 강제 매각되는 굴욕의 세월도 거쳤습니다. 또 80년 5월에는 신군부의 광주민주화운동 탄압에 맞서 제작거부를 벌이던 많은 기자들이 큰 고초를 겪었습니다. 경향신문의 60년은 우리나라 언론자유와 민주주의 발전의 살아있는 역사라 할 것입니다. 돌이켜보면 지난 60년, 우리는 숱한 어려움을 이겨내고 세계가 놀랄 만한 기적을 만들어 왔습니다. 대한민국은 해방과 분단이라는 기쁨과 혼란, 대립과 좌절의 격동 속에서도 민주주의와 시장경제라는 희망의 씨를 뿌렸습니다. 우리는 6·25전쟁, 냉전과 남북대립, 4·19혁명과 군사쿠데타, 유신독재와 5·18, 신군부 독재와 6월항쟁, IMF 외환위기 등 끊임없는 격변 속에서도 산업화와 민주화의 꿈을 이뤄냈습니다. 60년 전 박토의 불모지에 뿌렸던 민주주의와 시장경제라는 소중한 씨앗이 세월의 풍파를 헤치고 마침내 아름드리나무로 자랐습니다.

보릿고개를 걱정하던 세계 최빈국에서 이제 대한민국은 세계 10위권의 경제력을 가진 힘 있는 나라로 성장했습니다. 한국에서 민주주의를 기대하는 것은 '쓰레기통에서 장미꽃을 구하는 것과 같다'는 악평을 들었던 대한민국은 지금 세계 어디에 내놓아도 손색이 없는 민주국가로 탈바꿈했습니다.

이 모두가 우리 국민들의 덕입니다. 도전과 시련을 기회와 도약의 계기로 바꿔 성공신화를 만들어온 국민 여러분께 존경과 감사의 말씀을 드립니다. 대한민국은 이제 다시 미래를 향해 새로운 도전을 준비하는 중요한 시대적 고비를 맞고 있습니다. 21세기 우리가 나아갈 선진복지사회를 향해, 우리의 손자손녀들이 꿈과 희망을 마음껏 펼쳐갈 미래를 위해 지금 해야 할 일이 무엇인지 진지하고 책임 있게 뜻을 모아야 할 때입니다. IMF외환위기 이후 구조화된 양극화 현상의 해소와 이미 눈앞에 다가온 저출산, 고령화시대에 대비하는 일은 이제 더 이상 지체할 수 없습니다. 우리의 미래를 가장 불안하게 하는 요소입니다.

또한 우리 사회는 어느덧 급속한 지식정보화시대에 들어서면서 성장은 곧 고용창출이라는 옛 등식이 사라지는 이른바 고용 없는 성장 시대를 맞고 있습니다. 이를 극복하기 위해선 기업의 투자만으로 부족합니다. 제도적 혁신과 인적자원의 고도화, 양질의 일자리 창출에 대한 국가적 장기 전략이 필요합니다. 그런 점에서 정부가 제시한 '비전 2030'은 대한민국의 새로운 성장전략입니다.

한미 FTA 체결, 국방개혁과 전시작전통제권 환수, 평화와 번영의 남북관계 구축, 수도권-지방의 균형발전과 동반성장 정책, 사법개혁과 연금개혁, 대화와 타협의 정치문화 등도 모두 우리가 명백히 가야 할 길입니다. 무엇 하나 외면하거나 미룰 수 없는 국가과제들입니다.

이제 국가발전의 패러다임을 바꿔야 합니다. 과거의 방식과 관행, 의식만으로는 우리 앞의 과제들을 해결할 수 없습니다. 어느 것 하나 쉬운 일은 없습니다. 그렇다고 포기할 수는 없습니다. 합리적 보수, 합리적 진보, 그리고 이를 함께 아우를 수 있는 제3, 제4의 길도 추구할 수 있는 유연한 자세와 노력이 대단히 중요합니다.

무엇보다 극단주의를 배제해야 합니다. 극단주의는 우리가 거쳐온 60년 현대사의 어쩔 수 없는 그림자처럼 보입니다. 민주주의와 시장경제의 급속한 발전과정에서 있을 수 있는 마지막 시련일 수도 있습니다. 그러나 변화의 속도를 따라갈 수 없는 좌-우 극단주의, 성장-분배의 극단주의, 진보-보수의 극단주의는 우리의 미래를 해결해 주지 못합니다.

세상은 엄청난 속도로 변화하고 있습니다. 국가경쟁력을 높이고, 사회적 효율성을 확대하며, 공동체의 통합성을 강화하기 위해 밤낮없이 지혜를 모으고 있습니다. 변화의 시대에 살아남고 미래를 준비하기 위해서는 변화에 적응하고 도전해야 합니다. 냉전시대의 교조적인 이념의 잣대와 흑백논리로는 지식정보화시대, 글로벌시대의 미래를 설계하고 문제의 해법을 찾을 수 없습니다. 미래에 대한 비전과 합리적 선택, 냉철한 결단이 필요합니다. 이를 위해서는 국민의 동의가 중요하고, 무엇보다 정보의 균형 잡힌 소통이 절실합니다. 의제가 얼마나 투명하고 합리적으로 설정되느냐에 따라 사회의 흐름이 바뀌고 우리의 미래가 결정되기 때문입니다. 권력이 한 곳에 집중된 시대에는 견제와 비판이 언론의 첫 번째 사명이었습니다. 숨겨진 진실을 파헤치고 일탈한 권력 행사를 바로잡아 시민의 권리와 민주주의를 지켜내는 역할이 중요했습니다. 그러나 이제는 어떻습니까, 우선 권력이 분산됐습니다. 단순히 삼권분립 차원이 아니라 시민사회와 학계, 경제계 등 모든 영역에서 권력을 나누어 가지고 있습니다. 그 중에서 언론은 가장 큰 영향력을 발휘하고 있습니다.

우리 사회의 의사결정 구조도 바뀌었습니다. 일방적인 지시나 통제는 더 이상 받아들여지지 않습니다. 대화와 설득을 통해서만 합의를 이끌어낼 수 있는 시대가 되었습니다. 정치권력 자체도 합리화됐습니다. 제도와 규범이 허용하는 범위를 초과하여 권력을 행사하지 못합니다. 이제 지도력의 위기를 걱정하는 수준에까지 와 있습니다.

시대가 바뀌면 언론의 역할과 기능도 달라져야 합니다. 정보가 권력이고, 권력에 의해 정보가 독점되던 시대에는 국민의 알 권리 충족이 중요했습니다. 그러나 정보가 투명하게 공개되고 정보가 홍수처럼 넘치는 지금은 정보의 취사선택과 가치판단이 더욱 중요해졌습니다. 따라서 언론은 사실을 정확할 뿐만 아니라 공정하게 전해야 합니다. 그래야 올바른 공론이 만들어집니다. 대화와 타협을 통한 설득과 합의가 국정운영의 원리로 작동하는 지금, 언론은 우리 사회의 의사결정과정에 막강한 영향력을 행사하는 만큼 책임 있는 자세가 필요합니다.

민주사회에서 모든 권력은 언론의 감시와 비판의 대상입니다. 감시하고 비판하기 위해선 감시와 비판의 대상보다 더 높은 공정성과 투명성, 도덕성을 가져야 비판의 정당성을 가질 수 있습니다. 감시와 비판의 역할을 맡은 주체가 스스로 정치화되고 권력화되는 일은 구시대의 유물입니다. 성숙한 민주사회에선 사라져야 할 금기입니다.

우리 언론문화는 이미 많이 달라지고 있습니다. 특히 정부와 언론과의 관계가 근본적으로 달라졌습니다. 유착이나 부당한 공생관계는 더 이상 없습니다. 이렇게 가다보면 정부와 언론이 견제와 균형의 긴장관계를 넘어 창조적인 대안을 통해 함께 목표에 접근해 가는 건강한 협력관계로 발전해 갈 수 있을 것입니다. 어렵지만 그런 의지와 희망을 포기하지 않겠습니다.

언론의 새 지평을 열고자 하는 경향신문이 국민에게 희망을 주고 대한민국의 미래를 밝히는 횃불로서 그 역할을 다해줄 것으로 믿습니다. 참여정부도 역사발전의 다리를 놓고, 새로운 시대의 강을 건너는 소명과 책임을 끝까지 다하겠습니다.

다시 한 번 창간 60주년을 축하하며, 경향신문의 무궁한 발전과 독자 여러분의 행복을 기원합니다.

추석 메시지

2006년 10월 4일

국민 여러분, 안녕하십니까,

민족의 큰 명절 추석입니다. 올해는 연휴가 길어서 고향 가는 길이 좀 수월할지 모르겠습니다. 그래도 가족들 선물 사랴, 차례상 준비하랴 이래저래 마음은 바쁘시지요, 넉넉한 마음으로 서로의 정을 나누는 따뜻한 한가위 되시기 바랍니다. 고향에도 못가고 고생하는 우리 국군장병과 경찰관, 소방관 여러분, 정말 수고 많습니다. 근로자와 버스, 택시 기사, 응급실 관계자 여러분께도 감사의 말씀을 전합니다. 해외동포 여러분과 한국에 계신 외국인 근로자 여러분도 즐거운 추석 보내십시오.

오랜만에 가족, 친지들 만나면 나눌 얘기가 참 많으시죠, 취직도 잘되고 아이들 교육이나 집값, 노후 걱정도 덜하고, 살림살이도 좀 넉넉해졌으면 하는 것이 모든 분들의 바람일 것입니다. 그렇게 될 수 있도록 최선을 다하고 있습니다. 국민 여러분께서 걱정하는 문제들, 하나하나 풀어나가고 있습니다. 미래를 위해 준비해야 할 일들도 책임 있게 해 나가겠습니다. 국민 여러분과 함께한다면 반드시 잘 될 것이라고 믿습니다. 오가는 길 안전운전 하시고, 즐겁고 행복한 추석 연휴 되시기 바랍니다.

고향 잘 다녀오십시오.

오백예순 돌 한글날 경축사

2006년 10월 9일

존경하는 국민 여러분, 그리고 내외 귀빈 여러분,

앞서 우리 어린이 합창단의 노래를 들으면서 우리말이 참 정겹고 아름답다는 것을 다시 한 번 느꼈습니다. 어린이 여러분, 수고 많았습니다. 오늘은 세종대왕께서 한글을 만들어 널리 펴신 지 오백예순 돌이 되는 날입니다. 아울러 우리의 선각자들이 일제 치하에서 한글날을 처음 기념한 지 여든 돌이 되는 날입니다. 이 뜻깊은 날을 맞아 우리말과 글을 가꾸고 지키기 위해 신명을 바치신 선현들의 높은 뜻을 기리며, 한글의 소중함을 다시 한 번 되새깁니다. 이번 한글날이 더욱 뜻깊은 것은 많은 분들의 노력에 힘입어 올해부터 국경일로 기념하게 되었기 때문입니다. 한글학회와 세종대왕 기념사업회를 비롯해 한글 사랑을 실천해 오신 모든 분들께 깊은 감사와 축하의 박수를 보냅니다.

내외 귀빈 여러분,

한글은 우리 민족 최고의 문화유산이자 인류의 위대한 지적 성취입니다. 유네스코는 훈민정음 해례본을 세계기록유산으로 지정했고, 세계 언어학계도 한글을 가장 뛰어난 표현력과 실용성을 가진 문자로 인정하고 있습니다. 무엇보다 세계에서 가장 낮은 수준의 문맹률은 한글의 우수성을 단적으로 보여주고 있습니다. 배우기 쉽고 쓰기 편한 우리글과 높은 교육열을 바탕으로 우리는 기적과 같은 경제성장과 민주주의 발전을 함께 이룰 수 있었습니다.

이처럼 훌륭한 한글의 탄생에는 세종대왕의 위대한 정치철학이 담겨있습니다. 세계 어느 역사를 봐도, 문자가 있는데도 백성을 위해 새롭게 글자를 만들었던 일은 없습니다. 글을 모르는 국민의 불편을 살피려하지 않았고, 또한 그것이 국민간의 소통을 막아 지배층의 특권을 유지하는 방편이 되었을 지도 모르겠습니다. 이런 관점에서 보면 한글 창제 당시에 반대와 비판이 쏟아진 것은 당연한 일이었는지도 모릅니다. 중국을 섬기는 데 어긋나고, 백성을 누르고 다스리는 데 별로 이롭지 않은 일에 왜 그렇게 힘을 쏟느냐는 비난이 끊이질 않았다고 합니다. 그러나 세종대왕께서는 백성을 사랑하고, 백성과 함께 하겠다는 일념으로 한글을 창제하고 반포하셨습니다. 이렇듯 한글은 계급적 세계관을 뛰어넘어 백성을 하나로 아우르고자 했던 민본주의적 개혁정치의 결정판이라고 할 수 있을 것입니다. 한글은 또한 자주적 실용주의와 창조정신의 백미입니다. 만약 세종대왕께서 한자만을 고집하던 지배층에 굴복하거나, 중인들이 쓰던 이두에 만족했다면 한글은 결코 만들어질 수 없었을 것입니다.

우리말에 딱 맞는 과학적인 문자체계를 만들겠다는 부단한 노력이 세계에서 으뜸가는 글자를 창조해낸 것입니다. 이밖에 우리에게 맞는 농업기술과 의학을 집대성하고 과학기술과 민족문화를 꽃피울 수 있었던 것도 이러한 자주적이고 창조적인 노력의 결과라고 할 수 있을 것입니다.

세종대왕의 정치철학은 오늘날에도 시사하는 바가 매우 크다고 하겠습니다. 한글 창제에 담긴 민본주의와 창조성, 그리고 자주정신을 계승하고 발전시키는 일이야말로 우리가 지향하는 혁신과 통합을 이루는 길이 될 것이라고 생각합니다.이러한 정신이 큰 흐름을 이룰 때 우리는 미래에 대한 목표와 전략에 힘을 모으고 더욱 자랑스러운 대한민국 역사를 만들어 갈 수 있을 것입니다.

존경하는 국민 여러분,

우리말, 우리글은 문화 발전의 뿌리입니다. 좋은 말과 글이 좋은 생각을 만들고 좋은 생각이 창조적인 문화를 만듭니다. 한글날이 국경일이 된 것을 계기로 우리말과 글을 더욱 아끼고 발전시켜 나갑시다. 그래서 문화민족으로서의 자긍심을 높여 나갑시다. 정부도 한글의 정보화, 세계화를 적극 추진하는 등 국어의 보전과 발전에 더 많은 관심과 지원을 아끼지 않을 것입니다. 우리의 자랑스러운 문화국경일 한글날을 다시 한 번 경축하며, 여러분 모두의 건강과 행복을 기원합니다.

감사합니다.

아베 일본 총리 내외를 위한 만찬사

2006년 10월 9일

존경하는 아베 신조 총리대신 각하 내외분, 그리고 내외귀빈 여러분,

각하의 총리대신 취임을 다시 한번 축하드립니다. 취임 이후 바쁘신 가운데도 우리나라를 방문해주신 데 대해 진심으로 감사드립니다. 우리 두 나라는 서로 친구가 되지 않으면 불편할 수밖에 없는 숙명적인 이웃입니다. 이미 양국 국민은 비자 없이 두 나라를 오가고 있으며, 경제, 사회, 문화, 스포츠를 비롯한 각 분야의 교류협력도 그 어느 때보다 활발합니다. 이러한 발전이 있기까지 김대중 대통령과 오부치 총리는 '새로운 한일 파트너십'을 선언했고, 2003년에는 나와 고이즈미 총리가 '평화와 번영의 동북아 시대를 위한 공동선언'을 발표했습니다.

그러나 과거사가 불거질 때마다 양국관계는 많은 어려움을 겪는 일을 되풀이해왔습니다. 이제야말로 신뢰와 실천을 통해 이를 극복해야 합

니다. 과거사의 올바른 인식과 청산, 주권의 상호존중 그리고 국제사회의 보편적 가치를 토대로 평화와 번영의 동북아시대를 함께 열어가야 합니다. 그런 점에서, 오늘 정상회담을 통해 깊이 있고 진지한 대화를 나누게 된 것을 뜻깊게 생각합니다. 평소 한일협력의 중요성을 누차 강조하고, 우리 문화에 대한 관심도 각별하신 각하께서 양국의 미래지향적 관계발전에 크게 기여해 주실 것으로 기대합니다.

내외귀빈 여러분,

각하 내외분의 건강과 한일 양국의 무궁한 발전을 기원하는 축배를 들어주시기 바랍니다. 건배!

감사합니다.

주중 대사관 신청사 개관식 축사

2006년 10월 13일

안녕하십니까, 리자오싱 중국 외교부장을 비롯한 내외귀빈 여러분 반갑습니다. 우리 주중대사관 신청사 개관을 매우 기쁘게 생각합니다. 신청사는 한국 고유의 아름다움과 역동성을 잘 보여주는 것 같습니다. 우선 시원하게 넓어서 좋고요, 건물들이 현대적 감각을 갖고 있어서 좋은데, 더 기가 막힌 것은 소나무입니다. 한국에서는 금강송이라고 하는데 중국 소나무인지, 한국 소나무인지는 잘 모르겠습니다만, 기상이 우렁찹니다. 또 물소리가 아주 풍치 좋은 계곡에 발을 담그고 있는 듯한 느낌입니다. 탁월합니다. 찬사를 보내지 않을 수 없습니다. 김하중 대사와 직원 여러분, 건설관계자 여러분, 수고 많았습니다. 중국 정부의 적극적인 협조에도 감사드립니다. 한국과 중국은 수 천 년 동안 국경을 맞대고 정치적, 문화적으로 폭넓은 교류와 유대관계를 맺어 왔습니다. 근대에 들어 제국주의 침략으로 고통 받던 시절에도 중국은 상해임시정부를 비롯해 우리의 독립운동을 적극 지원해 준 나라입니다.

이러한 우호친선의 역사가 있었기에 우리 두 나라는 수교 14년 만에 세계에 유례를 찾아볼 수 없는 눈부신 관계발전을 이룰 수 있었습니다. 교역 규모가 22배, 인적교류는 34배가 늘어나 중국은 우리의 최대 교역국이 되었고, 하루 1만 명 이상이 양국을 오고 가는 관계가 되었습니다. 뿐만 아니라 우리 두 나라는 동북아시아의 평화와 번영이라는 공동의 목표를 가지고 함께 노력하고 있습니다. 그야말로 '전면적 협력동반자 관계'로 나아가고 있는 것입니다.

나의 이번 당일 방문도 양국관계 발전을 상징적으로 보여주는 것이라고 생각합니다. 양국 정상이 형식에 구애받지 않고 필요하면 언제든 만나 허심탄회하고 격의 없이 대화를 나눌 수 있을 정도로 가까운 이웃이 된 것입니다. 오늘 정상회담에서도 나와 후진타오 주석은 북핵문제를 비롯한 당면과제 해결은 물론 동북아시아에 평화와 공존의 미래를 열기 위해서 긴밀히 협력해 나가기로 했습니다. 오늘 개관하는 신청사가 양국의 우의와 협력을 더욱 돈독히 하는 굳건한 터전이 될 것으로 확신하며, 참석하신 모든 분들의 행복을 기원합니다.

감사합니다.

서울대학교 개교 60주년 축하 메시지

2006년 10월 13일

서울대학교 개교 예순 돌을 진심으로 축하드립니다.

서울대 60년은 대한민국 발전의 역사입니다. 서울대가 배출한 수많은 인재들은 경제성장의 힘찬 동력이 되었고, 지성인의 양심으로 민주주의 발전에 크게 기여했습니다. 그리고 지금도 사회 각 분야를 이끌며 탁월한 역량을 발휘하고 있습니다. 이처럼 훌륭한 대학을 만들어 오신 여러분 모두에게 거듭 축하와 격려의 말씀을 드립니다.

우리 사회에서 '서울대'라는 이름의 무게는 특별합니다. 여러분이 가진 긍지와 자부심 이상으로 국민의 기대가 크고, 사회적 책임 또한 무겁습니다. 더구나 지금은 대학의 경쟁력이 국가경쟁력의 핵심이 되는 시대입니다. 대한민국 대표 대학답게 더 많이 노력하고 혁신해 가야 합니다. 이미 새로운 비전을 세우고, 하나하나 실천해 가고 있는 것으로 알고 있습니다. 이러한 노력이 꼭 성공해서 우리 국민이 더욱 자랑스러워하는 대학, 명실상부한 세계 초일류 대학으로 성장해 가길 바랍니다.

서울대학교의 무궁한 발전과 여러분 모두의 건승을 기원합니다.

제87회 전국체육대회 축사

2006년 10월 17일

전국 16개 시도선수단 여러분, 반갑습니다. 해외에서 오신 동포선수단 여러분, 진심으로 환영합니다. 역동의 혁신도시 김천 시민 여러분, 경상북도 도민 여러분, 정말 수고 많으셨습니다.

여든 일곱 번째 전국체육대회의 막이 올랐습니다. 선수 여러분 모두가 이 축제의 주인공입니다. 그동안 갈고 닦은 기량을 마음껏 발휘해 주십시오. 자신과 고장의 명예를 걸고 정정당당하게 겨루어 주십시오. 우리 국민은 여러분이 쏟아내는 땀과 아름다운 승부에 감동할 것입니다. 함께 웃고 기뻐할 것입니다. 최선을 다하는 여러분 모두에게 아낌없는 박수를 보낼 것입니다. 여러분 모두가 승리자가 될 것입니다.

선수단 여러분,

체력은 국력이라고 합니다만, 우리 스포츠는 항상 우리의 국력, 그 이상을 해냈습니다. 올해 초 동계올림픽에서 종합 7위를 차지한 것처럼 명실상부한 스포츠강국으로 우뚝 섰습니다. 뿐만 아니라 올림픽과 월드컵을 비롯한 세계적인 대회를 성공적으로 치러냈습니다. 이를 통해 우리 국민에게 큰 용기와 자긍심을 심어주었습니다. 경제와 민주주의에서 기적을 이뤄낸 대한민국의 저력을 스포츠를 통해서 또 한번 세계에 보여주고 있습니다.

국민 여러분,

우리나라 산업화를 이끌어온 경상북도가 체전 역사에 남을 훌륭한 대회를 준비해 주셨습니다. 혁신도시로 거듭나고 있는 김천시에서 전국체육대회가 열리는 것도 정말 뜻깊은 일입니다.

멋진 승부를 펼쳐주시기 바랍니다. 많은 신기록도 내 주십시오. 나아가 이를 바탕으로 12월에 열리는 아시안게임에서도 좋은 성적을 거두어 주시기 바랍니다. 다시 한번 경북도민과 자원봉사자 여러분께 감사드리며, 여러분 모두 즐겁고 보람된 시간 보내십시오.

감사합니다.

홍남순 변호사 영결식 조문 메시지

2006년 10월 17일

우리 시대의 큰 어른이신 홍남순 변호사님의 명복을 빌며, 온 국민과 더불어 깊이 애도합니다. 고인께서는 이 땅의 민주주의와 인권신장을 위해 평생을 헌신해 오셨습니다.

'어둠의 시대에는 법보다 양심이 앞선다.'는 신념으로 민주투사들의 벗이 되었고, 80년 5월에는 계엄군의 총칼 앞에 신음하던 광주를 온몸으로 부둥켜안고 민주주의를 목 놓아 외쳤습니다. 또한 5·18 진상규명과 시민들의 명예회복을 위해 백방으로 다니시면서도 정작 당신의 보상은 부끄러워 하셨습니다.

부와 권력 대신 양심과 겸손으로 일생을 살아오신 당신이 계셨기에 빛고을 광주는 민주주의의 성지로서 더 큰 빛을 발할 수 있었습니다. 잊지 않겠습니다. 그 뜻을 영원히 기리겠습니다. 임을 향한 존경과 그리움을 민주주의와 나라 발전의 큰 힘으로 삼아나가겠습니다. 이제 무거운 짐 벗어 놓으시고 편히 영면하소서.

벤처 코리아 2006 축사

2006년 10월 19일

'벤처코리아 2006' 개막을 축하드립니다. 우리나라 벤처산업 10년을 진심으로 축하드립니다. 뜨거운 열정으로 세계 일류기업의 꿈을 키워가고 있는 여러분께 각별한 격려의 말씀을 드립니다. 아울러 오늘 수상하신 분들께도 특별히 큰 축하를 드립니다.

여러분을 오늘 이 자리에서 만나면서 우리 경제가 잘 될 것이라는 자신감을 가졌습니다. 최근 3년 동안 새로운 일자리의 10%를 벤처기업이 만들어 냈고, 지난해에는 수출 백억 달러를 돌파했고, 신규투자가 증가세로 돌아서고 벤처기업 수도 다시 1만 개를 넘어섰습니다. 정말 기쁘고 든든합니다. 보유한 기술의 12.7%가 세계 최초로 개발한 기술이라는 것도 참으로 놀랍습니다. 이 모두가 끊임없는 기술투자와 혁신의 결과일 것입니다. 여러분의 땀과 노력의 결과입니다.

여러분은 또한 창의적이고 진취적인 기업문화로 우리 경제의 체질을 바꾸어 나가고 있습니다. 창조적인 기업활동에 그치지 않고 다양한 사회공헌으로 더불어 사는 사회, 지속가능한 경제의 희망을 제시하고 있습니다. 참으로 고마운 일이 아닐 수 없습니다.

여러분의 이러한 노력이 선진한국을 만들어 가는 힘찬 동력이 될 것으로 믿으며, 거듭 큰 격려의 박수를 드리고 싶습니다.

참석자 여러분,

정부도 그동안 열심히 노력했습니다. 중소기업을 경제의 중심에 놓고 중소기업 정책을 근본적으로 혁신해 왔습니다. 저 스스로 열 두 차례나 회의를 주재하면서 정책 하나하나를 토론했습니다. 경쟁력 강화 대책, 금융지원체계 개편, 공공기관 구매 등에 이르기까지 꼼꼼히 손질도 했습니다. 그리고 정책의 틀도 근본적으로 바꾸었습니다. 효과도 없이 이름만 걸어놓은 정책은 과감히 털어냈습니다. 많은 저항이 있었습니다.

사상 처음, 1만 개의 중소기업에 대한 실태 조사를 토대로 기업유형별, 성장단계별로 수요자 특성에 맞는 정책을 세웠습니다. 무엇보다도 중소기업의 기술혁신 역량을 높이는 데 집중적인 지원을 하고, 지원방식도 시장친화적으로 바꾸었습니다. 그리고 지방 R&D 예산을 큰 폭으로 늘려서 중소기업과 지방대학의 제휴를 활성화해 나가고 있습니다. 지방의 육성, 국가균형발전은 그 자체가 중요한 일이지만, 아울러 지방의 혁신기반을 육성하여 장기적으로 중소기업의 기술난과 인력난 해소에 새로운 환경을 조성해 보자는 미래를 내다보는 정책입니다.

투자시장의 여건을 개선하는 일 또한 매우 중요합니다. 아무리 훌류한 기술개발이 이뤄져도 진취적이고 모험적인 투자를 꺼리는 상황에서는 중소, 벤처기업이 성공할 수 없습니다. 정부가 벤처생태계 조성에 역점을 두고 있는 것도 바로 이 때문입니다. 벤처기업의 요건이 되는 기술과 사업성을 정부가 아니라 벤처캐피탈과 같은 시장주체가 평가하도록 제도를 개선했습니다. 민간이 투자하는 곳에 정부가 함께 들어가는 1조원의 모태펀드도 조성해가고 있습니다. 이렇게 해 나가면 평가의 신뢰성이 높아지고, 정부와 민간이 위험부담을 나누게 됨으로써 벤처투자는 더욱 늘어나게 될 것입니다.

벤처기업인 여러분,

희망과 자신감을 가지고 함께 뜁시다. 창의와 패기에 넘치는 젊은 이들이 벤처기업에 몰려들게 합시다. 벤처기업을 우리 경제의 중심에 세우고 세계 시장을 향해 힘차게 달려갑시다. 정부도 최선을 다해 여러분을 지원해 나갈 것입니다.

유능한 의사는 자기가 환자를 살렸다고 말하지 않습니다. 환자가 잘해서 건강해졌다고 말합니다. 저도 이 자리에서 그렇게 말하고 싶습니다. 그러나 의사도 최선을 다하겠습니다. '벤처코리아 2006'을 거듭 축하드리며, 여러분의 사업이 더욱 번창하시길 기원합니다.

감사합니다.

제61주년 경찰의 날 치사

2006년 10월 20일

이택순 청장을 비롯한 전국의 경찰관 여러분, 그리고 전경, 의경 여러분,

예순 한 돌 경찰의 날을 진심으로 축하합니다. 우리 국민 모두가 오늘 이 자리를 축하할 것입니다. 그리고 여러분을 자랑스럽게 생각할 것입니다. 여러분 모두 정말 수고가 많습니다. 국민을 대신해서 따뜻한 위로와 격려의 박수를 보냅니다. 여러분은 그동안 국민의 사랑과 신뢰를 받기 위해 끊임없이 노력해 왔습니다. 특히 참여정부 들어 많은 변화와 혁신을 이루어 냈습니다. 경찰청장에 대한 인사청문과 임기제를 도입해서 권력의 눈치를 살피지 않는 경찰로 다시 태어났습니다. 정치적으로 엄정한 중립을 지키면서 오직 국민을 위한 일에만 전념하고 있습니다. 지난 7월부터는 자치경찰제를 제주지역에 우선적으로 실시함으로써 주

민밀착형 치안서비스의 새로운 모델을 만들어가고 있습니다.

경찰 본연의 임무인 민생치안에도 여러분은 최선을 다해 왔습니다. 지난해 범죄 건수가 12% 가까이 감소한 데 이어 올해에도 3% 정도 줄어들었고, 교통사고 사망자와 학교폭력도 지속적으로 감소하고 있습니다. 뿐만 아니라 인권보호센터 설치와 과거사 진상규명 등 자체 혁신에도 박차를 가해 국민의 신뢰를 크게 높여가고 있습니다. 이처럼 새롭게 변화하고 있는 15만 경찰관 여러분의 노고를 치하하며, 경찰관 가족 여러분께도 각별한 위로와 감사의 말씀을 드립니다.

경찰관 여러분,

여러분의 노력 덕분에 지금 우리의 치안상태는 어느 선진국 못지않게 안정돼 있습니다. 그렇다고 방심하거나 만족해선 안 될 것입니다. 최근 북한 핵문제에 대해서도 우리 국민은 차분하고 성숙하게 대응하고 있지만 또한 불안감이 없지는 않습니다. 이런 때일수록 우리 경찰은 국민이 안심하고 생업에 종사할 수 있도록 뒷받침해야 합니다. 국민생활을 불안하게 하는 민생침해사범과 각종 폭력범죄를 뿌리 뽑는 데 각별한 노력을 기울여 주시기 바랍니다. 이와 함께 더욱 친절한 봉사자세로 치안역량을 극대화해 나가야 하겠습니다. 여러분의 작은 성의, 따뜻한 말 한마디가 국민에게 큰 힘이 되고, 국민의 적극적인 협력을 이끌어 낼 수 있다는 것을 꼭 마음에 새겨주기 바랍니다.

국민 여러분께도 당부드리고 싶은 말씀이 있습니다. 우리 경찰은 독재정권을 위해 국민을 억압하던 과거의 경찰이 아닙니다. 경찰의 직무수행을 방해하거나 폭력까지 휘두르는 행위는 결코 용인될 수 없습니다.

어떤 경우에도 경찰의 정당한 공권력 행사는 존중되어야 합니다. 대규모 시위가 있을 때마다 경찰관 아내들이, 그리고 자식을 전경, 의경으로 보낸 부모님들이 가슴 졸이는 일이 더 이상 되풀이 되어서는 안 됩니다. 경찰도 공권력의 과잉행사는 없는지 지속적으로 점검하고, 집회시위 관리 업무를 한층 전문화해 나가야 할 것입니다.

경찰관 여러분,

국민의 권익을 보호하기 위해서는 권력기관 내부의 민주화, 투명화와 더불어 권력기관 간의 적절한 권한배분으로 견제와 균형이 이루어져야 합니다. 그동안 내부 개혁은 큰 진전을 이루었지만, 기관 간의 일부 권한 조정이 아직 합의에 이르지 못하고 있는 점은 매우 아쉽게 생각합니다. 기관 간 합의 없이 일방적으로 결정하게 되면 그것이 또 다른 갈등을 낳고, 국민을 불안하게 한다는 점에서 대통령의 결정도 어렵지 않을 수 없습니다.

앞으로 좀 더 성의있는 대화와 타협, 그리고 단계적인 접근을 통해 제도적 개혁이 이루어지기를 바랍니다.

친애하는 경찰관 여러분,

나는 여러분이 얼마나 어려운 여건에서 힘들게 일하고 있는지 잘 알고 있습니다. 위험을 무릅쓰고 불철주야 맡은 바 소임을 다하고 있는 여러분에게 늘 고맙고 미안한 마음입니다.

여러분에게 희생과 봉사만을 요구하지는 않겠습니다. 일을 잘 할 수 있는 여건과 처우도 함께 갖추어 나가겠습니다. 지난 3년 반 동안 4천명 이상 경찰인력을 증원했습니다. 근속 승진제 확대와 직급조정을 통해 승진적체도 다소나마 해소했습니다. 내년 7월, 광주와 대전 경찰청이 신설되면 업무부담도 어느 정도는 줄어들 것으로 기대합니다. 또한 일반직무와 관련한 경찰관의 국가배상 청구를 가능하도록 했고, 순직경찰 유가족에 대한 보상도 상향조정했습니다.

그러나 아직도 부족한 점이 많을 것입니다. 단계적으로 최대한 개선해 나가도록 하겠습니다. 우리 국민도 여러분을 지원하는 데는 결코 인색하지 않을 것이라고 생각합니다. 여러분도 전문성을 높이고 업무를 보다 과학화해서 국민의 기대에 부응해 나가야 하겠습니다. 그래서 세계에서 가장 안전한 대한민국, 세계 초일류의 대한민국 경찰을 만들어 나갑시다. 다시 한번 경찰의 날을 축하하며, 여러분의 무궁한 발전을 기원합니다.

감사합니다.

반기문 차기 유엔 사무총장 축하 만찬사

2006년 10월 24일

주한 외교사절 여러분, 반갑습니다.

우리 한국인들은 집안에 좋은 일이 있을 때마다 이웃사람들을 초대해서 잔치하기를 좋아합니다. 일이 잘 되도록 도와주신 데 대해 고마움을 표하고, 기쁨을 함께 나누기 위해서 그렇게 하는 것입니다. 오늘이 바로 그런 잔치날입니다. 반기문 차기 유엔사무총장의 당선을 축하하기 위해 여러분을 모셨습니다. 마침 오늘이 유엔창설 기념일입니다. 그래서 더욱 뜻깊은 것 같습니다. 반기문 차기 총장님을 적극 지지하고 성원해주신 여러분께 진심으로 감사드립니다.

귀빈 여러분,

반기문 장관께서 유엔사무총장에 당선될 수 있었던 것은 무엇보다 본인의 탁월한 경륜과 지도력 덕분이라고 생각합니다. 37년간 외교관으로서 국제문제에 대한 깊은 식견과 경험을 쌓아오셨습니다. 세계 각국의 입장을 잘 조화시킬 수 있는 능력을 가진 분이라고 생각합니다. 앞으로 유엔을 더욱 책임있고 신뢰받는 기구로 발전시켜 세계평화와 인류복리 증진에 크게 기여해 주실 것으로 믿습니다.

이번 경사는 또한 우리 한국에 대한 국제사회의 평가와 기대를 담고 있다고 생각합니다. 우리는 불과 반세기만에 가난과 전쟁의 폐허 위에서 세계 10위권의 경제와 민주주의 발전을 이뤄냈습니다. 유엔이 목표로 하는 평화, 개발, 인권을 잘 구현해낸 모범국가로 성장했다고 생각합니다. 이 과정에서 우리는 유엔을 비롯한 국제사회로부터 많은 도움을 받았습니다. 이제 우리는 국제사회가 직면한 여러 가지 과제들을 풀어가는 데 더욱 적극적인 역할을 해나가고자 합니다.

귀빈 여러분,

그동안 여러분은 누구보다 한국을 신뢰하고 아껴주셨습니다. 여러분의 보고서 하나가 우리의 백 마디 말보다 더 효과적일 때도 많았습니다.

여러분에게 한국은 활기차고 매력적인 나라로 여겨질 때도 있을 것이고, 북핵문제에서 보듯이 불안한 나라로 느껴질 때도 있을 것입니다. 그러나 분명한 것은 한국이 그와 같은 상황 속에서도 역동적으로 그리고 지속적으로 발전하고 있다는 것입니다. 여러분께서 한국의 장래를 늘 낙관적으로 전망해 오셨던 것처럼, 앞으로도 많은 성원 보내주시기 바랍니다. 끝으로, 반기문 사무총장 당선자를 지지해 주신 각국 정부와 지도자들께 저의 감사 인사를 전해주시기 바랍니다. 다시 한번 반기문 차기 유엔 사무총장의 당선을 축하드리며, 오늘 이 자리가 여러분 모두에게 즐겁고 유쾌한 자리가 되시기 바랍니다.

감사합니다.

사카 엘살바도르 대통령 내외를 위한 만찬사

2006년 10월 25일

존경하는 엘리아스 안토니오 사카 대통령 각하 내외분, 그리고 귀빈 여러분,

오늘 저녁, 멀리서 오신 귀한 손님을 모셨습니다. 지난해 한·시카(SICA: 중미통합체제) 정상회의에서 뵙고 이렇게 다시 만나게 되어 더욱 반갑습니다. 각하 내외분과 일행 여러분을 진심으로 환영합니다.

각하께서는 지금, 엘살바도르의 새로운 미래를 열어가고 계십니다. 민주주의와 정치적 안정을 바탕으로 지속적인 경제성장을 이끌고 있습니다. 특히 교육, 의료 분야의 개혁정책들은 많은 국민의 지지를 받고 있다고 들었습니다. 언론인이자 경영인으로서 쌓아오신 풍부한 경험이 이러한 성공의 열쇠가 되었다고 생각합니다. 국제사회의 관심과 기대도 그만큼 높아지고 있습니다. 엘살바도르는 시카(SICA)의 출범을 주도하며

역내 평화와 번영을 이끌어 왔습니다. 올해 6월, UN 평화구축위원회 초대 이사국으로 선출된 것 또한 엘살바도르의 높아진 위상을 잘 보여주고 있습니다. 엘살바도르가 중미의 핵심국가로 더 힘차게 발전해갈 것으로 믿으며, 각하의 지도력과 국민의 저력에 경의를 표합니다.

대통령 각하,

엘살바도르는 우리에게 매우 각별한 나라입니다. 지난 1947년, 유엔 한국임시위원단(UNTCOK) 9개국의 일원으로 참여해서 대한민국 정부 수립을 지원했고, 한국전쟁 당시에도 물심양면으로 많은 도움을 주었습니다. 1962년 수교 이후에도 양국관계는 더욱 긴밀하게 발전해 왔습니다. 엘살바도르는 한반도의 평화와 안정을 위한 우리의 노력을 적극 지지해 주었고, 유엔을 비롯한 국제무대에서도 늘 믿음직한 우방이 되어 주었습니다. 오늘 가진 각하와의 정상회담에서도 이러한 두 나라의 오랜 우정을 다시 한번 확인하고, 지금의 우호관계를 실질적인 협력관계로 더욱 발전시켜 나가기로 했습니다.

앞으로 교역 확대는 물론, 엘살바도르의 IT시스템과 산업인프라 구축에 우리 기업들이 더 많은 참여의 기회가 있기를 희망합니다. 아울러 지금 여덟 명의 엘살바도르 조종사들이 우리나라 항공사에서 일하고 있는 것처럼 양국간 인력교류도 더욱 활발해지길 기대합니다. 각하의 이번 방문이 경제, 문화, 관광 등 여러 분야에서 실질협력을 확대하는 계기가 될 것으로 믿습니다.

귀빈 여러분,

각하 내외분의 건강과 엘살바도르의 번영, 그리고 우리 두 나라의 영원한 우정을 위해 잔을 준비해 주시기 바랍니다.

건배!

감사합니다.

현대 일관제철소 기공식 축사

2006년 10월 27일

존경하는 충남도민과 당진군민 여러분, 그리고 국내외 기업인과 귀빈 여러분,

현대제철의 당진 일관제철소 기공을 매우 기쁘게 생각합니다. 온 국민과 더불어 진심으로 축하드립니다. 오랫동안 우리 경제에 큰 부담이 되었던 이곳이 이제 철강산업의 중심으로 힘차게 도약하고 있습니다. 새롭게 들어설 철강 밸리의 웅장한 모습을 상상만 해도 가슴이 설렙니다.

현대 일관제철소가 완공되면 수입에 크게 의존하던 철강 반제품의 수급난이 해소될 뿐만 아니라, 자동차 산업과의 효과적인 연계를 통해 기술혁신과 신제품개발을 촉진하게 될 것입니다. 또한 선발업체와의 경쟁과 협력으로 우리 철강의 품질을 높이고 서비스를 개선하는 좋은 계기가 될 것입니다. 그동안 애써 오신 현대제철 관계자 여러분, 그리고 충

남도민과 당진군민 여러분께 다시 한번 감사와 축하의 말씀을 드립니다.

기업인과 근로자 여러분, 우리 철강산업의 역사는 한국경제의 성공 신화 그 자체입니다. 자본도, 기술도 없이 맨주먹으로 시작해 연간 5천만 톤을 생산하는 세계 다섯 번째 철강대국으로 우뚝 섰습니다.

지난해 GDP의 2.5%, 수출의 5.1%를 차지할 만큼 산업적 비중도 크지만, 값싸고 품질 좋은 철로 우리의 제조업을 든든하게 뒷받침해 왔습니다. 조선을 비롯해 자동차, 전자, 기계 산업이 세계적 경쟁력을 갖추게 된 데에는 철강산업의 역할이 컸습니다.

그러나 잘 아시는 대로, 우리 철강산업이 직면한 도전 또한 만만치 않습니다. 중국이 급성장하고 있고, 철강업계의 대형화와 국제적인 환경 규제도 빠르게 진행되고 있습니다. 이러한 때일수록 변화에 능동적으로 대응해서 오히려 한발 앞서가는 기회로 삼아나가야 합니다. 이미 여러분은 잘 하고 계십니다. 제품의 다양화, 고급화를 통해 부가가치를 높이고 있고, 환경친화적인 기술개발에도 적극 나서고 있습니다. 해외 원료공급자는 물론, 외국 기업과의 전략적 제휴도 확대해가고 있습니다. 정부도 신소재 개발을 비롯한 R&D 투자를 지속적으로 확대하는 등 여러분의 노력을 적극 지원해 나갈 것입니다.

충남도민과 당진군민 여러분,

오늘 기공하는 현대 일관제철소는 당진을 비롯한 서해안 지역 경제에도 큰 활력을 불어넣을 것입니다. 벌써부터 철강연구소나 자동차 부품 업체들이 몰려들고 있고, 시설을 늘리거나 새롭게 문을 여는 철강공장도 늘어나고 있습니다. 제철소가 완공되는 2011년이면 이곳은 세계적인 철강산업단지로 거듭나서, 중국교역의 물류거점이 될 평택, 당진항과 함께 명실상부한 서해안 시대를 열어가게 될 것입니다. 이제 시작입니다. 철강한국의 저력을 보여줍시다. 우리 철강역사에 또 하나의 신기원을 이룩해 나갑시다. 다시 한번 기공을 축하드리며, 현대제철의 무궁한 발전과 여러분 모두의 건승을 기원합니다. 감사합니다.

11월

사천왕사 왔소 2006 축제 축하 메시지

2006년 11월 5일

이우에 사토시 이사장, 이노쿠마 카네카츠 위원장, 이희건 고문을 비롯한 '사천왕사 왔소' 실행위원 여러분, 그리고 재일동포와 오사카 시민 여러분,

'사천왕사 왔소' 축제의 개막을 축하드리며, 뜻깊은 행사를 위해 함께해주신 모든 분들께 감사의 인사를 드립니다. '사천왕사 왔소'는 한, 일 양국의 우호와 친선을 상징하는 대표적인 문화행사로 발전해 왔습니다. 오랜 교류의 역사를 재현함으로써 양국 국민 간의 이해와 친밀감을 높이는 우정의 장이 되고 있습니다. 우리 두 나라는 역사적으로나 지리적으로 매우 밀접한 이웃입니다. 서로의 미래를 위해 더욱 긴밀하게 교류하고 협력하는 친구가 되어야 합니다. 이미 양국 국민은 하루 1만 명이상이 현해탄을 오가고 있고, '한, 일 우정의 해'인 지난 한 해만도 문화

와 학술, 체육 등 여러 분야에서 700여 건이 넘는 교류 행사가 열렸습니다. 나는 이러한 민간 차원의 활발한 교류 활동이야말로 양국간 우호, 협력 수준을 한 단계 더 높이는 최선의 지름길이 될 것이라고 믿습니다.

앞으로도 '사천왕사 왔소'가 우리 두 나라 국민의 문화적 유대를 더욱 공고히 하는 창조적이고 미래지향적인 축제로 발전해 나가길 기대합니다. 축제의 큰 성공과 여러분 모두의 건승을 기원합니다.

2007년도 예산안 및 기금운용계획안 제출에 즈음한 국회 시정연설

2006년 11월 6일

존경하는 국민 여러분, 국회의장과 의원 여러분,

지금 한반도 평화가 심각한 도전을 받고 있습니다. 북한이 한국과 국제사회의 강한 반대와 경고에도 불구하고 결국 핵실험을 했기 때문입니다. 한반도 평화는 핵과 양립할 수 없습니다. 10월 9일 북한의 핵실험은 한반도 비핵화를 실현하려는 우리 국민과 국제사회의 바람을 저버리는 용납할 수 없는 도발입니다. 북한의 핵실험은 참으로 어리석은 행위입니다. 북한은 핵실험을 통해 그들이 얻고자 하는 그 무엇도 얻을 수 없습니다. 북한 핵은 오히려 그들의 체제안정을 해치고 심각한 경제적 곤란만 초래할 것입니다. 또한 1991년 한반도 비핵화 공동선언과 2000년 6.15 공동선언의 정신을 깨뜨려 민족의 공존을 위태롭게 하고 있습니다. 북한의 핵실험은 국제사회의 목소리를 외면함으로써 유엔 등 국제사회의 제재를 심화시켜 고립을 자초하게 될 것입니다.

어떠한 경우에도 북한이 핵을 가져서는 안됩니다. 북한은 모든 핵무기와 핵 관련계획을 반드시 그리고 신속히 폐기해야 합니다. 핵폐기만이 북한 핵문제의 근원적이고 최종적인 해결입니다. 정부는 국제사회와 공조하여 북한의 핵 폐기를 위해 최선의 노력을 다할 것입니다. 정부는 북한의 핵실험에 대한 유엔안보리의 결의를 존중하고 이행해 나갈 것입니다. 유엔안보리 결의를 충실하게 준수하기 위해 관련된 제반 법령들을 점검하고 필요한 부분은 보완하는 작업을 추진하고 있습니다.

유엔안보리 결의와는 별도로 정부는 미사일 발사 이후 시행된 대북 지원 중단조치를 지속시키고 당국 차원의 경제협력을 보류하는 등 이미 북한의 핵실험에 대해 엄중하게 대처해 오고 있습니다.

존경하는 국민 여러분,

북한 핵실험으로 야기된 한반도의 위기는 반드시 평화적 방법으로 풀어야 합니다. 평화는 모든 것에 우선하는 최상의 가치이기 때문입니다. 일부에서 제기된 전쟁불사론은 참으로 무책임하고 위험한 발상입니다. 한반도에서의 전쟁은 승자도 패자도 없는 민족공멸의 재앙이 될 것입니다. 우리 국민 모두도 이를 잘 알고 있습니다. 한반도에서 다시는 전쟁이 일어나서는 안된다는 것이 우리 정부의 확고한 방침입니다. 핵문제 해결의 궁극적 목적은 한반도의 평화와 번영을 확보하는 데 있습니다.

존경하는 국민 여러분,

평화가 무너진다면 우리 경제의 미래도 있을 수 없습니다. 참여정부는 평화를 최우선의 가치로 삼고 우리 경제의 지속적 발전에 힘쓰겠습니다. 정부는 유엔안보리 결의안 정신과 취지에 부합하는 방향에서 금 강산 관광과 개성공단 사업을 지속할 것입니다. 이들 사업은 한반도 평 화와 안정의 상징입니다. 특히 북한의 핵심 군사요충지였던 개성공단이 한민족 경제협력의 중심으로 변모하고 있습니다. 이는 엄청난 변화입니 다. 개성공단은 우리 중소기업에게 활로를 제공할 뿐 아니라, 북한 사회 에 시장경제의 경험을 전수하여 북한을 개방으로 이끄는 중요한 역할을 하고 있습니다. 우리는 어떠한 상황에서도 북한과 대화의 끈을 놓아서는 안됩니다. 정책의 속도와 범위는 조절하되, 큰 틀에서 대북 평화번영정 책의 기본원칙은 지켜나가겠습니다.

북한이 최근 6자회담에 복귀하기로 결정했습니다. 그러나 6자회담 의 진로는 순탄치만은 않을 것입니다. 앞으로 북한 핵문제가 완전히 해 결되기까지는 다양한 절차가 필요하며 시간도 상당히 소요될 것입니다. 북한 핵실험 이후 국민 여러분께서 보여주신 현명하고도 성숙한 행동과 시민의식에 경의를 표하고 머리 숙여 감사드립니다. 정부는 인내심을 가 지고 한 치의 흔들림 없이 오로지 국민의 안녕과 경제발전, 그리고 한반 도 평화보장의 원칙을 갖고 최선을 다할 것입니다.

존경하는 국민 여러분,

개방은 피할 수 없는 대세입니다. 지금까지 개방한 나라는 성공하 기도 하고 실패하기도 했지만, 문을 닫고 성공한 나라는 없었습니다. 우 리 대한민국이 세계 10위권의 경제로 올라선 데에도 개방의 힘이 컸습 니다.

한·미 FTA는 선진국으로 도약하기 위한 21세기 대한민국의 전략적인 선택입니다. 미국과의 FTA는 세계 최대시장을 안정적으로 확보하게 될 뿐만 아니라, 서비스산업의 경쟁력을 높여 경제구조를 고도화하고 더 많은 고급일자리를 창출하는 좋은 계기가 될 것입니다.

한·미 FTA에 대한 반대와 우려도 있습니다만, 우리 국민의 역량이라면 반드시 성공해낼 것이라고 생각합니다. 과거 개방의 역사가 이를 증명해 주고 있습니다. 농업 등 개방으로 어려움을 겪게 될 분야에 대해서는 이미 제도혁신과 경쟁력 강화를 위한 대책을 추진하고 있습니다. 또한 추가적인 보완대책도 마련 중에 있습니다.

한·미 양국은 지난 네 차례의 협상을 통해 상품양허, 서비스 유보안에 대한 기본원칙 합의에 진전을 이루어냈습니다. 그러나 앞으로 해결해야 할 과제도 많이 남아 있습니다. 한·미 FTA가 조속히 그리고 반드시 타결될 수 있도록 최선의 노력을 다하겠습니다. 그렇지만 목표시한에 쫓겨 중요한 내용을 포기하는 일은 없을 것입니다. 협상과정 또한 국회 내에 설치된 한미 FTA 특별위원회를 중심으로 충분히 공개해 나갈 것입니다. 국회에서도 그동안 많은 노력을 기울여 주신데 대해 감사드립니다. 앞으로도 국회가 한·미 FTA협상이 성공적으로 진행될 수 있도록 더욱 적극적인 역할을 해주실 것을 부탁드립니다.

존경하는 국민 여러분,

지금 우리 앞에는 미래를 불안하게 하는 많은 도전들이 있습니다. 빠르게 진행되고 있는 저출산, 고령화가 경제의 역동성을 위협하고 있고, 양극화의 심화는 사회통합과 안정을 저해할 우려가 있습니다. 이러한 문제에 대해 긴 안목을 가지고 미리 대비하지 않으면 지속적인 성장을 이루어가기 어렵습니다. '혁신적이고 활력있는 경제', '안전하고 기회가 보장되는 사회', '안정되고 품격있는 국가'를 이룩하기 위해서는 지금부터 준비해야 합니다. 비전 2030은 이러한 목표달성을 위한 하나의 국가전략입니다.

이 계획이 차질 없이 추진되면 사회, 경제 분야의 제도혁신이 2010년까지 마무리되고, 지속적인 성장과 사회안전망 구축을 토대로 2020년 이전에 선진국에 진입하게 될 것입니다. 그리고 2030년에는 세계 10위권의 삶의 질을 누리는 명실상부한 세계 일류국가로 나아가게 될 것입니다.

성장과 복지가 선순환구조를 갖는 동반성장으로의 패러다임 전환이 필요합니다. 복지지출 증가가 성장의 걸림돌이라는 이분법적 사고를 극복해야 합니다. 이제 복지는 선진국 진입을 위한 성장전략입니다. 대한민국의 경제, 사회적 성숙정도나 국민의 요구수준 등을 볼 때, 교육, 주거, 노후, 일자리에 대한 불안을 해소하고 혁신과 인재육성의 전략적 접근 없이는 지속적인 성장을 이룰 수 없습니다.

그리고 국가가 시장의 실패를 보완하고 경쟁에서 뒤처진 국민들을 다시 경쟁대열에 참여시키는 적극적인 역할을 할 수 있어야만 합니다. 성장과 복지의 조화로운 발전을 통해 민주적 시장경제를 이루어가자는 것입니다. 당면현안을 도외시하고 미래비전에만 매달린다는 비판이 있다는 것을 잘 알고 있습니다. 그러나 현재와 미래는 단절된 것이 아니라 서로 유기적으로 연결되어 있습니다. 결코 논의가 이른 것이 아닙니다.

저출산, 고령화정책만 하더라도 이미 10년 이상 준비가 늦었습니다. 지금 당장 대비를 해도 그 효과는 20~30년 후에나 나타납니다. 미래를 위한 준비와 대책은 정권차원을 떠나 지금 당장 추진해야 합니다.

존경하는 국민 여러분,

최근 부동산시장에 대한 국민 여러분의 불안과 염려를 잘 알고 있습니다. 특히 집없는 서민 여러분의 상실감은 말로 다하기 어려울 것입니다. 정부는 8·31 대책의 기본골격은 그대로 유지하면서 불안한 부동산시장을 조기에 진정시킬 수 있도록 노력하겠습니다.

우선 신도시에 공급되는 주택 분양가를 인하하여 서민들의 내집 마련 기회를 늘리고, 주변 집값의 상승요인으로 작용하지 않도록 하겠습니다. 신도시 개발기간도 최대한 단축해서 공급확대의 효과가 조기에 나타나도록 하겠습니다. 이를 통해 수도권지역에 매년 30만호의 주택을 차질 없이 공급하겠습니다.

정부는 지금 아파트 분양원가 공개를 확대하는 방안을 검토하고 있습니다. 이러한 원가공개 확대가 실질적인 분양가 인하로 이어질 수 있도록 제도적 장치를 마련하겠습니다. 주택금융 분야에 대해서도 지도와 감독을 강화하겠습니다. 주택금융의 급격한 증가는 부동산가격을 상승시킬 뿐 아니라, 금융건전성을 약화시켜 국민경제의 체질을 부실하게 합니다.

부동산시장의 안정은 민생경제 회복과 기업경쟁력 강화를 위한 필수요건입니다. 정부는 모든 정책적 역량을 집중하여 부동산 문제를 해결하는 데 최선을 다하겠습니다.

존경하는 의원 여러분,

다음으로, 이번 정기국회에서 반드시 처리해 주셔야 할 법안에 대해 말씀드리고, 의원 여러분의 협조를 당부드립니다. 현재 국회에 계류 중인 정부제출법안만 해도 253개에 이릅니다. 여기에는 2004년에 제출한 비정규직관련 3법 등 12건, 2005년에 제출한 국방개혁기본법 등 65건이 포함되어 있습니다. 개혁과 민생을 위해 시급히 처리되어야 할 법안 중 정치적 쟁점이 없는 법안들까지 지체되고 있는 것은 참으로 안타까운 일입니다. 이처럼 민생관련 법안들이 지체되면 국정운영 자체가 힘들게 되고, 처리되더라도 시기를 놓치게 되면 정책추진에 상당한 어려움을 겪을 수밖에 없습니다. 그 결과는 결국 향후 국가와 국민의 부담으로 남게 됩니다.

사법개혁은 문민정부 시절인 1993년부터 추진해 온 일입니다. 사법개혁을 통해 우리의 사법제도를 국제적 수준에 부합하도록 민주화, 선진화해야 합니다. 이것은 또한 국민에게 그 혜택이 직접 돌아가는 민생과제입니다. 더욱이 법안의 형식은 정부발의이지만, 실제로는 법조계가 스스로 결단하고 각계각층이 합의해서 만든 것입니다. 정파적 이해를 떠나 10년 이상의 논의를 집약한 개혁과제인 것입니다.

국방개혁도 지난 1980년대 말부터 공론화해 온 것입니다. 이제는 법제화를 통해 국방개혁의 확고한 제도적 기반을 만들어야 합니다. 그래야만 어떠한 상황에도 대비할 수 있는 자주적 방위역량을 높일 수 있습니다. 무엇보다 이번 개혁안은 우리 군이 자발적으로 참여해서 마련했다는 데 큰 의미가 있습니다. 또한 여야 간에 이미 처리하기로 합의하고서도 지체되어온 것입니다.

비정규직 문제는 정부와 국회가 함께 풀어야 할 개혁과제입니다. 지난 8월에 정부 등 공공부문은 비정규직 문제에 대해 솔선수범한다는 차원에서 공공부문 비정규직 대책을 마련하고, 무분별한 비정규직 사용 관행과 근로조건 개선을 위해 노력하고 있습니다. 그러나 비정규직 문제 해결의 실마리를 풀기 위해서는 국회가 결단을 내려주셔야 합니다. 이제 더 이상 입법을 늦출 수는 없습니다. 정부는 법안이 통과되는 대로 차별 시정기구 설치와 고용보험을 비롯한 사회안전망 확충 등을 통해 비정규직 보호입법의 실효성을 높이는 데 최선을 다하겠습니다. 사학법과 관련되어 처리가 지연되고 있는 민생, 개혁법안들이 이번 정기국회에서 반드시 처리될 수 있도록 당부드립니다.

국민연금만 생각하면 마음이 무겁습니다. 도입 당시부터 저부담, 고급여의 문제를 안고 출발한 국민연금법은 1998년 한차례 개정을 했지만, 구조적인 불균형을 해소하는 데는 턱없이 부족한 수준이었습니다. 정부는 1998년 법개정으로 도입된 재정재계산제도를 근거로 2003년과 2004년에 연금개혁안을 제출했으나 아직까지 본격적인 심의조차 이루어지지 않고 있습니다. 연금개혁은 지연될수록 문제해결이 더욱 어려워질 것입니다. 국회와 정부가 함께 결단하고 국민의 이해도 함께 구해 나갑시다.

존경하는 의원 여러분,

이제, 내년도 국정운영방향을 분야별로 보고드리겠습니다.

먼저 경제 분야에 대해 말씀드리겠습니다. 참여정부 출범 당시를 돌이켜보면 우리 경제가 많은 어려움을 극복하고 상당한 성과를 거두었다고 생각합니다. 우리 경제의 발목을 잡았던 금융채무 불이행자의 규모가 정상수준으로 돌아왔고, 금융시스템의 불안요인도 대부분 해소되었습니다.

우리 경제의 기둥인 수출은 유가가 두 배 이상 치솟고 환율이 하락하는 난관을 뚫고서 두 자리 증가세를 지속하여, 금년에는 사상처음으로 3천억 달러를 돌파함으로써 무역규모 6천억 달러 시대를 열게 됩니다. 민간소비 등 내수경기도 점진적으로 회복되면서 작년 하반기부터 5% 수준의 잠재성장률을 회복하였습니다. 우리 경제의 회복은 작년 하반기 주요 신용평가기관들이 국가신용등급을 잇따라 상향조정함으로써 대외적으로도 긍정적인 평가를 받았습니다. 최근에는 북한의 핵실험으로 인한 충격에도 금융시장과 실물경제가 안정된 모습을 유지하였습니다. 우리 경제의 체질이 그만큼 강화되었음을 보여주는 것이라고 하겠습니다. 그러나 이러한 지표상의 성과에도 불구하고 아직 서민들의 체감경기는 상당히 어렵습니다. 이 점에 대해 국민 여러분께 송구스럽다는 말씀을 드리며, 서민경제의 안정과 경제활성화를 위해 더 한층 힘써 나갈 것을 약속드립니다. 앞으로 정부는 취약부문의 경쟁력을 강화하고 투자활성화와 서비스산업의 고부가가치화를 통해 양질의 일자리를 만들어 냄으로써 민생경제를 조속히 회복시킬 수 있도록 최대한 노력하겠습니다. 금년도 우리 경제는 3/4분기까지 5.3%의 성장률을 기록하고 있어, 북핵 등 위험요인이 여전히 남아 있지만 당초 예상했던 연간 5% 수준의 성장이 가능할 것으로 보입니다. 성장의 내용면에서도 민간소비와 설비투자가 2003년 이후 가장 높은 수준으로 회복되면서, 수출에 대한 의존도가 낮아지고 내수와 수출이 균형을 이루는 모습으로 개선되고 있습니다. 세계경기와 국제유가 등 대외여건이 크게 악화되지 않는다면, 내년에도 4% 중반 수준의 성장세를 이어갈 수 있을 것으로 전망됩니다.

존경하는 국민 여러분,

정부는 지속가능한 성장에 필수요소인 에너지의 안정적 수급에도 역점을 두고 있습니다. 참여정부 출범 이후 17개국과 자원정상외교를 펼쳤으며, 러시아 서캄차카 광구 등 대형광구 확보를 통해 과거 정부가 확보한 양의 1.7배에 이르는 88억 배럴의 유전을 추가로 확보하였습니다. 세계 각국이 에너지 확보전쟁에 들어간 지금 우리나라도 범정부적인 자원확충 노력을 통해 석유, 가스의 자주 개발률을 2013년까지 18% 수준으로 끌어올리고자 합니다.

최근 빠르게 진행되고 있는 방송통신 융합은 21세기 신산업의 중심으로서 우리나라의 미래성장 동력을 창출할 수 있는 엄청난 잠재력을 가지고 있습니다. 정부는 지난 7월부터 국무총리 자문기구로 방송통신 융합추진위원회를 구성하여 기구개편, IPTV 도입, 디지털방송 활성화 등 주요현안에 대한 정책방안을 마련하고 있습니다. 아울러 부가가치가 높은 콘텐츠산업을 선진국 수준으로 끌어올릴 수 있도록 종합방안도 강구해 나갈 계획입니다. 방송통신 융합과 관련된 다양한 현안을 종합적으로 다루기 위해서는 미래지향적 통합기구의 설립이 우선되어야 합니다. 정부는 내년 상반기에 통합기구 출범을 목표로 관련법안을 금년 중 국회에 제출할 계획입니다.

다음은 과학기술 분야에 대해 말씀드리겠습니다.

우리나라가 지속적으로 성장하기 위해서는 끊임없는 기술혁신으로 우주, 에너지, IT 등 유망기술 분야에서 새로운 성장원천을 발굴해야 합니다. 정부는 인공위성 개발과 우주센터 건설을 가속화하고 2008년 4월까지 한국 최초의 우주인을 배출하는 등 독자적인 우주개발 능력을 확보해 나가겠습니다. 미래 에너지원을 확보하기 위한 핵융합과 차세대 핵심 원자력 기술개발에도 집중적으로 투자할 계획입니다.

또한 IT 산업이 국민소득 3만 달러 시대를 여는 견인차가 될 수 있도록 IT 클러스터 구축과 소프트웨어 진흥을 추진하겠습니다. 아울러 정부는 R&D 투자의 효율성 제고를 위해 사업의 평가와 관리를 성과중심으로 강화하고, 투자의 우선순위와 추진전략을 포괄하는 '국가 연구개발 중장기 종합 로드맵'을 마련하겠습니다.

다음은 사회, 복지 분야에 대해 말씀드리겠습니다.

정부는 지난 6월 저출산, 고령화대책 연석회의를 통해 사회협약을 체결하고, 7월에는 저출산, 고령사회 기본계획을 마련하였습니다. 앞으로 2010년까지 총 32조원을 투자하여 이를 착실히 이행하겠습니다. 외국에 비해 현저히 낮은 여성의 경제활동 참가율을 높여 나가야 합니다. 국공립 보육시설을 이용아동기준 30%로 대폭 확충하고, 민간시설의 서비스 질을 개선해 나가겠습니다. 여성의 능력개발과 차별시정, 모성보호를 위한 대책도 병행해 나갈 것입니다. 장애인 복지향상을 위한 대책도 서두르고 있습니다. 장애인 차별금지제도의 법제화를 검토하고 있으며, 장애수당을 월 최고 13만원으로 인상하고 활동도우미 제도도 도입하겠습니다. 올해 8만개인 노인일자리를 11만개로 대폭 늘리고, 노인복지예산을 금년보다 54% 증액하는 등 노인의 삶의 질 향상을 위해 지속적으로 노력하겠습니다. 아울러 고령자 일자리 확대여건을 조성하기 위해 임금체계와 연동된 정년제도 개선방안에 대해 사회적 논의를 활성화하고 정부의 지원방안도 적극 강구하겠습니다. 노사선진화 입법은 3년간의 논의 끝에 노사정이 대타협을 이루어낸 것입니다. 노사합의의 정신이 국회에서도 결실을 맺을 수 있도록 적극적인 협조를 부탁드리겠습니다. 복수노조와 노조전임자 문제에 대해서는 노사정간 추가적인 논의를 통해 합리적인 해결방안을 마련해 나가겠습니다.

존경하는 국민 여러분,

최근 사행성게임이 급속히 확산되어 서민생활에 큰 피해가 있었습니다. 그동안 정부의 강력한 단속과 경품용 상품권 폐지 등의 제도개선으로 사행성게임장의 80~90%가 휴·폐업 상태에 있습니다. 앞으로도 강력한 단속을 지속적으로 추진하여 사행성게임이 다시는 발붙일 수 없도록 철저하게 대처하겠습니다. 현재 진행 중인 검찰수사와 감사원 감사를 조속히 마무리하여 사행성게임의 확산원인과 책임소재도 명확히 밝히겠습니다. 국회에서 사행산업통합감독위원회법이 통과되면 사행산업을 총량적으로 관리하는 방안도 검토해 나가겠습니다. 다음은 교육, 문화 분야에 대해 말씀드리겠습니다. 21세기 지식기반사회에서 인적자원은 국가경쟁력의 원천이자 핵심 성장동력입니다. 무엇보다 초중등교육의 내실화와 공교육에 대한 국민의 신뢰를 회복하는 것이 급선무입니다. 교사의 전문성을 높이기 위해 교원양성, 임용, 연수, 승진에 이르는 교원정책 전반을 개선하고, 교원평가제를 일반화하겠습니다. 교육격차는 소득격차로 이어져 빈곤의 대물림을 가져오게 되므로 반드시 해소되어야 합니다. 방과후 학교에 대한 지원을 대폭 확대하여 사교육비 부담을 경감하고, 학교의 유휴시설을 보육실로 전환하여 학교가 양육과 보호기능까지 수행할 수 있도록 하겠습니다.

모든 장애학생에게 고등학교과정까지 의무교육을 실시하는 방안을 마련하고, 결혼이민자와 외국인근로자 가정의 자녀들이 공교육으로부터 소외되지 않도록 지원해 나가겠습니다. 주5일제 근무의 확산과 국민소득수준의 향상으로 문화예술에 대한 국민들의 관심과 욕구가 증가하고 있습니다. 정부는 사회 각 계층이 고르게 문화를 향유할 수 있도록 하고, 영화, 드라마 등 고부가가치 문화콘텐츠 산업을 적극 육성해 나가겠습니다.

2014년 평창 동계올림픽과 2012년 여수 엑스포 유치는 지역사회의 염원일 뿐 아니라 국가적 과제이기도 합니다. 정부는 이들 국제행사의 유치를 위해 지원을 아끼지 않겠습니다.

다음은 국가균형발전, 공공분야 혁신 등에 대해 말씀드리겠습니다.

참여정부는 그동안 수도권과 지방이 상생할 수 있는 보다 근본적이고 과감한 국가균형발전 정책을 추진해 오고 있습니다. 수도권은 인구안정화를 도모하고 주민들의 삶의 질을 개선하는 데 중점을 두면서, 지역별 특성화 전략을 통해 세계수준의 경쟁력을 갖추도록 하겠습니다. 획일적 규제에서 벗어나 중앙정부와 지자체가 공동으로 수도권 계획을 수립하고, 지자체가 자율적으로 관리하는 체제로 개선해 나가겠습니다. 행정중심복합도시는 지난 7월 도시의 밑그림인 기본계획을 확정한 데 이어 현재 개발계획을 수립하고 있습니다. 혁신도시는 내년부터 순차적으로 착공하여 2012년까지는 공공기관 지방이전이 완료되도록 할 것입니다. 해당 지자체들은 혁신도시건설을 지원할 법안의 제정을 기다리고 있습니다. 지방에 산업, 문화, 주거기능이 복합된 자족도시를 건설하는 기업도시 시범사업도 차질 없이 진행되도록 노력하고 있습니다. 이와 함께 도시환경개선과 전원마을 등을 통해 각 지역을 수준 높은 삶의 공간으로 새롭게 조성하는 '살기 좋은 지역 만들기' 정책을 적극 추진해 나가겠습니다.

존경하는 국민 여러분,

정부는 그동안 행정의 효율성과 서비스의 질을 높이기 위해 정부혁신을 강력하게 추진해 왔습니다. 무엇보다 시스템에 의한 행정이 구현되어야 경쟁력을 갖출 수 있습니다. 정보기술을 활용한 업무관리시스템, 성과관리시스템 등을 통하여 일하는 방식이 바뀌고, 정책품질관리제도가 정착되는 등 다양한 분야에서 혁신의 기반이 자리를 잡아가고 있습니다. 지난 6월에는 유엔 공공행정상을 수상하는 등 정부혁신의 성과와 경험이 국제적으로 인정받고 있습니다.

민선 4기에 접어든 지방자치는 국정의 통합성과 지방의 자율성이 유기적으로 조화된 선진 지방자치로 발전하고 있습니다. 특히, 국방, 외교를 제외한 전 분야에서 고도의 자치권을 보장받은 제주특별자치도의 출범은 지방자치의 새로운 전기를 마련한 획기적인 성과라고 할 수 있습니다. 거듭되는 재난에도 철저히 대비해 나갈 것입니다. 지난 여름에는 태풍과 집중호우로 강원도를 비롯하여 전국에서 많은 인명과 재산피해가 발생하였습니다. 이번 수해원인의 철저한 분석과 함께 방재기준을 재설정하고, 국토방재체계를 전면적으로 진단하여 예방위주의 신(新)국가방재시스템 구축계획을 연말까지 수립하겠습니다. 아울러 불가항력으로 발생한 자연재해에 대하여 민영보험제도를 활성화하고, 국가 재정여건을 감안한 정책성 보험의 적용도 점차 확대해 나가도록 하겠습니다.

다음은 외교안보 분야에 대해 말씀드리겠습니다.

한미동맹은 현재도 공고하고 앞으로도 그럴 것입니다. 지난 9월 한미정상회담에서 양국은 한국에 대한 미국의 방위공약이 확고하다는 것을 거듭 확인하고, '공동의 포괄적 협력관계'를 더욱 강화시켜 나가기로 하였습니다. 지난달 한미연례안보협의회에서는 전시작전통제권 환수에 대해 대체적인 합의가 있었습니다. 앞으로 한미 양국간의 긴밀한 협의를 거쳐 한반도 평화와 안전을 보장하고, 대북억지력을 강화하는 방향으로 차질없이 추진해 나가겠습니다. 주한미군 평택 재배치사업은 주민의 이해와 협조를 바탕으로 추진해 온 결과, 본격적인 부지조성 공사를 앞두고 있습니다. 미군기지 이전으로 생활터전을 옮겨야 하는 평택주민은 물론, 미군기지 반환지역에 대한 지원도 차질이 없도록 하겠습니다.

우리 역사상 최초의 반기문 유엔사무총장 탄생은 대한민국의 역량을 세계에 보여주는 쾌거였습니다. 정부는 높아진 국제적 위상에 맞추어 개도국의 빈곤퇴치를 위한 공적개발지원을 확대하는 등 국제사회의 책임있는 일원으로서의 역할을 충실히 수행해 나가겠습니다.

존경하는 의원 여러분,

끝으로 내년도 재정운용방향에 대해 말씀드리겠습니다. 내년도 예산은 비전 2030과 국가재정운용계획 등 중장기 국가발전전략을 토대로 미래 성장동력 확충, 국민의 기본적 수요 충족과 국가안전 확보에 중점을 두어 편성하였으며, 정부가 반드시 해야만 하는 저출산, 고령화 대책, 양극화 해소 등을 적극 뒷받침하도록 계획하였습니다. 내년 예산과 기금안의 총수입은 금년보다 7.0% 증가한 251조 8천억원이며, 총지출은 6.4% 증가한 238조 5천억원 규모입니다.

분야별 예산편성 내용에 대해 말씀드리겠습니다.

첫째, 미래 성장동력 확충을 위하여 R&D 투자, 인적자원 개발, 성장인프라 구축에 대한 지원을 확대하였습니다. R&D예산은 내년도 예산 중 가장 증가율이 높은 10.5% 수준으로 증액하여 9조 8천억원을 배정하였습니다. 혁신형 중소기업 육성을 위한 R&D 투자, 핵심기술 분야와 기초분야 연구에 대한 지원을 확대하겠습니다.

교육분야는 우수한 인적자원을 육성할 수 있도록 금년보다 7.4% 증가한 30조 9천억원을 배정하였습니다. 제2단계 BK21사업을 지속적으로 추진하고 대학의 특성화와 구조개혁 및 산학연 협력사업을 적극 지원하겠습니다. SOC를 포함한 공공부문 건설투자는 재정, 공기업 투자, 민간자본을 활용한 투자 등을 포함하여 금년보다 7% 이상 확대하였습니다.

둘째, 국민의 기본적 수요충족을 통한 복지와 성장의 선순환 구조를 만들기 위해 보육, 주거, 의료 등에 대한 지원을 강화하였습니다.

보육료 지원대상 아동을 전체 아동의 50%에서 70%로 확대하고, 민간보육시설의 서비스 개선을 위한 기본보조금 제도를 시범 실시하는 등 보육, 육아 예산을 증액하였습니다. 또한 사교육수요를 학교로 흡수하고 교육격차를 해소하기 위해 방과후 학교사업에 2천억원을 지원할 계획입니다.

노인, 장애인 등 취약계층에 대한 지원을 획기적으로 개선하여 노인치매병원, 노인요양시설 등을 확충하고, 장애수당 인상, 장애인 활동도우미 제도 등을 추진하겠습니다. 국민의 안정적인 주거 생활을 위해 영세민과 근로자 등 서민들에 대한 전세자금 지원 등도 확대해 나가겠습니다.

셋째, 국방, 재해예방 등 국민의 생명과 국가안전 확보를 위한 투자에도 중점을 두었습니다. 국방분야는 금년 22조 5천억원에서 24조 7천억원으로 9.7% 확대하여 국방개혁을 차질없이 추진하겠습니다. 재해의 사전예방을 위해 사방사업에 대한 지원을 두 배로 늘리고 재해위험지구 정비와 기상관측시설 확충 등을 적극 지원하겠습니다. 정부는 올해 재정 사업 자율평가를 통해 성과가 미흡한 사업은 10% 이상 삭감하는 등 4조 6천억원을 절감하였으며, 공무원이 직접 사용하는 행정경비 소요를 최대한 줄이기 위해 노력하였습니다. 앞으로도 정부는 강도 높은 세출구조 조정과 예산효율화를 통해 국민의 세금이 낭비되는 일이 없도록 최선을 다하겠습니다.

존경하는 국민 여러분,

참여정부는 이제 임기를 1년여 남겨두고 있습니다. 그동안 여러 어려움 속에서도 당면한 과제들을 해결하고 시대적 소명을 다하기 위해 열심히 노력해 왔습니다. 저는 앞으로 남은 기간이 어느 때보다 중요하다고 생각합니다. 지금까지 추진해왔던 정책을 잘 마무리 하면서 새로운 시대를 위한 디딤돌을 놓아야 하기 때문입니다. 과거의 예를 보면 이러한 시기에 정쟁이 심화되는 등 나라에 어려운 일들이 많이 생겨 국정의 표류가 반복되면서 국민생활에 심각한 폐해를 끼쳤습니다. 정권은 임기가 있지만 대한민국은 영원해야 합니다. 임기를 마치는 그날까지 국정운영의 끈을 놓지 않겠습니다. 참여정부는 지금 해야 할 일을 회피하지 않고 책임있게 해나갈 것입니다. 국회도 힘을 모아 주시기 바랍니다. 모든 사람을 만족시키는 정책은 있을 수 없습니다. 이견이 있는 정책은 대화와 타협이라는 민주적이고 합리적인 절차를 통해 해결해낼 수 있습니다. 시급한 현안에 대해서는 정책추진의 시기를 놓치지 않도록 조속히 결론을 내려 주시고, 미래비전과 전략에 대해서도 진지하게 논의해 주시기 바랍니다. 오늘 우리가 하는 일 하나 하나가 대한민국의 역사가 될 것입니다.

경청해 주셔서 감사합니다.

오바산조 나이지리아 대통령을 위한 오찬사

2006년 11월 6일

존경하는 올루세군 오바산조 대통령 각하, 그리고 내외 귀빈 여러분, 각하와 일행 여러분을 진심으로 환영합니다. 먼저, 지난 3월 나이지리아를 방문했을 때 베풀어주신 환대에 감사드립니다. 그때 보았던 나이지리아의 역동적인 모습은 지금도 기억에 생생합니다. 도시 곳곳의 건설 공사들이 인상적이었고, 국민들의 모습도 밝고 활기차 보였습니다.

각하께서는 이러한 나이지리아의 발전을 이끌고 계십니다. 투자 환경 개선과 인프라 확충, 공기업 민영화 등 과감한 경제개혁으로 매년 6%가 넘는 높은 성장을 이뤄내고 있고, 국민화합과 빈곤퇴치에도 큰 힘을 기울이고 있습니다. 뿐만 아니라 아프리카의 경제통합과 지역분쟁 해결에 주도적인 역할을 하면서 세계의 평화와 번영에도 크게 기여하고 계십니다. 각하의 지도력과 국민의 저력으로 나이지리아가 비약적인 발전을 거듭해나갈 것으로 믿습니다.

대통령 각하,

이제 우리 두 나라는 아주 가까운 친구가 되었습니다. 올해 이루어진 정상간의 상호 방문이 양국관계 발전의 획기적인 전기가 되었다고 생각합니다. 무엇보다 에너지, 자원 분야의 협력이 빠르게 진행되고 있습니다. 지난 6월에는 서울에서 제1차 자원협력위원회가 열렸고, 광구 개발 사업도 착실히 진행되고 있습니다. 플랜트, 건설을 중심으로 우리 기업의 나이지리아 진출도 늘어나고 있습니다. 이번에 체결하는 '이중과세방지협정'은 양국간 투자를 활성화하는 좋은 토대가 될 것입니다.

전자정부를 비롯한 IT분야의 협력가능성도 큽니다. 이달 중순 나이지리아에서 문을 여는 정보접근센터를 시작으로 이 분야 협력도 더욱 확대될 것이라고 생각합니다.

앞으로 두 나라의 협력이 문화, 관광, 스포츠 등 민간분야로까지 더욱 확산되기를 바라며, 새롭게 출범하는 '한-아프리카 포럼'에도 각하의 큰 관심과 역할을 기대합니다.

귀빈 여러분,

대통령 각하의 건강과 나이지리아의 번영, 그리고 우리 두 나라의 영원한 우정을 위해 잔을 들어주시기 바랍니다.

건배! 감사합니다.

제3회 지역혁신 박람회 축사

2006년 11월 7일

여러분, 반갑습니다. 지역혁신박람회를 각별히 축하드립니다.

3회째를 맞이하면서, 여러 가지 혁신사례들이 한층 더 수준이 높아진 것 같습니다. 성공사례 발표회는 지역예선부터 아주 치열했다고 들었습니다. 혁신의 과제선정에서 관리기법에 이르기까지 많은 해법들이 오늘 이 자리에 또 책에 담겨 있는 것 같습니다. 각 지역의 혁신사례는 어떤 이론보다 지역성공에 훌륭한 지침서가 될 것입니다. 혁신의 모범을 보여주신 수상자 여러분, 그리고 지역혁신에 열과 성을 다하고 계신 여러분 모두에게 감사와 아울러 격려의 박수를 드립니다. 이번 박람회가 새로운 혁신의 길을 찾고, 지역발전의 힘찬 동력을 만들어 가는 좋은 계기가 되길 바랍니다.

내외 귀빈 여러분,

참여정부는 지역혁신과 균형발전을 국가전략의 최우선 순위에 두고 있습니다. 역대 어느 정부 치고 지역발전정책 그리고 균형발전정책을 하지 않은 정부는 없습니다. 그러나 참여정부는 보다 확실하게, 좀 다른 방법으로 하고 있습니다. 우선 지원방식부터 바꿨습니다. 중앙정부가 일방적으로 결정해서 선물 주듯 내려 보내는 방식이 아니라 스스로 혁신에 매진하고 그래서 성과를 내는 지역에 더 많은 지원을 함으로써 성공을 촉진한다는 것입니다. 무엇보다 지역 인재 양성과 혁신체계 구축을 위해 지방 대학과 연구소, 그리고 지방기업들에 대해서 우선적으로 지원한다는 원칙을 일관되게 지켜나가고 있습니다.

2003년에는 R&D예산의 27%가 지방에 배정되었습니다. 이 수치는 대덕연구단지를 제외한 것입니다. 그런데 올해에는 R&D예산의 36.2%를 지방으로 배정하고 있습니다. 내년에는 39.9%까지 확대될 예정입니다. 정부의 R&D예산이 약 10조원 가까이 간다고 생각하면 이 변화는 적지 않은 변화일 것입니다. 산, 학, 연 혁신클러스터와 지역전략산업 육성도 앞서서 보고드린 바와 같이 큰 성과를 보이고 있습니다.

지역 발전의 거점이자 새로운 활력소가 될 행정중심복합도시, 혁신도시, 그리고 기업도시 건설도 차질 없이 추진하고 있습니다. 아마 앞으로도 계속 잘 갈 것입니다. 이 사업들은 고용창출이나 산업적 파급효과 면에서도 그 의미가 크지만, 수준 높은 삶의 형태에 대해서 새롭게 생각할 수 있는 획기적인 계기를 제공할 것입니다.

지방정부의 자율권도 지속적으로 확대해 왔습니다. 2002년까지 중앙정부에서 지방으로 이양된 권한은 240건이었습니다. 참여정부는 그동안 816건을 지방으로 이양했습니다. 이와 함께 지방교부세율을 15%에서 19.24%까지 인상하는 등 지방재정의 확충에도 크게 노력하고 있습니다. 전체적 금액이 크게 늘어난다기보다는 지방이 자율적으로 쓸 수 있는 돈의 규모를 늘려드리는 방식입니다. 그러나 가장 큰 변화는 역시 지방자치단체를 대하는 중앙정부의 자세라고 생각합니다. 관리의 대상이 아니라 국가경영의 동반자로서 그리고 고객이라는 방향으로 생각을 바꿔가고 있습니다. 저는 이것이 정부혁신의 중요한 성과 중의 하나라고 생각합니다. 앞으로도 지역의 혁신주체 여러분이 마음껏 창의와 역량을 발휘할 수 있도록 적극적으로 협력하고 뒷받침해 나가겠습니다.

그리고 이미 여러분은 혁신도시의 유치와 관련해서 타협하고 양보하는 결단을 통해서 갈등을 극복하고 협력하는 모범을 보여주셨습니다. 특히 이 곳 광주와 전남은 두 개의 혁신도시를 하나로 합쳐서 공동으로 건설하는 특별한 모범을 보여주셨습니다. 이렇게 계속 협력하는 자세로 손잡고 일해 나간다면 지역혁신 그리고 균형발전은 반드시 성공할 것입니다.

지방이 발전해야 나라의 경쟁력이 높아질 수 있습니다. 골고루 발전해야 나라가 더불어 잘 사는 나라로 갈 수 있습니다. 그러자면 수도권과 지방 그리고 지방과 지방간에도 서로의 발전가능성을 존중하고 포용하는 자세를 가져야 할 것입니다. 또한 협력과 연대를 통해서 한 지역의 혁신이 다른 지역의 혁신으로 확산돼 나가도록 서로 도와나가야 합니다. 지역이기주의 그리고 지역간 대결을 통해서 성공할 수 있는 사람은 아무도 없습니다. 대결을 일삼아 나가다가는 모두가 실패할 수 있습니다.

그리고 지속적으로 혁신하는 시스템, 그리고 혁신하는 문화를 만들어 가야 됩니다. 혁신이 일회성 성과에 그치지 않고, 끊임없이 변화에 대응해서 혁신을 이뤄 나갈 때 지역도 나라도 성공할 수 있을 것입니다. 혁신과 균형을 통해 지역발전의 새로운 가능성을 우리가 한 번 만들어 나갑시다. 전국 곳곳을 우리 국민이 행복하게 살 수 있는 공간으로 그리고 더불어 잘 살 수 있는 공간으로 새롭게 만들어 나갑시다. 박람회 개막을 거듭 축하드리며 여러분 모두의 성공을 기원합니다.

감사합니다.

한·아프리카 포럼 참석자를 위한 만찬사

2006년 11월 8일

존경하는 쿠푸어 가나 대통령 각하, 야이 베냉 대통령 각하, 키크웨테 탄자니아 대통령 각하, 그리고 한, 아프리카 포럼 참석자 여러분,

반갑습니다. 여러분의 한국 방문을 진심으로 환영합니다. 첫 번째 한, 아프리카 포럼에 참석해주신 각국 정상과 대표 여러분께 깊은 감사의 말씀을 드립니다. 오늘 포럼에서 진지하고 열띤 토의가 있었다고 들었습니다. 우리와 아프리카간의 이해를 증진시키고 경제협력을 확대하는 좋은 기회가 되었다고 믿습니다. 특히 구체적인 협력 프로젝트를 발굴하고 연도별 실천방안을 마련하게 된 것을 매우 기쁘게 생각합니다. 앞으로 이 포럼이 정례화 되어 한국과 아프리카간의 관계발전을 이끄는 길잡이가 되기를 기대합니다.

귀빈 여러분,

저는 지난 3월 아프리카를 방문 했을 때 '아프리카 개발을 위한 한국 이니셔티브'를 발표한 바 있습니다. 아프리카에 대한 공적개발원조를 확대하고, 의료보건 지원과 인적자원 개발, IT기술 공유, 통상, 투자 증진 등 다양한 분야에서 우리 역량에 걸맞은 역할을 해나가고자 합니다. 특히 스스로의 발전역량을 향상시킬 수 있는 정보인프라 구축과 인력 양성을 적극 지원해 나갈 것입니다. 이와 함께 우리는 유엔의 '새천년개발목표'를 이행하는 데에도 노력을 다할 것입니다.

귀빈 여러분,

지금 세계가 아프리카를 주목하고 있습니다. 세계 각국의 투자와 지원이 크게 늘어나고 있습니다. 이처럼 아프리카는 새로운 기회와 희망의 땅으로 떠오르고 있습니다. 실제로 아프리카는 2000년 이후 연평균 4~5%의 경제성장률을 기록하고 있고, 풍부한 자원과 개발 열기를 감안할 때 이러한 추세는 더욱 가속화되리라고 믿습니다.

우리는 아프리카의 긴밀한 협력파트너가 되기를 원합니다. 선린우호와 호혜평등의 토대 위에 공동의 이익을 창출할 수 있게 되기를 희망합니다. 한국은 한때 식민 지배를 경험했고 냉전시대에는 동족끼리 싸우는 전쟁을 했습니다. 그리고 전쟁의 폐허 위에서 아무런 자원도 자본도 없이 오늘의 경제를 이뤄냈습니다. 이제 우리는 이러한 발전경험을 여러분과 공유하고자 합니다. 함께 손잡고 보다 번영되고 평화로운 미래로 나아가는 진정한 친구가 될 수 있기를 기대합니다. 지난번 유엔 사무총장 선출과정에서 반기문 외교장관을 지지해 주신 여러분께 거듭 감사의 인사를 드립니다.

다시 한번 이번 행사에 참석해주신 여러분께 감사드리며, 한, 아프리카 포럼의 성공과 여러분 모두의 행복을 기원하는 건배를 제안하겠습니다.

감사합니다.

제1회 글로벌 인적자원 포럼 축하 메시지

2006년 11월 8일

안녕하십니까,

'글로벌 인적자원 포럼'의 출범을 축하드립니다. 각국에서 오신 참석자 여러분을 진심으로 환영합니다. 한국만큼 인적자원의 중요성이 강조되는 나라도 드물 것입니다. 자원과 자본, 그 어느 것 하나 없이 세계 10위권의 경제로 도약할 수 있었던 힘은 높은 교육열과 우수한 인적자원에 있었습니다. 앞으로도 마찬가집니다. 한국의 첫 번째 발전전략은 인재양성입니다. 우선, 혁신주도형 경제를 이끌어갈 핵심인력을 육성하기 위해 대학교육을 혁신해가고 있습니다. 특히 연구개발 인력양성과 산, 학, 연 협력, 그리고 지방대학 육성에 집중적인 노력을 기울이고 있습니다. 인적자원개발은 근로자간 소득격차를 해소하고 저출산, 고령화 시대를 대비하는 가장 효과적인 정책수단이기도 합니다.

우리 정부는 지난해부터 중소기업 근로자와 비정규직, 영세자영업자의 직업능력향상을 국가전략과제로 추진하고 있고, 여성, 노인 등 다양한 계층의 수요에 맞는 인적자원개발 정책을 시행하고 있습니다. 나아가 인적자원개발 인프라 자체를 혁신하고 있습니다. 이미 인력수급전망계획을 수립해서 활용하고 있고, 국가인적자원위원회 설치와 종합정보망 구축 등을 통해 인적자원개발의 효율성을 지속적으로 높여나갈 계획입니다. 아울러 개발도상국에 대한 IT교육훈련 지원 등 국제적인 협력에도 적극적인 노력을 다할 것입니다.

이번 포럼이 한국의 이러한 노력을 확인하고, 세계 각국의 성공사례를 벤치마킹하는 좋은 기회가 되기를 바랍니다. 다시 한번 이번 행사를 축하드리며, 여러분 모두의 행복을 기원합니다.

제11회 농업인의 날 축하 메시지

2006년 11월 10일

　　열한 번째 맞는 '농업인의 날'을 진심으로 축하드립니다. 우리 농업 발전을 위해 땀 흘리고 계신 여러분 한분 한분께 깊은 감사의 말씀을 전합니다. 지금 농업과 농촌을 걱정하는 목소리가 높습니다. 저도 많이 고심하고 있습니다. 그러나 모든 것은 우리 하기에 달려있다고 생각합니다. 함께 힘을 모은다면 그 어떤도전도 극복해 나갈 수 있을 것입니다. 이미 많은 농업인들이 기술개발과 경영혁신을 통해 경쟁력을 높여가고 있습니다. 안전하고 맛좋은 우리 농산물을 찾는 소비자가 늘고 있고, 도시와 농촌 간의 상생협력도 활발하게 이루어지고 있습니다. 정부도 최선을 다하고 있습니다. 개방에 맞서 경쟁할 수 있는 분야는 더욱 키워나가고 지켜야 할 분야는 꼭 지키겠습니다. 영세, 고령 농가와 같은 취약계층에 대한 복지지원도 확대해가고 있습니다. 기존의 '농업, 농촌종합대책'

과 '119조원 투융자계획'을 지속적으로 점검, 보완하는 것은 물론, 개방에 대비한 추가적인 보완대책도 마련해 가겠습니다.

　농촌을 되살리는 일에도 각별한 노력을 기울이고 있습니다. 농촌 공동체와 생태계를 복원하고 교육과 의료, 문화 등 생활여건을 개선해서 누구나 와서 살고 싶은 농촌을 만들어가겠습니다. 지난달 '전원마을 페스티발'에서도 그 가능성을 확인할 수 있었습니다. 희망과 자신감을 가지고 함께 도전합시다. 반드시 성공해서 우리 농업과 농촌의 새로운 역사를 만들어 나갑시다. 다시 한번 '농업인의 날'을 축하드리며, 여러분 모두의 건승을 기원합니다.

2006 전국새마을지도자대회 축하 메시지

2006년 11월 14일

'2006 전국 새마을지도자대회'를 진심으로 축하드립니다.

전국 곳곳에서 지역사회 발전을 위해 땀 흘리고 계신 여러분께 감사와 경의를 표합니다. 아울러 훌륭하게 대회를 준비해주신 강원도민과 강릉시민 여러분께 격려와 감사를 전합니다. 새마을운동은 대한민국 발전을 이끌어온 원동력입니다. 우리 국민에게 '잘 살아보자'는 의지와 자신감을 심어주었고, 눈부신 경제성장을 이루는 밑바탕이 되었습니다. 지금 세계 여러 나라들이 새마을운동을 배우기 위해 우리나라를 찾고 있습니다.

이제 우리는 선진국의 문턱에 와있습니다. 그러나 우리 앞에 놓여 있는 도전 또한만만치 않습니다. 저출산, 고령화가 경제의 활력을 위협하고 있고, 양극화도 갈수록 심화되고 있습니다. 지금부터 준비하지 않으면 지속가능한 성장을 이뤄가기 어렵습니다. 정부가 마련한 '비전 2030'은 이를 위한 중장기 국가발전전략입니다. 성장과 복지의 조화로운 발전을 통해 '혁신적이고 활력있는 경제', '안전하고 기회가 보장되는 사회', '안정되고 품격있는 국가'를 만들어가고자 합니다.

우선 각 지역부터 스스로 혁신의 동력을 찾아내고, 교육과 의료, 환경, 문화 등이 잘 갖추어진 살기 좋은 공간으로 만들어가야 하겠습니다. 시대적 사명을 앞장서 실천해 오신 새마을지도자 여러분께서 이 일에 적극 참여해 주실 것으로 믿습니다.

다시 한번 전국 새마을지도자대회를 축하드리며, 여러분 모두의 건승을 기원합니다. 감사합니다.

한·캄보디아 경제인 오찬간담회 연설

2006년 11월 20일

존경하는 훈센 총리 각하, 끗맹 상공회의소 회장, 그리고 양국 경제인 여러분,

안녕하십니까, 이처럼 반갑게 맞아주셔서 감사합니다. 특히 자리를 함께해주시고 환영의 말씀을 해주신 총리 각하께 감사의 말씀을 드립니다. 2006년은 양국 관계 역사에 뜻깊은 해로 기록될 것입니다. 올 한해 사이에 정상 간의 상호방문이 이루어졌고, 이 자리에 계신 훈센 총리의 적극적인 노력으로 양국 관계가 복원된 지 10년째 되는 해이기 때문입니다. 그동안 두 나라간 교역이 3배, 한국의 캄보디아 투자는 6배 늘어났습니다. 그러나 만족할만한 수준 또한 아닌 것이 사실입니다. 이제 시작이라고 생각합니다. 지난 10년에 비해 앞으로의 10년은 확실히 다를 것입니다.

그렇게 말할 수 있는 첫 번째 근거는 캄보디아 경제가 무섭게 성장하고 있다는 점입니다. 2004년 10% 성장한 데 이어 지난해에는 13.4%의 성장률을 기록했습니다. 뿐만 아니라 WTO 가입 이후 훈센 총리께서 직접 나서서 투자환경을 크게 개선해가고 있습니다. 양국의 산업구조 특성과 서로의 장점을 잘 조화시켜 나간다면 교역과 투자는 앞으로 크게 늘어날 것입니다.

캄보디아에 대한 투자 확대와 관련해서는 이미 많은 변화가 일어나고 있습니다. 봉제와 같은 노동집약형 투자 이외에 농가공 등 자원활용형 투자도 이루어지고 있고, 최근에는 첨단 제조업까지 투자가 확대되고 있습니다. 머지않아 공동위원회가 본격 가동되면 여기에서도 투자활성화에 대한 활발한 논의가 있을 것으로 기대합니다.

무역불균형 문제도 점차 개선될 것입니다. 무역역조는 이곳에 진출해 있는 우리 기업들이 수입을 확대하는 과정에서 심화된 측면도 있습니다만, 한국 정부는 이 문제의 해소를 위해 무관세 적용품목의 확대를 적극 검토하고, 구매사절단과 같은 민간 차원의 노력도 지속해나갈 것입니다.

양국 경제인 여러분,

저는 교역을 늘리고 투자를 확대하는 것도 중요하지만, 더 중요한 것은 장기적인 협력관계를 구축하는 일이라고 생각합니다. 좀더 멀리 보면서 공동의 이익을 도모하는 방향으로 함께 가자는 말씀을 드리고 싶습니다.

그런 점에서, 오늘 양국 정부가 '지방행정전산망 구축사업 시행약정'에 서명한 것은 의미가 있다고 생각합니다. 캄보디아의 공공서비스 수준을 향상시키는 것은 물론, 장기적으로는 우리 기업과의 IT 협력을 강화하는 기반이 될 수 있기 때문입니다. 앞으로도 한국 정부는 '인터넷 청년봉사단'과 'IT인력 초청 연수'를 비롯한 협력사업을 지속적으로 확대해 나갈 것입니다. 이번에 '인력송출을 위한 양해각서'를 체결한 것도 마찬가지입니다. 캄보디아 젊은이들이 보다 안정된 여건에서 일하면서 캄보디아 경제 발전과 우리 중소기업의 인력난 해소에 기여하게 될 것입니다.

아울러 '캄보디아 증시 설립을 위한 협력약정'도 캄보디아의 자본 시장 인프라 구축과 두 나라간 금융협력을 강화하는 좋은 계기가 될 것으로 믿습니다. 이밖에도 전력과 건설사업, 유전과 광물자원 개발, 관광 분야 등에서 모범적인 협력사례를 만들어낼 수 있을 것입니다.

존경하는 훈센 총리 각하, 그리고 캄보디아 경제인 여러분,

한국은 선진국에 비해 늦게 출발했습니다. 식민 지배를 당하고 같은 민족끼리 전쟁까지 치렀습니다. 그러나 맨주먹으로 출발해 오늘의 경제를 이뤄냈습니다. 자본이 넉넉하지는 못하지만 생생한 경험과 기술을 가지고 있습니다.

이 자리에 함께한 우리 기업인들은 그러한 발전 경험을 함께 나누기 위해 왔습니다. 또 이미 많은 분들이 캄보디아의 미래에 큰 희망을 걸고 이곳에서 기업을 하고 있습니다. 이 분들이 크게 성공해서 더 많은 한국 기업인들이 이곳을 찾고, 캄보디아 경제에 기여할 수 있도록 캄보디아 정부와 기업인 여러분께서 많이 도와주시기 바랍니다. 저와 우리 정

부도 유, 무상 협력을 비롯해서 양국 관계 발전에 도움이 되는 일을 찾아 열심히 뒷받침하겠습니다. 그래서 캄보디아의 성공이 한국의 성공이 되고, 한국의 성공이 캄보디아의 성공이 되도록 합시다.

감사합니다.

체아심 캄보디아 국가원수 대행 주최
국빈만찬 답사

2006년 11월 20일

존경하는 체아심 국가원수 대행 각하, 그리고 귀빈 여러분,

우리 일행을 위해 성대한 자리를 마련해 주시고, 따뜻한 환영의 말씀을 해주신 각하께 감사드립니다. 아울러 캄보디아 국민에게 우리 국민이 보내는 우정의 인사를 전합니다. 저는 이번에 대한민국 대통령으로는 처음 캄보디아를 방문했습니다. 그리고 오늘, 훈센 총리를 비롯한 지도자들과 경제인들을 만나면서 찬란한 크메르 문화를 꽃피워온 캄보디아의 저력을 피부로 느낄 수 있었습니다.

캄보디아는 1999년 이후 연평균 7%가 넘는 고도성장을 지속하면서 역동적인 발전을 거듭하고 있습니다. 올해부터 시작된 국가개발계획도 반드시 성공할 것으로 믿으며, 캄보디아 국민 여러분께 경의를 표합니다.

각하,

우리 두 나라는 지금 경제, 통상, 문화 등 여러 분야에 걸쳐 실질협력을 확대해나가고 있습니다. 특히 양국은 활발한 개발협력을 통해 더욱 가까운 친구가 되고 있습니다. 오늘 체결한 캄보디아 지방행정전산망 구축사업과 인력송출 양해각서도 그 의미가 매우 크다고 생각합니다. 한국은 앞으로도 우리의 힘이 닿는 데까지 최선을 다해 캄보디아의 개발을 지원할 것입니다.

적극적인 문화교류도 양국 관계발전의 좋은 밑거름이 되고 있습니다. 지난 9월 한국에서 열린 '동아시아 주간' 행사를 통해 캄보디아 문화가 소개되었고, 내일부터는 '앙코르 – 경주 세계문화 엑스포'가 개막됩니다. 이번 엑스포는 국가간 문화협력의 본보기가 될 것으로 기대합니다.

양국 국민들의 교류도 급속히 늘어나고 있습니다. 지난해 우리 국민 21만명이 이곳을 방문했습니다. 캄보디아를 가장 많이 찾은 나라가 된 것입니다. 또한 최근 직항편이 크게 늘어난 데 이어 오는 2010년부터 항공자유화가 이뤄지면 더 많은 우리 국민이 캄보디아를 찾게 될 것입니다.

이와 함께 우리 두 나라는 ASEAN+3, ASEM 등 국제무대에서도 한층 더 협력을 강화해나가고 있습니다. 특히 캄보디아는 한반도의 평화와 안정을 위한 우리의 노력에 많은 도움을 주었습니다. 앞으로도 더 많은 성원과 지지를 부탁드립니다.

내외귀빈 여러분,

시하모니 국왕과 각하의 건강, 그리고 캄보디아의 무궁한 발전과 우리 양국의 영원한 우정을 기원하는 건배를 제의하겠습니다.

감사합니다.

앙코르·경주 세계 문화엑스포 개막식 축사

2006년 11월 21일

존경하는 훈센 총리 각하, 그리고 내외 귀빈 여러분,

앙코르 - 경주 세계문화엑스포의 개막을 축하드립니다. 한국과 캄보디아가 세계적인 문화축제를 함께 개최하게 된 것을 매우 기쁘게 생각합니다. 공동위원장인 속안 부총리와 김관용 경북지사, 그리고 관계자여러분, 수고 많으셨습니다. 특히 적극적인 지원을 아끼지 않으신 훈센총리 각하께 각별한 감사의 말씀을 드립니다.

오늘부터 50일간 이곳에서 우리는 현대와 고대, 동양과 서양의 문화예술이 어우러진 성대한 축제를 만나게 될 것입니다. 특히 유네스코세계문화유산으로 지정된 앙코르와 경주의 문화유산은 참가자 모두에게 큰 감동과 즐거움을 선사할 것입니다.

한국과 캄보디아는 오랜 역사를 통해 쌓아온 문화적 역량과 자산을 가지고 있습니다. 두 나라 모두 수많은 외침 속에서도 문화적 정체성을 지켜왔고, 다양한 문화를 받아들여 새롭게 창조해냈습니다. 앞으로 훌륭한 문화적 전통을 계승하고 더욱 발전시켜 나간다면 우리 두 나라는 21세기 문화의 시대에 세계를 앞서나갈 수 있을 것입니다. 이번 행사가 양국 문화의 우수성을 세계에 널리 알리고, 우리 두 나라는 물론 동아시아 국가간의 문화협력을 활성화하는 좋은 계기가 될 것으로 믿습니다.

참석자 여러분,

캄보디아에 대한 우리 국민의 관심은 특별합니다. 캄보디아를 찾는 외국인 관광객 다섯 명 중 한 명이 바로 한국 사람입니다. 양국을 오가는 항공편도 크게 늘어나고 있습니다. 우리는 캄보디아의 진정한 친구가 되기를 원합니다. 이번 행사와 같이 양국이 협력하고 연대하는 사업들이 더욱 많아지고, 이를 통해 함께 발전과 번영을 이뤄가게 되길 바랍니다. 앙코르 - 경주 세계문화엑스포의 큰 성공과 여러분 모두의 행복을 기원합니다.

감사합니다.

제4회 자율관리어업 전국대회 축하 메시지

2006년 11월 22일

제4회 자율관리어업 전국대회를 진심으로 축하드립니다. 수산업의 새로운 발전을 이끌고 계신 여러분께 감사와 격려의 박수를 보냅니다. 자율관리어업은 해양수산부장관 재임 때부터 열의를 갖고 추진해온 사업입니다. 그동안 여러분의 적극적인 호응 속에 참으로 놀라운 발전을 이루었습니다.

64개이던 자율관리어업 공동체는 443개에 이르게 되었고, 자원조성에서부터 어장환경개선, 갈등조정, 공동판매에 이르기까지 성공사례의 유형도 한층 다양해졌습니다. 공동체 스스로 법규보다 더 엄격한 규율을 지키고, 불법어업을 하나하나 근절해 나가면서 이제 수산자원이 빠르게 회복되고 있습니다. 어업인의 자율적인 참여와 관리야말로 가장 효과적인 어업정책임을 여러분 스스로 증명해 보이고 있는 것입니다.

우리 어업, 희망이 있습니다. 지속적인 혁신으로 수산물의 품질을 높이고 서비스를 더욱 개선해 나간다면 충분히 세계와 경쟁할 수 있을 것입니다. 정부도 대내외 환경 변화에 대응한 수산업, 어촌 종합대책을 차질 없이 추진하고, 우수공동체를 적극 지원하는 등 풍요롭고 활력 넘치는 어촌을 만드는 데 최선을 다해 나가겠습니다. 함께 힘을 모아 자율관리어업을 반드시 성공시키고, 어촌의 밝은 미래를 열어 갑시다.

이번 대회를 거듭 축하드리며, 여러분 모두의 건승을 기원합니다.

라스무슨 덴마크 총리내외를 위한 오찬사

2006년 11월 23일

존경하는 아너스 포 라스무슨 총리 각하 내외분, 그리고 귀빈 여러분,

오늘, 총리 각하를 다시 뵙게 되어 매우 기쁩니다. 지난 9월 ASEM 정상회의에서는 시간이 너무 짧아 아쉬움이 컸습니다. 우리나라를 처음 방문해주신 각하 내외분께 감사드립니다. 우리 국민은 덴마크에 대해 각별한 친근감을 갖고 있습니다. 덴마크는 6·25전쟁과 전후 복구과정에서 우리에게 큰 도움을 주었습니다. 지금도 선진농업은 물론, 복지제도와 고용시스템에 이르기까지 배울 점이 참 많은 나라입니다.

각하께서는 지난 5년 동안 덴마크를 세계일류국가로 더욱 발전시켜왔습니다. 행정시스템의 혁신을 지속하면서 국가경쟁력 강화에 많은 성과를 내고 있습니다. 뿐만 아니라 ODA 확대 등을 통해 국제사회의 모범이 되고 있습니다. 각하의 지도력과 덴마크 국민의 저력에 경의를 표

합니다.

총리 각하,

우리 양국의 실질협력 확대는 서로에게 큰 이익이 될 것입니다. 특히 덴마크의 제약, 생명공학, 신재생에너지와 우리의 전자, IT와 같은 첨단산업간의 협력이 한층 강화될 것으로 기대합니다. 아울러 교육, 문화, 스포츠 분야에 이르는 다양한 교류협력이 더욱 늘어날 것으로 믿습니다.

우리 두 나라는 국제무대에서도 매우 긴밀한 우방입니다. 덴마크는 한반도의 평화와 안정을 위한 우리의 노력을 한결같이 지지해 주었습니다. 특히 반기문 차기 유엔 사무총장 선출을 적극 도와주었습니다. 진심으로 감사드립니다.

각하의 이번 방문은 우리 두 나라의 우호협력관계를 더욱발전시키는 전기가 될 것입니다.

귀빈 여러분,

각하 내외분의 건강과 덴마크의 번영, 그리고 우리 두 나라국민의 영원한 우정을 위해 건배를 제의합니다.

감사합니다.

2006 한겨레·부산 국제 심포지엄 축하 메시지

2006년 11월 24일

2006 한겨레-부산 국제심포지엄을 축하드립니다. 각국에서 오신 참석자 여러분을 진심으로 환영합니다. 이번 회의를 주최한 부산광역시와 한겨레신문에도 감사의 인사를 전합니다.

이 곳 동아시아는 세계에서 가장 역동적으로 발전하고 있는 지역입니다. 풍부한 인적자원과 넓은 시장을 바탕으로 높은 경제성장을 계속하고 있고, APEC과 ASEAN+3 등을 통해 협력의 지평을 넓혀가고 있습니다.

그러나 아직도 넘어서야 할 과제들이 많이 남아 있습니다. 우선 세계화와 지식정보화에 능동적으로 대응하면서, 이로 인해 커지고 있는 국가간, 계층간 격차를 해소하는 일에 힘을 모아야 합니다. 특히 인적자원개발과 정보격차해소를 통해 발전의 혜택을 함께 누리는 방안을 모색해 나가야 합니다.

동아시아 전체의 지역협력체제를 한층 더 제도화하는 노력도 필요합니다. ASEAN과 한·중, 일 간의 협력 틀을 구체적으로 발전시키고, 다양한 형태의 경제, 사회적 통합 노력을 지속해나가야 하겠습니다. 이번 회의에서 논의될 역내 도시간의 협력과 연대도 동아시아 공동체를 앞당기는 데 큰 힘이 될 것으로 생각합니다.

무엇보다 중요한 것은 평화와 공존의 토대를 갖추는 일입니다. 협력의 분위기를 확산하는 것은 물론, 상호신뢰를 쌓아나감으로써 대결구도를 근본적으로 해소해야 합니다. 분단과 전쟁을 겪으면서 평화의 소중함을 잘 알고 있는 한국은 이러한 질서를 만드는 데 앞장서 나갈 것 입니다.

북한 핵문제는 이 과정에서 반드시 해결해야 할 과제입니다. 어떤 경우에도 한반도 비핵화 원칙은 반드시 지켜져야 합니다. 우리 정부는 국제사회와 함께 북핵문제를 평화적, 외교적으로 해결하는 데 최선을 다해 나갈 것입니다.

이번 심포지엄이 동아시아의 평화와 공동번영을 향한 의미 있는 자리가 되길 바라며, 여러분 모두의 건승을 기원합니다.

2006 바르게 살기 운동 전국회원대회
축하 메시지

2006년 11월 24일

바르게살기운동 전국 회원대회를 진심으로 축하합니다. 전국 곳곳에서 밝고 건강한 사회를 만들기 위해 노력하고 계신 여러분께 깊은 감사와 존경의 말씀을 드립니다.

우리는 지금 선진한국으로 나아가는 길목에 있습니다. 멀리 내다보면서 함께 준비해야 할 일들이 많습니다. 양극화 해소는 물론이고, 급속히 진행되고 있는 저출산, 고령화문제도 지금부터 대비하지 않으면 늦습니다.

정부가 중장기 국가발전전략인 '비전 2030'을 마련한 것도 바로 이 때문입니다. 비전 2030은 미래의 도전요인들을 극복하고 지속가능한 성장을 이뤄가기 위한 것입니다. 성장과 복지의 조화로운 발전을 통해 국민 모두가 수준 높은 삶을 누리는 세계일류국가를 만들어가고자 합니다.

여러분에게 거는 기대가 큽니다. 이미 이웃사랑과 시민의식 고취에 서부터 저출산, 고령화 문제에 이르기까지 여러 분야에서 활발한 활동을 펼치고 있습니다. 앞으로도 선진한국을 만들어가는 일에 더욱 앞장서 주시기 바랍니다.

다시 한번 이번 대회를 축하드리며, 여러분 모두의 건승을 기원합니다.

공무원 여러분에게 보내는 편지

2006년 11월 27일

지난 11월 11일 저녁 MBC 뉴스데스크에서 서울경찰청 관련 정정 보도가 나오는 것을 보았습니다. 지난해 10월 23일에 방송된 '경찰청 카드깡' 보도가 사실과 다른 보도이므로 바로잡는다는 내용이었습니다.

보도를 보는 순간 저는 새삼, 신기한 무엇을 보는 듯 했습니다. 예전에는 보기 힘든 장면이었기 때문입니다. 그리고 이내 제 가슴에 잔잔한 감동이 밀려왔습니다. 공무원 조직 중에서도 업무상 기자들과 일상적으로 접촉하기 때문에 언론관계에 특히 민감하다고 알려져 있는 경찰 공무원 조직이 언론사를 상대로 재판까지 거쳐서 끝내 정정보도를 받아낸 것입니다. 그것도 직원들이 스스로 호주머니를 털어서 소송비용을 마련하였다고 하니 참으로 놀라운 일이 아닐 수 없습니다.

'그동안 얼마나 힘들었을까,' 생각하면 가슴이 찡합니다. 옛날에 저도 언론사를 상대로 소송을 냈다가 참으로 견디기 어려운 일을 당했던 기억이 있기 때문입니다. 어렵고 힘든 일을 하고 있는 우리 공무원들이 참으로 대견스럽고 고맙습니다.

참여정부 출범 이후 언론중재위를 통한 부처의 보도대응으로 게재된 정정 또는 반론보도문이 매년 100여건 안팎에 이르고 있습니다. 공무원 한사람 한사람이 각별한 사명감을 가지고 고된 작업을 하지 않고는 결코 얻을 수 없는 결과입니다.

저는 매일 저녁 조마조마한 마음으로 가판을 살피고 잘못된 보도 하나를 바로잡기 위하여 밤늦은 시간에 언론사를 찾아다니며 사정하던 우리 공무원들이 이제 당당하게 잘못된 보도의 정정을 요구하고 반론보도를 요구하는 모습을 보면서 참으로 격세지감을 느낍니다. 자랑스럽습니다. 그리고 보람을 느낍니다. 우리는 정도(正道)로 가고 있는 것입니다. 개혁이 따로 있는 것이 아닙니다. 이것이 개혁입니다.

공무원 조직은 큰 권력입니다. 언론도 큰 권력을 가지고 있습니다. 적당하게 감추어주고 부당한 이익이나 특권을 나누어 가지는 일이 용납된다면 힘없는 국민들이 피해를 입을 것입니다.

공무원 조직은 언론의 감시를 받아야 합니다. 언론의 감시가 어떤 사정기관의 감시보다 더 효과적일 수 있기 때문입니다. 지금 공무원 조직은 언론의 감시를 받고 있습니다. 중앙부처의 경우 지나치다 싶을 만큼 감시를 받고 있습니다. 이것은 좋은 일입니다.

공직사회에 대한 언론감시는 정당하게 행사되어야 합니다. 언론의 권력은 공공의 이익을 위해 행사되어야지 언론사의 이익을 위해 행사되거나 그 자체가 또 하나의 부당한 권력이 되어서는 안됩니다. 언론은 진실을 보도해야 합니다. 근거 없는 보도나 왜곡보도에 대해서는 엄격한 책임을 져야 합니다. 정책에 대한 비판은 대안을 가지고 해야 합니다.

국민들은 대부분의 정보와 판단을 언론에 의지하고 있습니다. 정부의 정책에 관하여 언론이 사실을 전달하지 않고 오히려 왜곡된 정보를 전달하고 책임 없는 비판을 하게 되면 국가정책은 제대로 수행되기가 어렵습니다. 잘못된 보도와 비판은 반드시 바로잡아야 합니다. 책임지는 문화를 만들어야 합니다. 그래야 정부의 신뢰도 바로서고 나아가서는 언론의 신뢰도 바로 서게 될 것입니다.

지금 공무원 여러분은 잘하고 있습니다. 감사하게 생각하고 있습니다. 그러나 아직 가야할 길은 많이 남았습니다. 특권의식을 버리지 않고, 진실과 책임 그리고 공정이 무엇인지를 생각하지 않는 낡은 문화가 아직도 남아있기 때문입니다.

어렵지만 사명감을 가지고 함께 해주시기 바랍니다. 반드시 보람이 있을 것입니다. 적어도 먼 훗날 아이들에게 부끄럽지는 않을 것입니다. 대통령도 힘이 듭니다. 그러나 신념을 가지고 견디어 나가겠습니다.

제43회 무역의 날 축사

2006년 11월 30일

존경하는 국민 여러분, 그리고 무역인과 근로자 여러분,

마흔세 번째 '무역의 날'을 축하드립니다. 오늘 수상하신 여러분들께도 거듭 축하 말씀을 드립니다. 해마다 무역의 날에는 축하할 일이 많아서 참 기분이 좋습니다.

참여정부 첫 해인 2003년에는 수출이 3년 만에 두 자릿수 증가율을 회복했습니다. 2004년에는 수출 2천억 달러를 달성했고, 작년에는 무역규모 5천억 달러를 기록했습니다. 그리고 올해는 수출이 사상 처음으로 3천억 달러를 넘어서고 있습니다. 참여정부가 출발할 때에 비해 두 배 가까이 늘어난 것입니다. 원화 절상과 고유가의 불리함을 극복하고 이룬 성과라 더욱 값진 것입니다.

해외에 나가보면 수출강국 대한민국의 위상을 피부로 느낄 수 있습

니다. 세계 어디를 가도 우리 기업의 광고판을 볼 수 있고, 우리가 만든 제품이 일류상품으로 아주 높은 평가를 받고 있습니다. 이 모두가 기업인과 근로자 여러분이 밤낮없이 땀 흘려 노력한 결과입니다. 정말 수고 많으셨습니다. 우리 국민을 대신해서 큰 감사와 격려의 박수를 한번 더 보내고 싶습니다.

기업인과 근로자 여러분,

지금 우리를 둘러싼 무역환경이 만만치 않습니다. 수출경쟁이 치열해지면서 세계 각국이 자유무역협정 체결에 적극 나서고 있고, 중국을 비롯한 개도국이 우리를 바짝 뒤쫓고 있습니다. 환율과 유가부담도 단기간에 해소되기는 어려울 것입니다.

수출과 내수의 단절도 큰 걱정입니다. 대기업들은 호황을 누리는데 비해 중소기업은 여전히 어렵고, 내수와 일자리 사정도 크게 나아지지 않고 있습니다. 수출이 늘어날수록 부품 수입이 함께 증가하는 현상도 아직 계속되고 있습니다.

근본적인 해법은 경쟁력을 강화하는 것입니다. 그리고 그 토대는 기술혁신과 인재양성입니다. 참여정부는 이 분야에 집중적인 투자를 해왔습니다. R&D 예산만 해도 2003년 6조5천억 원이던 것이 올해 8조 9천억 원이 되었고, 내년에는 10조원 가까이 될 것입니다.

첨단기술개발을 지원해서 자동차, 조선, 반도체, 휴대폰과 같은 수출주력제품의 부가가치를 더욱 높여 가도록 뒷받침하겠습니다. 새로운 시장을 선점할 수 있도록 차세대 성장동력을 산업화하는 일에도 더욱 박차를 가할 것입니다.

중소기업과 벤처기업에 대해서도 기술혁신 역량을 높이는 데 집중적인 지원을 하고, 지원방식도 시장친화적으로 바꿨습니다. 혁신형 중소기업 육성, 벤처생태계 조성, 해외마케팅 지원 등을 통해 중소기업의 경쟁력을 높이고 수출도 늘려나갈 것입니다. 특히 부품, 소재 산업을 육성해서 수출의 성과가 일자리를 통해 내수로 이어질 수 있도록 하겠습니다.

서비스 수출을 활성화하는 일도 매우 중요합니다. 지식서비스 수출보험제도를 도입하고, 수출입금융 등에서 서비스가 상품무역과 동등한 혜택을 누릴 수 있도록 법적기반을 마련했습니다. 또한 올해부터는 해운과 관광산업도 수출산업으로 인정받게 되었습니다. 앞으로도 서비스 수출은 물론, 고급일자리가 많은 서비스산업을 육성하는 데 정책적 역량을 집중해나갈 것입니다.

플랜트 수출도 적극 지원해 나가겠습니다. 우리는 기술과 가격, 신속성 면에서 세계적인 경쟁력을 갖추고 있습니다. 수출이 더 많이 이뤄질 수 있도록 중동과 같이 플랜트 수요가 많은 나라와의 협력을 더욱 강화하겠습니다.

이와 함께 전자무역망 등 수출인프라를 차질없이 확충하고, 한류확산과 연계해서 국가이미지 개선에도 지속적인 노력을 기울여 나갈 것입니다.

참석자 여러분,

한미 FTA는 선진경제로 도약할 수 있는 새로운 기회입니다. 세계 최대시장에서 우리의 입지를 강화하고, 서비스산업의 경쟁력을 높여 경제구조를 선진화하는 좋은 계기가 될 것입니다. 또한 외국인 투자가 들어오는 데도 긍정적인 영향을 미치게 됩니다.

한미 FTA는 충분한 검토와 사전 준비를 거쳐 시작한 것입니다. 농업과 같이 어려움을 겪게 될 분야에 대해서는 각종 지원 대책을 추진하고 있고, 추가적인 보완대책도 계속 마련해가고 있습니다. 한미 FTA 협상이 조속히, 그리고 반드시 타결될 수 있도록 최선을 다하겠습니다.

기업인과 근로자 여러분,

저는 우리 경제의 앞날에 대해 자신감을 갖고 있습니다. 무엇보다 기업인 여러분이 기술혁신에 혼신의 노력을 다하고 있고, 지구촌 구석구석을 누비며 해외시장을 넓혀가고 계십니다. 함께 힘을 모아 협력하는 사례들도 계속 나오고 있습니다. 대기업과 중소기업 간의 상생협력이 늘어나고 있고, 노동조합이 해외투자설명회에 함께 나서고 있습니다. 특히 얼마 전에는 항만인력공급체제 개편을 위한 노사정협약이 이뤄지면서 항만의 경쟁력을 높이고 물류비를 절감할 수 있는 획기적인 전기가 마련되었습니다.

이렇게 해나가면 수출 5천억 달러, 무역규모 1조 달러 시대도 머지 않아 열릴 것입니다. 국민소득 2만 달러 시대는 이미 눈앞에 와 있습니다. 자신감을 가지고 힘차게 도전합시다. 다시 한번 무역의 날을 축하드리며, 여러분 모두의 큰 성공을 기원합니다.

감사합니다.

12월

열린우리당 당원에게 드리는 편지

2006년 12월 4일

친애하는 당원 여러분.

지난달 28일 국무회의에서의 '임기'와 '당적' 관련 발언에 대해 정치권과 언론에서 갖가지 발언과 해석을 내놓고 있습니다. 여야 모두 대통령의 '책임'을 다하라고 하고, 여당 지도부는 '정치는 당에 맡기고 국정에 전념하라. 당이 나갈 길은 당이 정할 것이니, 당원은 결론을 존중하라'고 합니다. 언론은 대통령의 '탈당'과 '당, 청 결별'을 기정사실화 하고 있습니다. 이를 지켜보는 당원 여러분의 마음 또한 매우 무겁고 안타까울 것입니다. 이에 당원 여러분께 국정과 열린우리당 문제에 대한 제 발언의 취지와 생각을 말씀드리고자 합니다. 대통령의 직분이 무엇이고 그책임과 무게가 얼마만한 것인지는 저도 잘 알고 있습니다. 다만, 지금 한국의 대통령이 대통령의 직무를 제대로 수행하기 어렵다는 상황도 분명합니다.

　대통령의 국정수행에 대해 한나라당이 흔들지 않는 일이 없습니다. 물론 야당이 대통령을 비판하는 것은 당연한 일로 받아들입니다. 그러나 아무런 정책적 대안도 없고, 대화나 타협도 거부하고, 국회의 절차도 거부하니 어떻게 해결할 방법이 없다는 것입니다. 지난해 사학법 개정 이후 1년여 동안 중요한 법안의 대부분이 국회에서 발목이 잡혀 정상적인 국정수행이 어려웠습니다. 차라리 국회에서 부결되면 그에 맞추어 국정을 수행할 것입니다. 찬성도 반대도 없이 결론을 내주지 않으니 손 놓고 바라볼 수밖에 없었습니다.

　예산안도 마찬가지입니다. 대통령이 특별히 열심히 하려고 하는 일의 예산을 다 깎겠다는 것입니다. 심지어 혁신관련 예산은 모두 깎겠다는 것입니다. 또한 해마다 예산을 제때 통과시켜 주지 않아서 전국의 행정이 새해 1월 중순까지 발목이 잡히니 새해의 계획도 차질이 생깁니다. 올해에도 또 어떻게 될지 예측할 수 없습니다.

　대통령의 고유권한인 인사권도 제대로 행사할 수가 없습니다. 사사건건 시비가 걸리고 발목이 잡힙니다. 그 중에서도 대통령과 뜻이 맞아야 하는 자리일수록 더 심하게 흔들고 발목을 잡습니다. 여야에서 모두 관리내각, 중립내각, 거국내각 등 여러 가지 제안이 무성합니다. 그러나 어느 것도 여야 간의 합의가 없는 한 실행이 불가능한 제안들입니다. 그런데 한나라당은 이런 저런 제안만 해놓고 의논해 보자고 하면 거부합니다. 인사권마저 제대로 행사할 수 없다면 대통령의 직무수행은 참으로 어렵습니다. 생각이나 호흡이 맞지 않는 사람과 책임 있게 일할 수 없기 때문입니다.

여당 사람들도 이런 사정을 다 알지는 못하는 모양입니다. 가끔 야당과 같은 주장을 할 때는 답답하기 이를 데 없습니다. 반대나 비판만 하는 것과 실제로 일을 하는 것은 아주 다르다는 것을 이해해 주면 좋겠습니다.

이런 국정수행의 어려움은 비단 참여정부만의 문제는 아니라고 생각합니다. 역대 정부 후반기마다 대통령선거를 앞둔 야당의 정치공세와 여당의 대통령과의 차별화로 국정이 어려웠습니다. 문민정부 말기에는 정치권이 대통령 선거에만 몰두하고 여권이 분열되는 등 국정운영이 표류하면서 6·25 이후 최대 국난이라는 IMF 외환위기를 겪은 바 있습니다. 국민의 정부 후반기에도 야당의 공세로 당시 통일부장관이 해임되고, 총리 후보자의 임명동의안이 두 번이나 연속적으로 부결되면서 정부가 제대로 일할 수 없었고, '신용불량자 급증' 등에 제대로 대처하기 어려웠습니다.

저는 이런 일을 결코 반복하지 않겠다는 다짐을 하고 또 합니다. 그리고 자신도 있습니다. 그러나 저 혼자만의 다짐과 노력만으로 해결할 수 있는 문제가 아닙니다.

저는 이 문제가 단지 대통령 개인의 능력만의 문제가 아니라 우리 정치의 구조적인 문제에서 비롯된 것이라는 생각을 가지고 있습니다. 여소야대, 그것도 지역구도하의 다당제와 결합된 여소야대라는 최악의 정치구도가 그 원인이라는 것입니다.

지난 '88년 13대 국회 이후 한국정치는 국회의원 선거마다 여소야대 구도가 만들어졌습니다. '04년 17대 총선에서 여대야소가 되었지만, 재, 보궐선거와 탈당 등으로 다시 여소야대로 전환되었습니다. 과거 유신독재에서는 유정회에 전체 의석의 1/3을 배분하고, 5공 신군부 하에서는 제1당에 비례대표의 2/3를 배정하는 '강제적 여대야소'를 통해 국회를 지배해 왔습니다. 그러나 오늘날 한국의 여소야대는 지역구도하의 다당제와 결합되어 정당간의 정상적인 경쟁과 협력정치를 근본적으로 어렵게 합니다. 정책이 다르다면 대화와 타협을 통해 결론을 낼 수 있습니다. 그러나 정책보다 지역간의 정치적 대립과 불신에 바탕한 지역구도는 대화와 타협을 불가능하게 하고, 규칙과 결과에 승복하지 않는 정치를 낳습니다.

아직도 '대권'이라는 말을 쓰는 사람들이 있습니다만, 이제 한국에서 '대권'은 존재하지 않습니다. 국정에 관한 권한은 대통령과 국회가 나누어 갖고 있습니다. 국회는 법률안 및 예산안 의결권, 각종 비준 동의권, 총리 및 주요 직위의 임명동의권과 각료의 해임건의권을 갖고 있습니다. 따라서 대통령과 국회간, 그리고 여야간에 대화하고 타협하지 않으면 국정이 표류하고 마비됩니다. 그런데 지역구도하의 대결적 여소야대가 대화와 타협 정치를 봉쇄하고 있는 것입니다.

13대 국회 이후 집권세력은 여소야대에 봉착하자 '90년 3당합당이나 '의원 빼오기'와 같은 방법으로 '인위적 여대야소'를 만들었습니다. 그러나 그런 방식은 정치불신과 대결을 가중시켰고 참여정부가 청산한 대표적인 구시대 정치문화입니다.

다당제가 보편화된 선진국에서는 대부분 여소야대를 연합정치를 통해 해결하고 있습니다. 정책적 협력과 권력 공유를 통해 책임 있는 다수를 형성하는 것입니다. 물론 양당제 국가인 미국에서는 여소야대가 많이 나타나지만, 대통령과 국회, 대통령과 야당, 대통령과 개별의원간의 교섭과 타협이 정치문화로 자리 잡고 있어 한국과 같은 심각한 국정 교착과 표류 상황이 일상화되지는 않습니다.

그런데 한국에서는 뿌리깊은 집권 對 비집권의 이분법적 구도로 여야가 갈라지고, 또한 대립과 불신의 지역구도를 통해 대결 정치가 구조화되어 있습니다. 제가 지난해 연정을 제안했던 것은 야당과의 협력과 타협을 통해 국정의 교착상태를 풀어보고자 하는 것이었습니다. 연정은 합당과는 근본적으로 다릅니다. 연정은 서로의 차이를 인정하고 공동의 목표를 위해 협력하면서도 경쟁하는 것입니다.

물론 참여정부에서 연정은 불가능한 상태이고, 제가 다시 제안할 수도 없지만 연합정치는 한국정치의 발전과 국정의 안정적 운영을 위해 언젠가는 진지하게 고민할 문제라고 생각합니다.

과거 독재정권이나 제왕적 대통령제처럼 대통령이 정국을 주도하고 통제할 수 있는 구조와 상황이 아니라면 여야의 협력을 통해 국정의 교착을 풀어나가야 합니다. 더욱이 참여정부는 당정분리의 원칙 아래 대통령이 과거처럼 여당을 지배하지 않습니다. 그런데 야당은 연정도 거부하고, 여, 야, 정 정치 협상같은 대화와 타협 제안마저 거부하고 있습니다. 책임 있는 대안을 제시하지도, 표결을 통해 결론을 내주지도 않는 상황이 되풀이되어 왔습니다. 이런 상황에서 정치권이 대통령에게만 혼자 책임을 다하라고 몰아붙이는 것은 앞뒤가 맞지 않습니다.

저는 1987년 이후 반복되고 있는, 지역구도와 결합된 대결적 여소야대 구도와 국정의 표류현상은 다음 대통령도 직면하게 될 문제라고 생각합니다. 정치권과 언론, 당원과 국민 여러분께서 이제 한국정치의 구조적인 문제와 해결 방안에 대해 진지하게 성찰하고 논의할 필요가 있다고 생각합니다.

제가 당적 문제를 이야기한 것은 임기 말에 대통령에 대한 차별화 전략과 탈당 압박 속에서 마침내 당적을 포기한 역대 세 분 대통령의 일이 남의 일 같지 않아서, 그런 일이 없기를 바란다는 마음을 내놓은 것입니다. 그런데 언론에 탈당이 기정사실로, 나아가 당정 결별로 보도되어 해명을 했습니다만, 이 문제는 열린우리당의 정체성을 지켜야 한다는 대의를 강조한 것입니다. 저는 지금 열린우리당이 처한 여러 가지 어려움에 대해 책임을 통감합니다. 특히 대통령에 대한 여론의 지지가 높지 않아 매우 송구스런 마음을 갖고 있습니다.

그렇지만 대통령에게만 모든 책임을 묻는 것은 옳지 않다고 생각합니다. 창당 이후 지난 3년여 동안 아홉 차례나 당 지도부가 바뀌었습니다. 지도부가 제대로 일을 해보지도 못하고 각종 선거 패배 혹은 언론의 뭇매 등으로 사퇴하는 혼란이 지속되었습니다. 주요 정책과 노선에 대해 당론을 결집하기도 어려웠고, 매사 지도부를 흔드는 조직윤리의 부재현상 또한 적지 않았습니다. 당의 정책과 노선이 정립되지 못하고, 지도력이 흔들리고, 조직윤리가 이완되면서 당원과 국민들에게 준 실망감은 적지 않았습니다. 저는 지금 당이 처한 여러 가지 어려움은 대통령과 당 지도부, 당원 여러분 모두 책임을 다하면서 함께 풀어가야 한다고 생각합니다.

역대 정부에서 여당은 어려움에 처하자 대통령과의 차별화를 통해 이를 해결하려고 했습니다. 특히 현직 대통령의 지지도 하락에 부담을 느낀 대통령 후보들이 차별화에 앞장섰습니다. 노태우 前대통령도, 김영삼 前대통령도 차기 대선 후보의 차별화와 탈당 압박 속에 당적을 버렸습니다. 지난 국민의 정부에서도 김대중 前대통령이 총재직을 사퇴하고 탈당하는 불행이 반복되었습니다.

그런데 이러한 차별화와 정부-여당의 균열은 당의 지지도나 대통령 후보들의 지지도를 올리는데 아무런 도움을 주지 못했습니다. 오히려 당 지지도와 후보 지지도, 국정 지지도를 하락시키는 요인으로 작용했습니다. 더욱 심각한 것은 여권의 분열과 대통령의 고립으로 인해 책임정치가 실종되고, 국정통제시스템이 와해되어 IMF 외환위기와 신용불량자 양산 등의 어려움을 낳는 한 배경이 되었다는 것입니다.

물론 참여정부와 역대 정부는 다른 조건이 많습니다. 임기 말 역대 정부의 도덕성을 뿌리 채 흔들었던 권력형 비리는 없을 것입니다. 저는 또한 당정분리 원칙을 세우고 당무에 개입하거나 여당을 통제하지 않았기에, 과거처럼 대통령에 대한 여당의 권력투쟁이 발생할 이유도 없습니다.

저는 대통령으로서의 책임, 그리고 당원으로서의 책임을 다하고 싶습니다. 함께 책임의식을 갖고 국정과 당의 어려움을 성찰하고 책임 있는 대안을 마련하기를 간곡히 호소합니다. 정계개편이나 통합신당을 주장하는 분들이 많습니다. 저는 우리당의 정책적, 역사적, 법적 정체성을 유지, 변화, 발전시켜서 국민 속에 뿌리내리는 논의를 반대하지 않습니다. 그리고 그러한 논의는 어떤 가치와 정체성을 지향하는지, 이에 참여하는 새로운 세력이 누구인지를 분명히 해야 합니다. 그렇지만 저는 이른바 '통합신당'이 무엇을 지향하는지, 그리고 어떤 세력이 새롭게 참여하는지 들어보지 못했습니다. 다만 민주당이나 특정 인물이 통합의 대상으로 거론될 뿐입니다. 결국 舊민주당으로의 회귀에 다름 아니라는 생각을 지우기 어렵습니다.

열린우리당은 중산층과 서민, 남북화해협력을 중요한 가치로 삼고 지역주의 기득권을 포기하는 자기희생의 결단을 통해 만든 정당입니다. 앞에서도 말씀드렸지만, 지역주의 정치구도는 대립과 불신을 통해 국민을 분열시키고, 정치 발전을 가로막고 있습니다. 지역단위에서는 경쟁을 사라지게 하여 민주주의를 실종시킵니다. 지역주의를 극복하고자 기득권을 포기하고 결단했던 우리당이 다시 지역구도에 기대려 한다면, 이는 역사와 국민과 당원에 대한 도리가 아닙니다. 2002년 대선과 2004년 총선 등을 통해 완화되고 있는 지역구도가 내년 대선과 맞물려 다시 강화되고 고착화될 것이란 우려를 지우기 어렵습니다.

물론 정당은 선거 승리를 목적으로 하는 조직입니다. 그러기 위해서도 당의 정체성을 분명히 해야 합니다. 그래야 국민의 지지를 얻을 수 있을 것입니다. 어려운 때일수록 당의 정체성은 더욱 중요합니다. 우리당의 진로와 방향은 그 형태가 어떠하든 정책과 노선을 어떻게 변화, 발전시킬 것인지를 중심으로 논의되어야 합니다. 또한 그동안 우리당이 보여준 지도력의 훼손과 조직윤리의 실종을 바로 잡는 노력부터 선행되어야 합니다. 그리고 이 문제는 당 지도부나 대통령 후보 희망자, 의원 여러분만으로 결정할 수는 없습니다. 당헌에 명시된 민주적 절차에 따라 정통적이고 합법적으로 이루어져야 합니다. 그게 정당 민주주의의 기본 원칙입니다. 저도 당원으로서 당의 진로와 방향, 당이 추구해야 할 가치와 노선에 대해 당 지도부 및 당원들과 책임 있게 토론하고자 합니다. 국정도 어렵고 당 또한 어렵습니다. 그러나 저는 역사의 진보와 시대정신 구현을 위한 열린우리당과 당원 여러분의 역동성과 저력을 믿습니다.

감사합니다.

한·인도네시아 경제인 오찬 간담회 연설

2006년 12월 4일

존경하는 유숩 칼라 부통령님, 모하마드 히다야트 상공회의소 회장, 종기 수기야토 경협위원장, 손경식 대한상의 회장과 금병주 경협위원장, 그리고 양국의 경제인 여러분,

반갑습니다. 저는 오늘 이 자리에 들어오면서 여기가 서울인지 착각했습니다. 서울 경제인들 모두 오셨기에 말입니다. 이렇게 자리를 함께하게 되어 매우 기쁩니다. 초대해주신 여러분께 감사드립니다.

이번이 열세 번째 합동회의라고 들었습니다. 두 나라가 국교를 수립한 이듬해부터 시작했다고 하니, 경제협력위원회는 양국 관계 역사 그 자체라고 해도 과언이 아닐 것입니다. 오늘 만남도 양국 간 협력을 확대하는 유익한 기회가 되었을 것으로 믿습니다.

인도네시아는 우리에게 매우 중요한 나라입니다. LNG, 석유, 목재

와 같이 우리에게 꼭 필요한 자원을 많이 가지고 있을 뿐만 아니라 국토와 인적 자원, 지도력 면에서 명실상부한 아세안의 중심국입니다. 인도네시아의 경제는 이제 막 도약 단계인데, 아시아 경제를 주도하고 한국의 성공에도 기여할 수 있을 것입니다.

양국 간 교역도 가파르게 늘어나고 있습니다. 최근 3년 동안 교역량이 두 배 가까이 늘었고, 작년에는 무려 32%가 증가했습니다. 앞으로 한아세안 자유무역협정이 체결되면 증가 속도는 더욱 빨라질 것입니다. 무역 불균형이 갈수록 심화되고 있습니다만, 한국은 수입을 줄이지 않을 것입니다. 수출과 투자를 늘리는 방향으로 불균형을 해소해 나가고자 합니다.

한국 기업의 인도네시아에 대한 투자도 증가 추세에 있습니다. 현재 1,100여개의 우리 기업들이 이곳에서 약 60만 명의 고용을 창출하고 있고, 인도네시아 수출에도 한 몫을 하고 있습니다. 올해 상반기만 보면 한국이 가장 많은 투자 건수를 기록하고 있기도 합니다. 이번에 체결한 '투자협력약정'은 이를 더욱 가속화하게 될 것입니다.

양국 기업인 여러분,

저와 우리 기업인들은 많은 기대를 갖고 인도네시아를 찾았습니다. 그리고 유도요노 대통령과 대화를 나누면서, 또 인도네시아 경제를 직접 보면서 협력 가능성이 무척 많다는 것을 확인했습니다. 특히 우리는 원자력 분야에서 인도네시아와 협력할 준비가 되어 있습니다. 한국은 20기의 원전을 건설해오는 과정에서 세계에서 가장 값싼, 가장 품질 좋은 원전을 제공해왔습니다. 한국과 함께한다면 가장 경제적인 방법으로 안전한 원전을 건설할 수 있을 것입니다. '원자력협력협정' 체결을 계기로 이 분야에서의 실질 협력이 구체화되기를 희망합니다. 실질적이고 효율적인 협력이 가능할 것입니다.

오늘 이곳 자카르타에서는 'ICT 비즈니스 포럼'도 개최됩니다. 이 자리에서 소개될 DMB와 와이브로는 휴대전화나 노트북을 통해 언제 어디서나 TV를 보고 인터넷을 할 수 있는 첨단 기술입니다. 넓은 국토와 많은 섬으로 이루어진 인도네시아에서 매우 유용하게 쓰일 수 있을 것이라고 확신합니다.

한국은 얼마 전 이곳에 문을 연 인터넷접근센터와 IT인력 초청 연수, 그리고 ICT 훈련센터 건립 등을 통해 인도네시아의 정보격차 해소를 위해 최선의 지원을 다해나갈 것입니다.

인도네시아와의 산림협력도 양국 간 경제협력을 한 단계 더 끌어올리는 계기가 될 것이라고 생각합니다. 우리가 이곳에서 진행 중인 50만 ha 조림사업이 성공적인 결실을 맺을 수 있도록 적극적인 협조를 당부드립니다.

이 밖에도 우리 두 나라는 인도네시아가 추진하고 있는 군 현대화 사업과 인프라 확충, 에너지, 자원 개발 등에서 긴밀히 협력할 수 있을 것입니다. 여기에서도 많은 성공 모델이 나오게 되기를 기대합니다.

경제인 여러분,

저는 인도네시아 경제가 빠르게 발전했지만, 최근 이전과는 다른 새로운 도약의 단계에 들어섰다고 봅니다. 아체 문제도 이제 해결의 길로 들어섰습니다. 정부가 테러에 대처해 나가고 있고, 반부패와 혁신에 전력투구하고 있습니다. 그리고 이미 상당한 성공을 거두고 있다고 생각합니다. 이제 외국 자본과 투자, 그리고 기업 활동을 약간 제한하고 있는 노동 문제 등 몇 가지 문제가 해소되면, 더 이상 인도네시아 발전에 걸림돌이 없게 될 것입니다. 이런 인도네시아의 변화는 주변 동아시아 변화 그리고 세계 변화와 더불어 경제적으로 대단히 중요한 의미를 갖는다고 생각합니다. 한국 기업인에게도 인도네시아를 다시 한 번 주목하게 하는 계기가 된다고 생각합니다.

그동안 한국 기업이 인도네시아에 많은 투자를 해왔습니다만, 인도네시아가 추진하고 있는 국가 전략이 기계화와 인프라 분야와 같이 기존의 투자와는 다른 새로운 분야에 대해 많은 투자를 필요로 하고 있습니다.

한국은 그동안 공기업과 민간 기업이 많은 인프라 투자를 해왔고 그것을 통해 기술과 자본을 축적해왔습니다. 지금 한국 내 인프라 투자 기회가 줄고 해외 투자를 본격적으로 추진하지 않을 수 없는 시기와 여건에 도달해 있습니다. 저는 공기업과 민간 기업이 이와 같은 정치, 사회적 안정이 정비된 위에서 국가개발 전략을 가지고 있는 곳에 보다 적극적인 투자를 해야 한다고 생각합니다.

조금 전 부통령과 대화를 나누었습니다. 인도네시아는 24개 정당이 있지만 5개 정당이 여야 연합정치로 정부를 구성하여 정치, 경제를 이끌어가고 있습니다. 인도네시아가 성숙한 정치적 역량이 있고 아울러 국가적 리더십을 확보한 것인데, 이것은 경제인 여러분에게도 좋은 것입니다.

개별기업이 해외시장에 대규모 투자를 결정하는 것은 모험적이고 어려운 일입니다. 국가가 최대한 정보를 수집하고 가능성을 분석하고 위험 부담을 줄여주는 정책을 펴야 한다고 생각합니다. 저는 지난 3월에 아프리카 순방 이후 한국으로 돌아와 정부 안에 서비스를 할 수 있는 조직을 구축하고 있습니다. 인도네시아를 특별히 연구하고 인도네시아에 대한 투자를 뒷받침하고 정부 내 기구를 만들어 여러분을 지원할 계획을 가지고 있습니다.

인도네시아 경제인 여러분,

우리 한국은 식민지배와 전쟁, 가난을 극복하고 산업화와 정보화를 이루었습니다. 그리고 세계화로 나아가는 과정에 있어서 여러분과 비슷한 경험을 가지고 있습니다. 이것은 인도네시아 경제발전 과정에서 한국이 여러분의 가장 좋은 파트너가 될 수 있는 조건이라고 생각합니다.

인도네시아 경제인 여러분, 한국과 협력하십시오. 좋은 친구가 될 것으로 생각합니다.

감사합니다.

유도요노 인도네시아 대통령 내외 주최
국빈만찬 답사

2006년 12월 4일

존경하는 수실로 밤방 유도요노 대통령 각하 내외분, 그리고 자리를 함께 하신 귀빈 여러분,

나와 우리 일행을 이처럼 따뜻하게 맞아주신 데 대해 감사 인사를 드립니다. 인도네시아를 다시 찾게 된 것을 기쁘게 생각하며, 우리 국민이 보내는 우정의 인사를 전합니다. 각하께서는 헌정사상 최초로 민주적인 직접선거에 의해 대통령에 취임하신 후, 재난극복과 부패척결을 통해 안정적인 경제성장과 사회통합을 이끌고 계십니다. 특히 지난해 각하께서 직접 서명하신 '헬싱키평화협정'은 아체지역 분쟁해결에 소중한 돌파구가 되었습니다.

뿐만 아니라 아세안의 중심국가로서 역내 평화와 안정에도 앞장서 왔습니다. 다자간 정상회의를 성공적으로 개최하고, 인도네시아가 차기

UN안보리 비상임이사국으로 선출된 것도 각하의 지도력이 일궈낸 결과라고 생각합니다. 각하와 국민의 저력으로 인도네시아가 더욱 평화롭고 번영된 나라로 발전해나갈 것으로 확신합니다.

대통령 각하,

인도네시아는 아세안 국가 가운데 우리의 첫 번째 교역상대국입니다. 우리나라가 수입하는 천연가스의 4분의 1을 공급하는 나라이기도 합니다. 지난해 28만 명이 넘는 양국 국민이 왕래할 정도로 인적교류도 활발합니다.

앞으로의 협력 가능성은 더욱 크다고 생각합니다. IT와 에너지, 자원, 산림, 개발협력 등 여러 분야에서 실질협력을 한층 강화해 나가야 할 것입니다.

그런 점에서 오늘 각하와의 회담은 대단히 유익했습니다. 무엇보다 양국관계를 '전략적 동반자관계'로 격상키로 한 것은 의미가 큽니다. 이번에 체결한 원자력과 관광 분야 협력협정은 두 나라 관계를 한 단계 더 도약시키는 좋은 계기가 될 것입니다.

양국은 UN 등 국제무대에서도 그동안 든든한 친구가 되어왔습니다. 특히 인도네시아는 북핵 문제의 평화적 해결을 위한 우리의 노력을 적극 성원해 주었습니다. 앞으로도 평화와 번영의 동반자로서 힘을 함께 모을 수 있기를 희망합니다. 아울러 인도네시아에 살고 있는 3만여 우리 교민에 대한 지속적인 관심과 배려를 당부드립니다.

귀빈 여러분,

내년에 서울에서 각하를 다시 뵙기를 기대하며, 각하 내외분의 건강과 인도네시아의 번영, 그리고 우리 두 나라의 영원한 우정을 위해 축배를 들어주시기 바랍니다.

건배!

하워드 호주연방 총리 내외 주최 공식오찬 답사

2006년 12월 6일

호주 민주주의의 산실인 의사당에서 즐거운 점심을 함께하고 여러분께 말씀드릴 수 있는 기회를 주신 데 대해 대단히 기쁘게 생각합니다. 또 영광스럽게 생각합니다.

존 하워드 총리 각하, 폴 칼버트 상원의장, 데이빗 호컷 하원의장, 케빈 러드 노동당 대표 여러분께 다시 한 번 감사드립니다.

우리 한국 사람에게 호주를 말하면 한국 사람은 제일 먼저 한국전쟁에 참전한 호주 국민을 생각합니다. 약 1만 8천여 명이 참전하여 339명이 목숨을 바친 그 역사를 한국 사람들은 똑똑히 기억하고 있습니다.

우리 한국 사람에게 가장 살고 싶은 두 나라를 말하라고 하면 호주를 말합니다. 가장 가보고 싶은 나라 다섯 개를 말하라고 하면 반드시 호주가 들어갑니다. 유학을 가고 싶은 나라 세 나라 안에 호주가 들어있습니다. 제가 지금 원고대로 하고 있지 않아 우리 통역이 매우 고생하고 있습니다.

　제가 한국을 출발할 때 영하 6도였습니다. 서울은 무지하게 춥습니다. 그런데 호주산 LNG가 한국 사람들의 아파트를 따뜻하게 해주고 있습니다. 호주에서 철광석과 호주에서 유연탄을 보내주지 않으면 철강을 만들 수 없으며, 따라서 자동차를 수출할 수 없을 것입니다.

　그밖에도 한국과 호주 사이에는 많은 경제적 교류가 있습니다. 그래서 호주가 없으면 한국이 제대로 돌아갈까 걱정하고 있습니다만, 그러나 불만도 하나 있습니다. 그것은 우리가 매년 60억 달러 적자를 보고 있다는 것입니다. 그래서 제가 하워드 총리에게 그것은 아주 불공평하다고 말씀드렸더니, 그것은 시장이 결정한 문제라서 총리로서 어쩔 수 없다고 말했습니다. 이럴 때 박수를 치시는 것은 저를 더욱 곤란하게 하는 것입니다. 그래서 여러분들께 꼭 당부 드리고 싶습니다. 우리 한국은 배를 잘 만드니까 최소한 한국으로 석탄을 싣고 갈 때, 한국배로 LNG 싣고 갈 때 한국배로 꼭 싣고 가게 그 정도로 부탁드립니다.

　제가 한국 대통령으로서 여러 나라를 갔을 때, 한국산 자동차를 봤을 때 한국산 휴대폰을 봤을 때도 저는 그 나라에 무한한 친근감을 느낀 경험이 있습니다. 마찬가지로 내년에 또 다시 오는데, 다시 호주에서 제가 지금보다 훨씬 더 강한 친근감을 느낄 수 있게 각별히 여러 분야에서 배려해 주시기 바랍니다.

　제가 요청한 모든 것을 다 들어 주시더라도 무역 적자 60억불 중 10억 달러도 아마 해결되지 않을 것이라 생각합니다. 게다가 우리 한국

학생 2만6천 명이 매년 호주 학교에 학비를 내고 있습니다. 관광객도 매우 많이 옵니다. 그래서 우리는 도저히 본전을 찾아갈 방법이 없습니다. 2014년에 우리나라 평창에서 동계올림픽을 하게 되면 이 때 여러분들이 와서 돈 좀 쓰고 가시고, 2012년 여수박람회 때에도 여러분들이 오셔서 돈 좀 쓰고 가는 기회가 있기를 바랍니다.

이렇게 되려면 우선 박람회에 관해서 호주 정부에서 한국을 지지해 주셔야 하고, 또 평창동계올림픽과 관련해서는 IOC에서 지지해 주셔야 하는데 혹시 여러분 가운데 호주 IOC위원을 친구로 두신 분이 있으면 이번 동계올림픽은 반드시 한국을 지지해야 한다고 꼭 말씀해 주시길 바랍니다. 박수쳐 주셔서 감사합니다. 또 있습니다. DMB와 와이브로도 꼭 여러분께 자랑하고 싶습니다.

저는 오늘 상당한 감명을 받았습니다. 손님으로 호주에 왔는데, 호주 정부와 의회 지도자뿐만 아니라, 야당 지도자가 이 자리에 함께 오셔서 저를 만나주시고 또 따뜻하게 연설도 해 주셨습니다. 여기에 대단히 깊은 인상을 받았습니다.

우리 국민은 피와 땀을 바쳐서 군사 독재 체제를 끝내고 그리고 그후 약 20년 동안 우리 사회의 부정부패를 청산하고, 투명하고 공정한 토대를 위해서, 공정하고 경쟁력 있는 사회를 만들기 위해서 지금까지 노력해 왔습니다. 그리고 이 점에 관해서는 이제 어느 정도 성공해 가고 있습니다. 완결된 것은 아니지만 성공을 거두고 있다고 감히 말할 수 있는 수준에까지 왔습니다. 그것을 우리는 대단히 자랑스럽게 생각하고 있습니다. 그러나 이것이 최종 목표가 아닙니다. 대화와 타협에 의해서 서로 다른 의견을 존중하고 하나의 합의를 이뤄나갈 수 있는 성숙한 민주주의를 목표로 지금 열심히 노력하고 있습니다.

그런데 대화와 타협의 민주주의, 서로 경쟁하면서 협력하는 민주주의, 그것이 머릿속에만 있었는데, 이 자리에서 여러분의 모습을 보면서 이것이 우리가 바라고 있는 바로 그 민주주의구나라는 생각을 합니다. 큰 감동을 받고 큰 부러움을 느낍니다.

물론 우리도 열심히 노력하고 있습니다. 저도, 다른 모든 정치인들도 함께 노력하고 있지만 아직 갈 길이 멀다고 생각합니다. 그래서 제가 생각해 본 것이 호주의 민주주의를 수입했으면 좋겠다는 것입니다. 돈은 얼마든지 지불해도 당장 수입할 수 있으면 좋겠다, 이런 생각을 했습니다.

북한 핵문제에 대해 국제사회가 걱정하고 있는 것을 잘 알고 있고, 또 국제사회와 더불어 UN 결의안에 따라 북한에 대한 제재에 동참하고 있습니다. 한국이 이 제재에 소극적이냐, PSI 참가에 소극적이냐는 질문을 국제사회에서 듣고 있는데, 이 질문은 적절하지 않다고 생각합니다. 우리 한국은 UN안보리 결의가 있기 이전부터 UN안보리 결의보다 더 높은 수준의 제재를 하고 있었습니다. 말하자면 안보리가 금지한 일체의 거래를 그 이전부터 하지 않고 있었다는 것입니다.

이미 새로운 제재를 하고 있었고, 또 그 외에 안보리 결의와 관계없이 매년 지원하고 있던 비료와 쌀, 미국 달러로 3억6천만 달러에 해당되는 지원을 중단하고 있었습니다. 우리가 하고 있는 이 제재를 돈으로 환산하면 미국, 일본, 중국 그리고 전 세계가 하고 있는 제재보다 더 많습니다.

원칙을 존중하고 또 지지한다고 선언했고, 실제로 상당 부분 협력하고 있습니다. 우리 한국은 북한하고 이웃에서 마주하고 있기 때문에 한국과 북한 사이에서 물리적 충돌이 발생할 수 있는 그와 같은 위험한 일은 피해야 한다는 원칙을 가지고 있습니다.

핵확산 방지에 찬성하고 있습니다. 핵을 폐기해야 할 것입니다. 그리고 핵확산 방지도 중요하고 핵 폐기도 중요하지만, 이것은 미래의 위험을 예방하고자 하는 것입니다. 그러나 북한과 한국이 바로 충돌하는 일이 발생할 때, 그것은 미래의 위험이 아니라 현재의 위험이기 때문에 미래의 위험을 막기 위해서 현재의 위험을 발생시킬 수 있는 일을 한국이 할 수는 없는 것입니다. 그것을 해야 한다고 국제사회가 요구해서는 안 된다는 것입니다.

북한에 대해서는 우리 한국이 가장 잘 안다고 감히 자부합니다. 그리고 북한 핵문제 해결이 잘못됐을 때 가장 큰 피해를 받을 나라가 한국이고, 잘 됐을 때 가장 큰 혜택을 받을 나라도 한국입니다. 그래서 가장 잘 알고, 이해관계가 절실한 한국의 의견은 북한 핵문제 해결을 위한 국제사회의 논의 과정에서 매우 중요하게 고려돼야 하고 존중되어야 합니다. 그래야만 이 문제를 정말 잘 풀어나갈 수 있다고 말씀드리고 싶습니다.

내년 APEC 계기에 호주에 오게 돼 있습니다. 그럼에도 불구하고 올해 제가 호주를 방문한 것은 우리 국민이 호주를 매우 중요한 이웃이라고 생각하고 있고, 또한 호주에는 우리 동포들이 10만 명 정도 살고 있고 많은 학생들이 와서 공부하고 있기 때문입니다. 호주 국민 여러분, 대한민국 국민을 따뜻한 친구로 대해 주기 바랍니다.

감사합니다.

제프리 호주 총독 내외 주최 국빈만찬 답사

2006년 12월 6일

존경하는 '마이클 제프리' 총독 각하 내외분, 그리고 귀빈 여러분,

우리 내외와 일행을 위해 성대한 만찬을 베풀어 주신 각하 내외분께 진심으로 감사드립니다.

각하께서는 우리 두 나라 관계발전에 큰 힘이 되어주고 계십니다. 특히 우리 기업인들을 각별히 격려해주신 것으로 알고 있습니다. 한국에 대한 관심에 감사드리며, 앞으로도 이곳에 살고 있는 우리 동포들을 적극 배려해 주실 것을 부탁드립니다.

조금 전, 저는 한국전 참전기념탑에 헌화하고 참전용사들도 만났습니다. 우리는 이분들의 숭고한 희생을 결코 잊지 않을 것입니다. 아울러 우리 양국의 혈맹관계가 실질협력을 통해 더욱 발전할 수 있도록 최선을 다해나갈 것입니다.

각하 내외분의 건강과 호주의 번영, 그리고 우리 두 나라의 영원한 우의를 기원합니다.

감사합니다.

호주 비즈니스 포럼 연설

2006년 12월 7일

존경하는 모리스 이에마 뉴 사우스 웨일즈주 총리, 빌 쉴즈 경협위 원장, 강신호 전경련 회장과 이구택 경협위원장, 그리고 양국 경제계 지도자 여러분,

반갑습니다. 좋은 자리에 초대해주셔서 감사합니다. 특히 저를 잘 소개해주신 모리스 이에마 총리께 감사의 말씀을 드립니다.

호주는 우리의 오래된 좋은 친구입니다. 한국전쟁 당시 세계에서 두 번째로 참전을 결정해 주었고 우리와 함께 싸웠습니다. 그리고 1997년 말 외환위기 때도 큰 도움을 주었습니다. 올해 초에는 한국에 진출한 호주기업이 우리 대학원에 거액을 기부하는 훈훈한 미담도 있었습니다. 이 자리를 빌려, 우리 국민이 보내는 우정과 감사의 인사를 전해드립니다.

아울러 지속적으로 발전하고 있는 호주경제에 대해서도 축하의 말

씀을 드립니다. 1992년 이래 견실한 성장을 계속하고 있고, 특히 최근에는 실업률도 30년 만에 가장 낮은 수준으로 안정되어 있다고 들었습니다. 내년에도 3%이상의 성장률이 예상되는 등 앞으로의 전망도 밝습니다. 이 자리에 계신 경제인 여러분의 노력 덕분이라고 생각합니다. 그리고 이것은 한국 경제에도 새로운 기회를 제공하는 것이라 여기며, 우리도 이를 기쁘게 생각합니다.

경제인 여러분,

양국의 교역규모가 2004년 처음으로 100억 달러를 넘어선 데 이어, 지난해에는 137억 달러로 증가했습니다. 투자도 꾸준히 늘고 있습니다. 우리 기업의 호주에 대한 투자가 자원분야를 중심으로 29억 달러에 이르고 있고, 호주도 금융과 사회간접자본, 레저 등 다양한 분야에서 한국에 대한 투자를 확대하고 있습니다.

그러나 아직 에너지, 자원, IT, 과학기술에 이르기까지 협력의 폭을 넓힐 수 있는 분야가 많이 남아 있다고 생각합니다. 두 나라간 무역불균형 문제도 협력을 확대하면서 균형을 맞추는 방향으로 가야 할 것입니다. 어제 하워드 총리와의 정상회담에서도 이 점에 대해 깊이 있게 논의했고, 실질협력이 더욱 확대되어야 한다는 데 대해 의견을 같이 했습니다.

가장 핵심적인 분야는 역시 에너지, 자원부문입니다. 호주는 우리나라 광물자원 수입의 34%를 공급하고 있습니다. 우리 기업도 19개의 호주 자원개발 프로젝트에 참여하고 있습니다. 어제 체결된 광업진흥공사와 호주 펠릭스사 간의 유연탄광산 공동개발을 위한 전략적 제휴 양해각서는 이 분야의 협력을 한층 강화하는 좋은 계기가 되리라고 생각합니다.

　IT분야의 협력에도 큰 기대를 가지고 있습니다. 한국은 DMB, 와이브로 등에서 세계 최고 수준의 기술력을 보유하고 있습니다. 특히 지난 해부터는 DMB가 상용화되면서 지하철이나 승용차, 거리에서 TV를 즐기는 모습을 흔히 볼 수 있습니다. 우리의 경험과 기술이 호주가 추진하고 있는 DAB 사업에도 좋은 참고가 될 수 있으리라고 생각합니다. 공동 연구가 진행되고 있는 디지털 영상기술 협력도 영화나 게임 등에서 두 나라가 함께 더 넓은 해외 시장을 개척하는 데 도움이 될 수 있을 것입니다.

　오늘 애들레이드에서 열리는 IT장관회의와 '브로드밴드 서밋'에서도 이 분야 협력에 대한 깊이 있는 논의가 이뤄질 것입니다. 우리 두 나라가 힘을 합쳐 더 높은 수준의 기술을 개발하고 세계시장에도 공동 진출하는 성공사례들이 많이 만들어지길 바랍니다.

　과학기술분야의 협력도 확대되고 있습니다. 올해 3월에는 양국 과학재단이 상호교류하기로 합의했고, 국립과학관 간의 협력 약정도 추진되고 있습니다. 과학기술 선진국인 호주와 응용과학기술에 강점을 지닌 한국이 협력한다면 좋은 성공모델을 만들어낼 수 있을 것입니다. 이번에 서명한 '사회보장협정'과 '수출보험협력약정'은 양국의 경제협력을 확대하는 든든한 기반이 될 것입니다.

　호주 경제인 여러분,

　옆에 계신 우리 기업인들은 오늘의 한국경제를 일궈낸 주역들입니다. 강한 도전정신과 열정이 있고, 누구보다 부지런하게 일하는 분들입니다. 함께 손을 잡으면 반드시 기대했던 것 이상의 성과를 거두게 될 것입니다. 지금까지 경제협력위원회를 통해 활발하게 활동해 오신 것처럼, 앞으로도 교류와 협력을 확대하면서 더 큰 성공의 기회를 만들어가길 바랍니다.

뜻깊은 자리를 마련해주신 양국 경제인 여러분께 감사드립니다. 여러분 모두의 큰 발전을 기원합니다.

감사합니다.

뉴질랜드 비즈니스 포럼 연설

2006년 12월 8일

존경하는 사이먼 아놀드 웰링턴 상의 회장, 리차드 위스 경협위원장, 손경식 대한상의 회장과 이금기 경협위원장, 그리고 양국 경제계 지도자 여러분,

한국의 대통령으로서 7년 만에 뉴질랜드를 방문했습니다. 뉴질랜드 국민 여러분의 따뜻한 환영에 감사드립니다. 우리 국민들은 뉴질랜드를 가장 가보고 싶은 나라 중 하나로 꼽습니다. 그래서 많은 관광객들이 옵니다. 그리고 또 공부하고 싶은 나라, 가서 살고 싶은 나라, 이 모두에서 아주 높은 순위를 차지하고 있습니다.

저는 뉴질랜드를 선진국이고, 국민소득이 높고, 그리고 작지만 매우 경쟁력이 있는 나라로 그렇게 알고 왔습니다. 와보니까 참 아름답습니다. 그리고 오늘 이 의사당을 보면서 매우 품격이 있다는 느낌을 받았습

니다. 한국이 어떤 나라의 모델을 본받아야 할 것이냐를 놓고 논쟁을 하면서 작지만 강한 나라를 자주 얘기하곤 했습니다. 오늘 저는 뉴질랜드가 인구는 적지만 매우 강한 나라이고 품격 있는 나라라는 인상을 받았습니다.

국토가 아름답고 기후도 좋은 편이지만, 우리 한국에 비해서 주변의 시장과의 거리라든지 지리적 조건이 그렇게 유리하지는 않습니다. 그런데 왜 뉴질랜드는 우리보다 훨씬 더 잘살고 높은 기술과 문화를 가지고 품격 높은 나라가 됐을까, 이건 제가 돌아가서 오래 생각하면서 풀어야 할 수수께끼라고 생각합니다.

경제인 여러분,

오전에는 총리 각하와 장관들을 함께 만나 양국간에 여러 가지 문제들에 대해서 논의를 했습니다. 이 자리에서 저는 한국전쟁 때 뉴질랜드가 6천명이 넘는 군대를 보내 50명 가까운 사람들이 목숨을 바친 혈맹의 은혜를 잊지 않는다고 말씀을 드렸습니다. 오늘 이 자리에서도 여러분께 다시 한 번 감사의 인사를 드립니다. 오늘 오전 양국 장관들은 IT, 농업, 식품위생 관련 기술, 환경, 그리고 그밖에 여러 과학기술 등에서 실질협력을 더욱 증진시켜 나가기로 약속했습니다.

뉴질랜드의 정부에서 가장 관심을 갖는 것은 FTA 문제였습니다. 한국이 칠레와 FTA를 체결했고, 미국과 캐나다와 FTA 협상을 하고 있기 때문에 앞으로 뉴질랜드는 한국 시장에서 차별적 대우, 불리한 조건에 처하게 되지 않을까에 대해 많은 걱정을 하고 있었습니다. 그리고 FTA 체결을 강력하게 요구했습니다.

그 문제에 대해서는 내년 봄부터 민간 차원에서 한, 뉴질랜드 FTA에 관한 공동 연구를 할 것입니다. 연구를 하게 되면 아마 뉴질랜드의 농업이 한국의 농업과 충돌되지 않고 상호보완적인 관계가 많다는 것, 그리고 또 한국 농업과 충돌되지 않는 범위 내에서 뉴질랜드의 기타 상품들이 다른 나라의 상품과 경쟁을 하게 되기 때문에 결국은 한국에게 더 이익이 될 것이라는 결론을 얻을 수 있으리라고 기대하고 있습니다. 그러나 전문가들의 결론을 국민들에게 설득하고, 국민들이 그것을 납득하고, 그래서 양국간 FTA 체결까지 가기 위해서는 상당히 많은 절차들이 필요하리라고 생각합니다.

FTA라는 것이 양국 모두에게 이익이 되어야 하기 때문에 우리도 농업 부문에 있어서의 구조조정을 빠르게 진행하고 있습니다. 한편으로는 농업 기술경쟁력을 높이고 있고 한편으로는 농업인구를 줄여나가고 있습니다. 우리는 이 문제에 관해서 뉴질랜드가 한국 시장에서 불이익, 부당하게 불리한 대우를 받지 않도록 성의를 가지고 최선을 다하겠습니다.

지금 이민이나 유학, 관광 모두 한국에서 뉴질랜드 쪽으로 가는 사람이 훨씬 많습니다. 그리고 무역에서도 한국이 더 많이 삽니다. 결국 이것은 뉴질랜드 문명이 한국 방향으로 흐르고 있다는 것을 의미하지만, 또 반대로 돈을 따지면서 한국의 돈이 뉴질랜드로 일방적으로 흐르고 있다는 것을 의미합니다.

그러나 우리가 뉴질랜드로부터 수입하는 것을 줄일 수는 없습니다. 반대로 뉴질랜드에서 우리 한국 상품을 좀 더 사주시는 방법이 있습니다. 오늘 총리 각하께서는 한국 상품을 더 사라는 말을 하지는 않았습니다. 물건을 사는 것은 여러분이지 총리 각하가 아닙니다.

그러나 그것은 시간이 걸리는 문제입니다. 그래서 2014년에 우리가 평창에서 동계올림픽을 하려고 하는데, 그때 뉴질랜드 국민들이 많이 와서 한국의 동계올림픽을 함께 보고 즐겨주시면 얼마만큼 우리한테도 도움이 될 것이라고 생각합니다.

그러자면 먼저 동계올림픽이 한국에서 열리도록 결정되어야 하는데, 그것을 결정하는 데도 뉴질랜드의 IOC위원들이 올림픽위원회에서 도와주셔야 합니다. 혹시 여러분 친구 중에 올림픽위원이 계시면 동계올림픽은 한국 평창에서 꼭 열리도록 도와주라고 말씀해 주시면 고맙겠습니다.

양국 경제인 여러분,

조금 전에는 뉴질랜드의 영화 만드는 곳을 다녀왔습니다. '파크 로드'라는 곳이었는데, 한국 기업과 합작해서 영화를 만드는 곳이었습니다. IT산업 하면 한국이 세계 최고 수준이라고 항상 자부하고 있었는데, 오늘 영화 제작소에 가서 보니까 꼭 그렇게만 말하기 어렵다는 것을 발견했습니다.

정보통신 분야의 일반적 기술에 있어 우리 한국이 앞서가고 있는 것은 틀림없는데 오늘 봤던 영상 산업에 적용되는 전자 기술, 디지털 기술, 그리고 또 로봇을 움직이는데 필요한 기술이라든지 또는 감성 인식이라든지 이런 분야에서 뉴질랜드가 앞서가고 있다는 것입니다.

지금 한국의 영화 산업은 아주 활발하게 뜨고 있습니다. 뉴질랜드의 영화 산업도 굉장히 우수한 성적을 내고 있다고 들었습니다. 좋은 친구들이 만나서 함께 손을 잡고 세계 시장에서 큰 성공을 거둘 수 있는 날이 반드시 올 것이라는 그런 확신을 갖게 되었습니다.

한국은 1997년 이전까지 완전한 시장 경제라기보다는 관치경제라고 말할 수 있고, 또는 적어도 금융을 국가가 지배하는 불완전한 시장경제였습니다. 그러나 외환위기를 극복하는 과정에서 우리는 완전한 시장경제를 이루었고, 그 시장경제는 이제 투명하고 공정한 원칙에 의해서, 경쟁 원리에 의해서 움직여가고 있습니다. 따라서 한국 경제의 위험요소는 현저히 낮아졌고 그리고 경쟁력은 점차 강화되어 가고 있습니다.

한국 시장에 있어서의 경쟁의 규칙, 그리고 거래의 규칙은 이제 글로벌 스탠더드에 맞게 움직이고 있고, 어디에 내놓더라도 손색이 없다고 생각합니다. 경제의 체질 면에 있어서도 흔히 말하는 혁신주도형 경제로 가는 질적인 전환이 이루어지고 있습니다.

그동안에는 한국이 상품 시장이나 금융 시장에 대해 국제사회로부터 개방 요구를 받고 있는 상황이었습니다. 그러나 이제 거의 완전히 개방되었고, 이제 오히려 한국이 자본을 가지고 금융이든, 대규모 인프라든, 또는 그밖에 기술 투자이든 능동적으로 해외에 자본 투자를 해 나가야 되는 단계로 들어서고 있습니다.

중국이 질적으로나 양적으로 매우 빠른 속도로 팽창해 가고 있습니다. 한국은 중국의 북부 지방에 인접해 있고 중국과 일본의 사이에 자리 잡고 있습니다. 지리적 위치라든지, 그리고 한국 경제가 지금 가고 있는 발전 단계로 봐서는 중국, 일본 전체를 무대로 하는 경제 활동을 하기에 아주 좋은 위치에 있다고 말할 수 있습니다.

자료를 보니까 뉴질랜드의 기업이 한국에 투자를 한 기업 숫자, 투자 건수 그리고 총금액 등이 매우 적은 편입니다. 뉴질랜드 기업이 돈이 없어서가 아니라 우리 한국에 대해서 잘 모르기 때문에 그런 것 아닌가 싶어서 한국 경제에 대해서 그리고 지리적인 이점에 관해서 장황하게 설명했습니다.

그러나 지금까지 말씀드렸던 것보다 더 투자자에게 더 유리한 중요한 요소가 한 가지 있습니다. 한국 사람들의 노동력이 아주 우수하다는 점입니다. 특히 그 중에서 머리를 쓰는 노동력은 아주 우수합니다. 투자자에게 반드시 성공을 보장해 줄 것입니다.

경제인 여러분,

두 나라 경제인들끼리 만나 좋은 말씀들 많이 주셨는데, 제가 그 위에 보태어 긴 시간을 연설해서 죄송합니다. 뉴질랜드의 투자가 점점 많아지면 다음에 와서 짧게 하겠습니다.

어쨌든 뉴질랜드는 우리 한국이 많은 것을 배우고 싶은 나라입니다. 두 나라 경제인 간에 활발하게 교류도 하고 우리 한국에도 많은 투자를 해 주십시오. 우리 한국 기업인들도 뉴질랜드에 와서 이미 투자하시는 분들은 말할 것도 없고, 앞으로 더 많은 투자를 해서 큰 성공을 거두기 바랍니다.

감사합니다.

사티아난드 뉴질랜드 총독 내외 주최
국빈만찬 답사

2006년 12월 8일

존경하는 아난드 사티아난드 총독 각하 내외분, 그리고 귀빈 여러분,

우리 내외와 일행을 따뜻하게 맞아주신 각하와 뉴질랜드 국민 여러분께 감사드립니다.

뉴질랜드는 우리 국민이 가장 가보고 싶어하는 나라입니다. 끊임없는 혁신으로 국가청렴도, 기업하기 좋은 환경 등에서 세계 최고 수준을 기록하고 있고, 특히 성장과 복지의 조화를 통해 계층간 격차를 좁혀나감으로써 사회통합의 훌륭한 모델을 만들어가고 있습니다. 각하께서는 이러한 뉴질랜드의 지도자로서 국민의 높은 신망 속에 뉴질랜드를 이끌어가고 계십니다.

내외 귀빈 여러분,

뉴질랜드는 우리에게 참으로 고마운 친구입니다. 우리 국민의 기억

에 가장 강하게 남아있는. 한국전쟁 당시 6천명의 용사를 보내주었고, 경제발전과 외환위기 극복 과정에서도 성의를 다해 도와주었습니다. 또한 한반도의 평화와 안정을 위한 우리의 노력을 한결같이 지지해 주고 계십니다. 여러분의 우정을 결코 잊지 않을 것입니다.

오늘, 나와 클라크 총리는 양국관계를 '21세기 동반자 관계'로 격상하고, 실질협력을 한층 더 확대해 나가기로 약속했습니다. 특히 정보통신, 생명공학 등 양국이 역점적으로 육성하고 있는 첨단 과학기술분야 협력은 시너지 효과가 매우 클 것으로 기대하고 있습니다. 농업협력약정에 따라 추진될 공동연구와 협력사업도 기대가 큽니다.

문화교류도 빠르게 확대되고 있습니다. 양국 영화를 소개하는 영화제가 성황리에 열린 데 이어서, 최근에는 여러 편의 한국 영화와 TV드라마가 뉴질랜드에서 제작되었습니다. 두 나라가 영화를 함께 만들고, 세계시장에서 큰 호응을 얻을 날도 멀지 않았다고 생각합니다. 우리 두 나라는 국제무대에서도 긴밀히 협력해가고 있습니다. 앞으로도 평화와 민주주의에 대한 확고한 신념을 바탕으로 아, 태지역의 공동번영을 위해 굳게 손잡고 나아가게 되기를 바랍니다. 뉴질랜드에는 많은 우리 동포들이 거주하고 있습니다. 그동안 우리 동포들을 따뜻하게 배려해주신 여러분께 감사드립니다.

귀빈 여러분,

엘리자베스 여왕 폐하의 건강, 그리고 총독 각하 내외분의 건승과 우리 두 나라의 우정을 위해 건배를 제의합니다. 건배!

유센코 우크라이나 대통령 내외를 위한 만찬사

2006년 12월 18일

존경하는 빅토르 유센코 대통령 각하 내외분, 그리고 내외 귀빈 여러분

각하와 일행 여러분을 환영합니다. 우크라이나 국가원수로는 10년 만에 우리나라를 찾아주셨습니다. 참으로 귀한 손님입니다.

각하께서는 중앙은행 총재와 총리를 역임하면서 재정위기 극복과 시장개혁을 성공적으로 추진하셨습니다. 민주시민혁명을 거쳐 대통령에 당선되신 후에는 경제, 사법, 교육, 복지 분야에서 획기적인 개혁을 이끌고 계십니다. 또한 '구암(GUAM)'의 활성화와 '동유럽 민주공동체' 창설을 주도하며 인근 국가들과의 연대와 협력에도 크게 기여하고 계십니다. 각하의 이러한 노력으로 우크라이나는 더 큰 발전을 이루게 될 것입니다.

귀빈 여러분,

우리 두 나라는 많은 시련 속에서도 자랑할 만한 문화를 일구어 냈습니다. 높은 교육수준과 과학기술력 또한 양국이 자랑하는 소중한 자산입니다. 양국은 이를 바탕으로 1992년 수교 이후 다방면에서 긴밀한 협력관계를 발전시켜왔습니다. 최근 3년간만 봐도 교역이 두 배 이상 늘었고, 예술공연을 비롯한 문화교류도 활발하게 이루어지고 있습니다.

오늘 가진 각하와의 정상회담도 양국간 실질협력을 더욱 확대하는 계기가 될 것입니다. 특히 우주항공과 IT 분야 협력에 거는 기대가 큽니다. 상업위성 시장의 선도국가인 우크라이나와 IT 강국인 한국의 협력은 한차원 더 높은 성과를 창조할 것입니다. 우크라이나가 추진하고 있는 신도시 건설과 교통인프라 구축, 전력, 에너지 등에 있어서도 성공적인 협력모델을 만들어낼 수 있을 것입니다.

우크라이나는 국제평화유지활동에 적극 참여하는 등 지구촌의 평화와 안정에 중요한 역할을 하고 있습니다. 특히 1990년대 중반, 세계 3대 핵 보유국의 지위에 있으면서 핵을 완전히 폐기하는 결단을 내렸습니다. 앞으로 북핵 문제의 평화적 해결을 위한 우리의 노력에 많은 지지를 당부드립니다. 아울러 우크라이나에 거주하는 우리 동포들에 대해 더 큰 관심과 배려를 부탁드립니다.

각하 내외분의 건강과 우크라이나의 번영, 그리고 우리 두 나라의 영원한 우정을 위해 건배를 제의합니다.

건배!

민주평화통일자문회의
제50차 상임위원회 연설

2006년 12월 21일

안녕하십니까, 정말 반갑습니다. 1년에 한 번 이렇게 함께 보는 아주 소중한 기회인 것 같습니다. 세 분 건의 말씀도 잘 들었습니다. 내용이 참 좋습니다. 전문가 수준입니다. 대통령이 청와대에서 직접 정책 보좌를 받거나 내각을 통해서 도움을 받고 있는 수준 못지않은 내용이 들어 있습니다.

한편으로는 대통령으로서 가슴이 뜨끔한 데가 있습니다. 정부 정책을 정면으로 비판하는 내용은 하나도 없지만 그래도 뜨끔합니다. 첫 번째는 세 분 위원님께서 말씀하신 내용 중 구체적인 특별한 내용 이외에는 정책기조가 똑같은 방향에 서 있는데 왜 같은 말씀을 반복하실까 하는 의문이 생기고요, 두 번째는 건의 중에 원칙이나 신뢰, 일관성, 국민적 합의, 이런 말씀이 나옵니다. 이 말씀이라는 것은 '이 점에 있어서 우려가 있다.'는 것을 표명하신 것으로 볼 수도 있습니다. 잘 알아들었습니다. 제가 구구하게 변명드리지는 않겠습니다. 그런 문제점이 있습니다.

제가 뜨끔했던 첫 번째 문제에 관해서 말씀드리자면, 모든 정책이 우리가 지향한다고 다 그대로 되는 것은 아닙니다. 그래서 거기로 가려고 하지만 막히는 수도 있고 부득이 돌아가야 되는 수도 있고 또 지체되는 수도 있습니다. 그렇게 이해를 해 주시면 좋겠습니다.

두 번째 문제에 대해서는 변명을 조금 하겠습니다. 저도 신문을 직접 보기도 하고 또 신문을 요약 분석한 보고를 따로 받기도 하는데, 신문 보고 나가서 참모들하고 대화를 하면 자꾸 엇나갑니다. 결국 나중에 맞추어 보면 제가 부정확한 정보를 가지고 있다는 사실을 발견하게 됩니다.

아무리 대통령이 긴장하더라도 정보가 입력이 되는데 이것은 몇 날 몇 시 어느 자리에서 누구에게 들은 얘기이고, 이건 몇 날 몇 시에 어느 보고서에서 본 얘기고, 이것은 어느 신문에서 본 얘기고, 이게 구분이 되지를 않습니다. 정보라는 것은 접수되면서 일정하게 그럴 듯하다 싶어서 반응 딱 일어나면 그냥 자기의 기억으로 입력되어 버리는 것이지요. 입력되면 그런 인식을 갖게 되는 것입니다. 그 인식을 가지고 있다가 그 일을 책임지고 있는 참모하고 만나서 얘기해 보면 이게 말이 앞뒤가 안 맞습니다. 우리 안보실 참모들도 마찬가지입니다.

여러 차례 그런 것을 반복한 다음에는 요즘은 늦더라도 좋으니까 좀 기다립니다. 안보실의 보고를 먼저 받고 그 다음에 신문이나 이런 것은 구문으로 다시 참고삼아 정리하는 이런 시스템을 가지고 있습니다. 이렇게 됐을 때 제 판단에 오류가 생길 수 있기 때문에 그러면 주는 것만 받아먹고 시민들의 폭넓고 다양한 정보는 차단되는 것 아니냐 그런 우려가 있습니다. 그래서 신문, 방송, 인터넷, 이 모든 정보를 정부가 전부 실시간으로 정리를 합니다.

정부의 정책에 관련된 기사 중에 사실과 의견이 맞는 것은 전부 정리하게 되어 있습니다. 그런 다음에 잘못된 것은 전부 고칩니다. 이것은 언제까지 법을 고쳐야 되니까 입법 조치를 취하겠다, 이것은 언제까지 시행령을 고치겠다, 이것은 예산 조치하겠다, 이것은 우리가 그냥 처분으로서 알아야 하겠다, 전부 보고서를 쓰게 되어 있습니다.

이 보고서를 쓰면 그것을 우리 정책실에서, 국무조정실에서 1차적으로 점검하고, 국내언론 비서관실에서는 기사 건수를 전부 점검해서 주간 보고를 저한테 하게 되어 있습니다. 요즘은 제가 너무 바빠서 비서실장이 한번 더 챙겨 보고 월간 보고로 줄여 달라고 했습니다. 시스템이 안착됐기 때문이지요.

틀린 보고면 어떻게 하느냐, 대강 어중간한 것은 넘어가고, 심하고 명백한 것은 반드시 정정보도를 청구합니다. 정정요청을 듣지 않으면 정정보도 신청을 냅니다. 그래도 안되면 소송까지 갑니다. 물론 정정보도도 있고 반론도 있고 합니다. 그 다음에 항의도 있고요. 항의 정도로 하고 끝내는 것도 있고, 절반은 맞고 절반은 엉성해서 오해가 생길 소지가 있는 것은 해명을 달아 줍니다. 이 활동을 계속해서 하고 있습니다.

결과를 제가 전부 수렴해 가는 시스템을 가지고 있기 때문에 대통령이 정보를 흘려 버리는 일은 없습니다. 개인이 혼자 이 신문 저 신문 뒤적거리는 것보다는 훨씬 더 체계적이고 완벽하지요.

그래서 이제 신문기자들이 글을 쓸 때 무척 조심합니다. 사실을 확인하는 습관이 점차 붙어갑니다. 함부로 쓰지 않습니다. 대신에 괘씸하거든요. 옛날 공무원들은 안 그랬는데, 요즘 공무원들은 또박또박 말대꾸를 한단 말입니다. 옛날 장관님들은 기사가 뭐가 나갔든 간에 장관이 '기사 잘 봤네. 언제 술이나 한잔 하지.' 설사 술을 사지 않더라도 이렇게 말합니다. 인사를 이렇게 하고 넘어가는데, 요즘은 장관이 안 나오고 국장, 과장, 사무관들이 나와서 '당신 기사 정확하지 않소.' 또박또박 따지니 괘씸하게 됐단 말이죠.

어쩌겠습니까, 철저히 파는 거지요. 정말 먼지 나는 것이 없는지, 잘못된 것이 없는지 철저하게 파지요. 그러니까 공무원들이 정신 바짝 차려야지요. 대통령이 일일이 다니면서 감사원장이나 장관에게 내부감사 잘하라고 할 필요가 없습니다. 기자들이 눈을 부릅뜨고 알아서 철저히 챙겨 주니까요. 그렇습니다. 괜찮은 시스템 아닙니까.

제가 가장 하고 싶었던 것이 원칙입니다. 그런데 지금 국민들한테 원칙 없는 정부로 인식되고 있습니다. 슬픕니다. 그러나 어쩔 수 있습니까, 슬프다 말하고 또 노여워하면 그것도 문제가 되고 그렇지요.

대통령이 되기 훨씬 전부터 어디 가서 강연할 때 절대로 빠트리지 않는 말 한 마디가 신뢰입니다. 민주주의 못해도 신뢰가 있으면 사회가 유지되고, 민주주의를 해도 신뢰가 무너지면 사회가 유지될 수가 없습니다. 그러므로 신뢰를 우리 사회에서 최상의 위치에 있는 가치로 본다, 항상 그렇게 얘기를 하고 다녔습니다. 그런데 정책 신뢰성이 계속 문제가 되니까 이 또한 제가 또 부끄러운 일입니다. 일관성과 신뢰라는 것은 사실은 비슷하게 맞붙어 있는 것이지요.

가장 가치 있게 생각하는 원칙들이, 제가 존중하고 꼭 실현하고 싶었던 참여정부 최대의 목표가 지금 이렇게 지적받고 흔들리고 있습니다. 좀더 노력하겠습니다. 아니면 좀더 냉정하게 볼 수 있는 기회가 있을지도 모르겠습니다. 이것은 숙제입니다.

말씀이 나온 계기에 건의해 주신 부분에 대해서도 이야기하겠습니다. 상호주의에 대칭되는 원칙은 일방주의 아니겠습니까, 그런데 상호주의에 대응하는 참여정부의 정책은 실용주의입니다. 왜냐하면 상호주의라는 것은 형식적이고 경직된 원칙이 될 수 있습니다. 남북관계를 해 나가는 데 조건과 서로의 처지가 너무 다르고 생각도 다릅니다. 어떤 분이 말씀하는 것처럼 '네가 한 대 때리면 나도 한 대 때리고 이게 상호주의 아니냐,' 이렇게 얘기할 수 있지만 남북관계는 그렇게 간단한 것이 아닙니다.

결국 우리가 추구하는 목표인 평화, 신뢰에 맞느냐, 맞지 않느냐를 놓고 그때그때 판단해야지 상호주의라는 원칙에 묶어두면 안됩니다. 결코 일방적인 퍼주기를 하자는 것이 아닙니다. 장기적인 목표를 놓고 신뢰를 확보하고 결국 남북 간 대화로써 보다 더 큰 목표를 달성할 때까지 어떻게 하는 것이 더 유익한지를 생각해야 합니다. 그래서 상호주의에 대응하는 정책개념은 실용주의라고 이해해 주십시오.

대북 송금사건 수사에 대해 거부권을 행사하지 않았습니다. 명시적으로 반대의견을 표시한 적도 없습니다. 이것이 많은 논란이 되고 있습니다만, 남북 간 대화와 교류를 하는 데 국민들이 투명성을 요구하기 때문에 저는 국민들의 요구를 받아들였습니다. 우리 사회의 보편적인 추세가 비록 통치행위라 할지라도 투명성과 합법성에 대한 강력한 요구가 있어서 제가 이 점은 참여정부부터 받아들이는 것이 좋겠다고 생각해서 수용했습니다.

사실은 남북관계에서 초법적인 통치행위가 성립할 소지가 전혀 없는 것은 아니라고 생각합니다. 그러나 단 하나, 국민들이 수용해 줄 때만 최고 통치권자의 초법적인 통치행위를 인정할 수 있는 것이지, 국민들이 보편적으로 수용하지 않는 마당이면 어려운 것 아니겠습니까, 잘했는지 못했는지 모르겠습니다만 그 당시 저의 선택이었습니다. 이것도 하나의 원칙이라고 말할 수 있는 것 아니겠습니까.

북한에서 대화를 중단했을 때 한국도 중단해 버리고, 일방적 통보가 왔을 때 내가 거절하라고 했습니다. 한 번은 거절했는데, 우리 통일부가 어떻게든 일이 되게 하려는 부처이기 때문에 명시적으로 지시를 내리려고 해석을 조금 달리해 가지고 어지간하면 대화를 끊거나 하는 일은 하지 않습니다. 저는 그 점을 크게 문책하지 않았습니다. 문책할 일이 아니라고 생각했습니다.

지금도 여러 가지 대북 지원이 중단되어 있습니다. 이것은 원칙이라기보다는 전략적 선택이라고 생각합니다. 지금 대북 지원을 끊고 있는 것은 인도주의 원칙, 상호주의 원칙이라기보다는 그것이 전략적으로 유리하겠다는 판단이 바탕에 깔려 있습니다.

그 외에 동시행동 원칙이나 정부,민간 분리 원칙, 다 동의합니다. 미국 정부와 의회를 설득해야 된다, 비핵 공영, 이런 이름을 쓰진 않지만 이렇게 가고 있습니다. 이 점에 대해서는 공부해서 좋은 이름을 차용하든지 한번 검토해 보겠습니다.

냉전구조 해체와 평화체제 구축이라는 큰 틀의 합의를 북핵문제 해결과 함께 가야 합니다. 9·19공동성명에 이 문제가 다 들어 있습니다. 평화체제 협상에 관한 조항, 동북아 다자 안보체제까지 언급되어 있습니다. 9·19 공동성명이 지금 표류하고 있으니까 아무 가치가 없는 것처럼 보일지 모르지만 거기에는 동북아 다자 안보체제라는 새로운 개념이 들어 있습니다.

한국이 북핵문제 해결에 가장 주도적인 역할을 했을 때 9·19 성명이 나왔습니다. 그 뒤에 BDA(방코델타아시아) 문제가 딱 걸렸는데, 참 저도 해석하기 어렵습니다. 중국에서 9·19성명을 서명하고 있는데 2,3일 전에 미국 재무부에서는 이미 방코델타아시아에 대한 계좌 동결조치를 해 버린 것입니다.

미국 국무부가 미처 몰랐던 것 아닌가, 베이징에서 모르는 상태에서 그 하루이틀 전에 제재는 나와 버렸고 나온 것을 풀지 못하고 여기까지 와 버린 것 아닌가, 이렇게 볼 수도 있습니다. 또 나쁘게 보면 '짜고 치는 고스톱' 아니냐, 이렇게도 볼 수 있습니다. 미국 재무부와 국무부 사이에 이 점에 대한 원칙을 해석하는 것이 달라서 정치적 유연성을 발휘할 수 있는 것 아니냐는 생각도 듭니다. 재무부는 법대로 가자고 주장할 것으로 추측이 됩니다만 알 수가 없습니다.

9·19공동성명이 탄생하자마자 땅에 묻혀 버렸지만, 봄이 오면 싹이 트듯이 한반도 냉전구조 해체와 평화 구축, 나아가 동북아시아 다자

안보체제와 평화체제의 방향으로 나아가는 디딤돌이 될 수도 있을 것입니다. 그 방향으로 가겠습니다.

대북정책 협의체제, 각계각층의 대표적 지도자나 원로들 모아 놓으면 서로 대화가 잘 안됩니다. 말을 다르게 쓰고 있거든요. 이것이 가장 어렵습니다. 우리가 식민지 시대와 좌우대립을 심하게 겪었고 전쟁까지 치르고 독재라는 세월을 거치는 동안 서로가 서로를 인정하지 못하게 돼 버린 것입니다. 그래서 개념이 달라 언어가 서로 통하지 않습니다.

국민통합, 참 좋은 얘기인데 이것을 못하고 있는 거지요. 제가 이것 한번 해 보자고 맨 처음에 고건 총리를 기용했었지요. 그래서 고건 총리가 다리가 되어서 그쪽하고 나하고 가까워질 것이라는 희망으로 그랬는데, 오히려 저하고 저희 정부에 참여한 사람들이 다 소외되는 그런 체제에 있는 것이지요. 중간에 선 사람이 양쪽을 끌어당기질 못하고 스스로 고립되는 그런 결과가 되기도 하고요. 결과적으로 실패해 버린 인사지요.

링컨 대통령의 포용인사가, 제가 김근태 씨나 정동영 씨를 내각에 기용한 그 정도와 비슷한 수준입니다. 링컨 대통령은 책에 오래오래 남고 남들이 연설할 때마다 그분 포용 인사했다고 인용하는데, 저는 비슷하게 하고도 욕만 얻어먹고 사니까 힘듭니다. 링컨 흉내를 내려고 해 봤는데 그게 잘 안되네요. 재미가 별로 없습니다.

여기는 민주평화통일자문회의거든요. 이 사안은 통일, 외교, 안보정책 사안이고, 큰 틀에 있어서 안보의 영역에 포함되는 일이라고 말씀드릴 수 있겠지요. 안보 문제와 표리관계가 있는 것이지요.

우리가 통일을 왜 해야 합니까, 더 잘살기 위한, 더 사람답게 살기 위한 목표가 있을 것입니다만, 더 절실한 것은 평화를 확보하기 위해서 아니겠습니까, 일단 평화를 확보하는 것이 제일 중요한 문제고, 그 다음에 이를 통해 우리가 좀더 풍요롭게 살 수 있는 계기가 만들어지면 더 좋은 것이고요. 핏줄을 같이하고, 말을 같이 쓰고, 문화를 함께하는 사람이 하나로 함께 통합되어서 사는 것이 보다 사람답게 사는 일이라고 생각한다면, 사람답게 살기 위해서 통일해야 되는 것이지요. 그래서 평화입니다.

평화라는 것이 안보의 핵심 개념이거든요. 안보가 뭐냐, 전쟁에서 이기는 것도 안보의 목정기고 평화도 안보의 목적 아닙니까, 그러나 고유의 의미에서 우리가 안보라고 얘기할 때는 평화를 지향하는 국가적 활동이지요. 전쟁에서 이기는 것보다는 전쟁을 예방하는 것이지요. 전쟁에서 이기는 안보보다는 평화를 지향하는 안보라는 개념을 확실히 하면 좋겠습니다. 대화를 지향하는 안보를 해야 됩니다. 안보를 위해서 끊임없이 대결적 분위기를 조성하는 경우가 있습니다. 안보를 튼튼하게 하기 위해 상대를 경계하게 되는 것이지요. 거기에 적대적 감정이 들어가고 불신이 들어가는 것입니다.

안보가 전쟁을 예방하는 것이라면 어느 정도가 전쟁을 예방할 수 있겠습니까, 적이 공격했을 때 완벽하게 제압할 수 있는 수준, 나는 털끝도 안 다치고 아니면 찰과상 정도 입거나 타박상 정도 입고 완전히 제압하는 수준이라면 확실하지요. 안보를 위한 대비가 확실한 것입니다. 적어도 공격을 해서 이길 수 없다, 따라서 점령할 수도 없고 지배할 수도 없는 단계를 한번 생각해 봅시다. 이겨도 점령하지 못하고 점령해도 지배하지 못하면 전쟁을 일으킬 이유가 어디에 있겠습니까, 그런 가능성이 없으면 상식을 가진 사람이면 전쟁을 시작하지 않을 것입니다.

그래서 이기지 못할 수준이면 되지 않겠습니까, 한 대 때리려고 하다가 한 대 반을 맞을 형편이면, 팔 하나 부러트렸는데 자기 팔은 두 개 부러져 버릴 형편이면, 제정신 가진 사람이라면 싸움을 하지 않을 것입니다. 목적을 어디까지 둘 거냐, 힘의 비교를 어느 정도에 둘 거냐를 판단해 보고 정신없는 짓 안할 것이라는 전제에서 상대를 평가해 보는 겁니다. 상대가 제정신이 멀쩡한 사람인지, 아니면 믿을 수 없을 만큼 제정신이 아닌 사람인지, 아니면 머리가 아주 나쁜 사람인지를 판단해 봐야 되는 것이지요. 그런데 이런 전제를 할 때 부도덕한 사람, 무슨 짓을 할지 모르는 비정상인 사람으로 전제를 하는 거지요.

그래서 제가 대통령 후보가 됐을 때 패널들이 저한테 '노 후보, 김정일이라는 사람이 어떤 사람이오, 합리적인 사람이라고 생각합니까,' 라고 물을 때 '예' 하면 그날로 박살나는 겁니다. '아니오' 해도 곤란합니다. 이 대답하기 어려운 질문을 하는 것이 한국의 정치 풍토, 정치 문화 아닙니까,

그 사람도 판단력은 있겠지요. 민주주의 사회 기준의 사고력과 분석력을 가지고 있는 판단력인지는 모르겠지만 공산주의 또는 주체사상이라고 하는 그 체계에 맞는 수준과 기준에서는 적어도 판단력이 있지 않겠느냐, 쉽게 말해서 사람이 저 죽을 짓 하겠느냐, 이런 것입니다.

완전히 궁지에 몰리면 무슨 짓을 할지 모른다는 것도 상상할 수 있는 것인데, 죽을 짓까지 무릅쓸 만큼 이상한 사람이냐에 대해서까지는

우리가 합의를 못 이루고 있습니다. 우리 한국 사회가 그 정도 합의가 안 되는 겁니다. '저 사람 제정신 맞아,' 하면 어떤 사람은 설마 제정신이겠지, 어떤 사람은 완전히 정신이상이야, 이런 겁니다. 그래서 '멀쩡할걸.' 이러면 그날로 박살이 나는 겁니다.

이 기준을 가지고 우리의 안전을 점검하는 것입니다. 전쟁을 예방한다고 할 때 어쨌든 전쟁에 이기더라도 많은 손실을 입으니까 안 나게 해야 하는데, 그 억지력의 판단 기준이 정상적인 사람을 기준으로 할 거냐, 돌아버린 사람을 기준으로 할 거냐, 이 문제를 가지고 우리 한국이 얼마만큼 심각하게 싸우고 있는지 아십니까, 신문에 나오는 만화 비슷한 얘기들이 사실은 여기에 근거를 두고 있습니다.

말하자면 제정신 가진 사람이면 지금 한국을 향해서 북이 도발적 행위를 한다는 것은 바로 자살행위나 마찬가지라는 판단을 할 수밖에 없기 때문에, 안보 문제에 대해서는 적절하게 관리해 나가면 된다는 것이 저의 생각입니다. 그렇지 않다고 생각하는 사람들이 가끔 저희더러 사상 검증을 하자는 거지요. 장관 지명해서 국회 청문회 나가면 '6·25가 남침이오, 북침이오,' 묻거든요. 제가 6·25전쟁이 남침인지 북침인지도 모르는 사람을 장관으로 임명한 만한 사고력을 가진 대통령이라는 전제가 붙어 있지 않습니까, 참 억울합니다. 저는 제정신입니다. 이래서 어렵습니다.

모든 것을 전쟁이나 힘으로 해결할 것이 아니라 대화로써 해야 되는 것입니다. 이 대화의 전제는 민주주의의 기본 원리인 상대방의 존재를 인정하는 것, 나아가 존중하는 것입니다. 상대방의 의견이 옳을 수도 있다는 가능성을 인정해야 됩니다. 내가 틀릴 수 있다는 가능성을 인정해야 됩니다. 이것이 철학적으로 상대주의라는 것 아니겠습니까, 한마디로 '관용'이라는 말로 표현될 수 있는 것이지요. 관용이 대화의 전제지요.

대화를 통해서 남북 문제를 풀어 가고 주먹을 꺼내기 전에 먼저 발로 해결하는 것이 대화를 통한 안보 아니겠습니까, 그래서 남북 간 대화하려고 하는데 인간에 대한 인식이 다르다 이거지요.

또 우리 국내에서도 대화를 하려고 하니까 인간에 대한 인식이 다릅니다. 우리나라는 오랫동안 척사위정론이라고 하는 사상체계를 가지고 서학(西學)한다고 수백 명씩 잡아 죽이고, 마침내 1866년 병인사옥 때는 8천 명을 잡아 죽였지 않습니까, 선비정신 같이 좋은 것은 우리가 이어받아야 되겠지만 우리나라의 전통적 사상에 이 같은 위험한 요소가 내포되어 있었다는 것을 우리가 다시 한번 돌이켜 봐야 됩니다. 사문난적(斯文亂賊), 척사위정(斥邪衛正) 두 말로 표현되는, 철저히 타도해 버리는 문화를 극복하지 않으면 안됩니다.

안보에 대해 조용히 했으면 좋겠습니다. 정부가 안보, 안보하고 계속 떠들어야 안심이 되는 국민의식이 정말 힘듭니다.

북한이 미사일을 쐈습니다. 함경북도 앞바다 쪽으로 미사일을 쐈는데, 한국으로 그 미사일이 날아오지 않는다는 것은 명백한 사실이고 다 알고 있는 일 아닙니까, 정치적 정세, 안보적 정세가 장기적으로 총체적으로 서서히 변화해 가는 것이지, 그날 전쟁 나는 것은 아닙니다. 그런데 정부가 나서서 새벽에 비상을 걸고 '국민 여러분! 미사일을 쐈습니다. 라면 사십시오. 방독면 챙기십시오.' 이렇게 해야 합니까,

아침에 보고를 받았습니다. 긴급히 안보상임회의를 소집하자고 했는데 하지 말라고 했습니다. 국민들을 놀라게 할 이유가 뭐가 있습니까, 그래서 11시에 모여서 관계장관 간담회를 했습니다. 간담회로 하나 상임위원회로 하나 새벽 5시에 모이나 낮 11시에 모이나 그 일처리에는 아무 차이가 없습니다. 결과적으로 달라지는 것이 없을 뿐만 아니라 예측하는 단계에서 달라지는 게 아무것도 없습니다. 우리나라 안보, 그렇게 북치고 장구치고 요란 떨지 않아도 충분히 한국의 안전을 지켜낼 만한 국력이 있고 군사력이 있습니다.

국방비 올렸지 않았습니까, 저를 지지했던 많은 사람들은 군비 축소해서 복지에 써야 한다고 얘기했지만 저는 군비를 축소하지 않았습니다. 역사적으로 볼 때 북한에 대한 군사력만이 완전한 것이 아니라고 판단했기 때문입니다.

한국의 군사력이 약해서 중국과 일본의 군사력을 당해내지 못하고 한반도에 힘의 공백 상태가 생기면 임진왜란, 청일전쟁, 러일전쟁처럼 전쟁터로 변할 수 있습니다. 그렇게 되지 않도록 외국 군대가 우리나라에 와서 전쟁을 못하게 할 정도의 국방력을 가지고 있어야 되지 않겠습니까, 중국과 일본, 미국 사이에 중첩적인 잠재적 적대 관계가 동북아시아의 다자안보 체제, 동북아시아 공동체 같은 새로운 구상을 통해서 전환되기 전까지는 한국은 상호주의의 국방력을 가지고 있어야 됩니다.

그래서 국방비를 결코 줄여서는 안된다고 했지만, 대북정책에 대해 국민들을 밤낮없이 불안스럽게 할 이유는 없습니다. 그렇게 하지 않아도 안보 괜찮습니다.

여러분께서 이 자리에서 박수를 쳐 주셨습니다만, 여론조사할 때는 전부 가위표를 치셨을 겁니다. 여론조사 결과를 보니까 네 편 내 편 할 것 없이 전부 잘못했다고 다 가위표를 쳐 놨는데 정말 정치라는 것이 어렵구나, 양심껏 소신껏 했는데 그렇게 하면 판판이 깨지는 것이 정치구나, 그런 생각을 가지고 있습니다.

그러나 이대로 계속 갈 수 없습니다. 달라질 것은 달라져야 하기 때문에 터질 때는 터지더라도 다르게 할 건 다르게 하겠습니다. 그게 단임 정신 아니겠습니까.

고향 친구들 만나기가 제일 미안합니다. 고향 친구, 학교 동창들은 저 대통령 만들려고 다니면서 친구들한테 표 찍으라고 했는데 지금은 몰리고 있으니까, 어디 술자리 가서 괴롭기 짝이 없지요. 그런 애로사항은 있습니다만, 그 사람들 체면보다 더 큰 게 국가의 미래라고 생각해서 그렇게 하기로 했습니다.

원론적으로 몇 가지 말씀드렸습니다만 실례를 들어서 얘기를 하겠습니다. '이라크 파병 왜 했냐' 이런 얘기가 나올 수 있지요. 또 '미국하고 왜 껄끄러워졌냐' 고 묻기도 합니다. 저는 껄끄러워지지 않았다고 생각합니다만 그렇게 묻는 사람들이 있습니다.

맨 처음 대통령에 당선됐을 때 북핵문제를 놓고 북한에 대한 무력공격설이 미국 신문과 우리 신문에 난무했습니다. 책임 있는 사람들이 말했다, 안했다는 것이 중요한 것이 아니고 신문에 난무하면 거기에 대해 국민들은 불안감을 느끼게 되는 겁니다.

그래서 '무력공격은 안된다' 고 얘기했습니다. 그랬더니 '그러면 미국하고 일 생긴다' 면서 우리나라의 안보와 안보논리를 주도해 왔던 사람들이 '큰일 났다' 고 했습니다. '노무현이 미국하고 관계를 탈내겠다.' 고 그러는 겁니다. 그러나 그 이전에 '어떻든 전쟁은 안된다' 했습니다.

왜 그렇게 했겠습니까, 여러분이 지금 그런 대로 쓸 만한 사람인지, 아닌지를 검증하는 방법이 있습니다. 옛날에 사귀던 친구 보고 우리 집에 놀러 오라고 했을 때 놀러 오면 내가 아직도 괜찮은 사람이라는 겁니다. 돈 좀 꿔 달라고 해서 돈 빌려 주면 그거 아주 괜찮은 사람입니다. 돈 안 빌려 주면 '내가 요새 한물가는구나.' 이렇게 생각해야지요.

한국이 괜찮은 나라면 여행하는 사람이 많이 오고, 돈 빌려 주는 사람이나 투자하는 사람이 있게 돼 있습니다. 그런데 제가 대통령에 당선됐을 때 '투자가 끊어질 거다. 돈 빌리러 갔더니 가산금리를 더 내라 한다.' 고 했습니다. 이 말은 한국에 돈 빌려 주기 싫다는 것과 같은 겁니다. 국가가 돈을 빌릴 수 없게 되면 그때부터 위기로 갑니다. 돈 빌려 달라 했을 때 안 빌려 주면 그때부터 철저히 단속하고 재빨리 신용을 회복하지 못하면 바로 1997년 외환위기 같은 사태로 굴러 떨어질 가능성이 있습니다.

대통령은 미국을 한 번도 안 가 본 사람으로 바뀌었고 '전쟁은 난다' 하는 상황이었습니다. 제가 안팎곱사등이가 됐지요. 북핵문제를 가지고 전쟁은 없다 해야 했습니다.

두 번째로는 미국하고 관계가 돈독해야 하는 것이지요. 돈 빌려 주고 투자하는 사람들이 모여서 제일 처음 묻는 것이 '전쟁하냐, 북한이 붕괴하냐' 는 것이었습니다. 절대 그런 일 없다고 얘기해 놓고 나니까 '미국하고 잘 지낼 거냐' 이렇게 물었습니다. '잘 지낸다, 괜찮다' 고 하는 사람들도 있고 '큰일 났다' 고 하는 사람들이 있지요. 미국에서 '큰일 났다' 고 하는 사람들이 있었는데 노무현 길들이기 프로그램에 그런 내용이 좀 들어 있기도 하지 않았겠습니까, 천지도 모르고 겁없이 대통령이 된 모양인데 '맛 좀 보여야지'라고 생각한 모양입니다. 그래서 '한·미관계가 나빠진다'고 계속 신호 보내서 '노무현 기 좀 꺾어라' 이거 아니겠습니까, 그런 것이 그때의 상황이었습니다.

그때 제가 해야 되는 것이 '전쟁 없다'고 또 하나는 '미국하고 괜찮다'는 것이지요. 가장 확실한 증명이 이라크 파병 아닙니까, 개인 노무현과 미국의 관계가 아니라 대한민국과 미국의 우호동맹관계가 지속적으로 작동하느냐, 안하느냐의 바로미터였기 때문에 이라크 파병을 했습니다. 1만 명 보내자는 사람, 5천 명 보내자는 사람이 있었고, 전투병 보내는 것이 당연하다는 사람들도 있었습니다. 또 그 전쟁의 명분에 대해서 의문을 제기하면서 반대하는 분들도 많이 있었습니다. 그래서 비전투병 3천 명을 보냈습니다. 장사로 치면 장사 참 잘했다고 생각하는데 어떻습니까, 한·미동맹의 목표를, 한·미동맹의 안전성에 대한 국제적 신뢰라고 하는 목표를 가장 적은 비용으로 달성하는 것이 가장 효과적인 것 아니겠습니까,

2사단 후방배치에 대해 미국이 얘기를 했습니다. '안된다, 인계철선을 가지고 가면 어떻게 하냐' 고 말하는 분이 정부 안에서도 있었습니다. 그래서 '그 말 하지 마시오. 미2사단 뒤로 물리시오.' 라고 말했습니다. 그래서 시비가 많이 붙었어요. 한쪽에선 미2사단 물리고 나서 북한이 밀

고 들어오면 어떻게 하느냐는 것이지요. 미국이 자동 개입이 안되니까 안 도와줄지 모른다는 것입니다. 다른 쪽에선 미국이 북한을 공격하면 북한이 전방에 있는 2사단에 즉각 보복할텐데, 2사단을 빼면 보복할 데가 없어졌으니까 미국이 북한을 때리기 위한 사전준비 작업을 하는 것이 아니냐는 시각이 있었습니다. 그래서 2사단 후방배치에 대해 떨떠름하게 반대하는 사람들이 있었습니다. 반미주의자들이 있어요.

그런데 옮겨야지요. 여기에 원칙이 들어가는 것입니다. 한국군 방위력이 어느 정도인지 정직하게 평가합시다. 언제 역전된 것으로 생각하십니까, 대개 1970년대 후반, 1980년대 초반 때 실질적으로 역전된 것으로 보지 않습니까, 국방력, 경제력 역전이 1985년이라고 잡아봅시다. 1985년에 역전됐으면 지금 20년이 지났습니다.

우리가 북한 국방비의 여러 배를 쓰고 있습니다. 이게 한두 해도 아니고 근 20년간 이런 차이가 있는 국방비를 쓰고 있습니다. 그래도 지금까지 한국의 국방력이 북한보다 약하다면 그 많은 돈을 다 어떻게 했습니까, 1970년대에는 어떻게 견뎌왔습니까, 옛날 국방장관들 나와서 얘기하는데 그 사람들이 직무유기한 것 아닙니까, 그 많은 돈을 쓰고도 북한보다 약하다면 직무유기한 거지요. 정직하게 보는 관점에서 국방력을 비교하면 이제 2사단 뒤로 나와도 괜찮습니다.

기왕에 있는 건데 그냥 쓰지, 인계철선으로 놔두지 왜 시끄럽게 옮기느냐고 할 수도 있습니다. 시끄럽게 안하고 넘어가면 좋은데 왜 그걸 옮기는 데 동의했느냐, 심리적 의존상태를 벗어나야 한다는 겁니다. 국민들이 내 나라는 내가 지킨다는 의지와 자신감을 가지고 있어야 국방이 되는 것입니다.

미국한테 매달려서, 미국 뒤에 숨어서 '형님만 믿겠다.' 이런 것이 자주국가 국민들의 안보의식일 수가 있겠습니까, 인계철선이란 말 자체가 염치가 없지 않습니까, 남의 나라 군대를 가지고 왜 우리 안보를 위한 인계철선으로 써야 합니까. 피를 흘려도 우리가 흘려야지요. 그런 각오로 우리가 할 수 있다는 자신감을 가져야 합니다.

미국과 우리 사이에 경제적인 일이나 다른 일이 있어 미국이 '그러면 우리 군대 뺍니다.' 라고 나올 때 이 나라의 대통령이 당당하게 '그러지 마십시오.' 라든지, '예 빼십시오'라든지 할 수 있어야 말이 될 것 아니겠습니까, 미국이 '나 나가요'하면 다 까무러치는데, 대통령 혼자서 어떻게 미국하고 대등한 관계를 맺을 수 있겠습니까,

완전하게 대등한 외교는 할 수 없습니다. 미국은 초강대국입니다. 미국의 세계 영향력에 상응하는 대우를 해 줘야 합니다. 동네 힘센 사람이나 돈 많은 사람이 '길 이렇게 고치자. 둑 고치자. 산에 나무 심자.' 하면 어지간한 사람은 따라가는 거죠. 미국이 주도하는 질서를 거역할 수는 없습니다.

그러나 최소한 자주국가, 독립국가로서의 체면은 유지해야 될 것 아니겠습니까, 2사단 빠지면 다 죽는다고 사시나무처럼 떠는 나라에서 대통령이, 또 외교부 장관이 미국 공무원들하고 만나서 대등하게 대화를 할 수 있겠습니까, 심리적인 의존관계를 해소해야 됩니다. 그래서 뺐습니다.

조금 있으니까 미국이 주한미군 숫자도 좀더 감축하자고 제안했습

니다. 그래서 '하시오' 했습니다. '비공개로 논의하자'고 하는 걸 '공개로 합시다'고 했습니다. 그러면 연기하자고 해서 1년 연기해 감축 논의를 했습니다. 그런데 결국 감축 얘기가 미국 쪽에서 먼저 나왔잖아요, 자기들이 연기하자 해 놓고 왜 그러냐고 했더니 우리 쪽에서 연기하자 했다고 옥신각신하는데 조사를 못해 봤습니다. 하여튼 감군 좀 해도 괜찮습니다.

용산기지를 왜 이전하느냐 하면, 그 땅은 비싼 땅입니다. 약간 차이는 있을 수 있지만 5조 5천억 원 정도 되는 무척 비싼 땅인데, 그 땅을 돈주고 산다고 생각해 보십시오. 5조 5천억 원에 살 수 있겠습니까, 여러분, 그게 미군 부대가 아니고 개인의 잡종지였다면 절대 수용도 안됩니다. 그 좋은 금싸라기 땅에 미군이 딱 버티고 앉아서 지하철도 못 내고 도로도 못 내고, 우리 국민들이 함께 즐길 수 있는 문화시설이나 상업시설을 왜 못 만드느냐 이거지요.

투자를 해야지요. 돈 없어서 안했습니다. 김영삼, 노태우 대통령이 합의해 놨는데, 김영삼 대통령도 돈이 없어서 안해 버리고, IMF 나서 국민의 정부도 못했습니다. 우리는 한고비 넘어갔으니까, 그것도 1년에 내는 것도 아니고 10년에 걸쳐 점진적으로 내는 건데, 사야지요. 이거면 누가 시비하지 않을 것으로 생각했습니다만 이것 때문에 평택에서 얼마나 시끄러웠습니까. 국민들이 노무현 정부는 '왜 이렇게 시끄럽냐.'고 하지만 할 일은 해야 되지 않겠습니까, 그렇게 된 것입니다.

용산기지는 우리 국민들의 가슴속에 자주국가의 상징이란 측면에서 상당한 손상을 주고 있는 것이 사실입니다. 아무리 우방이라 할지라도 수도 한복판에, 그것도 청나라 군대가 주둔했던 그 자리에 하필이면 있어야 되겠느냐는 문제입니다. 옛날에 우리나라 독립협회가 모화관이 있던 자리를 헐어버리고 독립문을 세운 것은 그것이 현실적이든 아니든 간에 역사적으로 상징성이 있지 않습니까, 용산기지 이전도 그와 마찬가지로 역사적 행위가 되는 것입니다. 명분은 자주국가의 당연한 이치라는 것이죠.

작통권도 마찬가지입니다. 우리가 작전을 통제할 만한 실력이 없습니까, 그렇다면 대한민국 군대는 지금까지 뭐 했습니까, 저도 군대 갔다 왔고 예비군 훈련까지 다 받았고 세금도 냈는데, 그 위의 사람들은 뭐 했습니까, 작전통제도 제대로 할 수 없는 군대를 만들어 놓고 '나 국방 장관이오, 나 참모총장이오.' 그렇게 별들 달고 거들먹거리고 말았다는 얘깁니까, 작통권 가져오면 안된다고 줄줄이 몰려가서 성명 내고, 직무유기 아닙니까, 이렇게 수치스러운 일들을 했으면 부끄러운 줄 알아야 합니다.

작통권 돌려받으면 우리 국군 잘 합니다. 경제도 잘하고 문화도 잘하고 영화도 잘하고, 한국 사람들이 외국 나가 보니까 못하는 게 없습니다. 전화기도 잘 만들고 자동차도 잘 만들고 배도 잘 만들고, 못하는 게 없는데 왜 작전통제권만 못한다는 겁니까,

실제로 남북 간 대화가 있고 한국과 중국 사이에도 외교가 있습니다. 한국군이 작전통제권을 가지고 있어야 중국과 우리가 동북아시아의 안보문제를 놓고 대화를 할 때 그래도 한국의 발언권이 좀 높아지지 않겠습니까, 작전통제권도 없는 나라, 어느 시설에 폭격할 것인지도 마음

대로 결정 못하는 나라가 그 상황에서 중국한테 무슨 할 말이 있겠습니까, 북한한테 무슨 할 말이 있겠어요. 이것은 외교상의 실리에 매우 중요한 문제입니다. 유사시가 없을 거니까 그런 걱정 할 것 없다고도 하는데, 그럴 바에야 작전통제권이 무슨 필요가 있겠습니까,

몰라서 딴소리하는 건지 알고도 딴소리하는 건지 모르지만 나는 그분들이 외교, 안보의 기본원칙, 기본원리조차도 모른다고 생각하지 않습니다. 명색이 국방부 장관을 지낸 사람들이 북한 유사시에 한, 중간 긴밀한 관계가 생긴다는 사실을 모를 리 있겠습니까, 그런데 알았다면 왜 작전통제권 환수를 할 엄두를 지금까지도 안 내고 가만히 있었을까, 불가사의한 일입니다. 모든 것이 노무현 하는 것을 반대하면 다 정의라는 것 아니겠습니까,

전략적 유연성 문제의 핵심은 그렇습니다. 우리가 이것을 동의하고 안하고 현실적으로 외교적인 문제입니다. 동북아시아의 유사시에 주한미군이 여기에 있더라도 중국과 동북아시아 문제에 대해 긴장이 조성되는 행위는 신중히 하겠다는 합의가 되어 있습니다. 미리 다 정해 놓을 것이 아니라 그때 가서 언제든지 우리나라가 동의하지 않는 것은 안된다고 되어 있습니다. 그러면 동의하는 것은 된다, 이런 것입니다. 그것이 제일 좋은 것 아니겠습니까,

지금 정해 놔 봤자 그때 상황이 어떻게 될지 모르는데, 그때 우리 한국 국민들이 합의하고 동의하면 무슨 일이든 하는 것이고, 안된다 하면 못하는 게 가장 좋은 것 아닙니까, 지금 정해 놓을 수가 없지요. 이 문제 가지고 부시 대통령 만나서 토론도 하고 많이 했습니다. 다 정리됐습

니다.

국방개혁에는 철학이 있습니다. 노태우 대통령 때부터 거론되고 김영삼 대통령 때도 이야기되고 국민의 정부에서도 계획까지 짰다가 무산되어 버린 국방개혁이 이제 겨우 법이 통과됐습니다. 지시해 놓으니까 안 만들어 와요. 누가 개혁 좋아하겠습니까, 자기 조직 살 깎는 일인데, 그렇지 않습니까, 대통령이 다 만들 수도 없고 결국 국방부, 그리고 군에서 다 만들어서 국민들 앞에 발표했습니다.

'국방개혁 2020'. 돈 특별히 더 드는 것 없습니다. 50만으로 줄입시다. 인력을 더 줄일 수 있습니다. 왜 인력을 줄이고 무기를 늘리는지 설명하겠습니다. 북한하고만 싸우려면 지상전이 많을 수 있으니까 숫자가 많아야지요. 그러나 우리 안보를 전방위 안보로 생각한다면 숫자로는 안 됩니다. 밥 먹이고 옷 입히고 막사 짓고 사람한테 들어가는 것을 다 아끼고 아주 성능 좋은 무기를 개발해야 됩니다. 국방개혁이라는 것이 그런 것이지요.

요새 아이들도 많이 안 낳는데, 군대에서 몇 년씩 썩지 말고 그동안 열심히 활동하고 장가를 일찍 보내야 아이를 일찍 낳을 것 아닙니까, 모든 사회제도를 장가 일찍 가고 시집 일찍 가는 제도로 바꿔야 합니다. 결혼 빨리 하기 제도, 직장에 빨리 취업하는 제도로 바꿔 주지 않으면 경제적으로 다 지체가 됩니다. 지금 그 계획을 세우고 있습니다.

얼마 전에 군 장성들 임명하고 차를 한 잔 하는 자리에서 '노무현 대통령 되고 난 뒤에 대한민국 군대가 나빠진 게 뭐 있으면 얘기해 보시오.'라고 말했습니다. 설마 있어도 말하겠습니까, 여러분이 대신 한번 얘

기를 해 주세요. 대한민국 군대, 노무현 대통령이 더 나쁘게 한 것이 뭐가 있습니까,

장성 인사를 몇 번씩이나 했는데, 신문에 한 줄도 쓸 것이 없어요. 요새 신문기자들이 쓸 것이 없어서 힘들어요. 공중조기경보통제기를 사기 위해 1조 4천억 원짜리 방산 계약을 했는데도, 부패니 뒷거래니 한마디도 없지 않습니까,

군 안에서 자살사고, 총기사고 많이 났습니다. 앞으로 고쳐 가야겠지요. 아주 노력해서 빨리 고치겠습니다. 문화라는 것은 하루이틀에 고쳐지는 것이 아니지요. 그래도 지금 군 인사, 군수조달, 군내 예산 집행의 투명성, 이런 것들은 대폭 달라졌습니다. 병영생활 문화도 아주 빠르게 개혁되고 있습니다. 지금 민자 유치해서 막사 전부 다 고쳤습니다. 평등권 문제가 걸리기 때문에 애로가 있지만 전역군인들 취업하는 것, 대책을 세워 줘야 군 구조를 개혁할 것 아니겠습니까, 지금 최선을 다해 노력하고 있습니다.

어떻든 국방부 문민화, 민간인 국방 장관을 임명하는 문제는 좀 뒤로 미루었습니다. 한꺼번에 다 그렇게 해 놓으면 어지러워서 안될 것 같다는 판단 때문이었습니다.

사회개혁도 제가 하는 게 좀 빠른가 봐요. 전부 어지럽다고해요. 그래서 국방부 문민화까지 한꺼번에 해치우면 곤란할 것 같아 '문민화는 다음에 합시다.'고 했습니다. 장관 임명하는 것만 하면 되는 거니까요. 그러나 중차대한 개혁을 해야 되는 시기에 대통령이 군인들한테 신뢰를 주고 자발적으로 '스스로 해 보시오.' 하는 게 좋을 것 같아 문민화는 뒤

로 미루고 군 개혁은 확실하게 합니다. 그렇게 해서 안보 문제는 잘될 것입니다.

그 다음에 나머지 여러 가지가 있습니다. 대통령이 잘한다 못한다 말 많고 이것은 왜 이랬냐고 하는 말이 많습니다. 시어머니가 앉아서 며느리 밥상 차려 오는데 잔소리하려면 잔소리할 거리가 없겠어요,

짚어야 될 것은 대개 짚고 있습니다. 개인적으로 누구 봐줄 일도 없고 뒷돈 챙길 일도 없습니다. 국가 잘되게 원칙대로 하는 것 말고는 다른 할 일도 없습니다. 기왕에 뽑아 놨는데 국방, 외교, 안보, 통일 저에게 다 이렇게 맡겨 주라고, 여러분이 말 좀 한번 해 주십시오. '앞뒤 재고 챙길 것은 챙기는 것 같더라, 맡겨 봐라.' 라고 해 주십시오. 부탁합니다.

공무원 여러분에게 보내는 편지

2006년 12월 24일

공무원 여러분, KTV를 자주 보십니까,

여러분은 많은 정책을 생산하고 있습니다. 그 정책들은 모두 국민 생활에 밀접한 영향을 미치는 것들입니다. 당장은 관계가 없는 것처럼 보이는 정책들도 조금만 인과관계를 깊이 따져보면 국민들의 이익과 관계가 없는 것은 없습니다. 그래서 여러분은 공을 들여 정책을 생산합니다. 따라서 이런 정보들은 국민들에게 최대한 자세하게 전달되어야 합니다.

그러나 아쉬운 것은 이런 중요한 정보들이 국민들에게 충분히 전달되지는 않는다는 것입니다. 국민들에게 필요한 정책이라 생각하고 열심히 연구하고 토론하여 정책을 결정하고 발표했는데, 막상 아무런 보도도 되지 않는 경우를 너무 많이 봅니다. 일을 한 공무원들로서는 힘이 빠지는 일이 아닐 수 없을 것입니다. 그러나 더 큰 문제는 국가의 정책이 국민들에게 제대로 전달되지 않으면 결국 국민들이 손해를 보게 된다는 것입니다.

이런 문제를 조금이나마 극복해 보고자 정부는 KTV를 운영하고 있습니다. 우리의 상식으로 보면 정부가 하는 방송이라는 것이 제대로 할 리가 없습니다. 내용은 재미없고 국민에게 필요한 정보보다는 정부의 홍보에 급급할 것이라고 생각하는 것이 보통일 것입니다. 그런데 KTV는 그렇지 않습니다. 대통령은 항상 국민의 한사람이라는 가정을 하면서 티브이를 보는데 KTV는 참 잘하고 있습니다. 국민에게 유익한 정보가 많습니다. 재미도 있고 수준도 상당히 높습니다.

일반 방송과 비교해 보면 영상 기술은 좀 떨어지는 것 아닌가 하는 느낌이 들 때도 있지만 내용적 수준은 훨씬 더 높습니다. 무엇보다도 국민들에게 꼭 필요한 정보를 성실하게 전달하고 있습니다.

저녁 8시에는 그 날의 주요 정책뉴스를 종합해서 방송하는데, 대통령은 이 프로그램을 자주 봅니다. 공무원 여러분도 보시면 자기 부처 업무뿐만 아니라 국정현안을 전체적으로 이해하고 종합적인 안목을 키우는 데 도움이 될 것입니다.

아침 밥 먹는 시간에는 '강지원의 정책데이트'를 합니다. 소방방재청 차장이 나와서 U-119를 비롯한 여러 가지 서비스를 소개했는데 노약자들에게 아주 유익한 정보였습니다. 이런 방송을 보면 소방방재청의 홍보는 절로 될 것이라는 생각이 들었습니다. 그러면 국민들은 소방방재청이 쓰는 세금을 아깝게 생각하지 않겠다는 생각도 들었습니다. 기분이 좋아서 청장에게 격려전화를 했습니다.

국민들이 알면 실생활에 도움이 되는 프로는 이밖에도 많이 있습니다. 특히 '정책을 알면 돈이 보인다'라는 프로그램에서 이런 정책들이 많이 소개되는데, 가끔 대통령도 처음 들어보는 내용이 나올 때도 있습니다. KTV에 방영되는 다큐멘터리들도 꽤 수준이 높고 볼만합니다. 공무원 여러분, 저는 KTV를 보면서 무엇보다 각 부처 공무원들이 해당 부처의 정책을 자신있게 설명하는 모습이 참 보기 좋았습니다. '우리 공무원들이 열심히 하고 있구나. 수준이 이렇게 높아졌구나.' 새삼 느낄 때가 많습니다.

그러나 여러분, 솔직히 말씀드리면 불만도 있지요. 국민들에게 보다 유익한 정보를 보다 알기 쉽고 재미있게 전달할 수가 없을까, 저는 아직 프로그램 기획을 정책을 하는 부처에서 주도하는지 아니면 KTV에서 주도하는지 정확하게 알아보지 못했습니다만, 어떻든 우리 공무원들이 국민들과의 소통에 좀 더 열의를 가지고 기획에 참여한다면 더 좋은 방송을 만들 수 있을 것이라고 생각합니다. 그러자면 우선 우리 공무원들이 KTV를 자주 보고 잘 알게 되는 것이 필요하다고 생각합니다.

그리고 군이 기획이나 제작에 참여하지 않는다 할지라도 공무원이면 국가가 하는 일이 어떤 것인지 잘 알아야 할 것입니다. 국민들은 그렇게 생각하고 있을 것입니다. 국민생활에 중요한 정책, 국민들이 궁금해 하는 정책, 한참 쟁점화 되어 있는 정책 등에 관하여 공무원이 잘 몰라서 답변도 제대로 못한다면 우리 국민들이 공무원을 신뢰하지 않을 것입니다.

공무원 여러분! KTV를 봅시다. 그리고 우리가 무엇을 하고 있는지 확인해 봅시다. 그래서 나와 우리 동료 공무원들이 하는 일에 대해 긍지를 갖고 언제든지 당당하게 얘기할 수 있는 공무원이 됩시다. 그리고 바로 여러분이 하는 일을 방송으로 제작하여 국민에게 전달합시다.

1월

2007년 신년사

2007년 1월 1일

국민 여러분, 2007년 새해가 밝았습니다.

올해는 국민 여러분 가정에 행복이 가득하고, 국가적으로도 큰 발전을 이루는 한 해가 되기를 소망합니다. 무엇보다 우리 국민의 살림살이가 한결 나아지는 한 해가 되기를 바랍니다. 그렇게 되도록 정부도 열심히 하겠습니다.

국민 여러분,

올해가 편안하고 순조로운 한 해가 될지는 누구도 예측하기 어려운 일입니다. 그러나 저는 우리 한국의 미래를 밝게 보고 있습니다. 지난날을 돌이켜보면 어느 한 해 시끄럽고 힘들지 않았던 해는 없었던 것 같습니다. 그러나 지금 우리나라는 많은 나라들이 부러워하고 본받기를 원하는 나라가 되어 있습니다. 하루하루 정치하는 모습을 보면 답답하고 짜

증스럽기만 한데, 남들이 평가하는 민주주의 수준은 아시아 최고 수준에 올라서 있습니다.

2004년 2천억 달러를 넘어선 수출이 지난해에는 3천억 달러를 넘어섰습니다. 환율 덕분이기는 하지만 국민소득 2만 달러 시대의 문턱 앞에 바싹 다가와 있습니다. 선진국을 따라잡고 앞지르기 위한 기술혁신, 인재양성, 시장개혁, 정부혁신, 그리고 지속적인 성장을 가능하게 하기 위한 동반성장, 균형발전 전략도 착실하게 추진되고 있습니다.

양극화와 고용없는 성장, 부동산, 교육문제로 민생이 어렵고, 저출산, 고령화 등 미래의 불안도 있습니다. 일자리를 위한 중소기업 지원, 서비스산업 육성, 그리고 비전 2030 정책이 착실히 추진되면 점차 좋아질 것입니다. 우리 모두의 마음과 힘을 모아갑시다. 교육 문제는 아직도 힘들고 불안할 것입니다. 그러나 분명히 말씀드립니다. 빠르게 좋아지고 있습니다. 부동산 문제는 정부의 시행착오가 있었습니다. 다시 대책을 보완하고 있습니다. 거듭 다짐 드립니다. 반드시 잡겠습니다. 그리고 잡힐 것입니다.

환율 문제는 정부도 걱정하고 있습니다. 대비하고 있습니다. 그 밖에 부동산, 금융의 위기요인을 놓치는 일이 없도록 철저히 관리하고 있습니다. 97년 외환위기나 2002년 신용불량자 문제와 같은 일이 다시 일어나는 일은 없을 것입니다.

존경하는 국민 여러분,

미래를 불안하게 하는 여러 가지 문제가 있는 것은 사실입니다. 그러나 저는 우리 국민의 역량을 믿습니다. 우리 국민은 지난날에도 여러 차례 난관과 위기를 극복하고 세계에서 가장 빠른 속도로 나라를 발전시켜 왔습니다. 참으로 자랑스러운 국민입니다.

저는 우리 국민의 역량이라면 앞으로도 못해낼 일이 없다고 생각합니다. 자신감을 갖고 더 큰 희망을 만들어 나갑시다. 새해에는 국민소득 2만 달러 시대를 열고 선진국을 향해 힘차게 전진합시다. 저도 함께 하겠습니다.

국민 여러분, 새해 복 많이 받으십시오.

2007 한·중 교류의 해를 맞아 중국 국가주석에게 보내는 축하 메시지

2007년 1월 1일

2007년을 맞아 각하와 중국 국민 여러분에게 신년 인사를 전합니다. 새해가 큰 축복의 해가 되기를 기원합니다. 올해는 양국관계 발전의 획기적 전기가 될 '한·중 교류의 해'입니다. 경제, 학술, 문화, 체육, 청소년 등 여러 분야에 걸쳐 다양한 행사가 펼쳐지게 됩니다. 본격적인 국민 간 교류협력의 시대를 열어가게 될 것입니다.

중국은 이미 우리나라의 첫 번째 교역상대국이자 투자대상국이 되었습니다. 매일 1만 명이 넘는 한국인이 중국을 방문하고 있고, 서로의 문화를 함께 즐기는 가깝고 친근한 이웃이 되었습니다.

이러한 양국간 우호협력이 올해 활발한 교류행사를 통해 한층 더 강화될 것으로 믿습니다. 2003년 각하와 합의한 '전면적 협력 동반자 관계'를 더욱 심화시켜 평화와 공동번영의 미래를 함께 열어가게 되기를 기대합니다.

각하의 건강과 중국의 무궁한 발전을 기원합니다.

개헌과 관련하여 국민 여러분께 드리는 말씀

2007년 1월 9일

국민 여러분,

새해, 여러분의 건강과 행복을 기원합니다.

올해는 1987년 6월항쟁의 20주년이 되는 해입니다. 또한 6월항쟁의 결실로 개정된 현행 헌법이 시행된 지 20년을 맞는 해이기도 합니다. 헌법은 국가와 공동체의 기본 규범이자 시대정신과 가치가 제도화된 틀입니다. 현행 헌법 아래 우리는 국민의 손으로 직접 대통령을 선출하고, 국민의 선택에 따라 정권을 교체하는 민주주의를 실현했습니다. 또한 권위주의와 특권구조를 청산하고, 공정하고 투명한 민주사회의 기틀을 완성했습니다. 그러나 20년이 지난 이 시점에서 우리 헌법은 이제 새로운 시대정신에 부합하는 규범을 담아야 할 필요성이 높아지고 있습니다.

오래전부터 정치권과 학계, 시민사회에서 헌법 개정에 대한 문제

제기가 있었습니다. 지난 1997년 대통령 선거 때는 '내각제 개헌'이 공약으로 제시되기도 했고, 2002년 대통령 선거에서도 양당의 후보 모두가 '임기 안에 국민의 뜻을 모아 개헌을 추진하겠다.'고 공약했습니다.

헌법은 대한민국 공동체의 최고 규범이기 때문에 그 개정은 국민적 합의가 있어야 합니다. 각자가 이상적으로 생각하는 개헌을 주장하다 보면, 가치와 이해관계가 충돌하면서 합의를 이루기도, 그리고 실현하기도 어렵습니다. 지금까지 개헌 주장과 논의가 지속적으로 제기되었지만 아직까지 아무런 진전을 이루지 못하고 있는 것은 바로 그 때문이라고 생각합니다.

따라서 저는 국민적 합의 수준이 높고 시급한 과제에 집중해서 헌법을 개정하는 것이 필요하다는 판단에서 대통령 4년 연임제 개헌을 제안합니다.

1987년 개헌과정에서 장기집권을 제도적으로 막고자 마련된 대통령 5년 단임제는 이제 그 사명을 다했다고 생각합니다. 선거의 공정성과 투명성이 비약적으로 제고되고 국민의 민주적 역량이 성숙한 오늘의 대한민국 현실에서 단임제가 추구했던 장기집권의 우려는 이미 사라졌고, 오히려 많은 부작용이 나타나고 있습니다.

단임제는 무엇보다 대통령의 책임정치를 훼손합니다. 대통령의 국정수행이 다음 선거를 통해 평가받지 못하고, 또한 국가적 전략과제나 미래과제들이 일관성과 연속성을 갖고 추진되기 어렵습니다. 특히 임기 후반기에는 책임있는 국정운영을 더욱 어렵게 만들어 심하면 국가적 위기를 초래하기도 합니다.

대통령 5년 단임제를 임기 4년으로, 그리고 1회에 한해 연임할 수 있게 개정한다면 국정의 책임성과 안정성을 제고하고, 국가적 전략과제에 대한 일관성과 연속성을 확보하는 데 크게 기여할 것입니다.

대통령 임기를 4년 연임제로 조정하면서, 현행 4년의 국회의원과 임기를 맞출 것을 제안합니다. 현행 5년의 대통령제 아래서는 임기 4년의 국회의원 선거와 지방자치단체 선거가 수시로 치러지면서, 정치적 대결과 갈등을 심화시키고, 적지 않은 사회적 비용을 유발하여 국정의 안정성을 약화시켰습니다.

대통령 4년 연임제와, 대통령과 국회의원 임기 일치 문제는 정치권, 학계, 시민사회, 그리고 국민들 사이에서 이미 오래전부터 공론화되어 왔고 합의 수준도 대단히 높습니다. 2002년 대선에서도 후보들이 공약했고, 지금 여야의 정치 지도자들도 필요성을 부인하지 않고 있습니다. 지난해 말 정기국회에서도 대표연설과 대정부질문 등을 통해 제기된 바 있습니다.

정치권 일부에서는 다가오는 대통령 선거에서 공약하고 차기 정부에서 개헌을 추진하자고 합니다. 하지만 다음 정부에서의 개헌은 사실상 불가능합니다. 차기 국회의원은 2012년 5월에 임기가 만료되고, 차기 대통령은 2013년 2월에 임기가 만료되므로 단임 대통령의 임기를 1년 가까이 줄이지 않으면 개헌이 불가능하게 되어 있습니다.

대통령이든 국회의원이든 임기를 줄인다는 것은 대통령이나 국회의원 어느 쪽도 수용하기 어렵기 때문에 사실상 불가능한 일입니다. 따라서 우리 헌법상 대통령과 국회의원의 임기를 특별히 줄이지 않고 개헌을 할 수 있는 기회는 20년에 한번 밖에 없습니다. 이번을 넘기면 다시 20년을 기다려야 합니다.

대통령 선거를 앞둔 시점에 대통령이 갑작스럽게 개헌을 제안하는 것은 어떤 정략적인 의도가 있는 것 아니냐는 비판이 있을 것입니다. 그러나 저는 이 제안을 결코 갑작스럽게 내놓은 것도 아니고, 어떤 정략적인 의도를 가지고 있는 것도 아닙니다.

대통령 4년 연임제, 대통령과 국회의원의 임기를 일치시키는 개헌은 대통령 선거를 앞둔 어느 정치세력에게도 유리하거나 불리한 의제가 아닙니다. 누가 집권을 하든, 보다 책임있고 안정적으로 국정을 운영할 수 있는 기반을 만들자는 것입니다. 따라서 단지 당선만 하려는 사람이 아니라 책임있게 국정을 운영하려는 사람이라면 누구라도 이 개헌을 지지하는 것이 사리에 맞을 것입니다.

저는 그동안 정치권의 논의를 기다려 왔습니다. 그러나 이제는 더 이상 기다릴 만한 시간적인 여유가 없습니다. 저는 후보로서 그리고 당선자로서 국민에게 약속한 공약에 대하여 무거운 책임감을 느끼고 있습니다. 그리고 저는, 스스로 개헌 발의권을 가지고 있으면서, 당장의 정치권 전체의 합의가 이루어져 있지 않다는 이유만으로 국가의 미래를 위하여 반드시 하고 넘어가야 할 중차대한 국가적 과제를 처리하지 않고 미루다가, 20년 만에 한번 오는 기회를 떠내려 보낸다는 것은 대통령의 책임을 다하지 않은 것이라는 생각을 가지고 있습니다.

그래서 저는 오늘 국민 여러분에게 이 제안을 드립니다. 저는 지금부터 국민 여러분과 여야 정치권의 의견을 들을 것입니다. 찬반 의견뿐만 아니라, 4년 연임제의 범위 안에서도 바람직한 개헌의 내용에 관해서도 의견이 있을 수 있을 것입니다. 저에게 주어진 권한과 의무를 행사하지 않아야 할 뚜렷한 사유가 없는 한, 너무 늦지 않은 시기에 헌법이 부여한 개헌 발의권을 행사하고자 합니다.

국민적 합의 수준이 높고 이해관계가 충돌하지 않는 의제에 집중한다면, 빠른 시일 안에 국회의 의결과 국민투표를 통해 개헌을 완료할 수 있을 것입니다.

21세기 새로운 한국을 위하여 권력구조 문제를 비롯해서 우리 헌법의 많은 부분을 손질해야 한다는 의견이 많이 있다는 사실도 저도 알고 있습니다. 그러나 이번에 대통령과 국회의원의 임기를 일치시키는 개헌을 해놓지 않으면, 앞으로 20년 동안은 논의만 무성할 뿐, 결코 그 결실을 이루지는 못할 것입니다. 이번 개헌이 이루어지고 나면, 이제 시기의 제한이 없이 우리 헌법을 손질하는 개헌이 가능해질 것입니다.

지금 우리는 변화의 속도가 국가의 흥망을 좌우하는 시대에 살고 있습니다. 변화가 필요할 때 변화를 이루지 않으면 세계 경쟁에서 낙오할 수밖에 없습니다. 개혁이 필요할 때 개혁을 이루는 것이 성공하는 대한민국으로 가는 길입니다.

당장의 정치적 이해관계를 셈할 일이 아닙니다. 셈을 하더라도 셈을 정확하게 해보면 모두에게 이익만 있을 뿐, 누구에게도 손해가는 일이 아니라는 것은 금방 이해할 수 있습니다.

대한민국의 미래와 정치 발전을 위해서는 불합리한 제도는 고쳐서 합리적인 제도 위에서 다음 정부가 출범하여 보다 강력한 추진력으로 책임있게 국정을 수행하게 하는 것이 바람직할 것입니다. 정치권과 국민 여러분의 각별한 관심과 결단을 당부드립니다.

감사합니다.

개헌관련 기자간담회 모두 말씀 및 질문·답변

2007년 1월 11일

여러분, 안녕하십니까,

지난 9일 제가 국민들에게 헌법 개정을 제안했습니다. 당장 준비하기도 어려울 것 같아서 즉석에서 질문을 받지 않았는데, 이제 한 이틀 충분히 논의가 이루어졌다고 생각합니다. 여러분, 그동안 많이 조사하고 생각하고 모은 질문이 있을 것이라고 생각합니다. 오늘 약속한 대로 질문, 답변 시간을 갖기로 했습니다.

여러분의 질문을 받기 전에 한 말씀 먼저 드리고 싶습니다. 이번 헌법 개정은 저에게 관련된 것이 아닙니다. 헌법이 개정되더라도 제가 다시 대통령에 출마할 수 없습니다. 우리 헌법상 명백하게 현재의 대통령은 헌법을 개정하더라도 다시 출마하지 못한다, 그렇게 되어 있습니다. '너무 당연한 것인데 왜 그 말 하냐,' 그렇게 생각되실 텐데, '실제로 한번 더 나오는 거냐,' 이렇게 질문하는 분들이 많습니다. 저도 깜짝 놀랐습니다. 대통령이 자기 임기를 한 번 연장해 보려고 헌법 개정하자는거구나, 이렇게 생각하는 사람이 꽤 많구나 하는 생각을 했습니다.

옛날 우리 개헌의 역사가 그 당시 집권자, 말하자면 그 당시 독재자들의 집권 연장을 위해서 이루어졌기 때문에 지금 헌법 개정하면 현재 집권자의 정치적 이해관계, 말하자면 집권 연장이나 그 밖의 정치적 이해관계를 가지고 하는 것 아니냐, 이런 인상을 많이 가지고 있는 것 같습니다.

그런데 이번 헌법 개정은 대통령인 저에게 해동되는 것은 아무것도 없습니다. 이번이 아니면 다음 정부에서는 개헌이 사실상 불가능하기 때문에 제안을 드리는 것이지 저의 이해관계를 가지고 말씀드리는 것이 아니라는 점을 명확하게 말씀드리고 싶습니다.

그 다음에 '국가의 기본법인 헌법을 자주 손대면 되느냐' 이렇게 생각하는 분들도 있는 것 같습니다. 우리가 60년 조금 못된 헌정사에서 아홉 번 헌법 개정을 했는데 비슷한 기간 동안에 독일은 쉰한 번을 헌법 개정했습니다. 규범이라는 것은 사회가 변화하면 그 변화에 따라서 바뀌어야 됩니다. 그래서 필요하면 항상 바꿀 수 있는 것이 규범입니다.

특히 우리 헌법은 1987년 군사정권이 무너지고 국민직선제로 넘어오면서, 좀 심하게 말하면 엉겁결에 만든 헌법이기 때문에 실제로 그 당시의 사회적 필요를 충분히 반영하지 못했습니다. 그때부터 20년 지나는 동안에 우리 사회가 얼마나 많이 변했습니까, 정치적으로 민주주의가 아주 크게 발전했고, 경제도 많이 성장했고, 그 밖에 사회,문화 등에서의 가치도 무척 많이 변했습니다.

그렇기 때문에 거기에 맞추어서 헌법을 개정해 주어야 합니다. 불완전한 헌법을 20년간 손대지 않았다는 것입니다. 내용에 관해서 여러 가지를 개정할 것이 있는데 이번 헌법 개정의 고비를 넘지 못하면 내용상의 헌법 개정을 논의할 수조차 없게 된다는 것입니다. 일단 대통령과 국회의원의 임기를 맞추는 개헌을 해놔야 정치적으로 안정되는 것은 물론이고 헌법 논의를 할 수 있게 됩니다. 지금 하지 않으면 임기에 걸려서 20년간 헌법 논의를 할 수 없게 됩니다. 그래서 꼭 필요한 헌법 논의를 하기 위한 제1단계 헌법 개정 작업이 이번에 제가 제안한 것이라는 점을 잘 이해해 주시면 좋겠습니다.

질문과 답변

질문 : 오늘 오전 열린우리당 지도부를 만난 자리에서 당에 도움이 된다면 탈당을 검토할 수 있다고 말씀하신 걸로 알고 있습니다. 탈당에 대한 입장을 말씀해 주셨으면 좋겠습니다. 두 번째 질문으로 세간에서 개헌을 압박하는 마지막 수단으로 본인의 임기단축 문제를 활용할지도 모른다는 추측이 나돌고 있는데, 여기에 대해서 말씀해 주십시오. 또 개헌안이 결국 부결될 경우 일종의 불신임이라고 볼 수도 있는데, 책임을 지고 조기 하야할 가능성에 대해서도 말씀해 주십시오.

대통령 : 우선 당적 문제는 야당들이 개헌의 전제 조건으로 요구해

온다면 고려할 수도 있습니다. 대개 그런 정도로 열어 놓겠습니다.

그 다음에 임기단축은 하지 않겠습니다. 한나라당이나 한나라당 일부라도 이 개헌에 대해서 좀더 깊이 생각해 보면 입장이 바뀔 수도 있다고 생각합니다. 그런데 제가 임기단축하겠다고 하면 찬성하려고 하다가도 안하겠지요, 개헌과는 관계없이 임기단축을 하지 않을 것입니다.

개헌이 부결된다는 것을 꼭 불신임으로 받아들여야 한다고 생각지는 않습니다. 제가 개헌안에 제 신임을 걸었을 때 그것이 불신임이 되는 것입니다. 저는 여기에 신임을 걸지 않습니다. 저는 개헌발의권을 가지고 있는 대통령으로서 앞으로 개헌 논의를 가능하게 하는 개헌을 제안하는 것은 역사적 책무라고 생각합니다. 대통령의 책무로서 이 권한을 행사할 것이기 때문에 여기에 신임을 걸어야 될 이유는 없다고 생각합니다. 저는 남은 국정을 착실하게 마무리할 생각입니다.

질문 : 대통령께서 지난해 2월 출입기자들과의 산행에서 개헌 문제는 대통령의 소관을 넘어섰다는 취지로 말씀하셨습니다. 그런 대통령께서 올해 들어 갑작스럽게 개헌 추진을 제안하셨는데 왜 그렇게 생각이 바뀐 것인지 말씀해 주십시오. 정치권의 반대가 심한 상황에서 개헌안 발의를 계속 진행할 것인지도 답변해 주십시오.

대통령 : 지난 2월에는 개헌을 제안해도 되기 어렵다고 판단하고 있었습니다. 되기 어려운 일을 자꾸 벌이는 것이 좋은 일은 아니라고 생각했습니다. 그런 뜻을 말씀드린 것입니다. 실제로 그 당시에 제가 개헌할

생각이 있다고 얘기를 했더라면 지난 한 해 동안 개헌 얘기로 많은 토론이 진행되고 개헌 논의가 무성했겠지요. 그러면 지난해 국정 운영에 지장이 있을 수도 있었을 것입니다. 그래서 그때는 개헌 문제에 대해서는 실제로 생각하지 않았고, 또 생각할 수 있다는 가능성을 열어서 대답할 수가 없었습니다.

지금 이제 임기 1년 남겨 놓고 저의 임기 동안에 일을 마무리하려고 생각해 보니까 다행히 여야가 국회에서 지난 한 해 노력을 해 주셔서 비교적 많은 국정이 마무리가 됐습니다. 아직도 상당히 남아 있는 것이 사실이지만 성과가 나쁘지 않다고 생각합니다. 그래서 이제 마무리할 것을 쭉 챙겨 보니까 역시 개헌 문제를 못본 척하고 넘어갈 수가 없었습니다. 안될지도 모르지만 대통령으로서는 최선을 다해야 되겠다고 생각했습니다. 조금 전에 설명드린 대로 이 시기가 아니면 헌법을 손대기가 어렵기 때문입니다. 그래서 결심을 한 것입니다.

'왜 갑자기 하냐'고 말씀들 하시는데, 언제나 이런 제안은 갑자기 나올 수밖에 없습니다. 미리 하겠다고 동네방네 떠들고 다니면서 다른 일도 안되게 어지럽게 시끄럽게 할 필요 없지 않습니까, 이런 것은 필요할 때 제안하는 것입니다. 듣는 사람에게는 언제나 갑자기로 들리지만 준비한 사람에게는 결코 갑자기가 될 수 없습니다.

정략적 제안이라고 많이 얘기하는데, '개헌에 응할 수 없다.'고 말하는 사람들이 모두 지난날 제가 발의하려고 하는 이 헌법 개정이 필요하다고 말했던 사람들입니다. 그리고 제 임기 중에는 안된다는 말도 최근에 와서 하기 시작했습니다. 그 전에는 지난번 대통령 선거 때, 그리고 그 이후 얼마 전까지도 필요하다고 얘기했습니다. 실제로 야당의 상당히 중요한 지도자들도 지자체 선거 때까지는 얘기하지 말자, 이런 수준으로 미뤄 놨다는 얘기도 있습니다.

필요하다고 했던 사람들이 지금 와서 안되겠다고 얘기하는 것이 오히려 정략적이지 않습니까, 자기 당의 여론 지지가 앞서간다는 사정 때문에 이것 못하겠다는 것 아닙니까, 여론 지지가 앞서가고 있는데 왜 복잡한 얘기를 자꾸 꺼내느냐는 것이거든요. 저는 그런데 당 지지와 개헌과는 아무 관계가 없다고 봅니다. 다음 대선하고도 아무 관계가 없습니다. 그런데 '혹시' 하는 어떤 가능성 때문에 이것 못하겠다고 얘기한다면 오히려 그것이 정략일 것입니다.

조선일보, 중앙일보, 동아일보 모두 2004년, 2005년에 사설 또는 기자 칼럼으로 개헌이 필요하다고 썼습니다. 특히 어떤 신문은 '2006년 말, 2007년 초가 적기다.' 이렇게 분명하게 명백하게 얘기를 썼습니다. 그래 놓고 지금 와서는 전부 안된다, 이것이야말로 반대를 위한 반대 아닙니까, 노무현 대통령이 하는 일이니까 반대해서 부결시키고 기를 죽이자는 것 아니겠습니까,

그런데 개헌이 설사 부결된다고 해서 대통령이 기죽을 일도 없고 헌법상 권한이 소멸될 일도 없습니다. 저는 지금까지도 헌법과 법률이 부여한 권한만 행사했지 그 이상의 권한을 행사한 일이 없습니다. 부결되든 가결되는 저는 법률상 주어진 권한만을 착실하게 행사해 나갈 것입니다.

정략 얘기하는데, 거꾸로 반대하는 분들한테 물어보겠습니다. 이번

에 안하면 언제 할 수 있겠습니까, 다음 정부라면 5년 뒤인 2012년에 할 수 있습니까, 2012년 4월에는 총선이 있습니다. 국회의원 선거를 앞두고 개헌할 수 있습니까, 못하면 2011년으로 넘어가야 되는데 2011년은 다음 대통령 임기가 4년차입니다. 대통령 임기 3년 하고 나서 4년차 들어가면서 개헌할 수 있겠습니까, 그러면 그때는 새 헌법에 의해서 그 대통령의 임기를 약 1년 가까이 단축해야 되지 않겠습니까, 왜 그렇게 번거롭게 하느냐는 것입니다. 제 임기 남은 기간 동안에 간단하게 해 버리면 끝나는 것을 왜 그때로 미뤄 가지고 계속해서 옥신각신 할거냐는 것입니다.

지금 임기를 맞추어 놓고, 헌법의 내용에 관해서는 학자들도 천천히 연구하고 정치권에서도 팀을 만들어서 연구하고 해서 하나씩 고쳐 가야 되지 않겠습니까, 자꾸 정략을 얘기하는데, 제가 1990년 김영삼 대통령의 3당 합당 때 안 따라간 것도 정략입니까, 그리고 모두들 당선 안된다고 하는 그 시기에 1992년 14대 총선을 부산에서 치렀습니다. 이것도 정략입니까, 그리고 1995년도 제가 경기도지사로서 여론조사에서 1위를 한 일이 있습니다. 아마 한 번이 아니고 몇 번 될 것입니다. 경기지사 출마하겠다고 버티면 못할 것도 없지만 저는 경기도에 연고도 없고 해서 불리하지만 부산 가서 출마했습니다. 도리를 좇아서 부산으로 갔던 것입니다. 그리고 1998년에 종로에서 국회의원 당선되고 난 뒤에 2004년 4월 총선 때 다시 부산으로 내려갔습니다. 이게 정략이라고 한다면 정말 현명한 사람 아니겠습니까, 미래를 훤히 꿰뚫고 내다보는 그야말로 탁월한 통찰력을 가진 지도자로 봐줘야겠네요, 그러나 저는 사실 몰랐습니다.

그저 제 양심에서 지시하는 대로 그때그때 제가 서야 할 자리에 섰을 뿐입니다.

지난 번 탄핵도 결과적으로 한나라당이 낭패를 보긴 했지만 제가 꾸민 공작이 아니고 그들 스스로 한 것 아닙니까, 그들 스스로 뛰어들어 놓고 그 이후에 저를 마치 큰 공작의 대가인 것처럼 계속 그렇게 얘기한단 말이지요. 높이 평가해 주시는 것은 고맙지만 저는 결코 정략으로 정치를 하지 않습니다.

저는 그냥 원칙대로, 정치를 할 때도 대통령에 당선되고 난 뒤에도 저는 원칙대로 정치하고 원칙대로 경제의 법칙에 따라서 경제하고 이렇게 해 왔습니다. 정략으로 하지 않았다는 말씀을 아주 구구하게 간곡히 말씀드립니다.

질문 : 대통령께서 제안하신 것이 소기의 목적을 달성하기 위해 어떻게 대국민 설득작업을 펼쳐 나갈 것인지 구체적으로 말씀해 주십시오. 반대하는 야당 후보들을 대타협 혹은 설득작업을 할 계획을 갖고 계신지 말씀해 주십시오.

대통령 : 국민들을 설득하기 위한 여러 가지 노력을 할 것입니다. 차기 대선에 나서고 있는 분들과도 만나서 얘기를 하고 싶습니다만, 여러 가지를 충분히 검토한 뒤에 제안을 하든지 하겠습니다. 아직 바로 만나자고 할 계획은 없지만 앞으로 그럴 필요가 있고 가능성이 있는지를 면밀히 검토해서 판단할 것입니다.

어떻든 헌법 개정이라고 하는 중차대한 과제를 제안했습니다. 가급적이면 국회의원과 대통령의 임기를 동시에 시작하게 함으로써 국정을 좀 안정시키자는 제안입니다. 중요한 일이라고 생각합니다.

지금까지 역대 대통령의 국정이 다 불안하지 않습니까, 여러분도 잘 아시다시피 여소야대가 되면 의원 빼오기, 정계개편 같은 편법들을 써서 정치의 신뢰가 떨어지고, 국정운영이 가다가 중단되기도 하는 어려움을 겪지 않았습니까, 그래서 그런 일 없이 안정되게 한 4년 동안은 비판,반대,견제 세력이 있기는 해야 하지만 국정의 발목을 완전히 잡을 수는 없는 수준으로 여대국회로 해서 가야 됩니다. 누가 대통령이 되더라도 그래야 나라가 된다는 생각으로 제안을 한 것입니다.

이 법이 통과되면 다음 대통령은 대단히 안정된 입지를 가지고 직무를 수행할 수 있고, 자기 임기를 걸어 놓고 개헌 문제에 매달리지는 않아도 되므로 부담이 훨씬 줄어들게 됩니다. 왜 지금 대통령이 되려고 하는 사람이 굳이 개헌 문제를 안고 가려고 합니까, 그래서저는 그분들하고 만나서 이런 얘기들을 놓고 설명을 드리고 싶습니다.

그런데 오늘 제가 초청했는데도 야당에서 안 오는 것을 보니까 응할지, 응하지 않을지 알 수가 없지요. 분명한 것은 어느 정당이라도 '대화도 안하겠다, 토론도 안하겠다.' 하는 것은 민주주의를 하지 않겠다는 것 아닙니까, 중요한 국가적 의제에 대해 묵살하고 넘어가 버리겠다는 것은 여론의 지지를 가지고 국정을 실질적으로 주도한다고 자부하는 공당이 취할 태도는 아니라고 생각합니다. 거기다가 토론거부 결의를 하고 함구령까지 내려 버리는 것은 민주주의를 억압하는 것이지요.

차기 지도자들도 이와 같은 중대한 국가적 과제에 대해 입장을 밝혀야 됩니다. 그리고 기회가 되면 나와서 토론하고 자기의 논리를 밝혀야지요. 장차 5년간 국정운영을 맡겠다고 하는 정치 지도자들이 당장 발등에 떨어진 문제를 외면하면서 장차 5년의 국정을 잘하겠다고 얘기하는 것은 좀 모순이지 않습니까, 지금부터 잘해야 다음에도 잘하는 것입니다. 이런 원론적인 말씀만 드리겠습니다. 다음 정부는 개헌 논의한다고 밤새지 말고 개헌 문제에 대해서 관심을 가지고 적극적으로 임해 주시면 좋겠습니다. 그런 원론적인 말씀만 일단 드리겠습니다.

질문 : 개헌을 내세우면서 부동산, 한,미 FTA, 서민들이 먹고 사는 문제들이 뒤로 밀리는 것 같은 분위기가 있습니다. 정치권에서는 대통령께서 정치에 개입하지 말아야 한다는 주장이 제기되고 있는데 이에 대한 의견을 부탁드리고, 경제 국정현안에 전념할 생각은 없으신지 묻고 싶습니다.

대통령 : 개헌을 정략으로 보면 정치이고, 개헌을 국가의 근본 제도에 관한 문제로 본다면 이것은 단지 정치가 아니라 국가의 기본제도에 대한 정책이라고 봐야 합니다. 국가적 정책이죠. 그래서 개헌 문제를 정치 얘기로 깎아내리지는 않았으면 좋겠다고 생각합니다.

부동산, 서민생활 문제, 한,미 FTA, 북핵, 한,미관계 다 열심히 하겠습니다. 지장 없습니다. 어느 나라라도 한 가지 일에만 매달리는 대통령이 어디 있습니까, 여러 가지 일을 동시에 다 처리하는 것이 일반적인 것입니다.

요새 컴퓨터 쓰는 사람들이 컴퓨터 성능 소개할 때 '멀티태스킹'이라는 말을 많이 하지요, 멀티태스킹은 일하는 사람들의 보편적인 작업 방법입니다. 동시에 여러 가지를 진행합니다. 그렇게 하라고 비서실장도 있고 정책실장도 있고 안보실장도 있고, 많은 참모들이 있지 않습니까, 동시에 여러 가지 일들을 다할 수 있습니다.

그리고 개헌이 국정에 지장을 주는 일은 없을 것입니다. 이것은 말로 차분하게 토론하는 것입니다. 개헌이 국정에 지장이 있다면 아마 2002년 월드컵 때문에 우리 국정은 다 마비됐을 것입니다. 국민들이 개헌 좀 들여다보고 판단하고 여러 가지 대화하고 토론하더라도 생업에도 지장 없고 국가행정, 정치 다 지장 없습니다.

저는 제 일정표를 언제 한번 보여 드리고 싶습니다. 아무리 바쁜 어떤 일이 있을 때도 경제,사회,문화 정책에 관련된, 특히 부동산,교육 정책에 관련된 일정을 취소하거나 뒤로 미룬 일이 단 한번도 없습니다. 다 처리하면서 이와 같은 문제를 풀어 나가는 것입니다.

그런데 중요한 것은 마무리, 정말 중요한 마무리, 이것이 개헌입니다. 개헌 발의입니다. 개헌 발의도 하지 않고 제 임기를 넘겨 버린다면 그야말로 제 임기에 해야 될 일을 마무리하지 않은 것입니다. 설사 성공하지 못한다 할지라도 저로서는 최선을 다하는 것이 저의 책무라는 생각을 가지고 이 제안을 한 것입니다.

질문 : 개헌 문제 외에도 선거구제 개편 등 평소 강조해 오던 다른

정치적 이슈를 제기할 의사나 계획이 있으십니까,

대통령 : 저는 개헌 문제가 어느 당에도 불리하지 않다고 생각합니다. 그러나 선거구제에 관한 한 한나라당이 중대선거구제를 하거나 비례대표를 늘리는 데 대해서 불리하다고 생각하고 있습니다. 그러므로 그 점에 대해서는 토론이 되지 않습니다.

개헌에 대해서도 한나라당이 반대하고, 다른 선거구제에 대해서도 한나라당이 반대하지만 선거구제에 관한 것은, 소위 일정 지역에 지역적 독점권을 가지고 있는 정당의 결정적 이해관계가 걸려 있기 때문에 그것을 억지로 자꾸 하자고 설득할 수 없습니다. 설득하더라도 되는 일이 아니죠. 다른 어떤 더 큰 교환 조건이 없는 한 되는 일이 아닙니다.

그러나 개헌에 관해서는 한나라당에게 뭐가 불리하냐는 것이지요. 전혀 불리한 일이 없기 때문에, 일단 이 시기에 우리는 지금 잘 가고 있는데 골치 아픈 의제들이 이것저것 나와서 혹시 무슨 사고가 나지 않을까, 이런 수준이기 때문에 이것은 대화가 가능하다고 봅니다. 저는 경우에 따라서 개헌을 반대하는 정치 세력이 명분을 잃을 수도 있다고 생각하고, 그렇기 때문에 국민적 지지를 통해서 입장을 바꿀 수 잇는 가능성이 있다고 보는 것입니다.

개헌을 반대하는 이유가 분명치 않지 않습니까, 그저 '노무현의 정략입니다.' 이 얘기밖에 없거든요. '무슨 정략입니까,' 라고 물으면 정략의 내용이 설명이 안됩니다. 시나리오 없는 정략입니다. 그래서 그런 방식으로 이 문제를 오래 반대할 수 없을 것입니다. 그렇게 생각하기 때문에 이것 하나만 제기한 것이죠. 다른 문제들은 복잡한 문제들이 있어서 어려운 것입니다.

마무리 말씀

나는 우리 정치에 대해 너무 정략적 계산, 숫자 놀음에 빠져서는 안된다고 생각합니다. 가치 있는 일이고 옳은 일이면 우리가 모두 힘을 모아서 추진해야 된다고 생각합니다. 그것이 정치하는 사람의 자세이고, 그것이 민주주의 국민의 자세라고 생각합니다.

1987년 4,13 4,13호헌선언 나왔을 때 모두 거기에 항거해서 결코 이길 수 없을 것이라고 생각했습니다. 저 스스로도 서릿발 같은 5공 정권에 맞서서 이길 수 있으리라고 생각하지 않았습니다. 그러나 역사라는 것은 도도한 흐름이 있어서 때가 되면 이루어질 것은 이루어지게 돼 있습니다.

저는 우리 대한민국이 국운이 있는 나라라고 봅니다. 창창한 역사, 창창한 미래가 앞에 보이는 나라라고 생각합니다. 나라의 미래가 있다면 개혁이 필요한 때 제대로 이루어져야 됩니다. 앞으로 경쟁의 요체는 변화의 속도입니다. 변화의 속도가 정칭 영역에서는 바로 개혁의 속도입니다.

필요한 개혁이 제 때에 이루어지면 우리는 따라잡는 나라에서 앞지르는 나라로, 그리고 선두에 서서 가는 나라가 될 수 있지만, 필요한 개혁을 자꾸 뒤로 미루고 하지 않아서 변화가 이루어지지 않으면 우리는 뒤떨어지게 될 것입니다. 우리가 '남미 모습이 되어서는 안된다. 어디처럼 되어서는 안된다.' 이런 말을 많이 하는데 말로만 걱정을 할 것이 아니라 신념을 가지고 그때그대 필요한 일을 해 나가야 되는 것입니다.

개헌, 다 필요하다고 했지 않았습니까, 그래서 여러분께 부탁드리고 싶은 것은 안된다는 전제로 말씀을 좀 안해 주셨으면 좋겠습니다. 안된다는 전제로 기사 쓰고 안된다고 하면 안되는 것이죠. 미래를 위해서 필요한 일이면 합시다. 이렇게 말씀을 드리고 싶습니다.

감사합니다.

불기2551년 한국불교종단협의회
신년하례법회 축하 메시지

2007년 1월 17일

새해를 맞아 한국불교종단협의회 신년하례 법회에 참석하신 모든 분들께 부처님의 가피가 가득하길 진심으로 축원합니다.

지금 우리는 선진국 문턱에 바짝 다가서 있습니다. 스스로의 엄격한 평가와는 달리, 대한민국만큼 역동적으로 발전하고 있는 나라도 드뭅니다. 이르면 올해 안에 1인당 국민소득 2만 달러 시대가 열리게 됩니다.

그러나 희망이 큰 만큼 도전 또한 만만치 않습니다. 민생의 어려움을 풀어내기 위한 양극화 해소는 물론이고, 저출산, 고령화 문제도 지금부터 대비하지 않으면 늦습니다. 지금 해야 할 일은 미루지 않고 책임 있게 해나가야 합니다.

우리는 외환위기 이후에 민주주의와 시장경제를 두 축으로 투명하고 공정한 사회를 만들기 위해 노력해 왔습니다. 반칙과 특권, 특혜가 통하던 시대도 막을 내렸습니다.

이제 대화와 타협으로 합의를 이루고 결론을 내는 민주주의 문화를 뿌리내려야 합니다. 동반성장과 상생협력을 통해 균형 잡힌 사회를 만들어가야 합니다. 그래서 신뢰가 높고 통합된 사회, 우리 국민 누구나 내일에 대한 희망을 가질 수 있는 대한민국을 만들어 나가야 하겠습니다.

지금 우리는 변화의 속도가 국가의 흥망을 좌우하는 시대에 살고 있습니다. 무엇보다 정치가 이러한 변화를 앞장서 이끌어야 합니다. 불합리한 제도를 고치고 미래를 준비하는 것은 어느 정부라도 당연히 해야 할 일입니다. 개혁이 필요할 때 개혁을 이루는 것이 성공하는 대한민국으로 가는 길입니다.

항상 나라와 국민을 먼저 생각하며 화합과 상생을 실천해온 불교계가 국민의 힘을 하나로 모으는데 앞장서 주시기를 부탁드립니다.

대자대비하신 부처님의 원력으로 올 한해에도 우리 국민의 생활이 한층 더 나아지고 대한민국의 국운이 더욱 융성하기를 기원합니다.

2007년 신년연설

2007년 1월 23일

존경하는 국민 여러분

안녕하십니까, 홍돼지해에 복 많이 받으십시오. 참여정부 지난 4년 간의 정책과 실적을 말씀드리겠습니다. 제가 실적이라고 하니까 '참여정 부에도 실적이 있느냐' 하고 말씀하시고 싶은 분도 계실 텐데 실적이 있 습니다. 문민정부, 국민의 정부도 실적이 있습니다만 이를 기억하는 사 람은 없는 것 같습니다.

지난 일을 보고 드릴 것입니다. 그러나 비전과 전략을 가지고 일을 하였기 때문에 국가발전전략 또한 자연스럽게 나올 것입니다. 역사의 단 절이 없으니까 미래의 얘기도 나올 것입니다.

먼저 민생 문제부터 말씀드리겠습니다. 민생이라는 말은 저에게 송 곳입니다. 민생이라는 말만 들으면 한없이 가슴이 아프고 목에 걸린 가

시처럼 불편합니다.

　민생이 어렵습니다. 4년 내내 어렵습니다. 보통사람들의 민생도 어렵고, 특별히 취약한 계층의 민생도 어렵습니다. 그냥 어려운 것이 아니고 보통 사람들의 살림은 더욱 어려워지고 어려운 사람들은 숫자가 늘어나고 있습니다.

　후보시절 저는 국민 여러분에게 '서민 대통령'이 되겠다고 약속했습니다. 그러나 지금은 많은 서민들이 저를 '서민을 위해 일한 대통령'으로 인정하지 않는 것 같습니다. 민생이 풀리지 않았기 때문입니다. 참으로 면목이 서지 않습니다. 국민 여러분께 송구스럽습니다.

　물론 민생문제는 어느 시대, 어느 나라에나 있었던 보편적인 현상입니다. 그러나 지금의 민생문제는 옛날의 민생문제와는 다른 새로운 현상이라는 데 문제의 심각성이 있습니다. 바로 양극화 현상입니다. 세계화, 정보화가 원인입니다. 세계화로 경쟁의 시장이 넓어지고, 지식기반경제로 승자독식의 현상이 생겼기 때문입니다. 고용이 따르지 않는 성장, 파급이 없는 소비시장 현상이 양극화를 더욱 심하게 만들고 있습니다. 이것은 세계적인 현상입니다. 미국도, 유럽도 모두 겪고 있습니다. 일본은 특히 심각한 상태입니다. 한국도 1990년대 초반부터 시작이 되었습니다.

　그런데 아주 불행하게도 우리 한국은 태풍을 만났습니다. 1997년 외환위기입니다. 10년 전입니다. 1997년 1만 7천개, 1998년 2만3천 개의 기업이 부도가 났습니다. 요즈음 부도나는 기업이 1년에 3천개 정도이니 당시의 사정이 어떤 것인지 짐작이 갈 것입니다. 100만 명이 넘는 근로자들이 직장에서 밀려 났습니다. 1998년에는 실업자가 무려 150만 명까지 늘어났습니다.

이분들이 갈 데가 없으니까 한꺼번에 택시, 화물차, 음식점 개업으로 몰렸습니다. 공급과잉이 됐지요. 택시가 3만대, 화물차가 15만대 늘어났습니다. 일본은 인구 140명에 음식점 하나인데 우리나라는 인구 79명에 음식점 하나입니다. 사정이 이러하니 자동차 할부금도 낼 수가 없고 집세도 낼 수가 없습니다. 화물연대가 파업을 하고 음식점하는 사람들이 솥을 들고 과천 청사에 모인 사연입니다. 외환위기에서 살아남은 기업들은 정규직보다는 비정규직으로 채용을 돌리면서 2001년 364만 명이던 비정규직이 작년에는 546만 명으로 늘어났습니다.

1997년 외환위기가 기업부도 사태라고 한다면, 2002년 신용위기는 가계부도사태라고 할 수 있을 것입니다. 개인이 부도가 나니까 소비가 줄어들고 소비가 줄어드니까 투자가 안 되고, 투자가 안 되니 다시 기업이 어려워지는 악순환에 빠진 것입니다. 수출 덕분에 기업이 깨어나고 경제도 점차 정상을 찾아가고 있으나 민생은 깨어나지 못하고 있습니다. 그 위에 부동산과 주택, 사교육비, 통신비 등의 지출은 늘어나니 서민들이 더욱 어렵습니다.

나름대로 민생 문제의 대책을 말씀드리겠습니다.

첫번째가 경제입니다. 경제가 좋아지면 민생도 좀 좋아질 것입니다. 그러나 경제가 잘된다는 것이 그렇게 쉬운 문제가 아닙니다. 나중에 따로 말씀드리겠습니다. 중요한 것은 양극화 문제가 해소되어야 합니다. 경제만 좋아진다고 민생이 해결되는 것은 아닙니다. 양극화 문제가 해결되어야 민생이 해결됩니다.

양극화를 해소하려면 함께 가는 경제를 만들어야 합니다. 동반성장, 상생협력, 균형발전 이런 정책이 성공해야 합니다. 일자리가 많은 경제를 만들어야 합니다. 실업이 많을 때 양극화가 제일 심해지기 때문입니다. 일자리의 숫자를 늘리고 품질을 향상시켜야 합니다. 비정규직, 영세 자영업자 문제를 해결해야 합니다. 부동산, 사교육비와 같이 격차를 더 벌리는 문제도 해결해야 합니다. 사회안전망을 확충하고, 개인의 직업능력을 향상시키고, 어려운 사람, 낙오한 사람이 새로운 기회를 가질 수 있도록, 말하자면 패자부활전을 할 수 있게 정부와 사회가 도와주어야 합니다. 정부가 이런 일을 하면 소득의 재분배가 일어나고 빈부 격차가 줄어들게 됩니다.

결국 양극화를 해소하자면 경제정책만이 아니라 사회정책까지 포함해서 수많은 정책을 총동원하지 않으면 안됩니다. 지금부터 이들 정책을 하나하나 말씀드리려고 합니다. 그 동안에 참여정부가 한 노력과 성과도 말씀드리도록 하겠습니다.

다만, 대책을 본격적으로 말씀드리기 전에 민생 문제와 관련하여 한두 가지 오해를 푸는 것이 필요하다고 생각합니다.

'민생파탄'이라는 말을 하는 사람들이 있습니다. 과장된 표현입니다. 소득, 소비, 실업률 등 어느 지표를 보아도 지금은 1997년 외환위기 때나 2003년 가계부도 때와는 비교할 수가 없습니다. 지금을 '파탄'이라고 말하면 그 당시의 상황은 표현할 말이 없게 됩니다. 정치적인 이유로 우리의 삶을 그렇게 깎아내려 우리 모두의 기를 죽이는 것은 좋은 일이 아닐 것입니다. 그냥 민생이 어렵다는 표현으로도 충분하다고 생각합니다.

지금 민생의 어려움이 오로지 참여정부의 책임이라는 주장을 하는 사람들이 있습니다. 그에 그치지 않고 심판하자고 하는 사람들도 있습니다. 책임을 회피하지는 않겠습니다. 민생 문제를 해결하지 못한 책임은 통감하고 있습니다. 그리고 거듭 죄송하게 생각합니다. 그러나 한계는 분명히 하고 싶습니다. 민생 문제를 만들어낸 책임을 참여정부가 몽땅 질 수는 없습니다. 이 점에 대해 밝힐 것은 좀 밝히고 싶습니다. 참여정부의 민생 문제는 물려받은 것입니다. 문민정부 시절에 생긴 것을 물려받은 것입니다.

국민이 책임을 묻는다면 이것저것 따지지 않고 받아들이겠습니다. 그러나 스스로 원인을 만든 사람들이 '민생파탄'이라는 말까지 동원하여 책임을 묻겠다고 하는 데는 승복하기가 어려운 것입니다. '적반하장 아니오.' 그렇게 말씀드리고 싶은 것입니다. 대책이라도 내놓으시면 제가 열심히 실행하겠습니다.

다음으로 경제만 좋아지면 민생 문제는 모두 해결되는 것처럼 말하는 사람들이 많습니다. 양극화까지도 경제만 좋아지면 해결된다는 주장인 것 같습니다. 그렇게만 되면 얼마나 좋겠습니까, 그러나 그렇지 않습니다. 오히려 그 반대일 수도 있습니다.

대형 유통업이 발전할수록 재래시장이나 동네가게는 어려워집니다. 영세 자영업자들의 민생 문제가 발생하는 것입니다. 경제가 발전할수록 인건비가 올라갑니다. 인건비가 올라가면 기업들은 경쟁에서 살아

남기 위해 일자리를 줄이고 비정규직을 늘립니다. 그래도 버티지 못하면 해외로 나가거나 사업을 접을 수밖에 없습니다. 이렇게 해서 실업자와 비정규직이 늘어나고 영세 자영업도 늘어납니다. 세계화, 지식정보화가 진전될수록 이런 현상도 빠르게 진행되고 소득이 차이도 더 커집니다. 이른바 양극화 현상이 생기는 것입니다.

전체 경제가 성장할수록 어느 한쪽의 소득이 늘어날수록 생활수준과 소비수준은 높아지고 집값도 교육비도 통신비도 늘어납니다. 모든 소비가 늘어납니다. 그에 비해 보통 사람들과 가난한 사람들의 소득은 늘어나지 않으니 민생은 더욱 어려워집니다. 이치가 이러하니 오로지 경제가 민생 문제의 원인이고, 경제만 풀리면 민생 문제도 다 풀릴 것처럼 말하는 것은 옳지 않습니다. 양극화를 해소해야 합니다. 그래야 민생이 풀립니다.

민생 문제를 너무 쉽게 말하는 사람들이 있습니다. 입만 열면 민생 파탄을 외치면서 자기들이 집권만 하면 금방이라도 민생 문제를 해결할 것처럼 말하고 다니는 사람들입니다. 당장 민생 문제가 해결되지 않는다고 국정실패로 몰아붙이는 언론들도 비슷한 사람들입니다.

옛날에도 많이 들어본 이야기들이지요. 그런데 언제 대통령이 바뀌어서 국민들이 민생이 금방 달라졌던 기억이 있습니까, 앞에서도 말씀드렸듯이 민생 문제라는 것이 한두 개의 정책으로 간단하게 풀 수 있는 문제가 아닙니다. 여러 정부의 정책이 쌓여서 오늘의 민생이 있는 것입니다.

더욱이 양극화 문제는 전 세계적으로 진행되는 문제이고 미국도 일본도 아직 풀지 못하고있는 문제입니다. 멀리 내다보고 여러 가지 정책을 종합하여 장기적인 계획을 세우고 정석대로 차근차근 실천해 나가야 한다고 생각합니다. 그동안 참여정부가 추진해 온 경제 전반, 일자리, 동반성장, 균형발전, 사회안전망, 고용지원, 비정규직, 교육, 부동산, 이런 모든 정책이 성공해야 가능한 문제입니다. 참여정부는 이 모든 정책을 체계적으로 구성하여 '함께 가는 희망한국 비전 2030'으로 엮어서 국민 앞에 내놓고 있습니다.

이제 우리 정치도 언론도 달라져야 합니다. 대안도 없고 비방만 하고 정책도 없이 큰소리만 하는 풍토는 이제 달라져야 합니다. 대안을 말하고 이치를 따지고 합리적으로 토론하는 책임 있는 사회풍토가 만들어져야 진정한 민생대책이 채택되고 실천될 수 있습니다.

이제 경제 문제를 말씀드리겠습니다.

앞에서 경제만 잘된다고 민생 문제가 해결되는 것은 아니라는 말씀을 드렸습니다. 그러나 경제는 기본입니다. 경제가 잘 되어야 나머지 정책도 성공할 수 있기 때문입니다. 경제는 민생 문제 해결의 첫걸음입니다.

경제를 정확하게 이야기하려면 몇 가지 용어의 혼돈을 정리할 필요가 있습니다. 경기정책과 경제정책은 구별해서 사용하는 것이 좋겠습니다. 경기정책, 단기적인 거시경제의 운영은 경제정책의 중요한 부분이기는 하지만 전부는 아닙니다. 보다 더 중요한 것은 중장기 경제정책입니다. 성장잠재력을 높이고 경쟁력을 강화하는 정책입니다. 그리고 경제를 말할 때에는 경제뿐만 아니라 경제를 둘러싼 사회환경도 매우 중요하므로 정치, 사회, 문화 정책도 함께 생각해야 합니다.

운동경기 팀이 좋은 기록을 내기 위해서는 당일의 컨디션도 좋아야 하지만, 그에 앞서 기술과 기초체력을 튼튼하게 길러야 하고, 잠재적인 선수층, 훈련환경, 경기장 시설이나 경기 운영시스템, 수준 높은 관중 등 주변환경도 좋아야 한다는 것과 같은 이치입니다. 따라서 단기적인 경기만을 가지고 전체 경제를 말해서는 안될 것입니다. 멀리 보고 종합적인 전략을 고려하여 말해야 합니다.

누구나 아는 당연한 이치입니다. 그럼에도 굳이 이 말씀을 드리는 이유는, 많은 사람들이 단기적인 경기상황을 마치 경제의 전부인 것으로 전제하고 경제를 단정적으로 평가하여 국민의 경제생활에 혼란을 주고 있기 때문입니다. 그래서 제가 다시 설명을 드린 것입니다.

그래서 저는 오늘 우리 경제를 거시경제, 성장잠재력, 더 좋은 경제를 위한 사회적 환경으로 나누어서 말씀을 드리겠습니다.

먼저 경기관리, 거시경제 관리에 대해서 말씀드리겠습니다. 참여정부의 경기정책만큼 국민들을 혼란스럽게 한 정책도 없을 것입니다. 언론 보도를 보고 있으면 어느 때는 '인위적 경기부양 안 한다.' 이런 제목으로 은근히 정부의 무성의를 비난하는 보도가 나오다가, 어느 때는 '선심성 경기부양'이라는 제목으로 경기부양을 비난하는 보도가 나옵니다. 이런 헷갈리는 보도가 동시에 나오기도 합니다.

이것은 참여정부가 '무리한 경기부양은 하지 않겠다.' 고 한 말에 대한 해석에 혼동이 있었기 때문입니다. 이러한 혼동이 경제지식의 무지에서 비롯된 것인지 참여정부를 깎아내리기 위해 알면서 하는 것인지 알지 못합니다만, 어떻든 우리 국민에게 많은 혼란을 주고 경제에도 나쁜 영향을 주었다고 생각합니다.

참여정부도 경기의 활력을 살리기 위해 최선을 다했습니다. 경제이론이 허용하는 모든 경기부양책을 다 동원하였습니다. 다만 원칙을 벗어나서 후유증이 있을 수 있는 무리한 경기부양은 하지 않았다는 것입니다. 우리 경제의 기초체력을 손상하지 않기 위해서입니다. 과거에 무리한 경기부양책 대문에 우리 경제가 골병이 들었던 일이 있기 때문입니다.

노태우 대통령 시절 3저 호황과 신도시 건설로 인해 경기가 과열되고 있는 상황에서 여론에 떠밀려 증시부양과 제조업 경쟁력 강화대책을 무리하게 추진한 결과 땅값 폭등과 물가 불안으로 이어지며 1992년 대규모 경기 불황을 야기한 바 있습니다. 그래서 김영삼 대통령이 당선되고 난 뒤 '부실기업 받았다.' 이렇게 말씀하셨습니다. 그러나 김영삼 대통령도 이러한 불황을 단기에 해결하기 위해 취임하고 얼마 되지 않아 '신경제 100일 계획'이라는 이름으로 경제에 불을 붙였고, 경상수지 적자가 사상 최대로 쌓이다가 결국 4년 뒤 외환위기까지 와버리지 않았습니까,

국민의 정부에서도 경기진작을 위해 1999년에 부동산 규제를 풀었습니다. 가계대출, 길거리에서 카드 파는 것 이런 것까지 전부 방치해 버렸습니다. 덕분에 2002년에 우리 경제는 7% 성장했지만, 다음 해에는 성장률이 3.1%로 크게 떨어졌고 신용불량자 문제와 카드채 사태로 가계위기를 초래함으로써 우리 경제에 큰 부담을 주었습니다.

그래서 참여정부는 그렇게 하지 않았습니다. 무리한 경기부양책을

쓰지 않고 원칙을 지켰습니다. 원칙을 지킨다는 것은 매우 힘든 일이었습니다. 국민들은 언제나 과열 수준의 활력을 요구합니다. 언론도 마찬가지입니다. 경기가 좋을 때에도 어려운 사람들이 있기 때문입니다. 그러나 저는 어려움을 무릅쓰고 이 원칙을 지켜냈습니다.

그로 인해 어려움도 많이 겪었습니다. 접대비가 50만원이 넘는 경우 명세서를 내도록 한 정책에 대해서는 경기가 이렇게 나쁜데 무슨 짓하는 것이냐는 저항이 많았습니다. 성매매 산업 단속 대에도 경기가 다 죽는다고 걱정하는 사람이 많았습니다. 부동산정책에 대해서도 건설경기의 위축을 들고 나와 반대하는 사람들이 많았습니다. 시도 때도 없이 경제위기론을 들먹이며 대통령이 경제에 관심이 없다고 몰아붙이기도 했습니다. 아마추어 정부라는 말도 나왔습니다. 그러나 저는 버텼습니다. 후유증을 남기지 않기 위해서입니다. 이렇게 버틴 것이 우리 경제의 체력을 튼튼하게 지켜 줄 것이라고 생각합니다. 저는 이 효과가 지금부터 나올 것이고, 다음 정부에서는 제대로 나타날 것입니다.

참여정부는 넘겨받은 위기를 무난히 관리했습니다. 출범 당시 북핵위기는 폭발 직전이었습니다. 신용불량자는 284만 명으로 정상수준을 넘어선 상태에서 어떤 달에는 20만 명씩 늘어나고 있었고, 소비는 이미 내리막을 걷고 있었습니다. 은행이 해외에서 자금 빌리는 데 붙은 가산금리가 외환위기 이후 최고 수준으로 치솟아서 사실상 우리 금융기관들의 해외차입이 중단 직전까지 몰렸습니다. 여기에 SK글로벌 사건이 터졌고 90조 원에 이르는 카드채가 부도위기로 몰리고 있었습니다. 음식업, 숙박업에 대한 과잉대출 사태까지 터졌습니다. 은행들을 강제할 수단도, 더 투입할 공적자금도 없는 상태에서 이를 극복해야 했습니다. 결국 신용불량자는 2004년 4월 382만 명을 고비로 줄어들기 시작하여 2006년 말 283만 명 수준까지 내려왔습니다. 소비도 그와 함께 움직였습니다.

아직도 민생의 어려움이 남아 있지만, 위기는 넘어섰다고 자신 있게 말씀드릴 수 있습니다. 다시는 이런 위기가 오지 않도록 관리하는 것, 그리고 다음 정부에는 이런 위기와 부담을 넘겨주지 말자는 것, 이것이 지금 제가 하고 있는 일이 목적입니다.

지금도 부동산 때문에 금융이 어떻게 된다든지 환율 때문에 우리 수출이 어찌될지 모른다는 불안감을 가지고 있는데, 이 자리에 장관들께서 나와 계시지만 정부 전체가 신경을 바짝 곤두세우고 그야말로 전력을 다해서 그런 일이 없도록 예방조치를 하고 있습니다. 부동산에서 금융, 물가까지 조기경보 시스템과 위기관리 매뉴얼을 통해 철저히 대비하고 있습니다. 다음 정부가 아무런 부담 없이 출발할 수 있도록 튼튼한 경제를 물려줄 것입니다.

우리 경제를 '파탄'이라고 말하는 사람들이 있습니다. 이것은 좀 억울합니다. 과장도 너무 지나친 과장입니다. 2002년 1,600억 달러였던 수출이 지난해에는 3천억 달러를 넘어섰습니다. 지난 4년간 경상수지 흑자 합계가 600억 달러를 넘습니다. 외환보유액도 1,200억 달러에서 2,400억 달러로 4년 동안 두 배 가까이 늘었습니다. 주가가 경제의 가장 정확한 체온이라고 얘기하는데 종합주가지수는 600선에서 지금 1,400선으로 두 배를 훨씬 넘게 올랐습니다. 소비자 물가도 3.6%에서 3% 수준으로 안정돼 있고, 실업률도 3.7% 수준을 유지하고 있습니다. 외환위기로 무너졌던 현대건설, 하이닉스, LG카드, 대우건설 등 부실기업도 정상화 되었습니다.

그동안 수입원유 가격은 배럴당 24달러에서 60달러 선으로 2.5배 가까이 급등했고, 환율도 달러당 1,200원 선에서 평균 940원 선으로 떨어졌습니다. 악조건을 딛고 경제위기를 극복하면서 이룬 성과입니다. 야당과 언론들이 끊임없이 우리 경제를 위기니 파탄이니 하면서 저주하는 가운데 이룬 성과입니다. 경제는 성장하는데 소득이 오르지 않아서 국민들이 고생을 참 많이 하셨습니다. 그러나 이렇게 잘 넘어왔습니다.

정상적인 판단력을 가진 사람이라면 이런 경제를 두고 '경제파탄' 이라는 말을 할 수는 없을 것입니다. 그럼에도 참여정부를 빗대어 '차라리 무능한 정부보다 부패한 정권이 낫다.' 는 말까지 하는 사람들도 있습니다. 참으로 무책임한 사람들입니다.

이제 우리 경제의 성장률에 대한 인식은 바꿀 때가 되었습니다. 2003년 GDP 성장률은 3.1%입니다. 그 이후는 4.7%, 4.0%, 5.0%입니다. 지난 4년간 평균은 4.2%입니다. 평균 4.2% 성장은 선진국 클럽에 OECD 30개 회원국 중 7위 정도의 성적입니다. 지난해 성장률 전망치인 5%는 OECD 국가 중에서 최상위권입니다. 이제 한국도 곧 2만 달러 시대로 들어갑니다. 선진 7개국인 G7이 우리와 비슷한 국민소득 수준에서 기록한 성장률은 3.2% 정도입니다. 우리는 올해 말에 2만 달러까지 갈 것입니다. 국민소득 2만 달러인 나라가 6%, 7% 성장 안한다고 아우성치면 이건 좀 곤란한다는 것입니다. 한국은 더 이상 개발도상국이 아닙니다. 성장률을 가지고 한국 경제를 파탄이라고 말한다면 한국 경제는 영영 파탄상태를 벗어날 수 없다는 결론이 될 것입니다.

여론조사를 보면 우리 국민은 경제를 아는 대통령을 원하고 있습니다. 그러나 분명한 것은 경제를 아는 대통령도 5%를 훌쩍 넘는 성장을 이루지는 못할 것입니다. 저는 지금의 경제를 파탄이라고 말하는 차기 주자들의 성장률을 얼마로 공약하는지 지켜볼 것입니다.

정치인이든 언론이든 '위기'라거나 '파탄'이라는 말은 조심스럽게, 그리고 책임 있게 사용해야 합니다. 경제는 심리라고 합니다. 위기니 파탄이니 하면 투자할 사람 투자 안하고 소비할 사람 소비 안하니까 경제가 더 나빠지지 않겠습니까, 2004년에 위기, 파탄 얘기를 참 많이 했습니다. 이런 과장된 평가가 실제에 영향을 미쳤을 것이라고 생각합니다. 우리 경제의 회복을 더디게 하는데 일조를 하였을 것입니다.

저는 아니라고 얘기했습니다. 대통령이 못들은 척하고 넘어가면 될 텐데 굳이 아니라고 해명하고 반론한 것은 이런 심리적인 악영향을 차단하기 위해서였습니다. 자꾸 위기, 파탄 아니까 소비가 더 줄어들고 경제가 나빠질 것 아니겠습니까, 그래서 '위기, 파탄 아닙니다.' 했다가 떡이 됐습니다. 야당한테도 엄청나게 맞았고, 언론한테도 엄청나게 맞았습니다. 그분들한테야 제가 밤낮없이 맞는 게 일이지만 우리 국민들에게도 맞았습니다. 우리 국민들은 '내가 이렇게 고달픈데 위기가 아니라고,' 하면서 화가 나신 것이지요. 제가 조금 서툴렀던 것 같습니다. 실제로 조금 전에 말씀드린 대로 성장을 해도 남는 것이 없었다는 것이지요. 그런 어려움에 있어서 제가 혼이 났습니다.

저는 국민의 정부 이래 일부 정치인들과 유력 언론이 우리 경제에 끝없는 저주를 퍼부었는데도 불구하고 우리 경제가 꾸역꾸역 깨어나는 모습을 보면서 신비로움을 느낍니다. 그리고 우리 경제에 자신감을 가집니다. 그러나 한편 그야말로 1997년 우리 경제를 파탄 낸 사람들이 정치적인 이해관계에 매몰되어 무책임하게 우리 경제를 흔드는 것은 참으로 개탄할 일입니다. 참으로 염치도 없는 일입니다.

경제위기론이 가장 심했던 2003년과 2004년에 외국인들은 우리 주식을 대거 사들였습니다. 시중에는 '영자신문 읽는 사람은 한국 주식에 투자하고, 한글신문 읽는 사람은 투자하지 않는다.'는 말이 나돌기도 했습니다. 결국 2005년에 주가가 엄청나게 뛰어버리는 바람에 외국 투자자들은 엄청나게 벌었고 한국 투자자들은 속이 많이 상했습니다. 여기에 대해서 우리 경제를 위기니, 파탄이니 하면서 저주하고 계속 신문에 기사 쓴 사람들, 우리 국민들이 손해 본 만큼 좀 물어내야 되는 것 아닌가요.

다음에는 우리 경제의 성장잠재력을 강화하기 위한 전략에 대해서 말씀드리겠습니다.

핵심은 우리 기업의 경쟁력입니다. 경쟁의 마당에서 뛰는 선수는 기업입니다. 기업의 경쟁력을 키워야 합니다. 기업경쟁력의 핵심은 기술혁신과 인재양성입니다. 기술혁신을 위해서는 혁신주도형 경제정책이 필요합니다. 혁신주도형 산업정책, 과학기술 혁신체계, 과학기술 투자, 과학기술 혁신에 적합한 행정체계를 수립해야 합니다. 사람이 경쟁력의 원천입니다. 세계 일류의 인재를 양성해야 합니다. 대학교육의 혁신이 필요합니다. 인재가 유출되는 환경이 아니라 인재가 모여드는 환경을 만들어야 합니다. 모든 국민의 직업능력을 높여야 합니다. 직업교육과 훈련, 평생교육 체계를 세워야 합니다.

기업하기 좋은 환경을 만들어야 합니다. 가장 중요한 것이 자유로운 시장입니다. 관치경제에서 시장경제로 가야 합니다. 관료적 규제를 철폐하고 완화하고, 각종 보조와 지원정책에 있어서 시장친화적인 방법을 채택해야 합니다. 모두에게 자유로운 시장이 되도록 하기 위해서는 시장을 투명하고 공정하게 관리해야 합니다. 그래야 창의와 노력으로 성실히 하는 기업이 성공하고 경쟁력이 높아집니다.

소비와 투자가 활발한 시장을 만들어 주어야 합니다. 소득의 격차를 줄여 주면 서민들의 소비가 늘어날 수 있습니다. 우리 국민들의 소비생활에 대한 인식도 달라져야 합니다. 고급 소비를 자연스럽게 받아들여야 합니다. 옛날의 기준으로는 사치스럽게 생각되던 소비도 이제는 소비시장의 활력을 위해 당연한 일로 수용하는 사고의 전환이 필요합니다. 골프장에 대한 인식도 그중의 하나일 것입니다. 해외소비가 늘어나면 국내소비가 위축됩니다. 국내소비의 확대를 위해 교육, 의료 등 소비가 해외로 몰리고 있는 고급 서비스 시장도 과감하게 개방할 필요가 있습니다. 정부가 이런 모든 일을 다할 수는 없습니다. 국민이 함께해야 합니다.

보다 넓은 시장을 열어야 합니다. 경제자유구역, 금융, 물류 등의 동북아 허브 전략이 그 하나입니다. 지구경제의 시대입니다. 전 세계를 향해 뻗어나가야 합니다. 그러자면 우리의 시장도 전 세계를 향해 활짝 열어야 합니다. 수출로 먹고사는 나라가 우리 시장은 닫아 놓고 남의 시장만 열라고 할 수는 없는 일입니다. 서비스 산업의 경쟁력을 걱정하는 사람들이 있습니다. 그러나 이 분야는 개방을 통해 경쟁력을 키워 전략 산업으로 만들어야 합니다. 서비스 수지 적자에 대응하기 위해서도 필요한 일이지만, 모두가 대학을 가는 우리 사회에서 고학력 일자리를 위해 꼭 필요한 전략입니다. 보호만 해서는 경쟁력을 키울 수가 없습니다.

그동안의 개방 경험을 통해 우리 국민의 역량과 경쟁력은 이미 충분히 증명되었습니다. 우리 국민은 그동안의 개방에서 모두 승리하였습니다. 이제는 마지못해 개방하는 시대가 아니라 적극적으로 능동적으로 개방하고 나가야 될 시대가 됐습니다. 또한 상품만 개방하고 나갈 것이 아니라 이제 적극적으로 자본을 해외에 투자해야 합니다. 환율관리를 위해서도 필요한 일입니다. 투자를 많이 해서 투자의 과실이 한국 경제로 들어오면 우리 국민들이 살기가 훨씬 좋아지는 것입니다.

노사관계, 기업하는 사람들은 제일 첫 번째로 노사관계를 얘기합니다. 에너지를 비롯한 자원도 안정되게 공급해야 합니다. 그 다음에 부동산 가격이 안정돼줘야 됩니다. 장기적인 인적자원 공급도 준비해야 합니다. 보육정책을 잘해서 여성들이 일할 수 있게 해 줘야 하고, 병역자원도 효율적으로 이용해야 합니다. 정년 연장, 출산율 높이기 등 여러 가지 정책들을 총동원해서 미래 인적자원을 확보해 나가야 합니다. 나아가서는 외국인의 영주권,시민권 정책도 다시 검토해 보아야 합니다.

그러면 동안 참여정부는 무엇을 했느냐를 말씀드리겠습니다.

한마디로 참여정부 경제정책, 잘 가고 있습니다. 혁신주도형 경제정책으로서 국민의 정부에서 본격적으로 시작되었고 이제 참여정부가 이를 완성해 나가고 있습니다. 정부의 모든 경제정책이 양적 성장이 아니라 기술과 인재 중심의 질적 발전전략, 따라가는 경제가 아니라 앞서가는 경제를 위한 정책으로 전환되었습니다.

앞서가는 경제는 어렵지요. 왜냐하면 새것을 만들어내야 하니까요. 연구개발예산은 2002년 6조 원에서 올해 10조 원 규모로 60%가 늘어났습니다. 과학기술부 장관을 부총리로 승격하고 과학기술혁신본부와 정보과학기술보좌관을 신설했습니다. 지역별 전략산업을 중심으로 산, 학, 연, 관 혁신체계를 구축하고, 대덕연구개발특구를 비롯한 7개 혁신클러스터를 조성하고, R&D 투자의 효율성을 높이기 위해 과학기술 평가시스템을 전면적으로 혁신했습니다. 효율이 10% 높아지면 예산을 10% 늘이는 효과가 있을 것입니다.

또한 과학기술 인재를 양성하기 위해 이공계지원특별법을 제정하고, 이공계 전공자 공직 채용목표제 등을 도입하여 이공계 출신 우대정책을 추진해 왔습니다. 정부의 5급 기술직 채용 비율이 2002년 23.5%에서 2005년 50.4%로 두 배 이상 확대되고, 기업의 박사급 연구원 비중이 크게 늘어나는 등 고급 연구 인력의 산업계 진출이 확대되고 있습니다.

최근에는 유럽 선진국에서도 우리의 국가기술혁신정책에 대해 관심이 높아지고 있습니다. 스위스 국제경영개발원은 우리의 기술경쟁력을 2003년 27위에서 지난해에는 6위로 평가했습니다. 국제특허출원 건수도 세계 6위를 기록하고 있습니다.

어떤 교수 한 분이 한국이 세계 7대 기술강국에 들어갔는데 왜 자랑하지 않느냐고 했습니다. 그래서 7대 강국까지 왔느냐고 물었더니 여러

평가들을 종합하면 7대 강국이라고 말할 수 있다고 합니다. 누가 딱 7등이라고 이름 매겨 주는 사람이 없으니까 잘못 꺼냈다가는 큰 코 다치겠지요. 하지만 대략 그쯤 갔다고 할 수 있는 것 같습니다. 물론 참여정부에서 다 잘했다는 말이 아닙니다. 문민정부에서도 많이 했고 결정적으로 국민의 정부에서 많이 했습니다. 국민의 정부 때 나노기술 투자, IT 광대역 통신망 확충, 이런 것이 오늘날 IT 산업을 세계 최고 수준으로 끌어올린 원동력 아니겠습니까,

그러면 참여정부는 뭐 했느냐, 우리는 10대 성장동력이 있습니다. 10대 성장동력산업과 부품, 소재 산업 등 첨단기술 분야에서 가시적인 성과가 나오고 있습니다. 차세대 이동통신 기술인 와이브로, 제2의 CDMA 신화로 불리는 DMB가 세계의 주목을 받고 있습니다. 하이브리드카와 지능형로봇도 상용화 단계로 접어들고 있습니다. 부품, 소재 산업의 경쟁력도 크게 높아졌습니다. 2002년 29억 달러에 불과하던 흑자 규모가 지난해에는 열 배가 넘는 300억 달러 이상으로 확대되었습니다. 세계 시장에서 조선 1위, 반도체 3위, 전자 4위, 자동차,철강 5위를 점유하는 등 우리 주력산업이 세계 시장을 주도하고 있습니다. 수출 3천억 달러는 우리 경제의 경쟁력을 말하고 있습니다.

기업하기 좋은 환경을 위한 민주주의와 시장경제 원칙은 국민의 정부에서 토대를 놓았습니다. 참여정부에서는 투명하고 공정한 시장이 뿌리를 내려 가고 있습니다. 더 이상 정경유착도 없고, 관치경제도, 관치금융도 없습니다. 기업들은 더 이상 청와대의 눈치를 보지 않습니다. 이제 청와대에 대출 좀 알선해 달라고 부탁하는 사람도 없습니다. 반면 자기

의 잘못된 행동에 대해서는 책임을 져야 합니다. 분식회계, 부당한 내부 거래 등은 더 이상 용납될 수 없습니다. 공정거래위원회의 역할이 너무 커진다고 불만을 말하는 사람들이 있습니다만, 투명하고 공정한 시장을 위해 반드시 필요한 일입니다.

중소기업 지원 등 정부 보조와 지원정책도 시장친화적인 방식으로 바꿨습니다. 시장을 넓히기 위해 한,칠레 FTA에 이어 한,싱가포르 FTA를 체결하였고, 한,ASEAN, 한,캐나다 FTA는 협상이 진행 중입니다. 한, 미 FTA는 좋은 결과가 있도록 노력하겠습니다. 이어서 중국과도 FTA 공동연구를 개시하고, 3월경부터는 EU와 협상을 시작할 계획입니다. 앞으로 우리 기업의 해외투자를 지원하기 위한 범정부 기구도 준비하고 있습니다.

여기저기 얘기를 많이 하지만 실제로 걱정되는 것은 농업입니다. 119조 원을 투입하는 농업, 농촌발전대책을 만들어 놓고 있습니다. 이 돈을 어떻게 효율적으로 쓸 수 있느냐, 이것이 걱정입니다. 돈을 받아쓸 준비가 안되어 있으면 효율성이 떨어지게 돼 있습니다. 감시는 한다고 하는데 걱정도 됩니다. 어쨌든 농업은 농민들이 살 수 있도록 책임져 가겠습니다.

노사관계도 점차 개선되어 가고 있습니다. 파업으로 인한 근로손실 일수가 참여정부가 출범하기 직전인 2002년에는 111일이었는데 지난해에는 77일로 줄어들었습니다. 노, 사, 정 대타협은 아직 성공하지 못했습니다. 그러나 지난해 노, 사, 정 합의로 노동관계법이 제정되고 항만인력공급체계 개편이 이루어진 것은 노사관계의 미래에 희망을 보여주는 좋은 신호라고 보아도 좋을 것입니다. 나는 노동조직의 사회적 교섭력이 약화되어 간다면 앞으로의 일이 걱정이라고 생각합니다.

장기적인 인적자원의 공급 확대도 확실히 추진하고 있습니다. 여성 인력 개발을 위한 보육지원에 집중 투자해 왔습니다. 그 결과 2005년 처음으로 여성경제활동참가율이 50%를 넘어섰습니다. 또한 고용허가제를 시행함으로써 외국인 근로자를 합법적으로 고용할 수 있는 길도 열었습니다. 해외동포의 방문취업의 길도 열었습니다. 장기적으로 인적자원 공급을 확대하기 위해 학제 개편도 연구하고 있고, 병역제도 개편은 이번 달 말에 발표할 예정이고, 정년 연장 등도 추진하고 있습니다. 이런 것들이 전부 선심성이 아니고 우리 경제의 인적자원을 공급하기 위한 정책들입니다. 저출산, 고령화 시대에 대한 대비도 착실히 하고 있습니다.

참여정부는 자원정책의 패러다임을 '안정적 도입'에서 '자주 개발'로 확대하고 대통령이 직접 뛰었습니다. 17개국을 돌아다니면서 자원 정성회교를 펼쳐 우리가 투자한 석유, 가스 자원 확보량을 52억 배럴에서 140억 배럴로 2.7배 확대시켰습니다. 해외 자원개발 예산도 2002년 2,800억 원에서 올해 9,200억 원으로 3배 이상 늘렸습니다.

아직도 규제가 많다고 아우성치는 사람들이 있습니다. 규제 숫자를 가지고 규제가 늘었다고 지적하는 사람들도 있습니다. 그러나 그것은 사실이 아닙니다. 지나친 규제철폐가 우리 경제에 많은 부작용을 초래한 경우도 적지 않습니다. 환경을 위한 규제, 노동보호를 위한 규제, 안전을 위한 규제, 공정한 시장을 위한 규제는 늘린 것도 있지만 관료적 규제는 많이 줄었다.

중요한 것은 건수가 아니라 규제로 인한 시간과 비용입니다. 건수 위주의 규제 개혁이 아니라 질적인 규제완화가 중요한 것입니다. 단편적인 규제 건수의 감축이 아니라 규제를 통과하는 데 드는 시간과 비용을 줄이고, 여러 부처와 법령에 복합적으로 얽혀 있는 규제를 개선하는 데 중점을 두어 왔습니다. 한국행정연구원의 연구결과에 따르면 27개의 덩어리 규제 개혁을 총 2조 216억 원의 절감 효과가 있는 것으로 나타났습니다.

다음으로 지속적인 경제발전을 위한 사회적 환경에 관하여 말씀드리겠습니다.

경제는 경제원리로만 되는 것은 아닙니다. 경제가 지속적으로 발전하기 위해서는 이를 뒷받침하는 사회적 환경이 필요합니다. 넓게 보고 멀리 보면 정치, 사회, 문화 등 모든 영역이 경제가 아닌 것이 없습니다. 지금부터는 지속적인 경제를 위한 사회적 투자, 사회적 자본과 민주주의, 안보환경에 관하여 말씀드리겠습니다.

국민생활이 안정된 나라라야 활력 있는 경제가 가능합니다. 국민이 건강하고 의욕이 넘쳐야 나라의 생산성이 높아집니다. 국민이 쾌적한 환경, 안정된 주택에서 문화와 여유를 누리고, 질병과 노후, 자녀교육에 대한 불안이 없고, 성취의 기회가 열려 있어야 창의와 활력이 넘치는 경제를 만들 수 있습니다. 사회투자가 중요한 이유입니다.

사회적 자본이 충실한 사회라야 경쟁력이 높아집니다. 신뢰가 바로 선 사회, 통합이 잘되는 사회가 바로 그런 사회입니다. 투명하고 공정한 사회, 원칙이 있는 사회, 상식이 통하는 사회가 신뢰의 수준과 예측 가능성이 높은 사회입니다. 균형 잡힌 사회, 대화와 타협이 가능한 사회가 갈등이 적고 통합성이 높은 사회입니다. 동반성장, 상생협력, 균형발전이 필요한 이유입니다.

이런 것이 되기 위해서는 성숙한 민주주의가 이루어져야 합니다. 민주주의가 되지 않은 나라에서 복지투자가 이루어질 수 없습니다. 인적자원 투자가 될 수 없습니다. 사회적 자본인 신뢰와 통합도 성장할 수 없습니다. 그래서 민주주의는 지속적인 경제를 위한 필수적인 기반입니다. 지식과 문화가 경제의 핵심요소가 되는 시대에는 자유와 창의가 경제발전의 필수적인 조건입니다. 자유와 창의는 민주주의가 발달한 곳에서 꽃이 핍니다. 자유롭고 공정한 경쟁 또한 민주주의의 속성입니다.

다음으로 안보와 평화입니다. 안보와 안전은 활력 있는 경제의 토대입니다. 평화가 위협을 받고 안보가 불안한 나라는 경제에 성공할 수가 없습니다. 국방비 또한 투자입니다. 경제를 생각하는 안보정책과 믿음직한 치안과 위기관리가 필요합니다. 국민을 불안하게 하지 않는 조용하지만 실속이 있는 안보가 필요합니다.

이 모든 일을 하는 데 정부가 결정적인 역할을 합니다. 일 잘하는 정부, 책임 있는 정부를 만들어야 합니다. 참여정부가 정부혁신에 매달려 온 이유입니다.

참여정부는 이 모든 정책을 경제를 위한 정책으로 보고 정성을 들여 왔습니다. 일부 야당과 언론은 성장과 복지를 별개의 가치로 전제하고, 참여정부의 사회정책, 복지정책을 분배정책, 좌파정책이라 이름 붙이고 끊임없이 비난을 퍼붓고 있습니다. 성장과 분배를 이분법적으로 완전히 나누는 낡은 생각으로는 우리가 절대로 성공할 수 없습니다. 멀리 보지 않고 당장의 이익만을 생각하는 기업만을 대변하는 주장입니다.

사회지출과 복지지출은 더 이상 소비적인 지출이 아니라 지속가능한 경제를 위한 투자라는 생각을 가져야 합니다. 편안하게 쉴 수 있는 집이 없고 끼니를 걱정하고 건강하지 않은 사람들, 안정된 직장이 없고 직업능력의 향상을 위한 교육,연수의 기회도 없는 사람들이 넘치는 나라의 경제가 경쟁력 있는 경제가 될 수가 없다는 것은 조금만 멀리 보면 금방 알 수 있는 이치입니다.

민주주의 발전에 대한 참여정부의 실적은 인정하면서도 참여정부가 경제에는 아무것도 한 것이 없다는 말을 하는 사람들이 있습니다. 민주주의가 경제와는 별개라는 생각은 전제 자체가 옳지 않습니다. 물론 경제정책만 가지고 보아도 맞지 않는 말입니다.

지금도 정부가 안보 문제를 가지고 야단법석을 하지 않았다고 비난하는 사람들도 있습니다. 지난날 안보를 정권유지에 이용하기 위해 위험을 부풀리고 불안을 부추겼던 시대의 생각을 버리지 않고 있는 것입니다. 국민을 불안하게 하는 것은 안보가 아닙니다. 경제에도 결코 이롭지 않습니다.

분배와 성장은 함께 가야 합니다. 조화롭게 가야만 성공할 수 있는 것입니다. 앞으로 사회투자정책, 사회적 자본, 민주주의, 안보정책, 정부혁신에 관해 말씀드리겠습니다만, 핵심은 경제는 경제정책만 가지고 되는 것이 아니고 모든 정책이 종합돼야 경제가 잘 된다는 것으로 결론을 내려놓고 들어 주시면 좋겠습니다.

이제 참여정부가 한 사회투자의 실적을 말씀드리겠습니다.

사회정책을 사회투자라고 하는 이유는 사람에 대한 투자를 통해 성장과 복지 함께 가도록 해야 하기 때문입니다. 사회투자의 중요성에 대해서는 앞서도 말씀드렸지만 중요하기 때문에 한 번 더 말씀드리겠습나. 국민이 건강하고 의욕이 넘쳐야 나라의 생산성이 높아집니다. 국민이 쾌적한 환경, 안정된 주택에서 문화와 여유를 누리고, 질병과 노후, 자녀교육에 대한 불안이 없고, 성취의 기회가 열려 있어야 창의와 활력이 넘치는 경제를 만들 수 있습니다. 이렇게 만들기 위한 사회투자입니다. 사람에 대한 투자를 지출로 생각해서는 안됩니다. 투자로 생각해야 합니다. 그래야 지속적인 경제발전과 양극화 해소가 가능하고 사회통합도 이룰 수 있습니다.

참여정부 들어 2006년까지 연간 20%씩 복지재정을 늘렸습니다. 정부 예상 평균 증가율 11%의 두 배에 달합니다. 예산의 구조조정을 통해서 복지 분야 예산을 확충하였습니다. 기초생활보장 지출이 2002년 2조 8천억 원에서 2007년 7조 3천억 원으로 늘어났습니다. 절대빈곤층이 늘어난 것이 아니라 최저생계비를 인상하여 수혜범위를 대폭 늘리고 지원수준을 높인 결과입니다. 보육예산이 다섯 배 증가했습니다. 혜택을 받는 아동 수가 2002년 19만 명에서 올해 77만 명을 확대됩니다. 지난해 출산율이 상승세로 반전된 것도 이와 관계가 있을 것입니다.

장애인 예산은 2002년도에 3,200억 원에서 2007년 6, 7000원으로 늘어났습니다. 장애인지원종합대책을 만들어 장애인 수당을 월 7만 원에서 올해 13만원 까지 늘리고, 장애아동부양수당도 매월 20만 원씩 확대지급합니다. 또 장애인 2만 2천 명에 대한 활동보조인제도를 도입하였습니다. 치매, 중풍 노인을 돌보는 노인수발보험제도가 내년부터 본격 실시됩니다. 이와 함께 참여정부 초에는 수요에 비해 38%에 불과하던 노인 요양시설을 내년까지 100% 확보합니다. 현재 국회에 상정된 기초노령연금제도가 통과되면 내년부터 전체 노인의 60%에 해당하는 300만 명에게 매월 8만 9원씩 기초노령연금이 지급될 예정입니다.

국민의 건강이 국력이고 핵심적인 성장동력입니다. 참여정부는 아동에서 노년까지 전 생애에 걸친 평생건강관리전략을 구체화했습니다. 보건의료정책의 패러다임을 근본적으로 전환하는 것입니다. 특히 서민의 의료비 부담을 크게 줄였습니다. 작은 부담은 본인이 하더라도 스스로 감당하기 어려운 질병에 대해서는 국가가 책임짐으로써 가정이 파탄에 빠지는 일이 없도록 하고 있습니다. 암환자에 대한 진료비 지원이 2004년 49%에서 2005년 66%까지 증가했고, 백혈병환자의 진료비 부담은 1/3로 줄어들었습니다.

체계적인 고용지원서비스와 직업훈련 시스템은 참여정부의 핵심 프로젝트입니다. 이 부분에 집중적인 투자를 했고 장족의 발전이 있었습니다. 과거 '실업급여사무소' 수준에 머물렀던 고용지원센터가 '고용지원서비스 기관'으로 거듭났습니다. 지난 2년 사이에 고용지원센터를 이용하는 구직자가 45%, 이를 통해 취업한 사람이 78%나 증가했습니다. 직업능력개발 프로그램을 혁신하고 예산을 두 배 가까이 늘려 여기에 참여한 중소기업 근로자가 지난해 84만 명에 이르렀습니다. 2002년에 비해 두 배 이상 증가한 수치입니다. 고용지원센터 상담원도 공무원 신분으로의 전환을 추진하고 있습니다.

참여정부는 일을 통한 빈곤탈출과 예방에 주력했습니다. 국민의 정부 때부터 시행된 자활지원제도를 강화하고 사회서비스 일자리를 실질적 성과로 정착시켰습니다. 그냥 돈 주면 일자리가 많이 나올 줄 알았는데 실제로 해 보니까 그렇지 않습니다. 쉽게 일자리를 발굴해내지를 못합니다. 그래서 정부 전체가 총동원돼서 지난 2년간 사회서비스 일자리를 발굴했습니다. 그렇지 않았으면 아마 지금 실업률이 훨씬 높아졌을 것입니다.

이와 함께 차상위 근로빈곤층의 근로의욕을 높이고, 생계지원을 확대하기 위해 근로장려세제도를 2009년부터 시행토록 제도화했습니다. 한나라당이 대선을 의식한 선심성 정책이라고 발목을 잡는 바람에 시행 시기가 1년 늦춰졌지만, 이미 선진국들은 1990년부터 실시하고 있는 제도입니다.

복지 예산만 늘린 것이 아닙니다. 필요한 사람에게 가장 효율적으로 집행될 수 있도록 복지전달체계도 정비하고 있습니다. 읍,면,동 사무소가 과거의 동사무소가 아닙니다. 복지상담실을 만들었고, 행정인력을 대거 복지담당으로 전환 배치했습니다. 현재 추진하고 있는 4대 사회보험 징수 일원화도 인력의 효율적 재배치를 통해 서비스를 향상시키는 계기가 될 것입니다. 그러나 꼭 필요한 공공인력은 확충해 왔습니다. 사회복지 전담 공무원을 1,800명 늘렸고, 소방인력도 17% 확대했습니다. 그 밖에 교육, 환경, 문화, 체육 모든 것이 투자입니다.

그런데 한국의 사회투자는 아직 갈 길이 멉니다. 조금 전에 참여정부가 투자를 좀 한 것처럼 말씀드렸는데 실제로는 '새 발의 피다.' 이 말씀입니다. GDP 대비 공공사회 지출이 문민정부는 3.2%, 국민의 정부는 5.6%였습니다. 작년 통계는 아직 안 나왔고 2005년에는 8.6%입니다. 이것은 미국, 일본의 절반이고, 유럽의 1/3 수준입니다. 절반 하니까 아무것도 아닌 것 같지만 엄청난 차이입니다. 특히 고용지원 예산은 유럽의 1/10에 불과합니다. 그래서 2030년까지 지금의 OECD 평균인 21% 수준까지는 가자는 것이 참여정부가 만든 비전 2030의 목표입니다.

언제부터인가 '작은 정부론'이 우리 사회에서 진리처럼 통하고 있습니다. 아무도 다른 말을 할 수가 없을 정도입니다. 그러나 이 돈에 관한 한 작은 정부를 얘기하면 안됩니다. 권력을 행사하는 데 있어서는 작은 정부를 해도 좋지만 국민의 수요를 충족하기 위해서 서비스하는 일에 있어서 작은 정부가 되면 안됩니다. 그런데 지금 우리 나라에서 작은 정부를 얘기하는 사람들은 이 서비스를 줄이자는 것이거든요. 유럽이 복지 지출 때문에 경제성장에 부담이 됐던 시절이 있었습니다. 그때 줄이자고 해서 작은 정부론이 나온 것 아니겠습니까, 한국은 유럽의 1/3도 안되는데 무슨 작은 정부를 얘기할 수 있습니까,

물론 작은 정부라는 말을 효율적인 정부라는 뜻으로 쓰는 사람들이 있을 것입니다만, 복지 지출의 크기를 줄여야 한다는 뜻으로 받아들여질 우려가 있습니다. 정부의 복지 부담이 경제성장에 부담을 주고 있는 나라에서는 작은 정부가 타당할 수 있으나 복지 지출이 유럽의 1/3 수준인 한국이 작은 정부로 갈 경우 국가가 국민에 대한 책임을 다하지 못하게 되는 위험한 논리가 될 수 있습니다.

복지 지출분만 아니라 공공서비스 전반을 보더라도 마찬가지입니다. 국가와 지방공무원, 공공기관 인력을 포함한 인구 1천 명당 공무원 수를 비교해 보면, 한국은 24.1명에 불과해서 미국, 프랑스, 독일 등 선진국의 1/3 수준이고 일본의 32.9명에도 훨씬 못미칩니다. 그래서 참여정부는 작은 정부 얘기 접어놓고 효율적인 정부를 만들자고 했습니다. 국민에게 필요한 서비스를 제공하는 할 일 하는 정부, 책임을 다하는 정부, 효율적인 정부가 필요합니다. 한국의 지도자들은 작은 정부를 말할 것이 아니라 책임을 다하는 정부, 효율적인 정부를 말해야 합니다.

지금까지 민생, 경제, 사회정책에 대해서 말씀드렸습니다. 이제 개별적으로 몇 가지 사안에 대해 말씀드리겠습니다. 한·미 FTA 문제, 양극화 해소, 동반성장, 균형발전, 일자리, 비정규직, 부동산, 교육 하나하나가 전략과제입니다. 지금 드리는 말씀들은 수십 번 얘기했던 것입니다. 그런데 이것이 국민들에게 전달이 안돼서 답답한 것이지요.

한·미 FTA와 관련해서는 몇 가지만 말씀드리겠습니다. 개방은 대세입니다. 대세는 막을 수 없습니다. 산업혁명 때는 기계파괴 운동이 있었지만 맞지 않다는 것이 이미 오래전에 증명되었습니다. 정보화 시대에도 컴퓨터 반대 운동이 있었지만 성공하지 못했습니다. 세계화 시대에 개방을 반대하는 것은 절대로 성공할 수 없습니다.

우리 사회의 진보개혁 세력은 확실하게 생각을 잘해야 합니다. 개방을 반대해서는 한국이 세계 역사의 대세를 탈 수도 없거니와 반대하는 사람들이 한국의 주도적인 역할을 할 수 없습니다. 역사의 주류 세력이 되어서 한국 사회의 미래를 한번 떠맡아 보고 싶다는 생각을 가지고 있으면 개방 문제에 대해서는 생각을 바꿔 주셔야 합니다. 이 생각을 바꾸지 않으면 진보세력은 절대로 주류가 되지 못합니다. 초기에 FTA와 관련하여 여러 비판론이 무성했지만 결국 지금은 아무 근거도 없는 것으로 밝혀졌습니다.

역시 남은 것은 농업 문제인데 이 문제도 자세히 들여다보면 1/3은 교역가능성이 낮거나 우리가 우위에 있고 1/3은 경쟁대상입니다. 나머지 1/3이 취약한 부분인데 그 대부분이 쌀에 관한 것입니다. 그런데 이미 쌀은 WTO에서 합의가 되어 있는 것이고, FTA 문제가 아닙니다. 이에 관해서도 특단의 대책을 마련해 놓았고 앞으로도 계속 보완해 나갈 것입니다.

1994년 WTO 가입 문제로 온 나라가 발칵 뒤집혔습니다. 김영삼 대통령이 자리를 걸고 지키겠다고 했는데 결국 못지켰습니다. 세계의 대세이기 때문입니다. 만일 당시 WTO에 가입하지 않았다면 지금 우리 경제는 어떻게 되었겠습니까, 할 말이 없지요. 그렇습니다. 당시 반대하는 사람들은 WTO에 가입하면 다 죽는다고 했습니다. 그런데 그 예언은 맞지 않았습니다. 그 후에도 개방을 할 때마다 절망적인 예언이 나왔으나 한 번도 맞지 않았습니다.

FTA문제는 더 이상 이념의 문제가 아닙니다. 먹고사는 문제입니다. 어제 아침에 KTV를 봤더니 나프타(NAFTA)가 멕시코 경제와 국민생활에 미친 영향에 대해 나오는데, 이전에 MBC, KBS에서 특집보도 본 것하고는 아주 다른 내용이었습니다.

양극화 문제의 원인과 대책은 이미 민생 문제에서 말씀드렸습니다.

양극화는 광의로 말하자면 소득의 양극화만이 아니라 대, 중소기업 간, 수출기업과 내수기업 간, 제조업과 서비스 간, 도시와 농촌 간, 수도권과 지방 간, 노사 간, 정규직과 비정규직 간 양극화를 모두 포함합니다. 이들 양극화가 궁극적으로는 소득의 양극화로 이어지는 것이어서 양극화 정책은 이 모두를 말해야 할 것입니다. 양극화가 포퓰리즘의 결과이고 양극화 해소를 위해서는 작은 정부와 감세가 필요하다는 주장을 하는 신문이 있습니다. 참으로 해괴한 논리입니다.

균형발전은 서울이나 수도권 사람들을 위해서도 꼭 필요한 정책입니다. 행정중심복합도시가 건설되면 한국의 명물이 될 것입니다. 21세기 첨단의 과학기술과 문화가 어우러진 세계 최고의 도시가 될 것입니다. 그런데 반대하는 사람들 때문에 행정수도가 반쪽이 되어 버렸습니다. 언젠가는 완전한 행정수도를 만들어야 할 것이라고 생각합니다. 그런데 그렇게 만든 사람이 공치사하는 모습이 쓸쓸합니다.

균형발전정책은 선진국 모든 나라가 다 하고 있는 정책입니다. 지금 추진하고 있는 10개의 혁신도시, 6개의 기업도시, 각 지방의 혁신 클러스터는 우리 국민에게 아름답고 쾌적한 새로운 생활공간을 제공할 것입니다. 균형발전은 생활공간의 수준을 바꾸는 것입니다. 시간이 지나면 새로운 지도를 그리게 될 것입니다.

행정중심복합도시, 혁신도시 때문에 보상금 나가서 부동산값 올랐다고 말씀하시는 분들이 있습니다. 아니 그렇게 보도하는 신문들이 있습니다. 참여정부 4년 동안에 보상금으로 61조 원이 나갔습니다. 이것이 전부 균형발전하고 관계 있는 것이 아닙니다. 행정중심복합도시와 관련해서 나간 보상금은 3조 원밖에 없습니다. 그리고 그것은 거의 서울에 투자되지 않았다는 것이 우리의 조사 결과입니다. 그래서 균형발전 보상과 부동산은 아무런 관계가 없습니다. 정확하게 보도해야 합니다.

일자리 문제의 실태다 어떻다는 얘기는 다 말씀드리지 않겠습니다. 경제가 좋아지만 일자리가 늘어납니다. 그런데 경제가 양적으로만 늘어난다고 일자리가 그냥 늘어나는 것은 아닙니다. 취업유발계수가 점점 줄어들고 있습니다. 10억원 생산할 때 1996년에는 56명의 일자리가 생겼는데 지금은 32명의 일자리밖에 생기지 않습니다.

대기업에서는 지금 고용이 점차 줄어들고 있습니다. 1997년 이후 대기업의 일자리는 122만 개가 줄어들었는데, 중소기업 일자리는 계속 늘어나고 있습니다. 우리나라 일자리의 87%가 중소기업에 있습니다. 그래서 거기에 맞는 일자리 정책을 세워야 합니다. 참여정부가 중소기업 육성정책에는 집중적인 노력을 했습니다. 제가 중소기업 육성정책에 관한 회의를 열 번쯤 직접 주재했습니다. 혁신주도형 중소기업은 지금 잘된다고 하는데 보통 중소기업은 여전히 힘들다고 합니다. 경쟁사회니까 어쩌겠습니까, 그러나 모든 중소기업이 혁신주도형 기업이 될 수 있을 만큼 정부에서는 과감하게 혁신역량을 지원하고 있습니다.

공공서비스, 사회서비스를 늘려야 합니다. 정부는 보육, 간병, 식품안전, 치안, 재해예방, 환경관리 등 국민복지 향상에 직결되는 사회서비스 일자리 사업 예산을 지난 4년간 네 배 가까이 늘려 왔습니다. 올해에도 1조 3천억 원을 투입해서 지속적인 일자리 20만 개를 만들어낼 계획입니다. 또한 지난해 제정된 사회적기업육성법에 따라 사회서비스를 제공하는 기업에 대한 세제 지원 등을 적극 시행해 나가고 있습니다.

우리나라의 사회서비스 분야 취업자 수는 전체 취업자의 13% 정도 됩니다. 선진국이 우리의 소득수준과 비슷했을 때 20% 내외였던 점을 고려하면 많이 부족합니다. 작년에 3개 기관에서 조사해 보니까 거의 공통적으로 우리나라의 공공, 사회서비스 일자리가 90만 개 정도 부족하다고 나왔습니다. 이 가운데 절반 정도는 정부가 공급해 나가야 할 것입니다.

고학력사회에 맞는 고급 일자리를 만들어야 합니다. 이를 위해서는 금융, 물류, 법률, 회계, 디자인, 컨설팅과 같은 지식기반 서비스와 보건의료,교육,문화 등 고급 서비스를 산업화해야 합니다. 그래서 동북아 금융허브,물류허브 전략을 추진하고 있습니다

비정규직 문제는 심각합니다만 조금씩 좋아지고 있습니다. 2001년 조사 개시 이래 처음으로 지난해 비정규직 규모가 감소했습니다. 어떤 보도를 보니까 지난해 통과된 비정규직 관련 법률로 인해 오히려 더 나빠질 것이라고 하는데 좋아지도록 만들겠습니다. 그 법이 긍정적으로 작용하도록 정부도 최선의 노력을 다하겠습니다. 지금 나쁜 조짐보다는 좋은 방향으로 나타나고 있는 것이 훨씬 더 많고 큽니다. 좀더 노력해 보십시다.

부동산 문제에 대해서는 죄송합니다. 올라서 미안하고, 또 국민 여러분을 혼란스럽게 하고 한 번에 잡질 못해서 미안합니다. 하지만 이번에는 반드시 잡힙니다. 왜냐하면 옛날에 채택하지 못했던 강력한 정책들을 이번에 다 채택했습니다. 이제는 정말 투기가 빠져나갈 데가 없습

니다. 공급가격을 직접 통제하도록 했습니다. 이로 인해 민간 공급이 위축되지는 않을 것입니다. 만약이라도 그렇게 되면 공공 부문이 위축되는 만큼 다 짓겠습니다. 지금 계획을 세우고 있습니다. 올해부터 2010년까지 수요가 많은 수도권이 연평균 36만 호 이상을 공급할 계획입니다.

참여정부는 그동안 국민임대주택을 매년 9만 호씩 건립해서 서민들을 위한 주택은 착실히 공급해 왔습니다. 임대주택은 10년 이내에 주거복지 선진국 수준으로까지 끌어올린다는 계획을 세우고 있습니다. 어떻든 부동산정책으로 지금까지는 주택 문제를 다루어 왔습니다만 이제는 주거복지정책으로 넘어가도 되겠다는 자신감을 가지고 있습니다.

참여정부가 조금 놓친 것이 있습니다. 실제로 수출이 많아져서 유동성이 풍부해졌는데, 유동성 관리를 잘못한 것이 사실입니다. 과거에도 유동성이 증가했을 때 집값이 많이 상승했습니다. 노태우 대통령 때는 43.4%가 오르고, 국민의 정부 때는 33.8%가 올랐습니다. 참여정부에서는 19.7%가 올랐습니다. 실감이 잘 안 나시겠지만 실제 통계는 19%가 맞습니다. 평균하니까 그렇습니다. 일부 지역에서 많이 올랐습니다.

그러면 왜 한 번에 못 잡았나, 반대와 흔들기 때문입니다. 우리가 채택하고자 하는 정책을 반대하는 사람이 많으니까 절반밖에 못하고, 절반만 해놓으니까 효과 없다고 계속 흔들고, 아무도 안 믿고 집을 사니까 또 올라라고, 올라가니까 점점 더 강력한 정책을 채택하는 결과가 된 것입니다. 부동산 신문들이 흔들지 않았으면, 집값이 안 올랐으면 더 강력한 정책이 안 나왔을 텐데 너무 많이 흔들어 가지고 참여정부 정책을 전부 무력화시켜 버리고 나니까 더 센 정책이 나와서 스스로의 손발을 묶어 버린 결과가 된 것 같습니다. 그래서 부동산 신문들은 자승자박한 것이라고 생각합니다.

교육 문제에 대해서도 걱정이 많으실 것입니다. 우리 교육이 처한 현실적인 문제들을 잘 알고 있습니다. 아이들은 입시 부담, 성적 부담에 시달리고 있고, 부모님들은 사교육비로 인해 힘들어하고, 계층이동의 기회마저 상실하지 않을까 염려합니다. 교단이 붕괴했다는 말도 들리고, 대학의 경쟁력을 우려하는 목소리도 높습니다. 어느 하나 쉬운 문제가 없지만 혼신의 노력을 다하고 있습니다.

참여정부는 공교육의 정상화라는 일관된 정책 기조를 유지해 왔습니다. 이 과정에서 학생들의 학력이 떨어졌다는 증거는 없습니다. 오히려 국제학업성취도 평가에서 우리 초,중등 학생들이 문제해결력, 읽기, 수학, 과학 등 전 분야에서 1위에서 4위를 차지하고 있습니다. 수학과 과학의 학업능력에 대한 세계적 평가인 팀스(TIMSS) 결과에서도 한국이 수학 2위, 과학 3위를 기록했습니다.

대학입시가 문제입니다. 입시 하나로 인생의 성패가 결정되는 구조를 바꿔야 합니다. 대학은 성적이 좋은 학생을 뽑는 데만 치중할 것이 아니라 우수한 학생을 키우는 데 정성을 쏟아야 합니다. 일렬로 줄 세우는 경쟁이 아니라 여러 줄로 경쟁하는 사회, 서열화가 아니라 적절한 차별화를 통해 학연사회의 폐단을 극복해 나가야 합니다. 교단을 맡고 계신 선생님들이 스스로 내신과 교단의 신뢰를 지켜 나가야 합니다. 경쟁과 평가를 받아들여 자질 향상의 기회로 삼아나가야 합니다.

방과후학교는 다양화 시대의 교육 수요를 충족하기 위해 대통령이 역점적으로 추진하고 있는 프로젝트입니다. 일차적으로는 사교육을 학교 안으로 끌어들이는 것이 목표입니다. 그러나 좀더 크게 보면 저소득층 학생들에게 기회를 제공하고 생활을 보호하고, 학교가 지역사회의 구심 역할을 함으로써 지역공동체를 복원하는 계기가 될 것입니다. 교육부 조사에 따르면 지난해 98.7%의 학교가 방과후학교에 참여했고, 280개 시범학교를 대상으로 조사한 결과 이로 인한 사교육비 경감 효과가 1인당 평균 6만 2천 원으로 나타났습니다.

또한 균등한 교육기회를 제공하기 위해 통신교육 등 다양한 교육매체를 개발하고 있습니다 영어교육 혁신방향은 이미 발표했습니다. 올 3월부터 교육방송에 영어전용 채널이 생기고 2010년까지 모든 중학교에 원어민 교사가 배치됩니다.

대학교육도 경쟁력을 높이기 위한 구조개혁과 특성화가 착실히 진행되고 있습니다. 이제는 세계의 대학생들이 배우러 오는 대학으로 발전해 나가고 있습니다. '더 타임즈'가 매긴 경쟁력 평가를 보면 2004년까지 100위권 밖이었던 서울대가 2005년에는 93위, 작년에는 63위로 뛰어올랐습니다. 지방대학도 1조 2천억 원이 투입되는 누리사업이 성공적으로 추진되면 새롭게 탈바꿈할 것입니다.

안보정책에 관하여 말씀드리겠습니다.

참여정부의 안보정책에 관해서는 하나하나의 정책을 일일이 설명하는 대신에 그동안 참여정부가 지켜 온 몇 가지 원칙만 설명드리겠습니다. 원칙을 알면 참여정부의 모든 정책을 충분히 이해할 수 있을 것입니다.

대북정책의 핵심은 한반도의 평화와 안전입니다. 통일은 그 다음입니다. 통일을 위해 평화를 깨뜨리는 일을 해서는 안됩니다. 전쟁이 없도록 하는 것이 최상의 안보입니다.

평화를 위한 전략의 핵심은 공존의 지혜입니다. 화해와 협력, 공존을 위한 지혜의 요체는 신뢰와 포용입니다. 끊임없이 상대를 적대하고 의심하고 상대의 허물을 들추어 자존심과 불안을 자극하고, 사사건건 시비를 따지고 자존심을 세우려고 해서는 신뢰를 쌓을 수도 없고 화해와 협력의 대화를 이어갈 수도 없습니다. 속이 좀 상하더라도 참으면서 신뢰를 쌓아 가야 합니다. 자신감을 가지고 대범한 자세로 상대를 포용해야 합니다. 대결주의로는 아무것도 이룰 수 없습니다. 혹시라도 속지 않기 위해 온갖 나쁜 상황을 가정하여 불신과 적대감을 자극하는 일보다 혹시라도 오해가 생기거나 싸움이 벌어지지 않도록 세심하게 주의하는 것이 신뢰를 쌓는 길입니다.

물론 군사적인 대비는 확실하게 해야 합니다. 포용은 설사 상대가 속이는 일이 있더라도 낭패를 보지 않을 만한 힘을 가진 강자만이 할 수 있는 일입니다. 우리는 어떤 경우에도 대비할 수 있는 적절한 억지력을 가지고 있습니다. 그리고 철저하게 대비하고 있습니다. 이것이 우리의 포용정책입니다.

우리의 안보는 우리의 힘으로 하는 것이 원칙입니다. 한,미관계는 일방적인 의존관계를 상호관계로 점진적으로 변화시켜 가는 것입니다. 안보는 미국에 의존하면서 미국과의 관계에서 사사건건 시비를 따지고 손해도 안 보고 자존심도 세우겠다고 하는 것은 이치에 맞지 않는 태도입니다. 남의 나라 군대를 최전방에 배치해 놓고 '인계철선'이라고 부르는 것은 자주국가의 자세도 아니고 우방에 대한 도리도 아닙니다. 현실의 의존보다 심리적 의존이 더 큰 문제입니다. 미국이 없으면 스스로를 지킬 수 없다는 생각이 지배하니 주한미군 철수라는 말만 나오면 온 나라가 혼란에 빠지고, 정쟁이 생기고, 주한미군 사령관의 한 마디가 온 나라 언론을 장식하는 사태가 생기는 것입니다. 미 2사단의 후방 배치, 주한미군의 일부 감축을 이의 없이 받아들이고 작전통제권을 돌려받기로 한 것은 이러한 의존상태를 조금씩 줄여 나가자는 뜻입니다.

주도적인 작전통제권은 자주국가의 당연한 권리입니다. 자주국가로서의 체면 문제에 그치는 것이 아니라 국민의 안전과 미래의 대북관계, 동북아 외교에 큰 영향을 미칠 수 있는 실질적인 문제이기도 합니다. 평시 작전통제권은 돌려받았다고 하나 실제 내용을 보면 껍데기에 불과합니다.

참여정부의 안보정책은 미래를 내다보고 가고 있습니다. 남북관계와 한,미동맹이라는 현재의 좁은 틀이 아니라 중,일관계의 변화를 포함한 미래의 동북아 질서를 내다보면서 현재의 미래와 안보를 조화롭게 하려고 노력하고 있습니다. 그러자면 이른바 균형외교가 필요합니다. 그래서 동북아의 다자간 안보체제라는 비전을 가지고 있습니다. 우리는 9·19공동성명과 한,미정상회담에서 이 원칙을 확인한 바 있습니다. 지금 당장은 아무것도 보이는 것이 없는 것 같지만 이러한 노력은 장차 우리의 운명에 큰 영향을 미칠 수도 있습니다.

경제와 안보의 현실을 고려한 실용주의 외교를 하고 있습니다.

제가 대통령에 당선되었을 때 우리 경제에 위기상황이 발생했습니다. 이미 외국자본이 우리 경제에 깊숙이 들어와 있는 상황이라 우선 외국투자자들을 만났습니다. 물론 그들은 전쟁이나 북한의 붕괴 가능성에도 관심을 보였습니다. 그러나 한,미동맹의 장래에 더 큰 관심을 보였습니다. 미국의 신용평가기관이 왔을 때에도 마찬가지였습니다. 평시에 발생하는 안보상황의 영향은 대부분 장래의 일입니다. 그러나 경제에는 당장 영향을 미칩니다. 현재의 고려사항인 것입니다.

큰 틀의 원칙을 지키되 구체적인 외교행위는 융통성을 가져야 합니다. 외교는 현실입니다. 외교는 일방적인 행위가 아니라 쌍방적인 행위입니다. 따질 것은 따지더라도 상대를 존중할 것은 존중해야 합니다. 균형외교이든 자주국방이든 점진적으로 해 나가야 합니다. 기존의 관계를 갑자기 바꾸려고 하면 마음이 상하기 쉽습니다. 더 많은 것을 잃게 됩니다. 한,미관계를 비롯한 주변국과의 외교관계를 옛날대로 가자고 하는 주장은 원칙에 맞지 않고 일거에 바꾸자고 하는 것은 현실에 맞지 않습니다. 되도록 국민을 불안하게 하지 않는 조용한 안보를 위해 노력했습니다. 안보를 내세워 국민들을 겁주고 불안하게 하는 것은 독재 시대의 나쁜 버릇입니다.

북한의 미사일 발사는 장래의 안보에는 영향을 미칠지언정 당장의 위기는 아니었습니다. 그래서 비상도 걸지 않고 차분하게 대응했습니다. 이런저런 부산한 행동을 하지 않으면 야당과 언론으로부터 공격을 받을 것이라는 참모들의 걱정을 받아들이지 않았습니다. 정치적 이유로 국민들을 불안하게 하는 나쁜 관행의 고리를 끊고 싶었습니다. 그 결과 야당과 언론으로부터 엄청나게 당했습니다. 그래서 핵실험 때는 다르게 대처했습니다. 과연 국민들에게 정직하게 하고 있는 것인가 하는 생각 때문에 마음은 편하지 않았습니다. 다음에 또 같은 일이 발생하면 어떻게 대응할 것인지는 아직 마음을 정하지 않았습니다. 저는 차분하게 대응하는 것이 옳다고 생각합니다만, 과연 그렇게 할 수 있을지 모르겠습니다.

나는 안보를 정략에 이용한 일이 없습니다. 반기문 총장 당선에 나도 생색을 좀 내고 싶었으나, 대통령이 노벨상을 받아도 돈 주고 샀느냐고 헐뜯는 나라에서 본전하기 어렵다는 생각이 들어서 덮어 버렸습니다. 정치에서 국민의 불신과 적대감을 모으는 것만큼 수지맞는 수단은 없습니다. 그러나 그렇게 하면 정치인은 성공하더라도 나라는 엄청난 비용을 치러야 합니다. 그동안 일부 정치인들이 지역감정을 부추겨서 재미를 보았습니다. 그러나 남북관계에서는 결코 그런 일을 해서는 안될 것입니다. 대북 퍼주기, 친북 정권, 이런 말은 결코 이성적인 비판이 아닙니다.

전시 작전통제권은 20년 전부터 한나라당 정부가 공약하고 추진하던 것입니다. 일부 보수 언론들도 쌍수를 들어 찬양했습니다. 그런데 참여정부가 하자고 하니까 돌변하여 반대하고 나섰습니다. 우리의 안보상황이 더 나빠졌다는 말인지 모르겠습니다만 이런 것이 바로 정략적 행동입니다. 솔직히 말씀드리면 야당과 언론이 몰아치니 여론마저 돌아서는 것을 보고 대한민국 대통령 자리가 자랑스럽지 않았습니다.

남북정상회담은 6자회담에서 어떤 결론이 나기 전에는 이루어지기 어렵다고 보는 것이 저의 입장입니다. 그래서 저는 일관되게 그렇게 말해 왔습니다. 그러나 문은 항상 열어 놓고 있습니다.

정상회담이 어느 당에 유리하고 불리한 일이 아니라는 것은 2000년 총선에서 입증된 바 있습니다. 정상회담이 어느 정당에 불리할지도 모른다는 막연한 생각만으로는 아직 아무 교섭도 실체도 없는 정상회담을 가지고 정상회담을 구걸하지 말라든가 정상회담을 하면 안된다든가 하며 왈가왈부하는 것은 옳지 않습니다. 그야말로 당리당략을 위한 소모적인 정치공세일 뿐입니다.

더욱이 다음 대통령 임기가 시작되려면 1년을 넘게 기다려야 하는 시점에서 대통령이 될지 안될지도 알 수 없는 차기 주자라는 사람들까지 나서서 현직 대통령의 권한을 놓고 되느니 안되느니 하는 것은 적절한 태도는 아닌 것 같습니다. 오만하게 보입니다. 현직 대통령의 발목을 잡을 것이 아니라 정상회담이 열린다면 어떤 논의를 하는 것이 좋겠다는 정책을 말하는 것이 오히려 합당할 것입니다. 국민들에게는 자기가 대통령이 되면 지금의 대통령과 무엇을 같게 하고 무엇을 다르게 할 것인지를 말하는 것이 도리일 것입니다. 제가 차기 주자들에게 물어보고 싶은 것은 개성공단이나 금강산 관광, 작전통제권에 대한 생각입니다. 당신의 안보정책은 무엇인가 하는 것입니다.

그동안 참여정부의 모든 안보정책은 이상과 같은 몇 가지 원칙을 종합적으로 고려한 결과입니다.

정부혁신에 관하여 말씀드리겠습니다.

정부의 역할은 중요합니다. 경제도 안보도 성공하려면 공직사회가 일을 잘해야 합니다. 정부개혁은 문민정부부터 시작되었습니다. 국민의 정부에서는 기업, 금융, 노사, 공공 4대 부문의 개혁으로 정부개혁이 본격화되었습니다.

참여정부에서는 개혁을 새로운 단계로 발전시키고 있습니다. 질적 혁신을 하고 있는 것입니다. 일회적인 조직의 개혁이나 제도의 개혁으로 끝나는 개혁이 아니라, 그와 함께 공직사회의 질적 혁신을 지속적으로 추진하고 있습니다. 공무원이 개혁의 대상이 아니라 스스로 혁신의 주체가 되어서 조직과 제도의 개혁은 물론 일하는 자세와 방식, 공직사회의 문화를 혁신하고 있습니다.

대통령 직속의 정부혁신위원회와 실무기구를 두고 그동안 학계에서 제안되었던 모든 이론을 집대성하여 체계적인 로드맵을 만들고, 직접 행정 각부와 협력하여 실행가능한 개혁안을 만들어 대통령이 주재하고 행정 각부 장관이 참석한 회의에서 결정해 그에 따라 혁신을 추진하고 있습니다. 그만큼 종합적이고 체계적입니다.

이와 함께 청와대에서 혁신수석실을 두고 혁신관리기법을 도입하여 정부의 모든 공무원을 혁신과정에 참여하게 하고 성공사례를 확산시키고, 진단과 평가를 통해 혁신의 수준을 높여 가고 있습니다.

그 결과 많은 혁신이 이루어졌고 많은 성과가 나왔습니다. 그리고 공직사회의 문화도 바뀌어 가고 있습니다. 오늘 아침 KTV를 보니까 특허청이 지난 4년 동안 혁신을 통해 심사기간을 22개월에서 10개월로 줄였다는 내용이 나오고 있었습니다. 국가적으로 연간 1조 5천억 원 이상의 비용을 절감하고 세계 최고의 효율을 자랑하는 특허청이 된 것입니다. 이것은 제가 공약했던 것이기도 합니다. 특허청뿐만 아니라 국세청, 관세청, 조달청 모두가 세계 최고의 서비스를 자랑합니다. 이미 오래

전에 포상을 받아서 내부에서 기관장 승진이 되기도 하고 승진발탁이 되기도 하였습니다.

이제 한국의 정부혁신은 세계의 주목을 받고 있습니다. 여러 혁신 성과가 각 부처의 혁신 브랜드로 국제적인 공인을 받고 있습니다. 그리고 정부혁신은 지방자치단체와 공기업, 정부산하기관으로 확산되어 기관, 단체 간에 치열한 경쟁이 벌어지고 있습니다.

저는 이 같은 정부혁신이 좀더 지속되면, 우리 공직사회의 문화와 정부의 역량이 한 단계 높아질 것이라는 확신을 가지고 남은 기간 동안 혁신에 박차를 가할 것입니다.

국민소득 2만 달러 시대의 국가발전전략과 비전 2030에 관하여 말씀드리겠습니다.

빠르면 올해 안에 늦어도 내년 초에 우리나라가 1인당 국민소득 2만 달러 시대에 들어갑니다. 1995년 처음으로 1만 달러를 넘어선 지 12년 만의 일이고, 외환위기를 겪고 다시 1만달러에 진입한 지 7년 만입니다.

좀 깎아서 말하면 환율 덕분 아닙니까, 다만 저는 환율을 조작하지 않았습니다. 수출이 늘어나서 외환보유액이 두 배 이상 늘어나고 외국인 투자가 들어오다 보니 원화가치가 상승하고 환율이 하락하는 것입니다. 그렇게 보면 2만 달러 달성은 단지 환율 덕분이 아니라 우리 기업과 국민들의 피땀 어린 노력의 결과라고 해야 할 것입니다. 우리 국민의 역량이고 우리 국민이 이룩한 것이라고 봐야 하겠습니다.

1만 달러에서 2만 달러로 가는 데 미국은 10년, 독일은 13년 걸렸고, 영국과 네덜란드는 그 과정에서 경제위기를 맞기도 했습니다. 싱가

포르 같은 도시형 국가를 제외하고는 2차 대전 이후 해방된 나라 중에서 2만 달러에 들어선 나라는 아직 없습니다.

이제는 3만 달러 시대로 가는 일이 남았습니다. 3만 달러 사회로 가려면 그에 맞는 전략이 필요합니다. 새로운 환경에 적응하기 위한 전략, 한국의 약점을 극복할 수 있는 전략이 필요합니다. 변화의 시대에 맞는 새로운 전략으로 무장해야 합니다. 변화의 속도가 이전과 다르고 경쟁자가 이전과 다릅니다. 변화는 빠르게 진행되고 치열한 경쟁에서 이겨야 합니다.

한국이 가지고 있는 몇 가지 불리한 문제를 해결하고 극복해야 합니다. 소득이 2만 달러가 되는 나라는 선진국이라고 할 수 있습니다. 한국은 소득 뿐만 아니라 여러 가지 지표에서 선진국의 기준을 충족하고 있습니다. 그러나 복지재정이 선진국의 평균에 현저히 미달하고, 법,질서 준수, 사회응집력 등의 사회적 자본의 지표도 낮은 수준에 머물러 있습니다. 국제경영개발원(IMD) 발표에 따르면 2006년 우리의 사회응집력은 세계 48위입니다. 또한 약극화와 저출산, 고령화의 빠른 진행, 남북대결상황, 동북아 질서의 불안정 등 강력한 불안요소가 있습니다.

이러한 도전을 극복하고 선진국으로 가기 위한 국가발전전략은 민주주의와 시장경제, 혁신, 능동적 개방, 동반성장, 균형발전, 사회투자, 사회적 자본, 평화의 동북아 등 여덟 가지입니다. 이 전략만 가지고 가면 우리는 반드시 성공합니다. 그렇지만 하나라도 빠지면 문제가 생깁니다.

민주주의와 시장경제는 기본입니다. 너무 당연한 것을 전략으로 다시 말하는 이유는 말로는 이의가 없는 것 같은데 실제로 강력한 저항이 있기 때문입니다. 기업의 지배구조, 내부거래, 불공정 거래를 제한하는 투명하고 공정한 시장질서에 대한 재계의 저항이 있고, 선생님, 노동자, 농민, 일부 중소기업들의 개방과 경쟁에 대한 거부가 있습니다. 혁신은 혁신주도형 경제와 정부혁신을 포함한 의미입니다. 이미 위에서 말씀 드렸습니다. 능동적 개방도 앞서 말씀드렸습니다. 동반성장은 대기업과 중소기업 간, 수출기업과 내수기업 간, 제조업과 서비스업 간, 도시와 농촌 간, 수도권과 지방 간, 노사 간, 정규직과 비정규직 간의 동반성장을 모두 포함하는 것입니다. 균형발전 중에서는 특히 수도권과 지방의 균형발전이 중요합니다. 사회투자에 대해서는 앞서 말씀드렸습니다. 평화의 동북아는 한반도와 동북아의 대결의 질서를 해소하고 동북아에 평화와 번영의 공동체를 만드는 것을 말합니다.

이런 여러 가지 전략들을 종합하여 전략적 체계로 재구성한 것이 '비전 2030'입니다. 이름은 '함께 가는 희망한국 비전 2030' 입니다. 비전은 '혁신적이고 활력 있는 경제', '안전하고 기회가 보장되는 사회', '안정되고 품격 있는 국가'입니다. 구체적인 목표는 2030년에 GDP는 4만 9천 달러로, 국가경쟁력은 29위에서 10위로, 삶의 질은 41위에서 10위로, 공공사회 지출은 8.6%에서 21%로 끌어올리는 것입니다.

전략적 방향의 특징은 사회투자와 사회적 자본입니다. 제가 여러 번 얘기했습니다. 오늘 연설의 핵심은 사회투자와 사회적 자본, 이것이 필요하다는 얘기가 되겠습니다. 전략의 핵심적 수단은 '제도 혁신'과 '선제 투자'입니다. 그 안에 50개의 정책과제가 있습니다 이 과제와 숫자는 융통성 있게 넣고 빼고 할 수 있을 것입니다.

25년을 내다보고 만든 장기계획입니다. 과제만 늘어놓은 '종이계획'이 아니라 구체적인 재정계획입니다. 장밋빛 청사진이 아니라 해결하지 않으면 미래로 갈 수 없는 선진한국의 필수과제입니다. 그런데도 일부 야당과 언론은 세금 더 내라는 얘기냐고 시비만 하고, 내용은 들여다보지도 않고 오히려 감세 타령만 하고 있습니다.

물론 돈이 들어가는 일입니다. 그러나 당장 세금을 더 내야 하는 것은 아닙니다. 당장 필요한 돈은 예산의 절약과 구조조정, 투명성 확대를 통한 세원의 확보, 불합리한 감면의 축소 등을 통해 조달하고 있습니다. 장차는 부족한 재원을 세금으로 충당할 것인지, 국채로 조달할 것인지, 보험료로 부담할 것인지를 결정해야 할 것입니다. 다만 다음 정부에서 논의를 시작하고 그 다음 정부에서는 시행을 하면 될 것입니다.

이 문제는 앞으로 20년 또는 30년간 우리 사회의 가장 중요한 의제가 되고 활발한 토론이 이루어져야 합니다. 그래야 대한민국이 선진국으로 갈 수 있습니다. 이 일을 회피하고는 결코 선진국으로 갈 수 없을 것입니다. 앞으로 대한민국에 필요한 지도자는 경제만 말하는 지도자가 아니라 동반성장과 사회투자, 사회적 자본 같은 새로운 전략을 포괄적으로 이해하고 추진할 수 있는 지도자입니다. 그래야 대한민국을 세계 일류국가로 이끌고 갈 수 있습니다.

성공의 관건은 개혁의 속도입니다. 세계적 경쟁에서 승패의 관건은 변화의 속도입니다. 변화의 속도는 개혁의 속도입니다. 뒤지지 않으려면 미리 준비하고 필요한 개혁을 제대 해야 합니다. 오늘 할 일을 내일로 미루지 않는 것입니다.

출산율은 1984년에 이미 한계선을 넘어섰습니다. 그러나 우리는 아무런 준비도 하지 않았습니다. 종전 산아제한 시절에 만든 여러 제도가 최근까지 곳곳에 남아 있었습니다. 그 결과 지금은 저출산 문제가 다급한 사회문제가 되었습니다.

국민연금제도도 즉시 개혁이 필요한 제도혁신 과제입니다. 시간이 갈수록 개혁은 어려워집니다. 개혁을 하지 않으면 후손들에게 엄청난 짐을 넘겨주게 됩니다. 그런데 3년이 넘도록 국회에서 발목이 잡혀 있습니다. 처음에는 기초연금에 발목이 잡혀 있다가 지금은 사학법에 발목이 잡혀 있습니다. 국민연금 개혁이 끝나야 공무원연금 개혁도 가능할 것입니다.

4대 보험 징수업무의 통합은 뒤로 미루고 싶었습니다. 한,미 FTA가 부담이 되는 마당에 한꺼번에 여러 개의 개혁을 추진한다는 것은 반대 전선의 확대로 여간 어려운 일이 아닙니다. 갈등이 증폭되고 세상이 시끄러워지면 국민들도 피곤해하기 때문입니다. 그러나 개혁의 속도를 늦출 수가 없습니다. 세계와의 경쟁에서 낙오하지 않기 위해 강행하고 있는 것입니다.

헌법 개정도 같은 것입니다. 해야 될 개혁은 제때 해야 미래에 가서 문제가 생기지 않는다는 취지로 내놓은 것입니다. 우리 헌법에는 고쳐야 할 조항이 많이 있습니다. 지난날 민주화 과정에서 독재헌법을 직선헌법으로 만들면서 대충 손질한 불완전한 헌법이기 때문입니다. 그런데 이번에 1단계 개헌을 하지 못하면, 앞으로 20년간 개헌은 불가능합니다. 그래서 개헌안을 내놓은 것입니다.

여야의 지도자들, 그리고 아마 대부분의 신문들이 다 지금까지 하자고 해온 내용을 이번에 내놓은 것입니다. 그런데 대통령이 꺼내놓으니까 모두들 입을 다물어 버렸습니다. 무엇이 대통령과 여당에게 유리하고 야당에게 불리한지 아무리 물어도 대답을 하지 않습니다. 장차라도 개헌이 필요할 것인지 아닌지, 해야 한다면 어떻게 하겠다는 것인지 말이 없습니다. 이때까지 한다고 하던 사람들이 왜 갑자기 벙어리가 돼 버렸냐는 것입니다.

아무 논리도 근거도 없이 그저 정략이라 안된다고만 말합니다. 함구령까지 내렸습니다. 공당이 그러면 안됩니다. 대통령이 국민 앞에 내놓은 개헌안입니다. 누가 하면 되고 누가 하면 안된다는 이런 정략적인 계산으로 논의조차 봉쇄하는 것은 공당이 할 일이 아닙니다. 국민의 지지가 높으니 오만해진 것입니다. 부자 몸조심하는 모양입니다. 꾸벅꾸벅 따라만 가는 것은 국회의원이 할 도리가 아닙니다.

만일 제가 개헌 제안을 하지 않았다면 이후에 개헌 이야기가 나올 때마다 노 대통령이 했어야 되는 건데 안했다고 나무라지 않겠습니까, 일부 언론은 20년만에 한 번 오는 좋은 기회에 노 대통령이 직무를 방기한 것이라고 쓰지 않겠습니까,

참여정부는 해야 할 일을 성실히 하고 있습니다.

그동안 참여정부는 로드맵정부, 나토정부, 아마추어정부, 국정실패, 국정파탄, 총체적 파탄 등 온갖 야유를 다 받았습니다. 그러나 4년이 지난 지금 그동안의 변화를 돌아보면 참으로 많은 일을 했습니다. 확신을 가지고 말씀을 드릴 수 있습니다. 경제, 사회 정책과 그 성과에 관하여는

앞에서 말씀드렸습니다.

가장 중요한 것은 역사적 과제입니다. 참여정부는 역사적 과제를 착실히 수행하고 있습니다. 역사를 돌이켜 보면 국민에게 행복과 영광을 가져다준 지도자는 단지 경제만 하는 기술자가 아니었습니다. 거시적 관점에서 철학과 통찰력을 가지고 그 시대가 요구하는 역사적 과제를 착실히 수행한 지도자입니다. 그리고 미래를 준비한 지도자입니다.

참여정부는 한 시대를 정리하고 새로운 시대로 넘어가는 다리를 놓고, 새로운 시대의 기반을 다지는 일을 착실히 수행하고 있습니다. 150년 전 우리는 근대화의 흐름을 놓쳐 버렸습니다. 그 결과 참혹한 식민지 시대를 겪었습니다. 해방 이후 우리에게 부여된 역사적 과제는 민족의 통합과 자주독립국가의 건설, 그리고 민주주의 경제 건설입니다. 경제 건설은 일찍 시작되었으나 민주주의 여러 차례 좌절하고 독재에 짓밟혔습니다. 독재 시대의 과제는 반독재 투쟁이었습니다.

1987년 6월항쟁으로 우리 국민들은 독재정권을 무너뜨렸습니다. 6월항쟁 이후 시대적 과제는 독재체제에서 구축된 특권과 반칙, 부정과 부패의 유착구조를 해체하고 권위주의 문화를 청산하고 투명하고 공정한 사회를 만드는 것입니다. 그리고 독재정권이 만들어 놓은 지역 간의 분열구도를 통합하는 것이었습니다. 저는 이것을 민주주의 2단계 과제라고 부르고 있습니다. 참여정부의 역사적 과제가 민주주의 2단계라고 생각합니다.

그 다음 시대의 과제는 민주주의 3단계입니다. 관용의 정신을 바탕으로 하는 대화와 타협의 민주주의로 가는 것입니다. 정책을 중심으로 토론과 타협이 일상화되고, 연정, 연합정부가 자연스럽게 받아들여지는 수준의 성숙한 민주주의를 하는 것입니다. 우리는 아직 여기까지는 안됐습니다. 3단계 과제입니다. 2단계까지는 제가 대강 마무리하는 것 아닌가 생각합니다.

저는 1987년 이후시대의 역사적 과제를 공약했습니다. 후보가 되기 전 「노무현이 만난 링컨」이라는 책에서, '낮은 사람, 겸손한 권력, 강한 정부'라는 말을 썼습니다. 선거과정에서는 '친구같은 대통령, 상식이 통하는 사회, 특권과 반칙이 없는 사회, 투명하고 공정한 사회, 국민이 떳떳한 사회, 그리고 개혁과 통합, 새로운 정치'와 같은 공약을 했습니다. 당선 후 인수위 시절에는 '원칙과 신뢰, 투명과 공정, 대화와 타협, 분권과 자율'을 국정원리로 정하고 '국민이 대통령입니다.' 라는 구호를 걸었습니다. 대통령이 된 후 저는 이 공약을 충실히 이행했습니다. 그리고 거의 성취가 되었습니다.

지난번 대통령 선거는 그 자체가 개혁이고 새로운 정치의 출발이었습니다. 노사모의 참여운동은 돈선거, 부정선거라는 악습의 고리를 끊을 수 있게 해주었습니다. 그리고 시민주권 시대의 가능성을 보여 주었습니다. 그 이후 대선자금의 수사로 부정한 정치자금의 고리를 철저히 파헤쳐 돈선거의 뿌리를 끊었습니다. 이제는 다시 '차떼기' 같은 일은 하지 못할 것입니다. 그 과정에서 저 스스로도 부끄럽고 견디기 힘들었지만 참고 해냈습니다.

그 결과 2004년 총선은 사상 유례가 없는 투명한 선거를 치를 수가 있었습니다. 2006년 11월 영국의 이코노미스트 지가 발표한 선거 관련 민주주의 지수 평가에서 우리나라가 독일, 영국, 프랑스 등과 함께 최고 수준의 평점을 받을 만큼 선거문화가 획기적으로 달라졌습니다.

지난해 지방자치단체 선거에서는 '공천장사'라는 부정이 다시 부활했습니다. 참으로 유감스러운 일입니다. 그러나 이것은 지역구도와 기초 단체장 공천제도가 열합해서 경쟁 없는 선거를 낳고, 경쟁 없는 선거가 공천장사를 낳은 것입니다. 철저한 단속도 필요한 일이지만, 제도 개선이 필요한 일입니다.

권력기관이 제자리로 돌아갔습니다. 정권에 봉사하던 권력기관이 국민을 위한 봉사기관을 다시 태어나고 있습니다. 이제 국정원은 본연의 국가안보와 산업기술의 보호에 전념하고 있습니다. 더 이상 국정원의 정치사찰, 뒷조사, 도청은 없을 것입니다. 국세청이 나서서 정치자금을 거두는 일도 없을 것입니다. 국정원,군,경찰은 스스로 과거의 잘못을 조사해서 공개하고 있습니다. 이제는 선량한 국민들이 권력기관에 끌려가서 고문을 당하고 억울한 죽음을 당하는 일은 없을 것입니다.

대통령이 낮은 자리로 내려왔습니다. 권력도 줄었습니다. 당의 인사나 공천에 대해 어떠한 권한도 갖고 있지 않습니다. 더 이상 당도 국회도 지배할 수가 없습니다. 요즘도 대권 후보라고 말하는 사람이 있는데, 대한민국에 더 이상 대권은 없습니다. 그러니까 대권 후보라고 하지 말고 차기 후보라고 용어를 고쳐주시면 고맙겠습니다.

이제 정경유착은 해체된 것 같습니다. 다시 살아나기는 어려울 것입니다. 오히려 기업들이 아주 좋아한다는 말을 들었습니다. 돈 달라 안하고, 청탁도 없어서 속이 편하다는 말을 듣고 있습니다.

권력과 언론의 유착은 국민의 정부에서 이미 해소되었습니다. 참여정부는 한 발 더 나아가서 언론의 특권과 횡포에 대항하고 있습니다. 그리고 견제를 시도하고 있습니다. 이루 말할 수 없이 힘들고 고통스럽습니다. 공무원들도 고생하고 있습니다.

국민이 피곤하니 그만 두라는 사람들도 많습니다. 그러나 어떤 특권도 용납되어서는 안된다는 것이 진정한 민주주의의 정신입니다. 그런데 군사독재가 무너진 이후에는 언론이 새로운 권력으로 등장하여 시민과 정부 위에 군림하고 있습니다. 특권과 반칙의 구조를 해소하는 것은 이 시대의 역사적인 과제입니다. 누군가는 해야 할 일입니다. 정통성 있는 정부라면 사명감을 가지고 끝까지 최선을 다해야 할 것입니다.

저는 우리 언론이 정확하고 공정한 언론, 책임 있게 대안을 말하는 언론, 보도에 책임을 지는 언론이 될 때까지, 그리고 스스로 정치를 지배하려는 정치권력이 아니라 견제와 균형을 위한 시민의 권력으로 돌아가고, 사주의 언론이 아니라 시민의 언론이 될 대까지 제가 할 수 있는 모든 노력을 다할 것입니다.

그러나 비싼 대가를 치르고 있습니다. 여러분, 내일 아침 일부 언론을 한번 보십시오. 오늘 여러분이 이 자리에서 보고 들은 것과는 사뭇 다른 기사가 나올 것입니다. 오늘은 여러분이 생방송으로 보신 내용이라서 많이는 왜곡하지 못할 것입니다. 그래도 내일 신문을 보면, 오늘 제가 직접 말씀드리기 않고 자료로 배포한 내용이 얼마나 왜곡될 수 있을 것인지는 상상할 수 있을 것입니다.

밀실, 측근, 가신, 이런 말도 사라졌습니다. 그동안 무슨 사건이 나도 비자금이 나을 때마다 정, 관계 로비라는 말이 나오고 청와대 누구, 대통령 측근 누구라는 말이 언론에 오르내린 적이 한두 번이 아니었습니다. 그때마다 저는 설마 하면서도 한편으로는 "열 길 물 속은 알아도 한 길 사람 속은 모른다."는 속담을 생각하며 가슴을 조였습니다. 다행히 결과는 아무것도 없었습니다.

지난번 1조 6천억 원 규모의 공중조기경보통제기를 도입할 때 또 무슨 잡음이 있을까 지켜보았으나 아무 시비도 없었습니다. 그 밖에 정부 조달이나 입찰 등에도 권력형 부정이 있는 것 같지는 않습니다. 게이트라는 말도 이제 사라지는 것 같고, 특검하자는 말도 사라지는 것 같습니다.

인사 추천과 검증시스템도 투명하게 제도화했습니다. 대통령의 아들이나 한두 사람의 측근이 인사를 농단하는 일은 없습니다. 이른바 밀실인사, 비선인사도 없습니다. 아직도 정무직 인사에 대한 정치적 시비는 많지만 지난날 잡음이 많았던 장군인사 등 고위공직자의 인사에 뒷말이 없습니다.

권력사회뿐만 아니라 공직사회의 투명성도 많이 높아지고 있습니다. 사회 전반의 투명성이 높아지고 있습니다. 국제투명성 기구가 발표한 국가투명성 순위에서 우리나라는 2002년 상위 39% 수준에서 2005년 상위 25% 수준으로 높아졌습니다.

2단계 민주주의는 1987년 체제의 역사적 과제였습니다. 이 과제는 문민정부, 국민의 정부를 거치면서 꾸준히 진전되어 온 것입니다. 저는 그 성과를 물려받아 마무리를 하고 있습니다. 저는 1987년 6월 항쟁 20

주년이라는 뜻깊은 해에 이 역사적인 과제의 마무리를 그런대로 잘했다고 평가하고 싶습니다. 저는 그렇게 말해도 부끄럽지 않을 것이라고 생각합니다.

민주주의 진보는 단지 정치발전에 그치는 것이 아니라 경제와 사회, 문화 발전의 핵심적인 토대입니다. 근래에 와서 사회적 자본은 기업과 국가경제가 성공하기 위한 조건으로 매우 중요시되고 있습니다. 참여정부에서 이 사회적 자본은 크게 성장했습니다.

우리나라의 사회적 자본이 OECD 평균이 되면 성장률을 1퍼센트 끌어올리는 데 효과가 있을 것이라는 한국개발연구원의 연구 결과를 본 일이 있습니다. 연구 결과를 그대로 믿는다면 참여정부는 경제발전에 큰 기여를 하고 있다고 말할 수 있을 것입니다. 물론 이것은 결과적으로 그렇게 된 것이 아니라 참여정부의 국가발전전략입니다.

국민통합, 특히 지역주의의 청산은 아직 성공하지 못했습니다. 참여정부와 국민의 정부는 계승과 극복의 관계입니다. 참여정부는 국민의 정부를 계승하고 있습니다. 그러나 지역주의는 극복의 과제입니다. 열린우리당의 창당은 분당이 아닙니다. 1987년 지역구도로 가기 전의 여야 구도로 돌아가서 다시 시작하자는 것이었습니다. 그런데 열린우리당이 다시 흔들리고 있습니다. 지역주의의 원심력이 작용하고 있는 것입니다.

그러나 상당한 진보도 있습니다. 지난 17대 총선에서 열린우리당이 기록한 영남권 득표율 32%는 16대 총선 당시 민주당이 얻은 13%에 비해 크게 늘어난 것입니다. 요즈음은 인사에서 지역 문제가 큰 부담이 되지 않고 있습니다. 어디가 다 해먹는다는 말도 없어진 것 같습니다.

대화와 타협의 민주주의는 아직 성공하지 못했습니다. 연정, 대연정을 제안했다가 안팎에서 타박만 당했습니다. 너무 시대를 앞선 성급한 제안이었던 것 같습니다. 이것은 다음 시대의 과제로 넘겨야 할 것 같습니다.

참여정부는 미래를 착실히 준비하고 있습니다.

출산율이 2.0이 된 1984년 이후 최근까지 아무런 준비를 하지 않았던 결과가 오늘날 다급해진 저출산, 고령화의 문제입니다. 1994년 WTO에 가입할 당시 우리는 아무 준비가 없었습니다. 그 결과 엄청난 홍역을 치렀습니다. 미래의 변화를 내다보고 미리 준비하지 않으면 다음 세대가 엄청난 부담을 안아야 합니다.

참여정부는 일찍부터 미래의 과제를 꺼내 준비했습니다. 혁신주도형 정책, FTA, 동반성장, 균형발전, 정부혁신 모두가 미래를 내다보는 정책입니다. 그러나 본격적인 미래과제는 저출산, 고령화 대책으로 시작했습니다. 이런 대책을 모두 모아 정리한 것이 앞서 말씀드린 2만 달러 시대의 국가발전전략, '비전 2030'입니다. 정부가 이런 전략을 마련한 것은 전에 없던 일입니다.

과거사 정리 또한 미래지향적인 방향으로 가닥을 잡아 가고 있습니다. 오늘 마침 사법부가 인혁당사건 재심 재판에서 무죄를 선고했습니다. 이 사건은 유신독재가 자신들의 권력유지를 위해 무고한 사람들을 고문해 사건을 조작하고 사형선고가 내려진 뒤 불과 18시간 만에 형을 집행한 사건입니다. 이처럼 과거 국가권력이 인권을 유린했던 일들에 대해서는 반드시 진실을 규명하고, 억울하게 고통받아 온 분들의 맺힌 한을 풀고, 국가 권력의 도덕성과 신뢰를 회복해야 함께 미래로 나아갈 수 있습니다.

참여정부는 할 일을 책임있게 했습니다.

국가균형발전, 용산기지 이전, 국방개혁, 전시 작전통제권 이관, 방폐장 부지 선정, 항만노무공급체계 개선, 철도공사 적자문제 등 20년, 30년 동안 공약만 하고 미뤄 온 일들을 다 정리했습니다. 참여정부에서 나라가 시끄러웠다고 말하는 사람들이 있습니다. 그것은 사실이 아닙니다. 실제로 시끄러운 것은 야당과 언론의 시비와 대통령의 반론이 시끄러웠을 뿐입니다. 그러나 일을 욕심내지 않았다면 좀 덜 시끄러웠을 것입니다.

참여정부는 강력하고 효율적인 정부입니다. '너무 힘이 없다. 강력하게 좀 하라.' 는 주문을 하는 분들이 있었습니다. 힘이 없어 보였던 모양입니다. 당연한 일입니다. 출발 첫해 여당의 의석이 4분의 1이 안될 때가 있었습니다. 여대의 국회는 1년이 채 못 되었습니다. 야당과 언론이 끊임없이 흔들고 있습니다. 여론도 하는 일마다 역풍이었습니다. 힘이 있을 리가 없습니다.

그러나 지금 와서보면 어느 정도 정부도 해결하지 못했던 많은 일들을 해결했습니다. 국회에 걸려 있는 몇 가지를 제외하고는 밀려 있던 개혁과제는 거의 해결이 되었습니다. 한·미 FTA를 시작했을 대, 4대 보험 징수통합을 시작할 때, 너무 욕심을 부린다는 말을 하는 사람이 있었습니다. 그러나 회피하지 않고 할 일은 하고 있습니다. 제가 보기에는 강력하고 효율적인 정부인 것 같습니다. 개헌 제안을 한다고 했을 때도 같은 말을 하는 사람들이 있었습니다.

법, 질서가 어느 때보다 안정되어 있습니다. 공권력도 어느 때보다 원칙대로 할 일을 하고 있습니다. 공포 분위기를 조성하지도 않고, 사람을 잡아넣지도 않았고 고문하고 죽이지도 않았습니다. 법에 정해진 대통령의 권한을 원칙대로 집행했을 뿐입니다. 원칙의 힘입니다. 그리고 국민의 힘입니다.

제가 처음 대통령에 당선되었을 때 저를 만나는 사람들은 하나같이 '성공한 대통령이 돼라.'는 당부를 했습니다. 그런데 요즈음은 인사가 달라졌습니다. '너무 실망하지 마라. 역사의 평가에는 훌륭한 대통령으로 남을 것이다.' 이런 인사입니다. 위로의 인사인지 진심인지는 알 수 없지만, 지금 제가 성공한 대통령이 아니라는 뜻인 것은 분명한 것 같습니다.

저는 처음 성공한 대통령이 돼라는 인사를 받았을 때 그저 감사하다는 대답을 했을 뿐 '성공한 대통령이 되겠다.'는 대답을 하지 않았습니다. 전임 대통령들의 말년이 반드시 그분들의 무능에서 비롯된 것은 아닐 것이라는 생각이 있었고 참여정부도 성공하기가 결코 쉽지 않을 것이라는 조언들이 그럴 만한 근거가 있었기 때문입니다. 그래서 저는 여러 가지 상황에 대비할 방안을 마음속으로 준비해 보기도 했습니다.

그러나 불행하게도 불안했던 예측은 현실이 되고 말았습니다. 지금도 많은 사람들이 남은 1년을 성공적으로 관리하라는 조언들을 하고 있습니다. 그러나 저는 남은 1년에 상황을 바꿀 만한 무슨 전략을 가지고 있지 않습니다 그리고 무슨 기적이 일어날 것이라는 기대를 하고 있지도 않습니다.

지금 저의 관심은 성공한 대통령이나 역사의 평가가 아닙니다. 남은 기간 맡은 바 책임을 다하는 것입니다. 이 시대가 반드시 정리하고 넘어가야 할 국가적 과제를 뒤로 넘기지 않는 것입니다. 그리고 국민과 다음 정부에 큰 부담과 숙제를 남기지 않는 대통령이 되고 싶다는 것입니다.

제 자신의 성공이나 평가에 급급하지는 않을 것입니다. 무엇이 성공이고 무엇이 역사의 평가인지를 생각하기 전에, 저는 제가 국민 여러분에게 한 약속, 그리고 이 시대가 제게 부여한 사명을 다하기 위해 열과 성을 다할 것입니다. 열정과 성의, 모든 것을 다 쏟아부어 제게 주어진 책임을 다할 것입니다.

여러분, 오늘 좋은 밤 되시기를 바랍니다. 그리고 새해 복 많이 받으십시오.

감사합니다.

신년 기자회견 모두말씀 및 질문·답변

2007년 1월 25일

　　국민 여러분, 안녕하십니까, 엊그제 신년연설에서 민생, 경제와 함께 국민소득 2만 달러 시대의 국가발전전략에 관해서 말씀을 드렸습니다. 저는 이 부분을 특별히 중요하게 생각합니다. 그런 점에서 한 번 더 강조드리고 싶습니다.

　　제가 말씀드렸던 전략 중에서 민주주의와 시장경제, 혁신, 개방은 이미 다 나와 있는 주제들입니다. 국민들도 잘 알고 있습니다. 그러나 동반성장, 균형발전, 사회투자와 인적자본 개발, 사회적 자본 확충, 이런 것은 참여정부가 특별히 강조하고 있는 것입니다. 그동안 일반적으로 제기돼 온 이전의 국가발전전략과는 조금 다른 점이 있습니다. 이것이 이 시대에 매우 중요하기 때문에 특별히 강조하고 싶고, 앞으로 20년 내지 30년 간 이것이 우리 사회의 대단히 중요한 과제가 될 것이라는 말씀을 드린 것입니다.

새로운 전략이 필요한 이유는 먼저 지금 시대와 상황이 달라지고 있다는 것이고, 다음으로 한국의 특별한 장애요인과 도전요인이 있다는 것입니다. 시대가 달라졌다는 얘기는 세계화와 지식경제의 진행으로 시장이 넓어지고 변화의 속도가 아주 빨라졌다는 것입니다. 상황이 달라졌다는 것은 우리 경제의 수준이 높아져서 이제 경쟁의 상대도 달라졌고, 그래서 이전에는 선진국 경제를 따라가고 배우면 됐지만 이제는 앞서가야 한다는 것입니다. 그렇지 않으면 성공할 수 없다는 것입니다.

특별한 장애요인은 2만 달러 시대에 걸맞지 않은 낙후된 분야가 있다는 것입니다. 복지투자가 선진국에 비해서 현저히 뒤떨어져 있고 신뢰와 통합 같은 사회적 자본이 크게 부족합니다. 특별한 도전요인은 지금 대두되고 있는 양극화 문제, 그리고 저출산, 고령화 등으로 인해서 미래를 낙관할 수 없다는 것입니다.

참여정부 전략의 핵심은 이 장애요인과 도전요인을 특별히 강조하고 있는 것입니다. 우리 경제가 성공하고 민생 문제가 해결되기 위해서는 단지 경제정책만이 아니라 민주주의와 시장경제, 사회적 환경, 안보 환경을 종합적으로 발전시켜야 한다는 것입니다. 이 점을 다시 한번 강조드립니다.

전략과 함께 중요한 것은 개혁의 속도입니다. 전략만 가지고 일이 되는 것은 아닙니다. 중요한 것은 실천이 되어야 합니다. 할 일은 미리 준비하지 않고 미루지 않고 제때 해야 한다는 것입니다. 시기를 놓치면 낙오합니다. 시기를 놓치지 않고 할 일을 제때 하는 것이 책임 있는 국정운영이라고 생각합니다. 그리고 그것이 개혁이고, 이 개혁의 속도가 우리나라의 성패를 좌우한다고 생각합니다.

참여정부는 할 일을 책임 있게 했습니다. 참여정부는 오늘 할 일을 내일로 미루지 않는다는 자세로 임해 왔습니다. 이전부터 밀려온 개혁과 이 시기에 필요한 개혁을 미루지 않고 처리하려고 노력했습니다.

행정수도는 30년 전부터 추진되던 것입니다. 균형발전도 같은 논리의 연장선상에 있는 미래과제입니다. 공공기관 이전도 어려운 일이었지만 뒤로 미루지 않았습니다. 용산기지 이전은 20년 전에 한나라당 정부가 공약만 해놓고 뒤로 미루었던 것입니다. 국방개혁도 20년 전부터 거론되어 온 것인데 하지 못하고 뒤로 미루어 두었던 것입니다.

전시 작전권의 이관도 20년 전에 한나라당 정권이 공약하고 추진해 오던 것입니다. 방폐장 부지 선정은 19년간 여러 정부가 해결하지 못했던 것입니다. 홍역만 치르고 좌절했던 것입니다. 그것을 이번에 해결했습니다. 항만노무 공급체계도 100년을 넘게 끌어온 우리 사회의 고질적인 개혁과제였습니다. 세계적으로 이 과정에서 많은 진통이 있었습니다. 참여정부 시대에 이 문제가 해결되었습니다. 철도공사의 적자 문제, 항공우주 산업의 재무구조 문제도 개선했습니다. 보이지 않는 문제까지 끄집어내어 알뜰히 정리하려고 노력하고 있습니다. 그냥 뒤로 미룬 일은 없습니다.

사법개혁은 문민정부에서부터 시도한 것입니다. 참여정부에서도 3년간 논의를 거쳐 국회에 제출한 것입니다. 사법개혁 추진위원들의 노력으로 관련 이해집단의 대표들 간에 합의가 이루어졌습니다. 참으로 어려운 일을 해낸 것입니다. 법조교육 선진화, 법률 서비스의 선진화와 경쟁력 강화를 위해 하루속히 입법이 되어야 합니다.

사학법을 가지고 발목은 잡는 것은 전혀 이치에 닿지 않습니다. 연금개혁과 함께 빠른 시일 내에 처리해 주시기 바랍니다. 정치 지도자가 되면 무엇을 잘하겠다고 할 것이 아니라 지금 할 수 있는 일부터 먼저 하고 '나는 이렇게 했다.' 라고 말하는 것이 도리 아니겠습니까,

디지털 방송방식에 관해서도 좀 늦었지만 해결이 되었습니다. 방통융합의 문제는 사실 좀 늦은 감이 있습니다. 방송통신 산업의 발전을 위하여 하루라도 빨리 정리가 되기를 바랍니다. 대통령의 방통위원 임명권이 문제라면 그 부분은 국회에서 시행시기를 다음 정권부터 적용하도록 해도 좋을 것입니다. 제가 임명하자는 것이 아니라 그것은 국가의 행정작용이기 때문에 국가행정작용에 해당되는 것은 합의제 관청을 두더라도 최종적으로는 대통령이 책임지는 정부에 속해야 됩니다. 누구에게도 소속되지 않고 정통성의 뿌리가 어디에 있는지도 불투명한 기관이 책임 없이 이런 일들을 표류시켜서는 안된다는 것이 저의 생각입니다. 생각이 다르면 국회에서 다른 방법으로 하더라도 빨리 정리해서 우리의 방통융합산업이 국제경쟁력을 갖추고 세계 시장을 훨훨 날 수 있도록 해 줘야 될 것 아니겠습니까, 어디로 가도 좋으니 국회에서 빨리 정리해 주십시오. 방송계에서도 너무 방송의 논리만 내세우지 마시고 해결합시다.

한·미 FTA, 4대 보험 징수통합, 다 갈등이 많고 꺼내기가 어려운 문제입니다. 그러나 뒤로 미뤄 놓으면 누가 언제 해결하겠습니까, 꺼내 놓고 해야 합니다. 모든 것을 다음 정부로 미루라는 주장에 대해서는 동

의할 수 없습니다. 1년이란 세월이면 많은 일을 할 수 있습니다. 많은 일을 의제화하고 많은 일을 제도화하고 많은 일을 집행해 나갈 수 있습니다. 이 바쁜 시기에 제가 해서 망칠 거라면 몰라도 제가 해도 대개 비슷할 것 같으면 갑시다.

헌법 개정 발의도 할 일을 해야 한다는 생각 때문에 하는 것입니다. 정략은 없습니다.

감사합니다.

질문과 답변

질문 : 남북정상회담의 추진을 위해 준비되고 있는 상황이 있으면 말씀해 주시고, 야당이 대선 전에 남북정상회담을 반대하고 있는데도 불구하고 조건만 갖추어진다면 남북정상회담을 추진할 의향이 있으신지 밝혀 주시기 바랍니다.

대통령 : 신년연설에서 '열어 놓고 있다.'고 한 것은 원론적 입장을 말씀드린 것입니다. 과거와 변함이 없습니다. 남북정상회담은 지금 시기에 잘 이루어지기 어렵다고 생각합니다. 왜냐하면 동시에 할 수 있는 일이 있고 순차로 해야 되는 일이 있기 때문입니다.

민주주의와 시장경제와 사회복지는 동시에 가야 하지 않겠습니까, 그러나 6자회담과 정상회담은 순차적으로 이뤄져야 합니다. 6자회담이 큰 틀입니다. 북핵문제의 기본 가닥이 잡히지 않은 상태에서 정상회담은 북쪽에는 불리한 환경이 조성되고 우리는 얻을 것이 없습니다. 그래서 이 일은 순차적으로 해야 한다는 것이 저의 생각이기 때문에 남북정상회담에 대해서 그동안 공을 들이지 않았습니다.

많은 사람들이 남북정상회담을 주장하는 데에는 그러한 전략적 고리가 빠져있다고 봅니다. 북핵문제가 핵심이고 이는 6자회담에서 북,미 간을 중심축으로 움직이고 있기 때문에, 이 문제가 정리돼야 남북문제가 본격적으로 시작되는 것입니다. 지금은 6자회담이 잘되도록 분위기를 조성하는 수준에서 미국과 북쪽에 대해서 좋은 분위기를 조성하고, 서로 원심력이 작용할 때에는 끌어 붙이고 대로는 인센티브도 제공하고 나쁜 소리도 하면서 6자회담이 되게 하는 것이 우리 정부가 할 일이라고 생각합니다.

그런데 지금 이것을 야당이 들고 나오면서 하지 말라고 합니다. 옛날에는 야당이 하라고 들고 나왔는데, 하라는 것도 정략이겠지만 하지 마라는 것도 정략 아니겠습니까, 가만히 있는 옆집 사람에게 있지도 않은 것을 끄집어내서 '당신, 우리 집에 오지 마시오.' 하면 기분이 좋겠습니까, 기분이 별로 안 좋습니다. 공연한 정치 공세고, 그렇게 말하는 것이 아닙니다.

앞으로 다음 대통령이 취임하려면 1년 이상 남았는데, 적어도 선거가 막바지에 들어간 시기까지 대통령으로서 할 일은 해야 하지 않겠습니까, '대통령은 마지막까지 당신 책임을 다해 일을 하라. 다만 혹시 남북정상회담을 한다면 원칙 없는 양보를 해서는 안될 것이다.' 같은 주문은 있을 수 있지만, 아예 하지 마라는 것은 말이 안됩니다. 우리나라 헌법에 대통령의 권한을 제한하는 그런 법이 어디 있습니까, 지지가 높은 정당이라고 그렇게 할 수 있느냐 이거지요. 저도 한때 지지율이 60%까지 올라간 일이 있습니다만 지지만 가지고 모든 권력을 쥔 것처럼 행동해서는 안됩니다.

있지도 않은 정상회담 얘기는 앞으로 안 꺼내 주셨으면 좋겠습니다. 언론에 대해서도 당부드리고 싶은 것은 구체적인 움직임이 없는 상황에서 정상회담 얘기는 안 하는 것이 좋겠고, 그것이 도리이자 예의라고 생각합니다. 정상회담은 구체적인 움직임이 있을 때 포착해서 쓰십시오. 결정되면 미리 발표할 것입니다. 그러나 저는 정상회담에 대해서 아무 시도도 하고 있지 않습니다. 여건이 되면 하는 것이 원칙이라고 말하고 싶지만 그렇게 말하면 오늘 제목 뽑히겠지요, 그래서 그것도 아닙니다. '지금은 아무것도 모른다. 시도하고 있지 않고 이 환경에서는 어렵다고 본다.' 그것을 제 마지막 답으로 해주시기 바랍니다.

질문 : 열린우리당 의원들의 탈당이 이어지고 있습니다. 대통령께서 보시는 원인과 현 상황에 대한 인식이 궁금합니다. 아울러 우리당의 해체 또는 분열이 기정사실화될 경우 대통령님의 거처와 관련해 탈당설, 우리당 사수설, 적극 개입설 등 의견이 분분합니다. 대통령의 분명한 입장과 견해를 듣고 싶습니다.

대통령 : 저는 처음에 나왔던 신당론이 민주당과의 통합을 겨냥하고 있었기 때문에 그것은 '지역당 회귀'라고 말씀을 드렸습니다. 그런데

그 뒤 여러 통합론과 신당론이 다양하게 나왔기 때문에 이제는 신당론과 통합론 전부를 지역당이라고 말하기가 조금 어려운, 혼돈스러운 상황이 됐습니다. 이 점에 대해서 신당 통합을 얘기하고 신당을 얘기하는 사람들 모두가 지역주의라고 말하기는 어려울 것 같습니다. 그러나 아직도 일부 몇몇 사람들에게는 지역주의적 동력이 작용하고 있는 것 아니겠는 게, 이런 수준으로 볼 수 있을 것입니다.

아주 유감스럽습니다. 그리고 열린우리당 소속의 대통령으로서 국민들께도 매우 송구스럽습니다. 당원들 보기도 매우 미안합니다. 제게도 책임이 없다고 할 수 없기 때문입니다. 그러나 간곡히 의원님들께 호소드립니다. 열린우리당을 중심으로 해서 새로운 당을 만들고자 하는 여러분의 정치적 목표를 달성하는 방향으로 그렇게 함께 노력해 봅시다.

정책이 다르면 당을 달리하고 새로운 당을 만들수도 있습니다. 탈당해서 무소속이 되면 사실상 힘이 없지요. 당을 여러 개 만들어 놓으면 국민들도 어지럽고 그 정당들도 성공하지 못합니다. 그래서 정책이 좀 다르더라도 큰 노선으로 크게 묶어서 당을 같이하는 것 아니겠습니까,

지금 통합당을 얘기하시는 분들의 정치노선이 중도통합 노선이라고 합니다. 저는 열린우리당이 중도통합 정치를 지금도 하고 있고 앞으로도 못할 바 없다고 생각합니다. 좀 차이가 있더라도 크게 뭉쳐야 하는 것이 정당의 원칙입니다. 그래서 이 나라 정치를 생각한다면 깨지 말고 크게 뭉쳐서 가자고 말씀드리고 싶습니다.

좀 차이가 있더라도 다른 정당과 비교해 보면 차이가 훨씬 적지 않습니까, 민주주의는 나쁜 사람, 다운 사람, 미운 사람들이 서로를 공존할

권리가 있는 것으로 인정하고, 그 차이를 극복하고 공동으로 행동할 하나의 결론을 이뤄 가는 통합의 기술이라는 점에서 위대한 것입니다. 차이가 있다고 다 갈라 버리면 우리는 민주주의 성공 못합니다. 국가적 통합도 성공할 수 없는 것이죠.

'지도부가 무능하다, 누가누가 흔든다.' 는 것이 이유라면 이런 과정을 극복해 나가는 것이 전당대회 아니겠습니까, 예전에도 당이 위기에 처하면 항상 전당대회를 열어 수습하고 그 결과에 승복해서 다시 당의 뿌리를 굳히며 정치를 해 왔습니다. 내부의 무능과 혼란이라면 모두 노력해서 당을 통합해냅시다.

대통령에 대해서는 당 내에서 의견이 갈립니다. 저도 당적을 정리하려고 했는데 당 일부에서는 대통령이 당에 있어야 된다고 말하는 사람들이 있습니다. 얼마전까지 김근태 의장도 그렇게 간곡히 얘기를 했습니다. 공식적인 자리에서 말했기 때문에 알고 계실 것입니다. 어떤 분들은 대통령 때문에 우리당이 이렇게 망한다고 얘기하는데 이제는 신당을 하겠다는 분들과도 협상하겠습니다. 대통령의 당적 정리가 조건이고 대통령 때문에 탈당한다면 차라리 그분들이 당을 나가는 것보다는 제가 당을 나가는 것이 당에도 좋은 일 아니겠느냐고 생각합니다.

제가 직간접으로 뜻을 전해 주든지, '대통령만 없으면 당에 남을 테니까 대통령이 나가 달라.' 고 얘기하면 제가 나가겠습니다. 열린우리당에 지금 필요한 것은 대통령이 아니라 그분들입니다. 마음을 잡고 다시 한번 해 보자고 뭉치면 아주 좋은 자원들입니다. 사람 마음은 항상 움직이는 것이니까요. 그렇게 오늘 말씀드리고 싶습니다. 대통령과 상관없이 나간다면 제가 탈당할 이유는 없고 저 때문에 나간다면 그건 제가 당적을 정리해 드리겠습니다.

지역당을 만들겠다는 취지가 아니라면 열린우리당으로 중도통합도할 수 있고, 모두 다 할 수 있습니다. 지역에서 경쟁 없이 100% 배지를 달 수 있는 보장은 못합니다. 그것이 아니라면 나머지 일은 열린우리당으로 모두 할 수 있습니다. 우리는 어려움을 함께 겪어 왔던 동지들 아닙니까, 함께 갑시다.

그리고 당원 동지 여러분께 분명하게 말씀드리고 싶은 것이 있습니다. 제 본래 목표는 대통령이 아니고 지역주의 극복과 국민통합이었습니다. 저는 지금도 그렇게 믿고 있습니다. 그래서 지역주의 극복과 국민통합을 한시도 잊지 않고 있습니다. 제가 열린우리당을 창당한 것이 아닙니다. 뜻있는 국회의원들과 많은 원외 동지들이 모여서 지역주의를 극복하고 국민통합을 이루기 위해 만든 당이고, 정치 노선은 대개 중도진보에서 중도보수까지 포함하는 중도통합으로 가자고 만든 당입니다.

열린우리당이 분당이냐는 논란이 있습니다만, 적어도 선거용으로 만든 정당은 아닙니다. 후보자가 자기 당선을 위해서 만든 정당이 아니라는 것입니다. 조금 전 말씀드린대로 이와 같은 시대적인 과제를 가지고 뜻을 모아서 만든 정당입니다. 그런데 제가 여기에 걸림돌이 되고 저 때문에 당이 안되면 제가 당적을 정리할 것입니다.

지지자들에게 부탁드리고 싶은 것은 제가 부족해서 미우시더라도 열린우리당 같은 당 하나는 키워 주시기 바랍니다. 정당 하나만 갖고는 민주주의가 되지 않습니다. 정당 간 힘의 균형이 맞추어져야 민주주의가 되는 것인 지금 어느 정당을 키우시겠습니까, 여론조사를 보니 국민 지지가 떠나 있고, 또 지역구에서 국회의원들 타박을 주니까 국회의원들이 못 견뎌내는 것입니다. 의지가 특별히 강한 사람이 아니고는 견디기 어렵습니다. 열린우리당의 모든 잘못을 용서하시고, 저와 열린우리당을 결부하지 마시고 좀 도와주시면 고맙겠습니다.

질문 : 개헌 문제와 관련해 질문드리겠습니다. 최근 정치권에서는 국회가 발의해야 한다는 주장도 있는 것 같은데, 대통령께서는 열린우리당 지도부와 협의하는 것을 보여 주기 위해서라도 조건없이 탈당해서 거국 중립내각을 구성할 의향은 없으십니까, 마지막으로 국회 통과에 대한 특단의 대책이 있으십니까, 혹시 신임 문제와 개헌 문제를 연계시키는 것은 완전히 포기하셨는지에 대해도 질문 드리고 싶습니다.

대통령 : 제가 개헌을 제안한 것은 2002년 10월이었고 또 당선자 시절에도 꾸준히 발언해 왔습니다. 이것은 다른 후보들이나 다른 정치 지도자들, 또 언론도 마찬가지라고 생각합니다. 제 임기 중이라는 조건이 있지만 국정연설에서도 말씀드렸고, 2005년 7월 대연정을 제안할 때도 개헌에 대해서 말씀을 드렸습니다.

내부적으로는 2005년 4월 개헌 관련 정치권 상황에 대해 비서실에서 상황보고를 해 거기에 대해서 정치권의 논의를 좀 지켜보자고 지시를 했습니다. 2006년 4월에는 이제는 더 늦추기 어렵다고 생각해서 헌법 전반에 대해 검토할 것을 지시했습니다. 이건 지자체 선거를 앞두고 있는 시점이어서 공개적으로 할 수 있는 일이 아니었습니다. 6월에 대시 보고가 있을 때 정치권 상황을 지켜보는 것이 좋겠고 대통령과 청와대가 나설 일이 아니라고 다시 지시를 했습니다. 지난해 12월 12일에 20년 만에 한 번 오는 기회라고 또 지시했습니다. 정기국회 상황이 여러 면으로 복잡하고 때문에 개헌안이 절대로 나오지 않도록 주의하라고 했던 기억도 있습니다. 그래서 본격적인 준비는 12월부터 시작했고 이때부터 내부논의를 했습니다. 이번 '원포인트 개헌안'이라는 것은 그렇게 해서 나온 것입니다.

개헌안을 앞서서 주도하려 한 것이 아니라 사회적 공론의 토대 위에서 정치권의 논의를 지켜보고 기다려서 한 것입니다. 작년 상반기는 지자체 선거를 앞두고 있었고 하반기는 정기국회를 앞두고 있었습니다. 그동안 정치권에서는 아무 동향이 없었고 오히려 개헌을 하지 말자는 주장이 나오는 분위기였습니다. 개헌은 정략적으로 다룰 문제가 아니므로 어떻게든 제게 주어진 책임을 다하겠다는 측면에서 발의하게 된 것입니다. 갑자기 정략적으로 발의한 것도 아니고 여러 해 동안 여러 번의 검토를 거쳐서 내놓은 것입니다. 그렇게 이해해주시면 고맙겠습니다.

당적이탈, 중립내각 등은 이렇습니다. 지금 아무도 반갑다도 하지 않는 중립내각을 저 혼자 하면 뭐 하겠습니까, 중립내각, 거국내각을 요구하는 사람도 없고 반갑다는 사람도 없습니다. 거국내각이 대연정하고 같은 것 아닙니까, 대연정을 거부했으면 거국내각은 얘기를 안 해야지요

임기단축에 대해서 이제는 단호하게 말씀드리겠습니다. 절대로 없습니다. 그렇게 하지 않겠습니다. 개헌 기회를 한 번 더 연장시키기 위해

서 내 임기를 단축하는 방안을 고려해 본 것은 사실입니다만 적절치 않아서 접었습니다. 제가 그렇게 할 이유가 없습니다. 다음 개헌하실 분들이 자기 임기단축을 공약하고 그렇게 해서 개헌을 해야 할 것입니다. 이번에 개헌을 안하겠다고 하든지, 개헌이 필요하다고 하면 자기 임기단축을 약속하고 구체적인 일정을 내놓은 것이 도리 아니겠습니까, 제가 임기를 단축하는 것은 모든 것을 어렵게 만드는 것입니다.

질문 : 여론조사를 볼 때 현재 대선구도로는 여야 후보 간 대결이 아니라 야당 후보 간 대결 양상으로 전개되고 있습니다. 그 원인이 어디에 있다고 생각하십니까, 그리고 당원으로서 여권 후보 선출 과정에서 입장을 밝히시거나 영향력을 행사할 계획은 없으신지요, 아울러 올해 대선의 시대정신, 핵심쟁점은 무엇이라고 생각하시는지, 그리고 차기 대통령에게 꼭 필요한 필수 자질은 어떤 것이라고 생각하시는지 답변 부탁드립니다.

대통령 : 똑같은 상황은 아니지만 1997년 대선 때도 여론조사 1위 후보가 떨어진 것은 맞지요. 심각한 권력누수가 있었다고 얘기될 만큼 대세가 기울었지만 결국 정권교체는 되었습니다. 지난번에도 여권에 대항마가 있긴 했지만 이맘때 한 자리 지지율이던 제가 후보가 되었습니다. 제가 후보가 된 것이 2월 말, 3월 초인데 그 뒤에 제가 바닥까지 도로 내려갔다 올라왔습니다. 이제는 도로 내려갔다 올라오지 말고 막판에 바로 올라와도 되지 않겠습니까? 제가 다시 회복된 것이 10월 말입니다.

우리 당의 국회의원들이 바깥 후보와 내통하는 현장이 국민들에게 포착되면서 제가 다시 살아났습니다. 드라마지요.

저는 국민들을 무서워합니다. 국민들의 힘을 너무나 생생하게 알고 있습니다. 정말 두렵게 정치를 합니다. 단지 지금 국민들의 생각과 맞는 부분도 있고 맞지 않는 부분이 있지만 길게 봐서는 반드시 국민의 뜻과 이익을 존중하지 않으면 안된다고 생각합니다.

지금 열린우리당 지지가 너무 낮다고 모두 포기하고 떠나지 마십시오. 아직 희망을 갖고 도리를 좇아 열심히 가다 보면 좋은 일이 생길 수도 있습니다. 선거구도는 바뀔 수 있다는 것입니다. 제게 무슨 복안이 있는 것은 아니고 일반이 관측으로 볼 때 바뀔 수 있다는 것입니다. 대선의 핵심쟁점은 결국 언론이 주도하는 것 아닙니까, 언론의 영향을 받는 국민이 주도할 것입니다.

시대정신이 뭐냐는 질문에 많은 분들이 '경제'라고 대답하는데, 경제정책은 거의 차별화가 불가능합니다. 한번 해 보시기 바랍니다. 노무현은 경제를 모른다고 하시는 분도 있는데, 현재 수준으로는 우리나라 어떤 대학자하고도 10시간 토론도 할 수 있습니다. 실물경제를 좀 안다고, 경제학 공부했다고 '경제를 잘 안다.' 그렇게 말하기는 어렵습니다. 세계적으로 봐도 경제를 살린 정치인에는 영화배우 출신도 있고 정치인 출신도 있습니다. 보통 경제라는 것은 차별성이 있기 어렵습니다.

말씀드렸다시피 사회복지와 사회투자는 확실한 차별성이 있습니다. 사회적 자본, 민주주의와 공정한 사회, 인권과 같은 역사적인 과제는 확실하게 차별성이 있습니다. 그것을 가지고 전선이 이루어지는 것이 도리라고 생각합니다. 그건 제 희망사항입니다. 어디로 갈지 예측하는 것은 아닙니다. 제 희망사항은 그것이 차별성이고 그 분야에서 논쟁이 있어야 한다는 것입니다.

경제는 기본입니다. 그렇게 말씀을 드리고 싶습니다. 나머지는 또박또박 챙기는 것입니다. 그렇지 않으면 놓치는 수가 있기 때문에 거꾸로 갑니다. 잠시 방심하면 큰 사고가 납니다. 지난번 부동산 문제가 발생했을 대도 제가 유동성 관리에 대해서 착안하지 못했다고 말씀도 드렸습니다. 또 잠시 한숨 돌리는 동안 타이밍을 늦추는 바람에 실책이 있었다는 말씀을 드렸는데, 경제에 저보다 100배나 밝은 사람들이 참모로 보좌하고 있어도 저도 놓치고 그분들도 놓친 일이었습니다.

경제는 실력, 이론이 아니라 열정입니다. 놓치지 않고 바라보고 조직을 관리해 나가는 것이지요. 그러면 조직장악력이 나오겠지요, 저는 우리 정부에 대한 조직장악력에 대해서 자신감을 가지고 있습니다. 개별적으로 내가 특별한 혜택을 준 것은 없지만 열심히 했고 대의명분을 가지고 일했고 실력으로 그 사람들을 설득해 나가고 있다고 생각합니다. 제 얘기를 해서 미안합니다만 그런 것이 중요한 것 아닌가 싶습니다.

저는 성실성, 사회복지에 대한 의식, 민주주의와 사회적 자본에 대한 인식, 이런 것이 대선에서 좀 쟁점이 되었으면 좋겠다는 희망을 가지고 있습니다.

질문 : 개헌안 부결시에 대선주자를 비롯해 개헌안에 반대한 정치인의 책임을 끝까지 추궁할 것이라고 말씀하셨는데, 구체적으로 어떤 식의

추궁이 되겠습니까, 그리고 퇴임하면 경남도민이 되십니다. 고향 생활에 대해 어떠한 계획을 가지고 계십니까.

　　대통령 : 책임을 추궁하겠다는 것은 비판하겠다, 이 말씀이지요. 법적근거 없이 그분들에게 법적책임을 물을 수도 없는 것이고 적절하지 않은 것입니다. 그러나 개헌이 이루어지지 않고 헌법내용의 본질적인 한계와 문제를 고칠 기회를 다 놓치면 정치적 책임을 묻는다, 비판한다는 것이겠지요. 그 뜻이라고 보면 되겠습니다.

　　대선과정에 대해서 저는 관심을 갖지 않을 것입니다. 앞으로 중요한 정책들을 계속 정리해서 내놓을 텐데 모든 정책들은 다 대선과 관련이 있다고 말할 수 있고, 그렇게 덮어씌울 수도 있을 것입니다. 그러나 대선용이라고 덮어쓸까 싶어서 2년씩 준비해 온 정책을 덮을 수는 없지 않겠습니까, 그래서 대선과 관계없이 할 일을 하겠습니다. 지금 얼마 안 남은 상황에서 그것이 법적으로 제도화되겠느냐고 말씀하셨는데, 제도화가 안되더라도 사회적으로 공론화해야 합니다.

　　중요한 의제는 대선 때 어느 후보가 가져가면 그만입니다. 야당 후보가 가져가도 제가 무슨 특허권 침해로 소송할 수도 없습니다. 누구라도 쓸 수 있는 의제를 제가 내놓는 것이거든요. 예를 들어 '청년인적자원 활용방안'을 내놓으면 인적자원에 여야가 있습니까, 아무나 가져가면 되는데 대선용이라고 시비 붙을 일은 아니라는 것입니다. 가져가십시오. 좋은 것이 있으면 누구라도 쓸 수 있는 것입니다. 균형발전도 마찬가지 아니겠습니까,

마찬가지로 참여정부의 잘못을 비판하는 것은 대선 때든 아니든 저를 공격하는 모든 사람에게 응답할 것입니다. 잘못한 것은 잘못했다고 응답할 것이고 죄송하다고 사과할 것입니다. 잘못이 없는데 그렇다면 해명할 것이고, 악의적으로 공격하면 대응할 것입니다. 그것이 제 태도입니다. 대선 중이라도, 내일이 선거날이라도 부당하게 공격당하면 반드시 해명할 것입니다. 여야 관계없습니다. 저는 그것이 저의 정당한 권리라고 생각합니다.

개헌에 신임은 걸지 않을 것이고 사실상의 정치 불신임하고는 관계없을 것입니다. 그렇게 모험을 할 필요도 없습니다. 만일 여기에 신임을 걸면 그야말로 정치판이 돼 버리죠. 개헌의 필요성 대신에 대통령 쫓아낼 것이냐, 안 쫓아낼 것이냐의 거대한 정치판이 돼 버리는데 제가 그렇게 어리석은 '신임 걸기'를 할 수 없는 것이지요.

경남도민이 되면 시민으로 돌아갈 것입니다. 모범적인 시민이 되겠습니다. 적극적인 시민이 되겠습니다. 그 이상 하지는 않을 것입니다.

질문 : 인사 문제와 한,미 FTA에 대해서 질문드리겠습니다. 한명숙 총리를 비롯해 정치인 출신 장관의 당 복귀 시점을 언제로 잡고 계신지, 또 청와대 참모들의 대통령 보좌에 대한 문제가 제기되고 있는데 현 청와대 비서실 진용을 개편할 용의는 없으신지 말씀해 주십시오.

한·미 FTA 관련 협상문건 유출 논란이 일고 있는데 여기에 대한 입장은 어떠신지요, 협상타결 목표시한이 3월 말까지인데 주요 쟁점들은 그대로 남아있고 미국측의 입장도 강경합니다. 대통령께서는 양보를 통한 협상타결에 무게를 두고 계신지, 아니면 우리 요구가 관철되지 않으면 협상 자체를 재고할 용의가 있으신지 명확히 말씀해 주시기 바랍니다.

　　대통령 : 비서실 진용의 교체 필요성은 느끼고 있지 않습니다. 교체해야 하는 이유를 생각해 본 일도 없습니다. 그리고 교체하면 누가 더 잘할 것인지에 대해서도 생각해 본 일도 없고 생각해도 별로 좋은 결론이 있을 것 같지는 않습니다.

　　총리를 비롯한 정치인 출신 장관들의 복귀에 관해서는 그분들이 적절하게 판단해도 좋고 협의해도 좋습니다. 지금 구체적인 계획은 없습니다. 그분들이 특별한 문제 없이 일 잘하고 계신데 잘해 주시면 되지요. 당이 꼭 필요해서 돌려보내달라 하면 또 갈 수도 있는 것입니다. 이 점에 대해서도 정답이 없습니다.

　　문건 유출은 옛날부터 잇는 것이고 모든 나라에 다 있는 것입니다. 이건 막을 수가 없습니다. 그렇지만 최선을 다해서 막으려고 노력하고 있습니다. 이제 이런 문건 유출이 적어도 정부 안에서는 일어나지 않도록 시스템이 만들어집니다. 조그마한 보고서 한 장이라도 유출되면 시스템에 기록이 다 남기 때문에 앞으로 정부 안에서 문건 유출은 없을 것입니다. 아마 금년 상반기쯤 이 시스템이 다 도입되고 나면 없어질 것입니다. 그러나 국회에서 꼭 그렇게 빠져버리는 것이 공무원 실수인지 국회 잘못인지 모르겠지만 양쪽 다 아니겠습니까, 그건 다 막지 못합니다. 스스로 자제해 주셔야 되고요.

그 다음에 타결에 대한 전략적 원칙을 물으셨는데 그건 전략입니다. 전략을 말하면 협상력이 떨어지지요. 최선을 다할 것입니다만 무조건 하지도 않을 것입니다. 원칙은 그런 것입니다. FTA에 임하는 입장은 최선을 다해야 합니다. 협상하는 사람이 안하려고 생각하면서 협상하는 것은 불성실한 자세입니다. 최선을 다해서 협상을 타결하기 위해 노력할 것입니다. 그러나 일방적으로 손해 보고 하는 일은 아닙니다. 면밀히 따져 보고 할 것입니다.

다만 한 가지 분명하게 말씀드리자면, 솔직히 그렇게 신뢰하는 정부는 아닌 것 같습니다만 그래도 이 문제에 대해 가장 공정하게 판단할 것입니다. 정부는 농민단체 편도 아니고 이익을 보는 기업들의 편도 아닙니다. 이렇다 저렇다 주장하는 사람들은 어느 한 쪽의 입장에 서 있지만 정부는 그렇지 않습니다. 그리고 기술적으로 완벽하지 못할지라도 이 문제에 대해서 가장 정통할 것입니다. 정부가 하는 데 대해 조금 신뢰를 가져 주시면 고맙겠습니다. 이것이 민주주의 위임정치의 본질입니다.

대표이사 사장을 임명했으면 어떤 종목에 투자하고 어떤 사업에 투자하는지에 대해 사장의 결정에 맡겨 놓고, 3년 뒤에 평가해서 나쁘면 사장 바꾸는 것이지요. 일일이 주주들이 간섭하면 기업할 수 있겠습니까, 정부에도 그와 같은 원리들이 좀 있습니다. 국민의 알권리도 중요하지만 이와 같은 전략에 대해서는 알권리를 주장하지 않는 것이 사회에 이익이 됩니다. 알권리는 무한한 것이 아니므로 적절하게 행사됐으면 좋겠습니다.

질문 : 대통령께서는 북한의 추가 핵실험 가능성에 대해 우려하고 계십니까, 만약 핵실험을 하면 어떻게 대응하실 계획입니까,

대통령 : 제가 대통령입니다. 무겁지 않아야 될 말은 무겁지 않아도 되지만 '북한이 핵실험을 할 것이냐, 말 것이냐.' 이런 문제에 대해서 말하는 것은 굉장히 무겁습니다. 그래서 말을 함부로 하면 안됩니다. 제가 가능성이 있다, 없다를 정확하게 알 수도 없지만 제 판단을 함부로 얘기하는 것은 적절치 않다는 것을 말씀드리겠습니다.

일반적으로 외교, 안보를 하면서 가장 고통스러운 것은 해외언론입니다. 미국언론은 미국이 북한을 보는 관점에서 여러 얘기들을 합니다. 전 세계적으로 북한에 대해 아주 나쁜 인상이 심어져도 별로 나쁠 것이 없고, 또 한반도에 위기감이 고조되더라도 당장 그 사람들에게는 별 문제가 없습니다. 일본도 마찬가지입니다.

그러나 한국은 위기감이 고조되면 경제가 바로 흔들리기 때문에 심각한 이해관계가 있는 것입니다. 그래서 핵실험을 비롯한 북한의 이런저런 상황에 대해서는 보도 하나하나가 우리로서는 아픕니다. 고통스럽습니다.

거기다가 저까지 한 마디 해서 앞으로 '핵실험 가능성 있어' 이렇게 보도하는 것은 제가 스스로 상황을 좋지 않게 만드는 것이어서 할 수 없는 것이고, '없다' 하면 또 무엇으로 단정하느냐고 물을 것이어서 혹시 제 말이 틀리면 문제가 생길 수 있는 것이기 때문에 그렇게 말씀드릴 수도 없습니다.

어떻게 대응할 것이냐에 대한 판단도 말씀드리지 않는 것이 좋겠습니다. 대비는 하겠습니다만 핵실험이 있을 것을 전제로 해서 대비한다고 얘기할 일이 아닙니다. 대응하더라도 여기에 대한 전략은 그 당시 모든 상황이 함께 고려돼야 하는 것이기 때문에 미리 말씀드리는 것은 정확하지 않습니다. 정확하더라도 미리 말씀드릴 일은 아니라고 생각합니다.

적어도 한국 언론들은 이 점에 대해서 북한과 관련해 근거 없이 보도하는 외국언론과는 좀 차별성 있게 해 주시는 게 좋지 않을까 생각합니다.

질문 : 정부가 부동산 시장 안정을 위해 2003년부터 각종 대책을 내놓으면서 가격안정을 주장했는데 가격은 계속 올랐습니다. 안정된다는 근거가 무엇인지 한번 더 말씀해 주시고 서민들은 과연 언제쯤 자기 집을 사야 되는지에 대해서 말씀해 주시면 좋겠습니다.

그리고 또 한 가지는 유동성 관리나 대출규제, 거래세 등이 엉뚱한 방향으로 흘러 집을 사고 싶은 사람과 팔고 싶은 사람이 사고팔지 못하는 경우가 발생하고 있습니다. 이런 부분에 대해서는 정책을 미세조정할 생각이 있으신지 말씀해 주시기 바랍니다.

대통령 : 부동산 버블 붕괴를 걱정하시는데, 제가 보고받은 바로는 그런 일은 없을 것이라고 말씀드릴 수 있습니다. 버블이 서서히 꺼지면서 연착륙할 수는 있지만 갑자기 꺼지는 경착륙은 없을 것이라고 말씀드릴 수 있고, 또 그렇게 되도록 최선을 다해서 관찰하고 관리하겠습니다.

그 다음에 부동산 가격이 안정된다는 근거가 뭐냐 하면 지금까지 이렇게 강력한 부동산정책이 채택된 일이 없기 때문입니다. 보유세, 올해도 나왔지만 내년에도 나옵니다. 그 다음에는 더 많이 나올 것입니다. 과표현실화와 보유세제도가 결합돼 있기 때문입니다. 보유세제도가 정착되면 이것이 기본이 되고, 모든 거래 가격도 법원 등기부에 다 기록되어 여기에 따라 앞으로 양도소득세가 부과될 것입니다.

이제 직접적인 가격통제제도도 복원됐고 강력한 공급정책을 만들어 내놓았습니다. 그저 공급정책이 아니라 공공부분의 공급정책입니다. 이전에는 시장경제이므로 공공부문이 너무 큰 역할을 하면 안된다는 기조에 서 있었지만 지금부터는 정부조직을 거기에 맞게 고치고 있습니다. 공공부문이 주택을 책임지고 공급해서 시장도 안정시키고 시장에 들어오지 못하고 시장 바깥에 밀려 있는 서민 주거복지도 완전히 책임지는 방향으로 가는 것입니다. 그렇게 하기 때문에 안정된다고 말씀드린 것입니다. 유동성 통제를 확실하게 하겠습니다. 국세청 세무조사도 확실하게 할 것입니다. 목숨을 걸고 부동산 투기를 해도 이제 별 재미를 못볼 것입니다.

너무 큰 소리를 쳐놓고 자꾸 정책을 냈는데 어쨌든 계속 올라가는 바람에 또 강력한 것 나오지 않았습니까, 더 올라가는 일도 있을지 모르겠지만, 또 올라가면 강력한 것을 준비해서 내놓겠습니다. 참여정부 끝나면 다 뒤집어지지 않겠느냐 하는데 그렇지 않을 것입니다. 우리 국민들은 그렇게 금방 잊어버리지 않을 것입니다.

1970년대 말 수출을 많이 해서 달러가 많이 들어왔을 때 부동산이 크게 올랐고 1980년대 말에 3저 호황으로 1990년대 초까지 엄청나게 올랐지요. 그 뒤 1998년에 뚝 떨어졌다가 다시 2002년에 크게 올랐습니다. 그때부터 압력이 계속 차있었던 것이거든요. 국민의 정부부터 무역흑자가 계속 쌓이지 않았습니까, 국민의 정부에서 아마 500억 달러가 쌓였고 참여정부 와서 600억 달러가 또 쌓였거든요. 그렇지만 적어도 부동산 시장에는 어떤 돈이 들어와서 열매를 붙여서 나가지는 못하게 확실하게 통제할 것입니다.

처음에 국회에 가져가니까 정부에서 만든 안이 깎였습니다. 정부에서 안을 만들 때 미리 다 깎으려고 하는 안을 대통령이 하나하나 짚어서 강력한 정책을 내놓았거든요. 그런데 국회에서 깎여 버렸습니다. 그 뒤에 부동산 안을 다시 올렸습니다. 다시 가져가서 올리고 또 올렸습니다. 제가 한 것이 아니고 국민들이 한 것입니다. 부동산정책의 신뢰를 흔들어 놓으니까 약효가 받을 만한데도 내성이 생겨서 잘 안 잡힙니다. 그래서 150mg 쓰다가 300mg, 500mg으로 올라갔다가 지금 700mg까지 올라갔지 않습니까, 이건 국민들의 요구에 의해 만들어진 법이기 때문에 다음 정부도 못 뒤집을 것입니다.

대통령 되겠다는 사람들은 이 부분에 대해서 확실하게 공약을 내놓아야 합니다. 국민들도 잘 지켜봐야 합니다. 부동산정책 어떤 부분을 고칠 것이냐에 대해서 국민들이 물어야 합니다. 이것을 대행해 주는 것이 우리 언론의 책임이라고 생각합니다.

서민들은 무리하지 마시고 형편대로 알맞게 사시기 바랍니다. 집, 사야지요. '내집'이라는 것은 좋은 것이기 대문에 남지 않더라도 사야지요. 그러나 무리하게 빚내서 사지 마십시오. 그렇게 많이 오르지 않습니다. 앞으로는 더욱더 그럴 것입니다. 헌법재판소에서 깨질 정책도 없고 다음 국회에서 뒤집힐 정책도 없습니다. 이 기조로 갑니다. 그래서 '형편되는 대로 자기 능력에 맞추어서 사십시오.' 실수요자에게 그렇게 말씀드리고 싶습니다.

실수요자가 손해 본다는 이론에 대해서 저는 강하게 이의를 제기합니다. 이미 집을 사놓은 사람들이야 이자가 좀 올랐으니까 손해를 보는지 모르겠습니다만 그것이 실수요라고 말할 수 있습니까, 다음에 사야 되는데 앞질러서 산 것은 스스로 선택한 것입니다.

그래도 부담이 가지 않고 낭패 보지 않도록 정책적으로 배려를 하고 있습니다. 이미 산 거 어떻게 합니까, 옆집에서도 사고 친구도 사고 누구는 얼마 올랐다 하니까 나도 급해서 샀는데 그 점에 대해서는 정부도 충분히 이해하고 보호하려고 합니다. 그러나 앞으로는 그렇게 하지 마십시오. 그렇게 할 필요가 없습니다. 지금 유동성 관리 대문에 실수요자가 손해 본다는 것은 그렇게 크지 않을 것입니다.

미세조정과 관련해서는 실수요자가 손해를 안 보게 하는 방법이 있는지 저는 잘 모르겠습니다. 자꾸 6억 원 이상짜리 주택의 양도소득세에 대해서 여러 가지 말씀을 하시는데, 세금이 그렇게 많지 않습니다. 오래 가지고 있었던 연세 많은 분들은 양도소득세 실효세율이 10% 정도밖에 안 붙게 돼 있는데, 그것 때문에 전체적인 부동산대책의 틀을 깰 수는 없습니다.

새집 대출과 관련한 부분에 대해서는 새로 사는 사람들은 무리하게 들어오지 마시기 바랍니다. 융자받아서 살아가는 어려운 사람들에 대해서는 연구를 계속 해 보겠습니다만 획기적으로 이 틀을 바꾸지는 않을 것입니다.

삼풍백화점 사고가 났는데, 거기 들어오면 전체 사태수습에 도움이 되는 사람도 있고, 또 어지럽게만 하는 사람이 같이 있습니다. 그럴 때는 다 통제합니다. 이런 비상사태에서는 일일이 선별할 수 없고 모두 통제할 수밖에 없습니다. 비상사태 고비가 넘어가면 하나둘씩 통행이 재개됩니다. 지금 당장 집 사지 못해서 큰 낭패를 볼 사람은 없지 않지 않습니까, 그렇게 하겠습니다.

질문 : 먼저 평창 동계올림픽 유치 전망에 대해서 소상히 밝혀 주시기 바랍니다. 아울러 참여정부가 균형발전에 상당히 심혈을 기울여 왔지만 아직 산적한 지역현안들이 많이 남아 있는데, 장항산업단지라든가 새만금 지원 문제, 혁신도시 갈등, 그리고 수도권 규제 등을 어떻게 마무리해 나갈 것인지 말씀해 주십시오. 앞으로 남은 임기 동안 가장 하시고 싶은 일과 해야 될 일을 한 가지씩만 말씀해 주시면 감사하겠습니다.

대통령 : 평창 동계올림픽은 정부가 직접 외교적 채널을 통해서 할 수 있는 일은 아닙니다만 정부로서는 정치적 결단을 가지고 특단의 노력을 하고 있습니다. 여기에 최대한 힘을 실어서 최선의 노력을 다하고 있습니다.

장항산업단지에 대해서는 상황을 크게 보고 정치적으로 결단해야 할 일이 있고, 여러 가지 기술적 검토를 거쳐서 해야 될 일이 있습니다. 그런데 이 부분에 대해서 지금 기술적, 경제적 검토를 하고 있습니다. 대통령이 여기에 무슨 정치적 결단을 적용할 것인지 미리 결정하기는 매우 어렵습니다. 조금 더 상세하게 지켜보고 결정할 문제이지 사전에 감각적으로 정치적 결단을 할 일은 아니라고 생각합니다. 새만금 문제도 큰 고비가 넘어갔기 때문에 나머지 부분들은 전문적이고 기술적인 여러 검토를 토대로 경제적이고 과학적인 판단을 통해서 해야 한다고 생각합니다. 집단적으로 행동해서 사업내용까지 정치적으로 떠밀려 다니는 것은 바람직하지 않다고 생각합니다. 어쨌든 정치적으로 결정하더라도 모든 검토가 축적된 토대 위에서 판단해야지 처음부터 판단해서는 안된다고 생각합니다.

혁신도시 갈등 부분은 지역에서 조정해 주시면 고맙겠습니다. 어디서나 지역간 작은 이해관계 때문에 정부가 정말 어렵습니다. 다음 지도자도 마찬가지일 것입니다. 누가 하더라도 이런 부분에 대해서는 어느 정도 타협하고 양보해 주시면 좋겠습니다.

그리고 제가 임기 말에 특별히 한두 개 정책에 애착을 가지고 '이것만은 꼭 해야지.' 하는 것이 있는 것이 아니고 할 수 있는 데까지 최선을 다할 것입니다. 포괄적으로 얘기하면 정부혁신이 본격적으로 시동이 걸렸고 어느 수준에 들어가 있다고 생각하기 때문에 이 부분에 마지막까지 매달리고 박차를 가하려고 합니다. 왜냐하면 정부혁신은 색깔이 없기 때문입니다. 여야 어느 쪽이라도 좋은 것입니다.

지금 정부혁신에 관한 것을 뒷받침하는 법을 제안해 놨는데, 법 이름이 '정부혁신에 관한 기본법'이라고 해놓으니까 야당이 이름을 바꾸자고 하는 모양입니다 이름을 바꿔야 되는지는 국회가 알아서 할 일입니다만, 정부혁신은 어느 정부의 것이 아니고 대한민국 것이라고 이해해 주시면 고맙겠습니다.

이름을 아무리 바꾸어도 본질은 바꿀 수 없습니다. 본질은 혁신입니다. 세계적이고 역사적인 것이기 때문에 참여정부가 자부심은 있지만 열심히 했다고 특별히 공이 설 일도 없습니다. 상대방 정부가 손해를 볼 일도 없습니다. 정부혁신만큼은 같이 도와주시면 좋겠습니다. 우리 사회를 보다 효율적으로 운영하기 위해 책임 있게 일 잘하는 정부와 공직사회를 만들어 보자는 노력이기 때문에 마지막까지 최선을 다할 생각입니다.

질문 : 일본과 한국 사이에는 야스쿠니 신사참배 문제나 배타적 경제수역 문제 등 여전히 어려운 과제들이 많이 남아 있습니다. 납치 문제를 최우선 과제로 하는 아베 정권과의 온도차도 보입니다. 그런 가운데 대통령님께서는 적절한 시기에 일본을 방문하겠다고 말씀하셨습니다. 언제쯤 일본을 방문하시며 이러한 문제에 대해 어떻게 논의하실 계획이십니까, 또 남은 임기동안 대일정책을 어떻게 펼쳐 나가실 생각이십니까,

대통령 : 납치 문제에 대해서는 저도, 그리고 우리 국민 대부분도 일본 국민의 심경을 잘 이해하고 있을 것입니다. 그리고 일본 정부의 주장에 대해서도 대체로 동의하고 있을 것입니다.

그러나 6자회담 틀 안에서 납치 문제가 최우선 과제가 된다든지 또는 북한 핵문제와 동격의 과제로 제기되는 문제는 아마 6자회담 당사국 거의 모두가 바라지 않는 것 아니겠습니까, 저는 그렇게 생각합니다.

그 점에 관해서 한국정부도 6자회담에서는 북한 핵문제를 우선해서 처리하자는 입장입니다. 납치 문제도 중요하지만 최우선 과제라고 하는 점에서는 좀 생각이 다를 수 있습니다. 그때그때 더 중요할 수도 있을 것입니다. 그렇게 한국 정부가 입장을 가지고 있다고 이해해 주시기 바랍니다.

일본 방문에 대해서는 이런저런 조건을 내세워서 시기를 조절할 생각은 없습니다. 고이즈미 전 총리가 포괄적인 전제라고 할 수 있는 전제를 무시하고 계속해서 야스쿠니 신사를 참배했고 참배라는 사실이 가지는 의미가 워낙 크기 때문에 제가 면담도 거절하고 대화도 거절했습니다. 그러나 지금 아베 총리께서는 신사에 가지는 않았고 미리 그런 걸 조건으로 해서 얘기하는 것은 외교상 적절하지 않을 것 같습니다. 다만 자제해 주시기 바랍니다.

대통령 혼자의 심경이 아니라 우리 국민들도 그것에 대해 비판없이 바라보고 싶은 심정이 아닐 것으로 생각합니다. 궁극적으로 그 문제 해결을 위해서 일본의 지도자들과 여론이 진지하게 생각해 줬으면 좋겠습니다. 그럴 만한 무게가 있다고 생각합니다.

한·일관계에서 전체적으로 해결이 되기 어려운 것은 뒤로 조금씩 미루더라도 성의를 다하면 해결할 수 있는 문제에 대해서는 성의를 보여 주시기 바랍니다. 역사 문제는 얼마든지 할 수 있습니다. 야스쿠니 신사 문제도 얼마든지 해결할 수 있는 길이 있습니다. 왜 하필 일본만 특별하게 대우를 받으려고 합니까, 왜 일본만 과거의 문제를 특별하게 묵살하려고 하느냐는 것이지요. 그래서는 안된다는 것이고 세계 보편적 원칙에 따라 성의를 가지고 해주셨으면 좋겠습니다.

양국관계에 있어서 협력의 기반을 넓히기 위한 작은 노력이라도 해야 합니다. 제가 '평화의 바다'를 얘기해서 타박을 많이 받았는데요, 그것이 어느 날 즉흥적으로 나온 것이 아닙니다. 외교 채널로 공시적으로 제기하기에는 적절치 않았으므로 정상끼리 만난 자리에서 추가적으로 제의해 본 것인데요, 공식 제의는 아닙니다만 어느 날 갑자기 불쑥 나온 것은 아닙니다. 오랜 고심 끝에 나온 것입니다.

한국에게는 "동해"이고 일본에게는 "일본해"인데, 일본해라는 이름이 세계적으로 비교적 더 많이 알려지게 된 것은 식민지 지배 때문 아닙니까, 그러니까 조금씩 양보해서 '평화의 바다', '화해의 바다'하면 뜻이 있는 국민들은 좋아할 것입니다.

그런 문제에 대해서 한번 얘기를 해 볼 수 있고, 그런 제안을 할 수 있기 때문에 정상끼리 만나는 것이지, 그런 얘기도 안하려면 정상끼리 왜 만납니까, 진지하게 고민을 좀 해 주시기 바랍니다. '내 것은 내 것이고 네 것은 네 것이다.' 라고 하면, 그렇게 해서는 국가 간의 관계가 잘 안 풀립니다. 대승적으로 얘기해 보자는 것이 그 마음의 취지입니다.

일본 국민들과 지도자들이 함께 고민해 봤으면 좋겠고, 우리 한국에서 그 문제 비판하시는 분들께도 부탁드리고 싶은 것은 그렇게 뭔가 길을 열어가기 위해서 모색하는 것이 정치이고 외교입니다. 그리고 그

제안은 정상회담 자리 같은 때가 아니면 할 수 없는 제안입니다. 그렇게 이해를 해 주시면 고맙겠습니다.

감사합니다.

참여정부 4주년 기념 국정과제위원회 합동 심포지엄 특강

2007년 1월 31일

여러분, 대단히 반갑습니다. 여러 가지로 바쁘실 텐데 오늘 이 자리에 함께해 주셔서 감사합니다.

참여정부가 '위원회 공화국'이라는 말을 많이 듣습니다. 좋지 않은 뜻으로 얘기를 하는 것 같은데, 저는 참여정부의 위원회를 매우 자랑스럽게 생각합니다. 그리고 매우 유효적절하게 활용했다고 생각합니다. 지금 위원님들이 초기와 좀 바뀌긴 했습니다만, 초기 위원님들이 참여정부 100대 과제 로드맵을 만들어 주셨습니다. 그 이후에도 좀 새롭게 끼어든 일도 있지만 전체적으로 그 로드맵대로 국정이 운영되어 왔던 것으로 평가됩니다.

여러 가지 쏟아지는 정보 중에서 어떤 정보를 믿을 것이냐는 것이 지금 이 시대를 사는 사람들에게 굉장히 큰 고민거리라고 생각합니다.

저도 국정을 책임지고 선두에 서서 국정을 이끌고 있습니다만, 매일매일 가는 그 방향조차도 깜박깜박 잊어버릴 정도로 혼란스러운 정보가 난무하고 있어서 과연 내가 바로 가고 있는지 확인해 보고 또 확인해 보면서 해온 것 같습니다. 그런 가운데 정리를 다시 한번 해 봤습니다.

해 본 결과 '대개 크게 방향을 잃지 않았구나.' 라는 생각이 들었습니다. 우리 참여정부를 위해 함께 수고해 주신 분들께 좀 정리를 해서 정보를 드려보자는 것이 오늘 이 자리의 뜻입니다. 여러분께서 많은 정보를 접하고 계실 텐데 오늘은 참여정부가 스스로 생각하고 있는 정리된 정보를 가지고 같이 한번 정리해 보자는 뜻입니다.

어떻든 인연을 맺고 함께 일하셨으니까 뭔가 참여정부가 올바른 길로 가고 있고 잘하고 있다는 생각이 들어야 여러분도 참여하신 보람이 있지 않겠습니까, 그리고 그 시절을 기억하면서 어디 말이라도 한마디할 수 있지 않겠습니까, 그때 참여하긴 했지만 잘 모르고, 별로 제대로 안된 것 같다고 기억하는 것보다는 좀 긍정적인 기억을 가지는 것이 여러분한테도 낫지 않을까 생각합니다.

일부 자료를 짜깁기하긴 했습니다만, 오늘 제가 말씀드릴 내용의 전체 골격은 제 스스로 잡았습니다. 상당히 긴 시간 말씀을 드려야겠다고 생각했는데 여기 오기 전 오전에 발제 자료를 전부 보고받아 서면으로 미리 좀 봤더니 내용이 착실하게 돼 있어서 제가 드리고 싶은 말씀하고 많이 중복이 될 것 같습니다. 그래서 오늘 저는 줄거리만 말씀을 드리고 각 수석실별 보고에서 여러분이 자세한 내용을 알 수 있으리라고 생각합니다.

그동안 참여정부가 무엇을 했는가라는 점에 관해서 먼저 말씀을 드리겠습니다. 참여정부에 대해서는 '로드맵 정부, 나토정부, 아마추어정부', 이런 야유가 많이 있었고요, '경제파탄이다, 민생파탄이다, 국정실패다,' 이런 비난이 끊임없이 있습니다. 그런데 4년 지난 지금 참여정부가 한 일을 돌아보면서 제 나름대로 다시 확인을 했습니다. 그리고 '할 만큼은 했다.' 이렇게 확신을 가지고 말씀을 드릴 수 있을 것 같습니다.

우선 참여정부에게 맡겨진 이 시대의 역사적 과제가 무엇이며, 참여정부는 그것을 제대로 수행했는가 하는 점입니다. 많은 사람들이 민생을 제기하고 전문가들은 정책을 얘기합니다만, 시간을 멀리 놓고 보면 매 정부마다 그 시기에 주어진 역사적 과제가 있습니다. 그 역사적 과제가 무엇인지를 정확하게 이해하고 그것을 제대로 수행했느냐 하는 것이 가장 중요한 일이고, 또 그것이 평가에 있어서 가장 핵심적인 문제라고 생각합니다. 역사를 돌이켜 보면 거시적 안목을 가지고 철학과 통찰력을 가지고 그 시대가 요구하는 역사적 과제를 수행한 사람이 좋은 지도자로 기억되고 있습니다. 150년 전 근대화 과정에서 우리 한국이 세계사의 흐름을 놓쳐 버렸던 것은 여러분이 잘 알고 계시는 일입니다. 해당된 이후에 역사적 과제는 민족의 통합과 자주독립국가 건설, 그리고 민주주의와 경제 건설에 있었다고 볼 수 있을 것입니다. 그 이후 경제 건설은 일찍 시작됐지만 민주주의는 여러 차례 좌절되고 독재에 짓밟혔습니다.

독재 시대에 우리에게 주어진 과제는 주로 반독재 투쟁이었습니다. 6월항쟁으로 우리는 새로운 국면을 맞이합니다. 그 이후 시대에는 독재 정권이 무너졌기 때문에 그 체제에서 구축된 특권과 반칙, 권위주의 문화를 청산하고 부정과 부패의 유착구조를 해체하고 투명하고 공정한 사회를 만드는 것, 그리고 독재 구조에서 만들어졌던 지역 간 분열구도를 통합하는 것, 이것이 1987년 이후 여러 정부에 부과됐던 역사적 과제라고 생각합니다. 저는 이것을 편의상 민주주의 2단계 과제라고 생각하고, 또 1987년 이후에 성립됐던 여러 정부의 연속선상이 1987년 체제라는 역사적 인식을 가지고 있습니다. 그런 전제하에서 말씀을 드리겠습니다.

다음 시대는 그러면 뭐가 될거냐, 저는 성숙한 민주주의 시대로 가야 한다고 생각합니다. 성숙한 민주주의라는 것은 관용의 정신을 바탕으로 하는 대화와 타협의 민주주의입니다. 저는 그것을 민주주의의 3단계 과제라고 편의상 이름을 붙이고, 또 그렇게 인식하고 있습니다.

저는 민주주의 2단계 과제이자 1987년 체제의 역사적 과제를 국민에게 공약했습니다. 후보가 되기 전에 저는 「노무현이 만난 링컨」이라는 책에서 '낮은 사람, 겸손한 권력, 강한 정부'라는 말을 썼습니다. 선거 과정에서는 '친구 같은 대통령, 그리고 상식이 통하는 사회, 특권과 반칙이 없는 사회, 투명하고 공정한 사회, 국민이 떳떳한 사회' 였습니다. 부패의 구조 속에서는 개인이 혼자서 부정한 방법을 쓰지 않을 때 견디기가 어렵기 때문에 모두들 그렇게 휩쓸려 가게 됩니다. 그렇게 되면 아이들에게 떳떳하지 못한 아버지가 되기 때문에 '국민이 떳떳한 사회' 이런 말을 생각해 본 것입니다.

그 다음에 '개혁과 통합, 새로운 정치' 가 저의 공약이었습니다. 인수위 시절에는 100대 과제를 만들고 전체 과제에 관철되는 하나의 원칙, 국정의 원리로서 원칙과 신뢰, 투명과 공정, 대화와 타협, 분권과 자율을 내세웠습니다. 그리고 '국민이 대통령입니다.' 이런 구호도 만들어서 내걸었습니다.

저는 대통령이 된 후에 이를 충실히 이행을 했다고 생각합니다. 첫 번째 나오는 것이 선거 문화에 관한 것인데, 저는 지난번 대통령 선거 그 자체가 개혁이고 새로운 출발이었다고 생각합니다. 노사모의 참여운동은 돈선거, 부정선거라는 악습의 고리를 끊을 수 있게 해 주었습니다. 그리고 시민주권 시대의 가능성을 보여 주기도 했습니다. 그 뒤에 대선자금 수사가 있었습니다. 2006년 11월 영국의 이코노미스트가 발표한 선거 관련 민주주의 지수 평가에서 우리는 일본과 미국을 앞질러서 독일·영국·프랑스 등과 함께 세계 최고 수준의 평점을 받은 바 있습니다. 물론 유감스럽게도 지난해 지자체 선거에서는 공천장사라는 부정이 다시 부활했습니다. 각별히 주의를 요합니다만, 그렇습니다.

권력기관을 제자리로 돌려놨습니다. 대통령이 낮은 자리로 내려왔습니다. 물론 부작용도 있다고 생각합니다. 정경유착은 해체된 것 같습니다.

권력과 언론의 유착이라는 것이 과거 시대에 우리 사회의 심각한 암적 요소였다고 생각합니다만, 이것은 국민의 정부에서부터 이미 해소가 되었습니다. 참여정부는 한발 더 나아가서 언론의 특권과 횡포에 대항하고 여기에 대한 견제를 시도하고 있습니다. 저도 이루 말할 수 없이 힘들고 고통스럽습니다. 그리고 우리 공무원들도 굉장히 많은 고생을 하고 있습니다. 국민이 피곤하니까 그만 두라는 사람들도 많이 있습니다. 그러나 우리 민주주의가 발전하려면 비단 정치권력 아니라 그 이외의 어떤 특권도 용납돼서는 안된다는 것이 민주주의의 정신이라고 생각합니다.

군사 독재가 무너진 이후에 일부 언론이 새로운 권력으로 등장하여 시민과 정부 위에 군림하고 있습니다. 특권과 반칙의 구조를 해소하는 것은 이 시대의 역사적인 과제이고, 누군가는 해야 할 일이기 때문에 정통성 있는 정부라면 사명감을 가지고 끝까지 이 일을 해야 한다고 생각합니다. 저는 우리 언론이 앞으로 정확하고 공정한 언론, 책임 있게 대안을 말하는 언론, 보도에 책임을 지는 언론이 될 때까지, 그리고 스스로 정치를 지배하려는 정치권력이 아니라 견제와 균형을 위한 시민의 권력으로 돌아가고, 사주의 언론이 아니라 시민의 언론이 될 때까지 굴복하지 않을 것입니다. 그리고 좀더 수준 있는 언론이 되도록 견제권력을 행사할 것입니다.

그러나 여기에 대해 꽤 비싼 댓가를 치르고 있습니다. 훗날 저는 여러 가지 일에 대해서도 자랑스럽게 얘기할 것입니다만, 언론에 굴복하지 않은 것, 그리고 우리 공무원이 언론에 당당하게 잘못된 보도나 의견에 대해서 지적하고 바로잡을 것을 요구할 수 있도록 공직사회의 분위기를 만드는 것, 아마 이것을 자랑스러운 업적으로 기억할 것이라고 생각합니다.

밀실정치, 이것은 옛날 얘기가 된 것이라고 생각합니다. 공직사회 투명성, 그리고 사회 전반의 투명성이 많이 높아진 것은 사실이라고 생각합니다. 그 외 법치문화와 준법문화도 많이 달라지고 있다고 생각합니다. 이제 정치인의 장외투쟁은 국민의 관심을 끌지 못하고, 1987년 우리 사회의 문화로 일반화됐던 이익집단의 길거리 정치투쟁도 점차 온건해지고 있습니다. 정권의 정통성이 바로서고 정치권력 스스로 법치 질서를 존중하고 있기 때문에 이와 같은 법치문화가 자리를 잡아가고 있는 것이라고 해석하고 싶습니다.

2단계 민주주의라는 것은 1987년 체제의 역사적인 과제였다고 생각합니다. 이것은 문민정부, 국민의 정부를 거치면서 꾸준히 진전돼 온 것인데, 참여정부에서는 그 성과를 물려받아서 거의 마무리를 해 나가는 것이 아닌가, 저는 그렇게 생각합니다. 1987년 6월항쟁 20주년이 되는 뜻깊은 해, 이 역사적인 과제의 마무리를 말하게 된 것을 무척 보람 있게 생각하고 저 스스로 아주 행운이라고, 운이 좋은 사람이라고 생각합니다.

국민통합, 특히 지역주의 청산은 아직까지 성공하지를 못했습니다. 저는 참여정부와 국민의 정부의 관계를 계승과 극복의 관계로 생각하고 있습니다. 참여정부는 국민의 정부를 계승하고 있습니다. 그러나 지역주의를 극복하는 것은 참여정부의 과제라고 생각합니다. 여기에서 별다른 성과가 없었습니다만, 상당한 진보가 있었던 것도 사실입니다. 지난 17대 총선에서 열린우리당의 영남권 득표율 32%는 16대 총선 당시 민주당이 얻었던 13%에 비해서 크게 늘어난 것입니다.

요즘은 인사에 있어서 어느 지역 인사라는 것이 크게 부담이 되지 않고 있습니다. 그리고 어느 지역이 다 해먹는데, 이런 얘기도 근래에는 없어진 것 같습니다.

대화와 타협의 민주주의는 민주주의의 3단계 과제라고 생각합니다. 정책을 중심으로 토론과 타협이 일상화되고 연정 또는 연합정부가 자연스럽게 받아들여지는 수준의 민주주의를 하는 것, 이것이 대화와 타협의 민주주의라고 생각합니다. 저는 취임 초부터 이런 인식을 가지고 대화를 위해서 많은 노력을 기울여 왔습니다.

그러나 아마 제 이미지가 남들이 보기에는 화합형이 아닌 것으로 보였던 것 같습니다. 그리고 객관적인 정치상황 도한 독재와 공작정치 시대에서 형성된 불신과 대결의 문화가 불식되지 않고 있어서 성공하지 못한 것 같습니다.

연정 또는 대연정을 제안했다가 크게 타박만 당했던 기억도 있습니다. 받아들여지진 않았지만, 우리 한국에서도 연정이라는 정치형태가 있을 수 있다는 사실을 국민들에게 말씀드린 것으로 의미가 있다고 만족할 수밖에 없을 것 같습니다. 지금 세계 각국, 특히 선진국가의 대부분이 연정을 하고 있습니다. 그러나 우리 한국에서 연정은 옳지 않은 것으로, 야합으로, 뒷거래로 이렇게 이해되고 있는데, 이런 사회 문화가 앞으로 바뀌어져야만 우리 사회도 성숙한 민주주의를 할 수 있지 않을까 생각합니다.

그 다음에 역사적 과제 이외에 일반 국정과제에 있어서도 저는 할 일을 책임있게 했다고 자부합니다. 이전 정부들이 넘겨준 밀린 과제를 대부분 해결했습니다. 그리고 지금 처리해야 될 일은 아무리 어렵더라도 뒤로 미루지 않았습니다. 저는 해결하려고 노력을 했습니다. 참여정부는 어떻든 넘겨받은 위기를 무난히 관리했다, 이렇게 말씀드릴 수 있을 것입니다.

그 다음 경제 성적에 대해서는 주관적인 인식이 많이 작용하는 것 같습니다만, 적어도 객관적 지표로는 한국이 어디에 내놔서 크게 손색이 없는 경제성적을 가지고 있다고 생각합니다. 이 부분 정책에 관해서는 나중에 해당 분야 수석이 말씀드릴 것입니다.

하나하나 기억나는 대로 말씀드리겠습니다. 행정수도는 우리 사회에서 30년 전부터 거론됐던 것이고 또 추진됐던 것입니다. 균형발전도 같은 논리의 연장선상에 있어서 미래적 과제입니다. 이것이 완성되면 첨단의 건축문화와 환경기술, 그리고 과학문명이 한데 어우러진 아름다운 미래도시를 하나 가지게 될 것입니다. 이 사업의 진행속도, 갈등해결 과정, 그리고 보상과정에 있어서 주민들과 정부와의 대화, 보상의 내용 등이 참여정부 정책의 품질이라고 말해도 좋을 만큼 아주 모범적으로 이루어졌습니다. 공공기관 이전 다 안된다고 했지만, 결국 해냈습니다.

용산기지 이전, 이것은 20년 전에 공약만 하고 계속 미뤄 온 것입니다. 앞으로 그 자리에 민족역사공원이 만들어지게 돼 있는데, 역사적 의미뿐만 아니라 앞으로 지상에 공원, 지하에 문화시설을 만들어 입체적인 조화를 이룬 시민의 휴식처이자 동북, 나아가서는 세계적인 명물로 건설했으면 좋겠다는 생각을 가지고 구상을 가다듬고 있습니다. 5조 5천억원에 이르는 막대한 비용은 어떻게 할 거냐를 놓고 고심을 했습니다만, 평당 가격으로 계산해서 산다는 마음으로 결단을 내렸습니다. 그렇게 하지 않으면 이 자리를 영원히 비울 수 없기 때문에, 땅을 사도 사게 치인다는 생각으로 그렇게 했습니다.

국방개혁도 대개 한 20년 전부터 국방 전문가들 사이에서 거론됐던 것인데, 이것을 지금 우리 군이 스스로 손선해서 추진해 가고 있습니다. 법도 만들어졌습니다. 전시 작전권 이관도 시비가 아주 많았습니다만, 잘 마무리될 것입니다. 역시 한나라당 정권 시절에 공약하고 추진하던 일입니다. 물론 언론들도 쌍수를 들어서 환영했던 일들입니다. 평시 작전권 일부를 환수하고 그것을 놓고 '제2의 창군'이라고 높이 평가해 주었던 일입니다. 당연히 해야 될 일입니다.

방폐장 부지 선정, 19년간 끌던 것입니다. 항만노무공급체계는 일반인들에게 별로 알려지지 않은 생소한 주제입니다만, 실제로 이것은 항만 역사, 항만노무공급의 역사에서 140년간 풀리지 않았던 굉장히 어려운 문제입니다. 항만 물류의 막대한 비용 낭비가 있고 비능률이 있었던 것인데, 이것도 해결이 됐습니다.

작은 일처럼 보입니다만, 철도공사의 적자 문제, 항공우주산업의 재무구조 등도 개선했습니다. 기업 하나, 공기업 하나의 재무구조 개선한 것을 왜 얘기하느냐 하면 이만큼 알뜰하게 잘 들여다보면서 챙겨야 될 많나 것은 다 챙겼다는 뜻으로 이 두 가지를 소개했습니다.

이것 말고는 별로 해결하지 않으면 안될 그런 화급한 것은 없었다고 말씀드릴 수 있습니다. 몇 개 말씀을 드렸습니다만, 각각의 정치적 의미보다는 어떤 정부가 주어진 일을 처리하는 과정에 있어서 그 일을 어떻게 책임 있게 대하느냐 하는 태도를 짐작해 볼 수 있는 과업들이기 때문에 하나하나 열거해서 말씀을 드린 것입니다.

연금개혁, 이것은 참 이해하지 못할 이유로 뒤로 밀리고 있고요, 사법개혁은 잘될 것이라고 생각합니다. 그 다음에 디지털 방송방식은 해결이 되었고, 방통융합의 문제는 같은 분야에서 비슷한 일들이 빨리 끝나지 않았기 대문에 조금 늦었던 아쉬움이 있습니다만 최대한 마무리를 하도록 하겠습니다.

한,미 FTA는 저를 지지하는 사람들이 그렇게 달가워하지 않는 과제입니다. 굳이 들고 나오지 않아도 '참여정부가 왜 이것을 하지 않았느냐.'고 책망할 사람은 없을 것 같습니다. 그러나 저는 하기로 결심을 했습니다. 굉장히 어려울 거라는 것을 각오하고 결심을 했습니다. 전 세계가 FTA 경쟁을 하고 있는 가운데 만일 일본이나 중국이 미국과의 FTA를 먼저 체결하는 상황이 됐을 때 우리 국민들의 당황스러움이나 상실감 같은 것이 상당히 클 수 있는 문제라고 생각해서 결단을 내렸습니다. 아마 앞으로 고생을 좀 할 거라고 생각합니다만, 뒤로 미룰 일이 아닙니다. 지금 모든 일에 속도경쟁을 하고 있기 때문에 FTA는 해야 합니다. 4대 보험 징수통합도 갈등이 적지 않은 문제입니다만 추진하고 있습니다.

과거사 문제도 이제 총정리를 하는 것 아닌가라고 생각합니다. 헌법 개정 발의는 정말이지 아무런 정략도 없습니다. 이번에 뒤로 미루면 다음에 또 언제 할 수 있을까, 아무리 생각해 봐도 그림이 나오지 않습니다. 아마 못할 겁니다. 지금 이렇게 좋은 시기에 정략, 정략 하는데 누가 어째서 손해를 보는 건지, 누가 어째서 이익을 보는 건지 도저히 이해할 수가 없습니다. 이해관계가 이렇게 불명확한 것도 그냥 막연하게 불안하다는 이유만으로 뒤로 미루어 버린다면 언제 다시 합의를 해서 할 수 있겠습니까, 저는 그렇게 생각합니다. 그래서 이 일을 끄집어낸 것입니다.

그 다음, 미래에 관한 문제입니다. 우리가 1984년에 출산율이 2.0 이하로 내려오기 시작했는데, 그동안 이 문제에 대해 정부도 사회도 미처 챙겨 보질 못했던 것 같습니다. 1994년에 WTO에 가입할 당시에 우리가 준비가 부족하다고 해서 무척 많이 당황했던 일이 있습니다. 1997년 경제위기도 시장개혁과 경제제도 혁신을 뒤로 미루어 왔던 결과라고 말할 수 있지 않느냐고 생각합니다. 그래서 참여정부는 일찍부터 지금 준비하지 않으면 훗날 문제가 되거나 부담이 될 만한 문제를 미리 꺼내서 과제를 설정하고 준비를 하고 있습니다.

크게 포괄적으로 보면, 혁신주도형 경제정책이라든지, 투명하고 공정한 시장, 미래 성장동력, FTA, 동반성장, 균형발전, 정부혁신, 이 모두가 미래와 관련된 것입니다. 그러나 본격적으로 미래 과제라고 할 수 있는 것은 정부혁신과 균형발전, 그리고 저출산, 고령화 대책이라고 생각합니다.

이와 같은 여러 가지 과제들을 체계적으로, 미래 과제를 모아서 종합적인 체계로 정리한 것이 다음에 말씀드릴 '2만 달러 시대의 국가발전 전략' 그리고 '비전 2030'입니다. 장기재정계획이나 국가경제발전 5개년 계획 같은 것은 많이 있었습니다만, 국가재정계획으로서 장기계획을 세운 것은 아마 이번이 처음이라고 생각합니다. 물론 자랑할 일은 아니라고 생각합니다. 이 시기쯤은 우리 정부가 그것을 당연히 해야 할 시기가 됐기 때문에 우리가 처음 했다고 자랑할 일은 아닙니다만, 어떻든 해야 할 일을 빠뜨리지 않고 해 가고 있다, 이렇게 말씀을 드리겠습니다.

그 다음은 참여정부가 '약한 정부냐 강한 정부냐, 큰 정부냐 작은 정부냐.' 이런 논란이 있을 수 있습니다. 가끔 저를 만나면 연세가 좀 드신 분들 중에는 '좀 힘이 없다. 강력하게 해라.' 주문들을 많이 하십니다. 아마 우리 사회 갈등이 많이 있고 또 그것이 보도되고 하기 때문에 그런 말씀을 하시는 것이 아닌가 생각합니다. 또 실제로 제가 출발했던 첫해에는 여당 의석이 4분의 1이 안될 때도 있었습니다. 여대 국회가 잠시 있었습니다만 1년이 채 되지를 못했습니다. 야당과 언론이 끊임없이 흔들고 있습니다. 무슨 푸념하는 것 같아서 미안합니다만 저는 사실을 말씀드리는 것입니다. 냉정하게 이건 사실입니다.

하는 일마다 여론의 역풍이 많습니다. 그러니까 힘이 있을 리가 없습니다. 이것은 대통령의 매력하고도 관계가 있을 것입니다. 대통령이 매력이 있는 사람이면 중립적 정책도 지지하는 쪽 여론이 많이 나오는데, 대통령이 밉고 매력이 없을 때는 잘 모르는 정책은 일단 반대하고 보고 중립적인 정책도 그냥 반대하는 그런 경향이 발생하는 것입니다. 이점은 제 책임이라고 생각합니다만 어떻든 힘이 약할 수밖에 없는 정부인 것은 사실입니다.

그러나 지금 보면 옛날에 힘센 정부들이 해결하지 못했던 많은 일들을 착실히 해결한 것 아닙니까, 저는 그렇게 생각합니다. 할 일은 다했습니다. 국회에 걸려 있는 몇 가지를 제외하고 중요한 과제는 거의 해결한 것이라고 생각합니다.

법치 질서 얘기를 하는데 그건 사람들의 희망은 자꾸 높아지기 때문에 그런 것이지 역대 어느 정부보다 안정돼 있습니다. 공권력도 어느 때보다도 원칙대로 일을 하고 있습니다. 대통령이 공권력 행사에 대해서 정치적으로 좀 온건하게 하라든지 또는 조금 양보하라든지 이런 얘기 하지 않습니다. 대개 자신들이 가지고 있는 원칙이나 법대로 해 가고 있습니다. 저는 공포 분위기를 조성하지도 않았고 사람을 잡아넣지도 않았습니다. 고문하고 죽이거나 이런 일은 더욱 없습니다. 그저 법에 정해진 대통령의 권한을 원칙대로 집행했을 뿐입니다. 저는 이것이 원칙의 힘이라고 생각하고, 그리고 정통성 있는 정보, 민주정부의 힘이라고 생각합니다.

저는 후보가 되기 전에 미리 힘이 좀 없어 보이는 정부가 될 거라고 예측하고 공약했습니다. 제가 '낮은 사람, 겸손한 권력, 강력한 정부' 이렇게 책에 썼습니다. 제가 정식으로 당 후보가 되기 전에 썼던 책의 서문에 보면 나와 있습니다. 아직 완료하지 못한 일은 몇 가지 있습니다만 하는 대로 또 마저 할 것입니다.

'국정에 전념하라.' 는 말을 많이 하고 '경제에 올인하라. 민생에 올인하라.' 고 합니다. 도대체 어느 나라에 국정에 전념하지 않는 대통령이 있을 수 있습니까, 경제에만 '올인'하고 교육은 덮어버릴까요, 지금 '개혁입법은 민생은 아니지만 얘기해도 좋겠다.' 고 얘기하는 세상에 그런 논법이 어디 있습니까, 민생 아닌 것이 어디 있습니까", 환경도 민생이고 사법부에서 하는 재판도 민생하고 관계가 있습니다. 우리가 돈으로만 계산하는 그런 시대에 살고 있는 것은 아니거든요. 그래서 이제 그런 충고는 안했으면 좋겠습니다. 열심히 하고 있는 사람한테 전념하라는 얘기를 계속하는 것은 조언이 아니라 그냥 상투적인 공격일 뿐입니다. 대단히 불성실한 정치공세라고 생각합니다.

성패의 관건은 변화의 속도라고 생각합니다. '남은 1년 슬슬 마무리나 해라, 욕심 부리지 마라.' 고 말씀하시는 분들이 많아서 한대 그렇게 할까 생각한 적도 있습니다. 하지만 아무리 생각할수록 일은 마지막 날까지 최선을 다해야 하는 것이 도리라는 생각이 듭니다. 끝까지 열심히 하려고 합니다. 여러분도 마지막까지 도와주시면 고맙겠습니다.

앞으로 우리에게는 새로운 전략이 필요합니다. 왜 새로운 전략이 필요하냐면 시장의 환경이 변화하고 있고 경제활동 방식이 달라지고 있기 때문입니다. 사회 변화에 대해서는 여러분이 하도 많이 들으셨기 때문에 반복하지 않아도 좋을 것 같습니다.

우리 경제의 무대가 넓어졌다는 것도 변화입니다. 세상이 변호하는 속도가 달라졌습니다. 이것도 변화이지요. 그러나 일반적인 변화 이외에 한국의 경쟁환경이 달라지고 있습니다. 한국은 올해 국민소득 2만 달러 시대를 넘어가게 될 것입니다. 결국 3만 달러 시대로 가야 하는 것이지요.

3만 달러 시대로 가는 길에는 경쟁의 상대가 달라집니다. 경쟁의 상대가 선진국이 되는 것입니다. 마라톤으로 치면 선두그룹이 되는 것이지요. 황영조 선수, 이봉주 선수가 뛰는데 처음에 뒤에 처져 가는 사람들과 뛰다가 그 사람들 앞지를 때는 금방 앞지릅니다. 중위 그룹을 앞지를 때도 시간이 얼마 걸리지 않고 한꺼번에 여러 사람씩 잡지 않습니까, 그러나 선두 그룹을 뛸 때에는 한 사람 잡는 데 한참 동안 시간이 걸립니다. 이제 우리도 마라톤으로 치면 마지막 코스에서 선두 그룹과 경쟁하는 위치에 있기 때문에 경쟁하는 상대가 다릅니다. 우리 한국의 경제발전 방식이 이전에는 보고 따라가며 배우는 방식으로 갈 수 있었지만, 이제는 보고 배울 데가 그렇게 많질 않습니다. 스스로 창조적인 머리를 가지고 남들이 시험해 보지 않은 길을 가야 합니다. 남이 가 보지 않은 길을 가야 하기 때문에 위험 부담도 크게 높아진다고 생각합니다.

따라서 우리 한국 경제도, 한국 사회의 발전도 나아가는 속도와 방법이 달라져야 한다는 것입니다. 이런 상황에서 우리 한국은 또 선진국이 갖지 않은 특별한 약점을 가지고 있습니다. 그 약점을 우리가 극복하는 것이 필요합니다.

예를 들면 양극화 문제가 심각합니다. 또 복지수준이 매우 낮고 소위 사회적 자본이라고 하는 사회적 자산도 매우 낮습니다. 이런 것이 선진국이 갖지 않은 약점이기 때문에 극복해야 하는 것입니다. 특히 신뢰와 통합의 수준이 좀 낮은 편이지요. 스위스 국제경영개발원(IMD) 발표에 따르면 법,질서 준수나 사회 응집력 등 우리나라의 사회적 자본 지표가 2006년 세계 48위로 나오고 있습니다. 이런 것을 높여야 한다는 것입니다. 그 외에 한국사회가 부닥치고 있는 새로운 도전이 있습니다. 저출산과 인적자본의 감소, 고령화 시대 등입니다.

어떤 전략이 필요하냐면 새로운 세계와 시대의 변화에 대응하는 전략으로 혁신, 자유롭고 공정한 시장, 더 넓은 시장, 사회적 자본과 민주주의, 이런 것들을 갖추고 확충해 나가는 것이 필요합니다. 한국의 약점을 보완하는 전략으로 함께 가는 복지사회, 균형발전과 같은 전략이 필요할 것입니다. 아울러 새로운 도전에 대응하는 전략으로 저출산, 고령화 대책 같은 것을 말할 수 있을 것입니다. 차례대로 말씀을 드리겠습니다.

혁신, 이 문제는 따로 말씀드리지 않아도 여러분이 잘 알고 계실 것입니다. 기업도 혁신해야 하고 정부도 혁신해야 하고, 또 그 외의 공적,

사적인 많은 부분의 조직들이 다 혁신해야 합니다. 사회, 문화도 혁신해야 하는 것이고요. 정부혁신에 대해서는 참여정부가 각별히 역점을 두고 노력하고 있습니다.

두 번째로 자유롭고 공정한 시장입니다. 자유로운 시장이 필요한 이유는 자유로운 경쟁이 창의를 자극하고 생산성을 높인다는 것이지요. 관치경제를 해소하고 민영화, 규제완화, 노동의 유연화가 필요합니다. 그 다음에 각종 정부의 지원과 보조정책은 시장친화적인 방법으로 바뀌어 가야 한다는 것입니다.

공정한 시장은 모두에게 자유로운 시장입니다. 강자의 자유, 독점의 자유는 모두에게 공정한 자유가 아니기 때문에 그건 자유로운 시장이 아니라고 말할 수 있습니다. 그래서 공정한 경쟁, 투명한 시장, 그리고 투명한 기업, 합리적이고 공정한 지배구조가 요구되고 있습니다.

자유롭고 공정한 시장에 대한 저항이 있습니다. 아주 당연한 이치인 것 같지만 우리 사회는 아직도 자유롭고 공정한 시장에 대한 저항이 있습니다. 출자총액제한제도, 그리고 공정거래제도에 대해서 끊임없이 문제를 제기하고 정부를 비판하는 분들이 있습니다. 일반적으로 시장주의, 말만 하면 시장원리를 말씀하시는 분들이 꼭 출총제 문제하고 공정거래위원회의 감독 행위에 대해서는 반대하는 것을 보면 시장경제에 대한 인식이 조금 다른 것 아닌가 생각하는데, 그것은 참여정부의 인식이 옳다고 생각합니다.

또 어떤 분들은 자꾸 '법으로 고용을 보장하라'고 하고, '나는 평가받지 않겠다' 이렇게 주장하는 사람들도 있습니다. 물론 상품이 아닌데 왜 평가를 받느냐 하겠지만 지금은 보기에 따라 우리가 제공하고 있는 모든 용역, 심지어는 정부용역까지도 상품적 성격을 지니고 있기 때문에 이제는 평가를 받아야 합니다. 그리고 항상 경쟁할 수 있는 구조를 만들어 가야 된다고 생각합니다.

그 다음에는 더 넓은 시장입니다. 소비와 투자가 활발한 시장, 그리고 국외로 보다 열려진 시장, 개방을 말하는 것입니다. 언론인이나 학자 등 많은 사람들이 TV에 나와서 소비와 투자를 진작시키라고 정부에 권고합니다. 그런데 저희도 여러 가지 노력을 하고 있습니다. TV에서 말씀하시니까 물어볼 수가 없는데, 어떻게 하면 소비가 진작되는지 그걸 가르쳐 주셔야지, 소비가 진작되는 방법은 안 가르쳐 주시고 자꾸만 '소비를 진작해야 되는데 참여정부가 안한다.' 고 말씀하시니 좀 섭섭했습니다. 투자를 활발하게 만들어야 된다는데 그거 안하고 싶은 사람 어디 있겠습니까, 어떻게 하면 투자가 활발해지냐 하는 것이죠. 그리고 외환위기 이전에 소위 '묻지마 대출'이나 '묻지마 투자'처럼 청와대에 말하면 돈 빌려주던 시대하고 지금의 투자하고는 투자 분위기가 많이 달라진 것도 고려해야 하는 것 아니냐고 생각합니다.

한국의 진보세력에 대해서 저는 개방을 좀 깊이 생각해 주시면 좋겠다고 말씀드리고 싶습니다. 세계의 대세일 뿐만 아니라 세계의 어떤 문명도 교류하지 않은 문명이 성공한 일은 없습니다. 교류한 문명은 성공한 문명도 있고 패배한 문명도 있지만, 교류하지 않은 문명은 접부 다 쇠퇴하고 말았습니다. 지난날 우리 한국의 개방은 모두 성공했다고 말씀드릴 수 있고, 그것은 우리 국민의 우수성, 역량의 우수함이라고 생각합니다. 이제 더 이상 개방은 이념의 문제가 아니라고 말씀드리고 싶습니다.

　다음은 사회적 자본과 민주주의입니다. 보통 사회적 자본이라고 할 때 저는 신뢰와 통합성이라고 생각합니다. 원칙이 바로 선 사회, 신뢰가 바로 선 대화, 대화와 타협으로 합리적으로 문제를 풀어가는 사회, 그런 것이라고 생각합니다. 이 부분에 있어서는 민주주의와 관련된 것이기 때문에 생략하고 넘어가겠습니다.

　그 다음에는 함께 가는 복지사회입니다. 쾌적한 환경과 안정된 주택에서 문화와 여유를 누리는 나라, 자녀 교육, 질병과 노후에 대한 불안이 없는 나라, 건강하고 밝게 자라면서 좋은 교육을 받을 수 있고, 일자리는 구하기 쉽고, 실업과 고용 지원, 직업훈련, 평생교육이 잘 정비되어 있어서 모두에게 능력향상을 통한 성취의 기회가 열려 있는 나라가 좋은 나라이고 경쟁력이 있는 나라이고 지속적으로 발전할 수 있는 나라라고 저는 생각합니다.

　이를 위한 지출을 과거에는 복지지출이라고 말했습니다. 자꾸만 성장과 분배를 이분법적으로 나눠 왔는데, 대개 1998년 이후 세계적 경향은 '복지지출은 지출이 아니고 투자다.' 그리고 '성장과 복지는 따로 가는 것이 아니라 복지야말로 성장을 위한 인적자본의 확충이다.' 라고 하면서 경제정책과 사회정책을 통합적으로 설명해 나가는 논리가 강화되고 있습니다. 실제로 맞는 것이라고 생각합니다.

　참여정부에서 「동반성장을 위한 새로운 전략과 비전」이라고 하는 경제정책의 지침서가 나와 있고 사회투자전략과 사회문화 비전이 나와 있는데, 모두 이 두 가지의 관계를 동시적으로 설명하고 있습니다. 경제정책을 설명하면서 사회정책을 항상 함께 설명하고 있고, 사회정책을 설명하면서 경제정책의 원리가 변화하는 것을 설명하고 있습니다 아마 조금 뒤에 수석들도 그런 관점에서 말씀하시게 될 것이라고 생각합니다.

또 하나 우리가 눈여겨볼 것이 있습니다. 우리나라의 소득재분배입니다. 재정이 분배에 기여하는 정도를 찬찬히 보실 필요가 있습니다. 예를 들면서 스웨덴 같은 경우 시장소득 지니계수, 말하자면 재정이 개입하기 이전의 지니계수가 0.439로 우리나라의 0.331보다 훨씬 높은데, 재정 작용 후에 가처분 소득 지니계수는 0.230입니다. 우리는 재정작용이 있고 나서도 0.301에 불과합니다. 스웨덴 같은 나라는 재정이 40% 정도의 소득 재분배에 기여를 하고 있습니다. 재정 규모가 아니라 소득 격차를 시정하는 효과가 40% 정도 된다는 말씀입니다. 그런데 우리 한국의 경우에는 그것이 2005년 6.6%까지밖에 못 갔습니다. 2007년에는 더 나아졌는지 모르겠습니다만, 현실은 그렇습니다.

그동안 참여정부에서 복지지출이 얼마만큼 늘어났고 경제지출과 복지지출 비율이 어떻게 변화했는지를 5공, 6공, 문민정부, 국민의 정부와 비교해 보면 참여정부가 무엇을 하는 정부라는 데 대한 설명을 하실 수 있을 것입니다. 진보 진영에 있는 분들의 불만이 많긴 하지만, 우리가 복지예산 같은 것을 대단히 빠른 속도로 늘려가고 있다고 말씀드릴 수 있을 것입니다.

균형발전을 수도권의 질적 발전과 경쟁력 있는 지방을 만들고자 하는 것이고 제가 설명드리지 않아도 잘 아실 것입니다.

그 다음에 인적자본을 확충하고 효율적으로 관리해야 합니다. 이 점에 있어서 보육정책, 직업교육, 평생교육, 고용지원 등 적극적 노동시장정책이 필요합니다. 외국인정책 등은 또 말씀드리겠습니다만, 이런 정책들을 다 모으고 소위 사회투자와 사회적 자본 확충 같은 것을 가지고 장기적인 경제성장 전략을 만들어 나가자, 지속적인 발전을 위해서는 경제정책만으로 되는 것이 아니라 경제를 둘러싼 환경을 개선하는 정책이 필요하다는 전제를 가지고 만든 것이 '비전 2030'입니다.

여러 가지 문제들을 많이 가지고 있습니다만 앞으로 약 20년 내지 30년 동안에는 조금 전에 제가 말씀드렸던 것이 우리 사회의 주제가 되어야 한다고 생각합니다. 정부의 역할로 생각해 보면 성장은 기업 쪽이 주도하는 것입니다. 정부는 도와주는 것이지요. 사회투자와 사회적 자본이 정부의 역할로 오히려 더 중요합니다. 정부가 주도할 수밖에 없는 정책의 영역입니다. 그런 점에서도 정부의 역할에 대해 새로운 시각을 가져야 한다고 생각합니다.

근래 와서 '민주세력이 무능하다.'는 논의들이 있습니다. 어떤 사람들이 그 말을 하는가 하면 이른바 수구진영, 수구세력이라고 하는 사람들이 그런 말을 많이 하지요. 그런데 민주주의를 위해서 노력한다고 하는 사람들도 민주세력이 무능하다는 얘기를 합니다.

한쪽에서는 진보적 관점을 가지고 지금까지 문민정부, 국민의 정부, 참여정부가 진보적 정책에 있어서 해놓은 것이 없다, 국민 생활상의 요구를 충족시키질 못했다고 말씀하시는 분들이 계시고, 그냥 실용적 관점에서 먹고사는 문제는 무능했다고 고백처럼 말씀하시는 분도 계십니다.

또 지난번 선거를 해석하면서 국민은 깨끗하지만 무능한 진보보다는 부패하지만 유능하다고 믿는 보수를 선택한 것이라는 해석을 내리는 학자들도 있습니다. 이것은 대단히 위험한 이론이기 때문에 과연 그런지에 대해 꼭 말씀드리고 싶습니다.

이 얘기를 할 때는 누가 민주세력인가 하는 범주에 대해서 연구해 봐야 될 것입니다. 일일이 설명하지 않더라도 4·19 세대, 6·3 세대도 있고, 그 다음에 긴급조체 세대도 있고, 1980년 5·18, 1987년으로 이어 내려옵니다.

무능하다는 기준이 무엇인지도 생각해 봐야 합니다. 절대적으로 무능하다는 뜻인지, 누구누구와 비교해서 무능하다는 것인지를 고려해 봐야겠다는 것이지요. 과거의 군사정권과 비교해서 무능하다는 뜻인지, 다른 나라 정부나 다른 나라 민주세력에 비해서 한국의 민주세력이 무능하다는 말씀인지도 곰곰이 생각해야 할 필요가 있다는 것입니다.

한국의 민주주의와 경제발전 속도는 전 세계 사람들이 경의의 눈으로 바라보고 있습니다. 제가 외국에 가서 외국의 지도자들을 만나면 저도 모르게 목에 힘이 들어갑니다. 그만큼 우리 한국의 민주주의와 경제가 칭송을 받고 있는데, 왜 우리 한국의 민주세력이 무능력하다고 하는 것인지 의아스럽습니다.

이것이 다 1987년 이전에 이루어진 것이냐 하면, 민주주의라는 관점에서는 더 이상 말할 필요가 없는 것입니다. 경제에 있어서도 성장률, 수출, 물가, 실업률 지표를 가지고 1987년 이전과 1987년 이후를 비교해 보자는 것이지요. 1987년 이후 노태우 정부에 대해 의문을 제기하기도 하겠지만 노태우 대통령 시절은 민주세력이 개혁을 주도했던 시기입니다. 정권은 놓쳤지만 그 시기 개혁은 민주세력이 주도해 왔던 시기라고 말할 수 있습니다.

　성장잠재력 측면에 있어서 1990년 이후와 이전, 어느 쪽의 성장이 빠르냐를 비교해 보자는 것입니다. 예를 들면 과학기술 경쟁력, 산업 경쟁력, 정보통신 산업의 경쟁력이 언제 그 토대가 놓인 것인지, 오늘날 한류라고 말하는 문화산업의 경쟁력이 민주주의 없이 과연 가능했겠는지를 생각해 보자는 것이죠. 요소투입형 경제에서 지금 혁신주도형 경제로, 산업화 시대에서 지식기반 경제로 등등 많은 체질변화가 모두 1987년 이후에 순조롭게 빠른 속도로 진행되고 있습니다. 1987년 6월 항쟁과 6·29가 없었더라면 양극화 문제는 아마 그 이전에 심각하게 터졌을 것입니다. 아니면 우리 경제가 전혀 혁신할 생각도 못하고 저임금 노동집약형 경제구조로 그냥 주저앉아 있었을 가능성도 있는 것입니다.

　사회복지, 사회투자, 환경, 문화 모든 영역에서, 그리고 외교, 안보에 있어서 한국의 위상이 외국에 비해 떨어졌습니까, 외국에 나가 보니까 민주주의 지도자라고 '노 대통령이 인권 변호사 출신이라는 것을 잘 알고 있다. 우리는 당신을 아주 존경한다'고 저를 칭찬하는데 기분이 좋아지더라구요. 말하자면 민주주의 지도자가 대우를 받는 거지요. 우리나라가 노벨 평화상을 받은 나라지 않습니까, 유엔 사무총장을 냈고 추기경도 한 분 더 나왔습니다. 그런데 우리나라에서는 노벨상을 받아도 '당신, 돈 주고 샀냐,' 이렇게 비아냥거리고 깎아내리니까 정당한 평가가 될 수 없지요.

이행 과정에 있어서 갈등과 혼란이 적지 않았습니다만, 이것은 어느 나라나 사회 변동 과정에서 겪는 보편적 현상이라고 생각합니다. 그런데 왜 민주세력이 스스로 무능하다고 느낄까를 생각해 보았습니다. 1987년 우리 민주주의가 승리하고 선거로서 마지막 승리를 굳히고 그 이후에 본격적인 개혁이 이루어져야 될 시기에 대통령 선거에서 좌절해 버렸습니다. 그것은 분열로 인한 좌절입니다. 그 결과로서 주도세력이 공고하게 구축되지 못하고, 그 당시 개혁의 주도권을 확보하지 못했습니다. 그 이후에도 주도권이나 주도세력이 확고하게 바로서지를 못했습니다. 당연히 그 반대 현상으로서 수구집단에게 힘을 실어 주었지요. 아직도 분열은 극복되지 않았고 민주진영 내부에서도 작은 차이들을 가지고 많이 싸우고 있습니다.

여기에 절대로 무시해서는 안되는 것이 정부보다 더 막강한 수구 언론입니다. 신문시장의 80% 이상을 차지하면서 언론의 흐름을 주도해 나가고 있는 노련한 프로들이 있지 않습니까, 1987년 대통령 선거에서 민주진영이 이기지 못했기 때문에 심리적으로 제압하지 못한 것이거든요. 다른 방법으로 제압할 수 있는 것이 아니고. 심리적으로 역전시키기 못했기 때문에 그들이 정치권력을 지금 행사하고 있는 것입니다. 이걸 전혀 변수로 생각하지 않았는데, 이런 환경을 놓고 생각하면 우리나라 민주세력들, 정말 상 많이 받아야 됩니다. 열심히 잘해 왔고 앞으로도 잘할 것입니다.

남은 기간 얼마 안되지만 열심히 하겠습니다. 여기 오신 분들만 해도 숫자가 많지 않습니까, 열심히 좀 도와주십시오. 최선을 다할 것입니다. 누가 정권을 잡느냐의 문제가 아니라 제가 오늘 새로운 전략이라고 말씀드린 사회투자, 사회적 자본, 동반성장, 균형발전과 같은 주제들이 올바로 우리 사회에 의제화되고 그것이 정부정책으로 채택돼서 우리 사회가 부닥쳐 있고 극복하지 못하고 있는 많은 문제들을 극복할 수 있도록 해야 합니다. 저는 그것을 중요하게 생각하고 있습니다. 다음 정권에서도 이런 것들이 제대로 논의돼야 합니다.

여러분, 잘 부탁합니다. 감사합니다.

대통령 노무현의 4년 : 서민과 함께한 이 시대의 바보 대통령 노무현

초판 1쇄 펴낸 날 2019년 6월 24일

엮은이   편집부
펴낸이   장영재
펴낸곳   (주)미르북컴퍼니
자회사   더휴먼
전   화   02)3141-4421
팩   스   02)3141-4428
등   록   2012년 3월 16일(제313-2012-81호)
주   소   서울시 마포구 성미산로32길 12, 2층 (우 03983)
E-mail   sanhonjinju@naver.com
카   페   cafe.naver.com/mirbookcompany